Éva Bouchard.
La légende de Maria Chapdelaine
de Marcelle Racine
est le sept cent soixante-cinquième ouvrage
publié chez
VLB ÉDITEUR.

La collection « Roman »
est dirigée par Jean-Yves Soucy.

NOTE DE L'AUTEURE

En dehors des textes auxquels il est fait référence, j'ai puisé mes informations dans les nombreux souvenirs que m'ont rapportés ceux qui ont connu, d'une manière ou d'une autre, Éva Bouchard. Certains documents historiques s'étant par ailleurs révélés contradictoires, j'ai parfois eu à faire des choix. Mais mon but premier a toujours été de recréer le plus fidèlement possible le portrait de cette femme ordinaire, dont le destin a été marqué par le séjour en terre québécoise de Louis Hémon, l'auteur de *Maria Chapdelaine*.

Pour le reste, ayant choisi de faire de ce récit un roman, je me suis laissé guider par mes personnages. Voici où ils m'ont menée...

VLB éditeur bénéficie du soutien de la Société de développement des entreprises culturelles du Québec (SODEC) pour son programme d'édition.

Gouvernement du Québec – Programme de crédit d'impôt pour l'édition de livres – Gestion SODEC.

Nous reconnaissons l'aide financière du gouvernement du Canada par l'entremise du Programme d'aide au développement de l'industrie de l'édition (PADIÉ) pour nos activités d'édition.

Nous remercions le Conseil des Arts du Canada de l'aide accordée à notre programme de publication.

ÉVA BOUCHARD

La légende de Maria Chapdelaine

DE LA MÊME AUTEURE

Le jeu des mots, Les Éditions À mains nues, Pintendre, 1983.
Re-Naissance, Les Éditions À mains nues, Pintendre, 1983.

Marcelle Racine

ÉVA BOUCHARD
La légende de Maria Chapdelaine

roman

vlb éditeur

VLB ÉDITEUR
Une division du groupe Ville-Marie Littérature
1010, rue de La Gauchetière Est
Montréal (Québec) H2L 2N5
Tél. : (514) 523-1182
Téléc. : (514) 282-7530
Courriel : vml@sogides.com

Conception de la couverture : Julie Gauthier
Photo de la couverture : Éva Bouchard (Collection privée de l'auteure)

Catalogage avant publication de la Bibliothèque nationale du Canada

Racine, Marcelle, 1948-

Éva Bouchard : la légende de Maria Chapdelaine

(Roman)

ISBN 2-89005-826-3

I. Titre.

PS8635.A24E92 2004 C843'.6 C2004-940208-0
PS9635.A24E92 2004

DISTRIBUTEURS EXCLUSIFS :

- Pour le Québec, le Canada et les États-Unis :
LES MESSAGERIES ADP*
955, rue Amherst
Montréal (Québec) H2L 3K4
Tél. : (514) 523-1182
Téléc. : (514) 939-0406
*Filiale de Sogides ltée

- Pour la France et la Belgique :
Librairie du Québec / DNM
30, rue Gay-Lussac
75005 Paris
Tél. : 01 43 54 49 02
Téléc. : 01 43 54 39 15
Courriel : liquebec@noos.fr
Site Internet : www.quebec.libriszone.com

- Pour la Suisse :
TRANSAT SA
C.P. 3625, 1211 Genève 3
Tél. : 022 342 77 40
Téléc. : 022 343 46 46
Courriel : transat-diff@slatkine.com

Pour en savoir davantage sur nos publications,
visitez notre site : **www.edvlb.com**
Autres sites à visiter : www.edhexagone.com • www.edtypo.com
www.edjour.com • www.edhomme.com • www.edutilis.com

Dépôt légal : 1er trimestre 2004
Bibliothèque nationale du Québec
Bibliothèque nationale du Canada

ISBN 2-89005-826-3

REMERCIEMENTS

Ce livre est le fruit d'une recherche étalée sur plusieurs années, et à laquelle ont participé plusieurs personnes. Certains faisaient déjà partie de mon entourage, alors que d'autres, qui étaient jusque-là de parfaits inconnus, ont généreusement accepté de se joindre à moi dans cette folle aventure. Chacun d'entre eux a contribué à sa façon à faire de ce livre ce qu'il est devenu. Mes remerciements les plus chaleureux vont à :

Mme Jeannette Bouchard, M. René Bouchard, Mme Janine Robitaille-Bouchard, Mme Sonia Bouchard ; Mme Lynn Boisselle, directrice du Musée Louis-Hémon de 1993 à 1998 ; M. Aurélien Boivin, professeur de littérature à l'Université Laval et spécialiste de l'œuvre de Louis Hémon ; le père Marcel Provost, de Lac-Bouchette ; M. Michel Dumais de la Société historique de la Côte-du-Sud ; sœur Rita Toutant, secrétaire générale, sœurs Yolande Branchaud et Irène Gelly, Sœurs missionnaires Notre-Dame d'Afrique ; sœur Irène-Marie Fortin, archiviste, les Ursulines, Roberval ; M. André Garant, professeur d'histoire à Beauceville et auteur ; M. Simon Couture, les Orgues Casavant, Saint-Hyacinthe ; M. Roger Gagnon, employé du Château Frontenac ; Mme Zoé Boivin-Fournier, Chicoutimi ; Dr Jacques Gaudreau, médecin ; M. Jocelyn Landry, ornithologue ; M. Emmanuel Caron, biologiste ; Mme Marie de

Launière, M. Georges-Arthur Boivin et Mme Thérèse Hudon, résidants de Péribonka.

Un merci tout spécial à mes enfants Maude-Esther et Jonathan pour leurs encouragements assidus, ainsi qu'à Raymond, qui m'a soutenue à chaque instant de ce long périple.

À Jeannette et René Bouchard,
fille et fils de Gustave.

« Maria Chapdelaine » meurt à Chicoutimi.

La célèbre héroïne de Maria Chapdelaine, *Éva Bouchard, qui a servi d'inspiration à Louis Hémon dans son roman canadien bien connu, est morte à l'âge de 64 ans, samedi, à Chicoutimi*[1]*...*

I

Le voyageur

Perspectives, 8 juillet 1975.

Louis Hémon en 1912, à l'époque où il travaillait à la construction de la voie ferrée Chicoutimi–Saint-Félicien.

1912

L'étranger s'arrête et secoue ses habits. Il sourit de contentement : déjà entraînées à la marche par sa récente excursion depuis Roberval, ses bonnes jambes ne ressentent pas le trajet de dix-huit milles parcouru le matin. À son départ de Mistassini, à l'aube, les Trappistes lui ont expliqué que Péribonka est un poste important, relié quotidiennement à Roberval par bateau, pendant la saison chaude.

Deux magasins se font face à l'entrée du village. Des rires d'enfants fusent à tout moment du bord de la rivière, d'où monte un peu d'air frais malgré la lourde chaleur de midi. Une odeur de pain chaud attise bientôt sa curiosité. L'homme s'avance et aperçoit un écriteau sur la gauche : ÉDOUARD FOURNIER – BOULANGER – MAISON DE PENSION. Il se laisse aller à rêver de bons repas et d'une chambre confortable pour la période de répit qu'il a prévu s'accorder au bout de cette longue expédition qui lui a fait quitter Montréal deux semaines plus tôt. Une pause de quelques jours pendant laquelle il pourra faire le tour du village sans se presser, explorer à sa guise et, finalement, prendre une décision.

Une dame légèrement claudicante se présente à la porte tout en asséchant ses mains dans son tablier. Elle hésite d'abord un instant devant cet homme poussiéreux qui demande à être logé. Puis, indiquant le jardin derrière la maison, lui suggère d'y rejoindre son mari.

Édouard Fournier, occupé à repiquer des plants de tomates, se tourne en entendant arriver l'étranger, qui réitère aussitôt sa demande. Le propriétaire se redresse alors lentement, essayant de jauger discrètement ce jeune Français, fort courtois certes, mais de tenue passablement négligée.

– Je suis venu par la route, explique l'inconnu en indiquant ses vêtements. J'espère ne pas avoir trop effrayé votre femme ! ajoute-t-il en souriant.

Édouard Fournier sourit à son tour, déjà rassuré.

– Vous serez mon premier pensionnaire à la semaine, annonce-t-il joyeusement.

– Je ne crois pas rester plus de trois ou quatre jours, prévient le nouveau venu.

Ignorant cette remarque, Édouard Fournier entraîne le jeune homme vers la maison.

– Venez que je demande à ma femme de vous montrer votre chambre, monsieur…

– Hémon, Louis Hémon.

Au moment de quitter le jardin, le pensionnaire pose un regard amusé sur les plants de tomates.

– Croyez-vous qu'elles auront le temps de mûrir avant le gel ? interroge-t-il en les désignant d'un mouvement de la tête. D'après ce qu'on m'a dit de votre climat…

Cette fois, Édouard Fournier rit de bon cœur.

– Pour tout vous dire, ça me surprendrait ! Je pense que le 29 juin, c'est un peu tard, vous avez probablement raison. Mais voyez-vous, mon père avait une terre à Sainte-Louise-de-L'Islet, et il nous a touttes emmenés vivre en ville, aux États, quand j'avais neuf ans. C'est là que j'ai vécu et que je me suis marié. Puis comme ma femme avait encore de la famille dans la région, on a décidé de s'en venir rester au Lac-Saint-Jean l'année passée. Ça fait que vous pouvez vous imaginer que j'ai pas une grande expérience de la terre, ajoute-t-il avec un sourire complice.

L'étranger sait déjà qu'il se plaira chez les Fournier.

*

Mme Fournier constate qu'il manque un nécessaire de toilette dans la chambre qu'elle a assignée à M. Hémon. « Ça fait rien qu'un mois qu'on est installés », s'excuse-t-elle, avant de courir de son pas inégal au magasin d'Ulric Hébert, son frère, juste à côté.

Une fois dépoussiéré, débarbouillé, Louis Hémon déguste avec plaisir les galettes et le thé offerts par Mme Fournier, puis demande la permission de s'asseoir sur la galerie. Voisin des magasins Hébert et Desjardins, ce poste d'observation lui semble d'emblée intéressant, d'autant plus que le quai, situé à proximité, devrait bientôt accueillir les premiers bateaux de la saison, selon M. Fournier.

En face, la rivière Péribonka, dans son apparente quiétude, devient peu à peu le lac Saint-Jean. C'est bien de cette région que l'abbé Leventoux, cet autre Breton rencontré sur le *Virginian* lors de la traversée Liverpool-Québec, avait tant vanté les ressources colonisatrices : « Vous y retrouverez l'âme française presque inaltérée », avait alors affirmé le volubile religieux.

Cette « âme française », en effet, a déjà été en partie révélée à Louis Hémon, et ce, dès ses premiers pas en terre canadienne. Plus précisément à travers les ruelles du vieux Québec et au marché Champlain, qui lui ont d'ailleurs inspiré quelques articles, quelques jours après son arrivée. Aussitôt expédiés au journal parisien *La Patrie* à partir de l'Hôtel Blanchard où il logeait alors, ces textes auraient, selon le rédacteur en chef, fort intéressé les lecteurs français.

Sur le steamer qui va de Liverpool à Québec, steamer appartenant à une Compagnie anglaise et chargé de passagers presque tous anglais, [...] le Canada français et la race qui l'habite ne paraissent être que des entités de second plan dont le rôle est fini, falotes, vieillottes, confites dans le passé.

Sur le pont des passagers s'interrogent : « Allez-vous loin dans l'Ouest ? » « En avez-vous pour longtemps encore après Montréal ? » Et toutes les réponses se ressemblent : « Pour longtemps ? Oh ! Cinq jours de chemin de fer environ ! » « Où je vais ? Calgary ! – Edmonton ! – Vancouver ! »

Pour eux Québec n'est que le porche aux sculptures archaïques par où il faut passer pour déboucher dans la rudesse des pays nouveaux, du vrai Canada, du Canada qui compte. Ils n'ont à l'esprit et à la bouche que des strophes de la grande épopée de l'Ouest. – Les villes solides et prospères là où il n'y avait pas cinq huttes voilà dix ans ! – Tant de boisseaux de blé produits cette année par des terres défrichées de la veille ! – Cent mines déjà prêtes et qui n'attendent que le passage de la voie ferrée pour dégorger leurs métaux !

Le navire remonte le Saint-Laurent, arrive en vue de Québec. L'on commence à distinguer l'amoncellement que forment au pied de l'ancienne forteresse les maisons anciennes des ruelles de la Ville-Basse : des clochers s'élèvent çà et là parmi les toits ; quand le navire s'amarre des portefaix qui viennent à bord montrent sous les feutres mous des Américains de l'Ouest de bonnes figures moustachues de France. Les passagers se pressent aux bastingages et regardent tout cela avec une curiosité amusée, et même ceux d'entre eux qui sont canadiens ne voient guère dans cet accueil de Québec qu'une sorte de spectacle qui ne les touche pas de très près ; une pantomime d'une troupe étrangère dans un décor étranger.

Aux questions que leur posent des compagnons de voyage qui voient Québec pour la première fois ils répondent avec une nuance de dédain : « Oui ! C'est une ville assez curieuse ! Une vieille ville ! Une ville française : tout y est français... » Et ils se hâtent de gagner le train qui les emportera vers leur Canada à eux, loin de cette enclave étrangère.

Mais ce train [...] traversera Montréal, une ville de cinq cent mille habitants qui malgré tout est encore française plus qu'à moitié ; il retrouvera à travers tout le Canada et jusqu'à Edmonton et

Vancouver, aux portes du Pacifique, des groupes clairsemés mais vivaces de Canadiens français qui restent Canadiens français intégralement, même dans leur isolement, et le resteront. Et la fécondité de cette race est telle qu'elle maintient ses positions bien qu'elle ne reçoive, elle, qu'une immigration insignifiante. Sa force de résistance à tout changement – aussi bien à ceux qui américanisent qu'à ceux qui anglicisent – est telle qu'elle se maintient intacte et pure de génération en génération.

Toute cette partie de son territoire qui reste encore à défricher et à exploiter, elle manifeste sa volonté de la défricher et de l'exploiter elle-même. En face des hordes étrangères qui arrivent chaque année plus nombreuses, elle ne marque aucun recul.

Le voyageur venant de France qui sait cela et qui en errant dans les rues de Québec songe à cette volonté inlassable de se maintenir, regarde autour de lui avec une acuité d'attention qui lui semble presque un devoir. Et tout ce qu'il aperçoit l'émeut : les rues étroites et tortueuses qui n'entendent sacrifier en rien à l'idéal rectiligne d'un continent neuf ; les noms qui s'étalent au front des magasins et qui paraissent plus intimement et plus uniformément français que ceux de France, comme s'ils étaient issus du terroir à une époque où la race était plus pure : Labelle, Gagnon, Lagacé, Paradis… ; les curieuses calèches qui sillonnent les rues et rappellent certains véhicules désuets qui agonisent encore sur les pavés de petites sous-préfectures.

Le passant regarde le nom des rues : rue Saint-Joseph ; rue Sous-le-Fort ; Côte de la Montagne, et il se souvient tout à coup avec un sursaut que c'est la courbe immense du Saint-Laurent qui ferme l'horizon et non le cours sinueux d'une petite rivière de France. Il entend autour de lui le doux parler français, et se voit obligé de se répéter à lui-même incessamment, pour ne pas l'oublier, qu'il est au cœur d'une colonie britannique. Il voit sur la figure de chaque homme, de chaque femme qu'il croise le sceau qui proclame qu'ils sont de la même race que lui et un geste soudain, une expression, un détail de toilette ou de maintien fait naître à chaque instant en lui un sens aigu de la parenté. Le sentiment qui englobe tous les autres et qui lui vient à la longue est une reconnaissance profonde envers cette race qui, en se maintenant intégralement semblable à elle-même à travers les générations, a réconforté la nation dont elle était issue et étonné le reste du monde : cette race qui loin de s'affaiblir et de dégénérer semble montrer de décade en décade plus de force inépuisable et d'éternelle jeunesse en face des éléments jeunes et forts qui l'enserrent et voudraient la réduire.

Les troupeaux d'immigrants anglais, hongrois, scandinaves peuvent arriver à la file dans le Saint-Laurent pour aller se fondre en un peuple dans le gigantesque creuset de l'Ouest. L'ombre du trône britannique peut s'étendre sur ce pays qui lui appartient au moins de nom. Les plaines du Manitoba, de la Saskatchewan et de l'Alberta peuvent faire croître de leurs sucs nourriciers une race neuve et hardie qui parlera au nom du Canada tout entier et prétendra choisir et dicter son destin — Québec n'en a cure !

Québec regarde du haut de sa colline passer les hordes sans l'ombre d'envie et sans l'ombre de crainte. Québec reçoit les messages royaux avec une tolérance courtoise. Québec sait que rien au monde ne pourra bouleverser le jardin à la française qu'elle a créé pieusement sur le sol fruste de l'Amérique, et que toutes les convulsions du continent nouveau ne sauraient troubler la paix profonde et douce que les Français d'autrefois, ses fondateurs, ont dû emporter du pays de France comme un secret dérobé[2].

Le jeune chroniqueur français quitte son siège et s'avance lentement sur la route sablonneuse. À gauche s'alignent docilement, les uns après les autres, les toits mansardés des maisons de ferme silencieuses à cette heure. À droite, sous la nappe lisse et tranquille, il surprend la rivière à manifester des sautes d'humeur qu'il ne lui aurait pas soupçonnées. Cette idée d'une vie ardente, bouillonnante, dissimulée sous une surface faussement paisible, le séduit. Il décide alors que c'est à Péribonka qu'il cherchera du travail, que c'est là qu'il campera le récit que depuis si longtemps il rêve d'écrire.

*

– Y'a Samuel Bédard, un petit cousin de ma femme, qui a besoin de bons bras pour construire une grange, déclare

Édouard Fournier. Il devrait être prêt à commencer d'icitte une ou deux semaines.

Construire une grange… Louis Hémon sourit à l'idée de se voir partager le travail d'ouvriers d'expérience, lui qui n'a jamais tenu un marteau de sa vie. Il mémorise machinalement le nom de l'homme, tout en se promettant bien de trouver autre chose.

Mme Fournier se révèle une excellente cuisinière. Quant à son mari, il ne se fait pas prier pour répondre aux nombreuses questions de leur pensionnaire, qui parvient habilement, pour sa part, à esquiver celles de son hôte. Le soir même de son arrivée, Édouard Fournier et sa femme décident d'inviter le jeune homme à se joindre à eux le lendemain matin, à la messe de six heures et demie.

Le banc des Fournier, situé à l'arrière de l'église, près de la porte, assure à l'étranger un premier contact anonyme et discret avec la population de Péribonka. Les gens entrent en regardant droit devant eux, recueillis ; il peut les examiner à sa guise. Il reconnaît déjà quelques visages entrevus la veille, et s'étonne des contrastes qui opposent les sévères habits de semaine aux tenues soignées, parfois même coquettes, de ce dimanche matin. L'*Ite missa est* prononcé, il quitte l'église pour se réfugier près d'un arbre au bord de l'écore, d'où il pourra observer discrètement les paroissiens dès la sortie de la messe.

*

Ayant d'abord rencontré le commis voyageur à la fromagerie de Georges Tremblay et plus tard à la pension Fournier, Louis Hémon devine que cet intarissable bavard peut devenir une intéressante source de renseignements. Il accepte donc de partager avec lui la voiture qui le ramène à

Roberval. Ce jeudi 4 juillet, il s'enregistre à l'Hôtel commercial, qu'il connaît déjà pour y avoir séjourné la semaine précédente. Puis il projette de s'acheter de nouveaux vêtements le jour suivant et de profiter, dès le surlendemain, du premier traversier de la saison pour retourner à Péribonka.

Dès lors, il se mettra à la recherche d'un travail qui lui permettra de s'installer pour quelques mois. Car il compte bien arriver à comprendre les motivations profondes de ces pionniers, de ces défricheurs qui s'acharnent à vouloir dompter un territoire trop souvent hostile, et ce, dans un climat la plupart du temps défavorable. L'intrigue de son roman, il ne s'en préoccupe pas encore, sachant par expérience que l'inspiration viendra au moment opportun. Toutefois, il est convaincu que le cadre de l'action charmera les Français. Ceux-ci n'ont-ils pas prouvé, par leur réaction à ses premières chroniques, qu'ils étaient, tout autant que lui, fascinés par ce peuple audacieux qui est demeuré, malgré la domination britannique, fidèle aux traditions et à la langue de ses ancêtres ? Et c'est ici, encore plus qu'à Montréal ou à Québec, qu'il devrait retrouver ces véritables colonisateurs, les mêmes que ceux qui ont débarqué trois siècles plus tôt.

En mettant l'océan entre lui et les siens, il a conscience d'avoir joué le tout pour le tout. Mais, à trente et un ans, il est bien décidé à s'affranchir de la tutelle de ses parents. Pour ne plus jamais avoir à leur demander l'aumône, comme il a dû le faire trop souvent pendant les années où il a séjourné en Angleterre. Désormais, c'est lui seul qui devra subvenir aux besoins de cette enfant illégitime dont l'existence est demeurée inconnue de sa propre famille, et qu'il a laissée là-bas aux soins d'une tante maternelle, à la suite de la maladie de la mère. C'est par lui-même qu'il devra trouver les ressources nécessaires à leurs besoins, tout en respectant son insatiable soif de liberté. Et plus que jamais, il est convaincu que cette liberté passe par la plume. Même si ses précédents manuscrits sont demeurés enfermés dans le coffre de sa chambre, à Paris, il continue de croire que son succès réside dans l'écriture. L'Angleterre ne lui a pas fourni la matière nouvelle qu'il cherchait. Ici, en Amérique, plus précisément au Canada français, il devrait trouver cette substance encore vierge, cette structure encore informe, ne demandant qu'à être modelée par ses mots à lui, par l'encre qu'il puisera quotidiennement dans sa propre sueur, au cœur même de l'action.

D'ailleurs, dès son départ de la France pour l'Angleterre il y a quelques années, il savait qu'un jour il partirait de nouveau, qu'il irait plus loin, toujours plus loin, à la recherche de l'exotisme, de l'inconnu, encore et toujours... Partir, tout simplement parce que l'espace est là, devant, parce que le temps est limité, par définition.

*

* *

Sur le petit bateau passeur, les hommes d'affaires et les colons se partagent l'espace avec quelques animaux et des dizaines de caisses de marchandise. Le capitaine André Donaldson a déclaré à Louis Hémon que le *Nord* accosterait à Péribonka vers six heures. Sur le pont, trois hommes discutent de la température exceptionnellement chaude des trois dernières semaines.

Appuyé au bastingage, sa pipe de bruyère rivée entre les dents, le voyageur français admire la nappe d'eau étale déchirée par l'étrave. Bousculées par le passage du bateau, les innombrables gouttelettes se dispersent doucement vers l'arrière en un sillon régulier. « Rien ne se perd, rien ne se crée », se dit l'homme, méditatif, en contemplant le mouvement de l'eau qui invente sans cesse de nouvelles vagues, ces entités uniques qui n'existent déjà plus au moment où on les perçoit, symboles mêmes du recommencement perpétuel de toute chose. « À quoi bon chercher à transformer le monde ! songe-t-il. La nature n'a-t-elle pas déjà démontré qu'elle avait toujours le dernier mot ? »

Le nomade solitaire qu'il est se contente de découvrir, d'apprendre ; il se satisfait de contempler, d'observer et de décrire, d'écrire. Une existence entière ne peut suffire à un homme pour voir tout ce qu'il y a à voir, pour connaître tout ce qu'il y a à connaître. S'il lui était donné de vivre une autre vie, s'il devait renaître avec les connaissances acquises dans la première, peut-être alors cela serait-il différent… et peut-être pas. Qui sait ? Mais puisque celle-ci est la seule qu'il aura jamais, il se promet bien de se nourrir de découvertes, de cueillir l'inconnu à chaque instant, parce que l'inconnu est partout, autour, à chaque endroit où lui, Louis Hémon, n'est pas maintenant.

Un bruit de pas le distrait de ses pensées. Un homme s'arrête près de lui et le salue d'un signe de la tête.

– Vous seriez pas par hasard le Français qui a passé quelques jours à Péribonka la semaine passée ?

– Oui, c'est moi.

– Je vous ai aperçu en ville deux ou trois fois.

« En ville » ! Le terme, utilisé dans le cas de cette petite localité de quatre cents âmes, surprend une fois de plus Louis Hémon. Mais il comprend, pour l'avoir entendu à maintes reprises au cours de la semaine précédente, qu'il s'agit de l'expression courante pour désigner le centre du village.

– Je logeais à la pension de M. Fournier.

– Édouard… Justement, sa femme se trouve à être ma petite-cousine. Je me présente : Samuel Bédard.

Le nom a une consonance familière. Samuel Bédard, n'est-ce pas celui qui cherche des hommes pour construire une grange ?

– Louis Hémon, enchaîne l'étranger en tendant la main à son tour.

– Vous retournez à Péribonka ? interroge Samuel, curieux d'en connaître davantage.

– À vrai dire, je suis à la recherche d'un endroit où travailler.

– Vous seriez pas intéressé à acheter une terre ? La mienne pourrait être à vendre, si jamais ça vous tente…

– Oh ! non, répond le jeune homme en riant, je ne veux rien acheter. J'aimerais bien par contre trouver du travail chez un fermier ou ailleurs… pour quelques semaines ou quelques mois.

– Ah !

Samuel ajuste son couvre-chef. Bourre sa pipe en silence tout en essayant de jauger le jeune homme à ses côtés. Pas très grand, les épaules plutôt tombantes, mais quand même bien développées. Et particulièrement en forme, d'après ceux qui l'ont vu : il serait venu de Roberval à pied la semaine précédente et aurait parcouru Péribonka dans les deux sens tous les jours, de la limite est, de l'autre côté du lot des Bouchard, jusqu'au Petit-Pari, six milles passé le village.

– Vous avez donc une terre ? relance Louis Hémon.

– Oui, mais je vendrais, si je trouvais mon prix. J'ai pas toujours habité Péribonka, vous savez, tient à préciser Samuel. Comme vous me voyez là, j'arrive tout juste de discuter affaires avec le député, à Roberval, en tant que secrétaire de la Commission scolaire. À part de ça, je suis trésorier de la municipalité et huissier. Mais avant, j'ai travaillé dans un gros hôtel de Roberval et j'ai été marchand de fourrures, ajoute-t-il d'un air faussement détaché. Puis vous, demande-t-il après une courte pause, qu'est-ce qui vous amène par icitte ? Depuis quand vous êtes débarqué au Canada ?

– Depuis octobre dernier. J'ai d'abord visité Québec, puis j'ai travaillé à Montréal pendant quelques mois.

– Ah ? Moi aussi, j'ai déjà travaillé à Montréal. Comme conducteur de tramway.

Louis Hémon sourit. Ce M. Bédard est manifestement fier d'avoir l'occasion d'énumérer ses nombreuses compétences. Et comme il semble plutôt volubile, il pourrait devenir intéressant à côtoyer. L'étranger tourne momentanément le dos à Samuel, le temps de rassembler ses idées. Puis fait un quart de tour, et regarde stratégiquement vers la rive, dans la même direction que son interlocuteur.

– M. Fournier m'a dit que vous aviez besoin d'hommes pour construire une grange…

– Avez-vous déjà fait de la construction ? s'inquiète Samuel, se tournant cette fois résolument vers Louis Hémon.

– Non, hésite à peine le jeune homme, mais je peux apprendre. Et je pourrais aider aux travaux de la ferme, si vous préférez… Écoutez, monsieur Bédard, je sais que la plupart des ouvriers de la région gagnent environ 20 $ par mois. Je me contenterais de… 8 $ si vous pouviez me loger et me nourrir. Par contre, j'aimerais être en congé du samedi midi au lundi matin.

Samuel porte de nouveau sa pipe à ses lèvres et en tire une vigoureuse bouffée. En homme d'affaires avisé, il estime l'offre plutôt intéressante. Surtout qu'avec la construction il aura bientôt besoin de ses meilleurs ouvriers, Ernest Murray et son fils, Ernest junior, les deux hommes les plus forts de Péribonka. D'ici peu, le jeune Murray ne sera donc plus disponible pour porter le lait à la fromagerie le matin. Mais au-delà de ces considérations pratiques, Samuel entrevoit, grâce à l'embauche d'un nouvel employé, la possibilité de se libérer lui-même de certaines tâches qui lui pèsent. Car il a compris depuis un moment déjà qu'il ne serait jamais vraiment un homme de la terre.

Les volutes bleues se perdent lentement dans l'atmosphère. Il pointe le tuyau de sa pipe vers la rive, où se détachent de grands rectangles de terre cultivée.

– C'est la terre des Frères ouvriers de Saint-François-Régis. Ça s'appelle « Vauvert ». Mon frère Eugène y est aumônier, déclare-t-il avec fierté.

Louis Hémon comprend que Samuel Bédard cherche à gagner du temps.

– Votre frère est religieux ?

– Oui. Il a déjà été missionnaire dans le Labrador ; j'ai même passé quelque temps avec lui à enseigner le catéchisme aux petits Esquimaux, ajoute-t-il en guettant du coin de l'œil la réaction du jeune homme.

– Vous semblez avoir beaucoup voyagé.

– Pour ça, oui, s'empresse de répondre Samuel, flatté.

Au moment où il se tourne vers la fertile Pointe-Taillon, cette bande de terre généreuse et productive qui sépare la rivière Péribonka du lac Saint-Jean, deux hommes le saluent familièrement. On aperçoit déjà le quai de Péribonka.

– Bon, pour les gages, ça va. C'est pas grand, chez nous, mais vous verrez, ma femme fait bien à manger.

– Et le samedi après-midi, monsieur Bédard ? interroge Louis Hémon en scrutant Samuel de son regard gris bleu.

Cette approche franche et directe plaît à Samuel.

– C'est correct, répond-il.

Puis il tourne la tête, se préparant mentalement à annoncer la nouvelle à Laura.

*

Au milieu du repas, un garçon de sept ou huit ans se présente dans la salle à manger des Fournier.

– Ah ! c'est toi, Roland ?

– Bonsoir, mon oncle, répond l'enfant, qui s'installe sur un siège au fond de la pièce en attendant que les deux hommes aient terminé.

Samuel Bédard explique discrètement à Louis Hémon qu'il est devenu le tuteur de Roland et de son frère Thomas-Louis Marcoux l'année précédente, à la demande de leur père, un ami, décédé de la fièvre scarlatine.

Roland a attaché le cheval à un pieu près du magasin d'Ulric Hébert. Samuel invite le nouveau venu à monter dans le boghei et laisse conduire le jeune Roland jusqu'à leur maison, située trois milles en dehors du village.

Le chien colley aboie. Laura reconnaît le pas régulier du cheval ainsi que le grincement familier des roues. Elle s'avance vers la fenêtre dont elle soulève légèrement le rideau. Aperçoit un inconnu qui marche à côté de son mari. Samuel, le geste généreux, entraîne son invité vers l'arrière. Les deux hommes s'éloignent lentement vers le hangar, où elle finit par les perdre de vue.

– Qui est-ce qu'il nous ramène encore, celui-là ?

C'est Roland qui entre d'abord, après s'être acquitté de ses tâches de parfait petit cocher.

– C'est qui le monsieur avec ton oncle, Roland ?

– Je le sais pas, mais je pense qu'il s'en vient travailler icitte. En tout cas, il parle comme les deux messieurs Douillard de Pointe-Taillon.

– Un Français...

Les voix se rapprochent. Samuel entre le premier, l'air triomphant. L'étranger suit discrètement, avec quelques pas de retard.

– Laura, c'est monsieur Hémon. Il va travailler pour moi, puis il va rester avec nous autres.

– Mes hommages, madame, dit l'homme en s'inclinant légèrement.

Laura est stupéfaite. Un simple baluchon pour tout bagage... Que peut donc faire ici cet homme au teint clair, à la chevelure presque blonde et aux yeux pâles, dont la carrure n'a absolument rien en commun avec celle des habitants de la région ? Sait-il travailler au moins ? Ses mains sont si blanches...

Elle parvient tout de même à articuler un « Bonjour, monsieur », agrémenté d'un sourire poli quoique peu convaincu, puis se tourne aussitôt vers son mari qu'elle fixe avec insistance.

Samuel, ignorant l'inquiétude évidente de sa femme, propose que M. Hémon dorme au grenier, où logent toujours ses pensionnaires occasionnels durant l'été, affirme-t-il. Il s'excuse encore une fois de l'étroitesse des lieux.

– Ça n'a pas d'importance, lui assure le nouveau locataire, puisque vous avez la bonté de m'accueillir sous votre toit.

Puis, après avoir déposé ses effets dans un coin, il demande la permission de sortir pour explorer les environs avant le crépuscule, et se dirige tout de suite vers l'écore, juste en face.

Samuel, qui a démontré un calme apparent devant les réactions de sa femme, s'empresse néanmoins de lui faire valoir l'aubaine qu'il réalise en embauchant M. Hémon, se félicitant d'avoir trouvé un homme aussi instruit et bien éduqué.

Après avoir souhaité une bonne nuit à Roland et lui avoir demandé de rejoindre son frère dans le recoin qui leur sert de chambre à l'arrière de la maison, Laura s'enferme dans un mutisme obstiné. Elle s'empare d'un paquet enfoui au fond d'un vieux coffre près de la porte, tire le rideau de la chambre principale et dissimule prestement l'objet sous le matelas. Samuel hausse les épaules. Il sait que sa femme désapprouve sa décision, qu'il est inutile de chercher d'autres arguments pour la convaincre. Il s'assoit près de la fenêtre et se berce doucement, en attendant le retour de l'étranger.

Quand celui-ci revient de sa promenade, Laura s'est déjà retirée. Plus tard, pendant que le pensionnaire engage une lutte à finir avec les innombrables moustiques qui se sont introduits par les fissures du grenier où est installée sa paillasse, et que l'homme de la maison regagne le lit conjugal, la femme, toujours silencieuse, tourne le dos à son mari.

*

* *

Dès le lever du jour, tel que convenu, Samuel réveille son pensionnaire. Les deux hommes se dirigent aussitôt vers l'étable où le nouvel employé, curieux et attentif, découvre les rudiments de la traite des vaches.

Une fois cette tâche accomplie, l'étable nettoyée, les animaux nourris, les deux hommes retournent à la maison pour une toilette sommaire, puis se mettent en route vers l'église. Samuel commence bientôt à chanter :

J'irai la voir un jour
Au ciel, dans sa patrie
Oui, j'irai voir Marie
Ma joie et mon amour.

Au ciel, au ciel, au ciel,
J'irai la voir un jour ;
Au ciel, au ciel, au ciel,
J'irai la voir un jour.

– Vous devez trouver ça drôle que je chante en conduisant, hein ? J'ai toujours fait ça : la route m'endort. Puis chanter, ça me tient réveillé.

Louis Hémon sourit. Coquette trottine allègrement, il y a promesse de soleil encore aujourd'hui.

– Monsieur Hémon, comme je vous l'ai dit hier soir, je vais probablement dîner au presbytère avec le curé Villeneuve ; lui et moi, il faut qu'on règle des affaires au sujet de l'école. Puis comme je reste aussi pour chanter les vêpres en après-midi, sentez-vous bien à l'aise d'aller où vous voulez après la messe. Je devrais repartir du village vers quatre heures.

– Ne m'attendez pas, monsieur Bédard. Si vous n'avez pas d'objection, je reviendrai à pied demain matin.

– Comme vous voulez.

Cette fois encore, Louis Hémon rejoint les Fournier, qui lui font une place dans leur banc. Déjà, les visages des fidèles qui entrent lui paraissent plus familiers. Puis, dans le silence de la petite église, il reconnaît la voix du chantre :

Kyrie eleison
Christe eleison
Kyrie eleison.

*

– Je te le dis, ça peut pas être autre chose qu'un voleur ! Y'a rien à lui, à part son vieux sac et ses vêtements. Samuel a le don de ramasser des quêteux, mais celui-là, il les bat touttes ; sans compter qu'il connaît rien au travail de la terre ! déclare Laura à Éva qui, selon son habitude, rend visite à sa sœur à son retour de la messe.

– Dimanche dernier et ce matin, il y avait un homme qui se tenait adossé à un arbre en face de l'église, pendant que Charles-Eugène Gauthier faisait la criée à la sortie de la messe. Il passait son temps à examiner le monde. Assez que c'en était gênant !

– Ça pourrait bien être lui…

– D'après ce que tu me dis, Laura, il va falloir qu'on fasse attention nous autres aussi : après tout, en restant chez vous, il devient notre voisin…

– Oui, tu ferais mieux d'avertir papa.

Éva fixe les boucles blondes de Thomas-Louis qui s'amuse à ses pieds. Se penche et en saisit une, qu'elle laisse couler doucement entre ses doigts. L'enfant se retourne et la regarde. Puis s'approche et pose sa tête sur ses genoux. Éva sourit de tant de candeur.

– En tout cas, j'ai pas pris de chance : j'ai caché tout l'argent qu'on a en dessous du matelas, ajoute Laura. On prend jamais assez de précautions avec les étrangers.

– Lui as-tu parlé ?

– Pas de danger ! J'étais assez fâchée après Samuel ! Je suis allée me coucher aussitôt que j'ai pu. Mais je les ai entendus jaser ensemble. Ah ! pour bien parler, il parle bien ! Mais quelqu'un qui est prêt à se vendre pour pas plus que 8 $ par mois, si tu veux savoir ce que j'en pense, ça annonce rien de bon.

Éva pense à son propre salaire de 10 $ par mois, pour enseigner à trente-cinq élèves de la première à la septième année, dont elle doit par surcroît déduire le montant de sa pension chez les Niquet pendant l'année scolaire.

– C'est certain que c'est pas beaucoup, mais c'est plus que ce qu'il me reste une fois que j'ai payé les Niquet, fait-elle remarquer.

– Oui, mais, toi, t'es une femme !

Éva lève la tête et dirige un regard courroucé vers sa sœur.

– On croirait entendre ton mari ! Ma pauvre Laura, si c'est comme ça que tu vois les choses, t'as bien fait de te marier ! ajoute-t-elle, ironique.

Éva repousse doucement la petite tête blonde et se lève.

– Il faut que ma tante s'en aille, mon Titon.

– Pourquoi tu l'appelles toujours Titon ? Son nom, c'est Thomas-Louis, s'impatiente Laura.

Éva reste figée sur place un moment, saisie par le brusque mouvement de colère de sa sœur.

– Voyons Laura, mais, toi aussi, tu l'appelles comme ça !

– J'ai fini par faire comme toi sans m'en rendre compte, mais c'est toujours toi qui commences à donner des surnoms aux enfants.

Éva hausse les épaules en s'approchant de la porte. Sa sœur n'a pourtant pas l'habitude de s'énerver comme ça. Elle se retourne une dernière fois et pose sur son aînée un regard inquiet, suivi d'un sourire qu'elle voudrait rassurant. Laura, regrettant aussitôt sa réaction, sort derrière sa cadette et fait quelques pas avec elle en direction de la maison paternelle.

– Éva, je le sais que t'as raison dans le fond : les femmes qui travaillent devraient avoir des meilleurs gages. Mais tu comprends, après quelques années de mariage, à force de toujours dire comme son mari, une femme finit par même plus se rappeler comment elle pensait quand elle était fille, ajoute-t-elle dans un rire nerveux.

« Raison de plus pour rester célibataire », songe Éva, pendant que sa sœur s'élance lourdement à la poursuite d'un dindon qui s'est égaré hors de l'enclos.

Elle continue sa route en pensant à Samuel qui, depuis qu'elle a dépassé ses vingt-cinq ans, multiplie les occasions de lui faire rencontrer de « bons partis ». Il devrait pourtant savoir que personne n'arrivera à lui imposer quoi que ce soit, d'autant plus que la première motivation de son beau-frère, elle s'en doute, est d'effacer du tableau familial cette tache d'ombre qu'y projette son statut de « vieille fille ». L'image d'Albert Roy vient la troubler un instant. Elle s'était pourtant promis de ne plus penser à lui. Mais on ne contrôle pas les mouvements du cœur et du corps par un simple effort de volonté, elle est bien forcée de l'admettre. Pourquoi faut-il que son esprit tourmenté la ramène constamment vers cet homme de quinze ans son aîné, l'antithèse du sage prétendant que toute jeune fille bien devrait rechercher, de celui qui pourrait lui offrir une vie simple et tranquille, à l'abri des remous du destin ? Pourquoi donc serait-elle prête à faire tous les compromis du monde pour le seul homme qui ne puisse lui offrir la sécurisante stabilité qu'elle devrait normalement souhaiter ? Pourquoi son regard sombre posé sur elle lui fait-il remettre en question toutes les règles de la bonne conduite apprises chez les Ursulines ? Comment en est-elle venue à désirer tout à coup connaître les mots et les gestes qui mènent à l'amour ? Elle secoue la tête pour chasser de son esprit l'obsédante silhouette.

De loin, elle aperçoit son frère Nil qui revient du champ. Son cadet se mariera sans doute avec Hélène Tremblay, la fille de William, avant longtemps. Leur voie semble tracée si naturellement, tout a l'air si facile pour eux ! Qu'adviendra-t-il d'elle ? Et d'Aline ? Le cœur d'Éva se serre à la pensée de sa jeune sœur, pas encore femme, et qui ne le deviendra d'ailleurs probablement jamais. La voici justement qui s'avance, de son pas maladroit, à sa rencontre. Elle rit fort, un rien la rend heureuse, Aline. Éva lui prend la main et elles s'approchent en silence de la maison, d'où Adolphe Bouchard fait des signes joyeux à ses deux filles. Puis Éva se souvient tout à coup : l'étranger ! Il faudra qu'elle prévienne son père.

*

* *

Le lendemain matin, à onze heures, Laura, revenant du puits, aperçoit l'étranger qui arrive du village.

– Bonjour, madame Bédard. Le patron est-il ici ?

– Mon mari ?

– Oui, madame Bédard, répond calmement le jeune homme.

– Vous devriez le trouver au bout des bâtiments.

– Vous tombez bien, monsieur Hémon, déclare Samuel en apercevant son nouvel employé. Ça s'adonne que j'ai besoin d'un homme pour aider M. Murray à aller chercher des billots, là-bas, au bord de la rivière.

– Comme vous voulez, monsieur Bédard.

– Monsieur Murray, voici M. Hémon qui va vous aider à transporter les chevrons. Vous vous occuperez de lui.

Sans autre présentation, Samuel s'éloigne vers un petit groupe occupé à monter la structure de la future grange. Ernest Murray considère un instant l'homme qui se tient devant lui, avec ses mains blanches. « On va lui montrer comment on travaille, par icitte », s'amuse-t-il à penser. Et il dirige son pas de géant vers la rivière.

Le travail paraissait pourtant simple. Mais soulever les lourds troncs d'épinette noire, les appuyer sur son épaule et les transporter sur plusieurs centaines de pieds s'avère beaucoup plus difficile que Louis Hémon ne l'a d'abord cru. Et il doit composer avec cet Ernest Murray qui semble prendre un malin plaisir à lui donner du mal : beaucoup plus grand et surtout plus fort, le colosse s'empresse chaque fois de soulever son bout le premier, ce qui a pour effet de coincer les doigts de son compagnon inexpérimenté sous le billot.

– Bâtard, levez donc votre boutte, curé Hémon, se lamente-t-il, railleur.

L'apprenti se doute que tout ceci n'est qu'un jeu sans malveillance de la part d'Ernest. Et il n'est surtout pas question pour lui de renoncer. C'est donc avec une épaule et quelques doigts ensanglantés qu'il termine sa première journée de travail.

– Pauvre monsieur Hémon ! s'exclame Samuel en le voyant. Allez vite voir ma femme, elle va vous soigner ça.

– Ce n'est pas grave, monsieur Bédard, je tenais à faire ce travail, et je suis fier de l'avoir fait.

Samuel se tourne néanmoins vers Ernest, réputé pour son espièglerie.

– Vous auriez pu faire un peu attention !

– Ça va l'accoutumer, répond Ernest avec un sourire moqueur.

Il ne vient pas à l'esprit de Louis Hémon de se plaindre. Il a tant à faire : apprendre à tailler des planches, à poser du bardeau sur un toit ; atteler la jument Kate pour aller livrer le lait à la fromagerie six matins par semaine, traire les vaches autant de fois ; observer le quotidien de ces gens simples et généreux, écouter leurs histoires d'essouchement, de villages nés de leur seul acharnement à se bâtir un pays qui leur ressemble ; contempler à l'infini ces espaces démesurés, cette nature sauvage, parfois cruelle, souvent grandiose, qui offre à l'œil ébloui son horizon à perte de vue au bout d'un lac qui se prend pour la mer, et qui impose la loi de ses vents extravagants en plein juillet, de ses moustiques vampiriques, de ses forêts impitoyables ; puis le samedi après-midi, s'asseoir sous le bouleau au bord de l'écore, et chercher les mots pour décrire ce spectacle indéfinissable, insaisissable.

Le quotidien se laisse lentement apprivoiser, heure après heure, de recommencement en recommencement. Il y a la réalité des longues journées qui, ici, débutent avant l'aurore, pour s'achever en douceur peu avant la tombée du jour. Il y a les colis contenant lettres, livres et journaux, qui arrivent régulièrement de France, apportant avec eux un vent de fraîcheur. Il y a les appétissants déjeuners du dimanche matin chez les Fournier et les visites au magasin Desjardins, après la messe, où les hommes se rassemblent pour partager leurs exploits, leurs joies, leurs malheurs. Il y a la naïveté candide du petit Thomas-Louis, qui croit encore que le chocolat surgit du puits parce que M. Hémon a prononcé des paroles magiques. Mais, surtout, il y a les moments de grâce où, le samedi après-midi, il met en ordre les notes prises au cours de la semaine et commence à imaginer la forme que prendra son récit. Son roman ne pourra que ressembler à ces gens droits, d'un naturel déconcertant, à leur quotidien dépourvu d'artifices, à leur courage modeste et serein. Reste toujours à imaginer l'intrigue, puisqu'il en faut une. Mais il sait déjà que celle-ci sera à l'image de ses héros : simple et discrète, à l'opposé même du scandale.

*

– C'est un bon gars, l'engagé de Samuel, lance Adolphe. Ça fait quelques fois que je jase avec, il est pas mal intéressant ! Il est curieux de toutte : il pose des questions sur la colonisation, sur l'arrivée du chemin de fer, il veut toutte savoir.

– Moi, il m'inquiète un peu, papa, cet homme-là. Qu'est-ce qu'un Français aussi instruit que lui fait par ici, à travailler comme aide-fermier, pouvez-vous me le dire ?

– Voyons, Éva, il veut connaître le Canada, c'est toutte ! Rappelle-toi comment Laura avait peur de lui quand il est arrivé. Pourtant, elle a changé d'idée, ça a pas été trop long ! As-tu eu l'occasion de jaser avec lui, au moins ?

– Non, je l'ai jamais vu autrement que par la fenêtre.

– Veux-tu ben me dire comment t'as fait pour pas le rencontrer ? Toi qui as coutume de traverser chez ta sœur tous les soirs… Ça fait déjà deux semaines que M. Hémon est arrivé !

– J'y vais moins depuis quelque temps. Et puis, la plupart du temps, après souper, il va se laver à la rivière et il revient pas avant la brunante.

– Ah, tu sais ça, toi ! plaisante Adolphe.

– Papa ! Voyons donc !

Éva finit de ranger la vaisselle, le dos tourné à son père pour tenter de dissimuler sa rougeur. Elle s'approche de la fenêtre au moment même où l'étranger se dirige vers l'écore. Adolphe, qui n'a rien perdu de la scène, laisse échapper un grand éclat de rire. Le feu aux joues, Éva détourne aussitôt le regard.

– Voyons, Éva, je t'agace. Mais quand est-ce que tu vas arrêter de te sauver des hommes ? Une belle fille comme toi…

– Je me sauve pas des hommes, papa. Ceux que je connais m'intéressent pas, c'est pas pareil !

– Bon, ça, c'est de ton affaire, mais c'est pas une raison pour te priver d'aller chez ta sœur. D'autant plus que cet homme-là est un gentleman. À part de ça, j'ai l'intention de l'inviter à souper un de ces soirs. Ça va t'obliger à faire sa connaissance. Tu vas voir que c'est quelqu'un de bien.

Si c'est ce qu'il faut pour convaincre son père qu'elle ne se sauve pas des hommes, va pour le souper ! Mais, piquée au vif, Éva n'a pas l'intention d'attendre cette invitation pour démontrer à Adolphe qu'il a tort : elle ira veiller chez sa sœur et son beau-frère pas plus tard que ce soir, alors que la moitié des hommes du rang devraient s'y rassembler, comme tous les samedis. D'un ton autoritaire, Éva demande à Aline d'aller chercher leur frère Nil à l'étable. Puis elle expédie l'opération balayage en un temps record, avant de déplacer et de replacer deux ou trois fois les chaises autour de la table en attendant leur retour. Nil entre quelques instants plus tard et interroge Éva du regard, surpris de tant de hâte.

– C'est à peine si j'ai eu le temps de finir ma traite ! Aline avait l'air tout énervée, qu'est-ce qui se passe ?

Pour toute réponse, Éva lui montre le chapelet qu'elle vient de retirer d'un crochet fixé au mur, près du crucifix. Les quatre s'agenouillent aussitôt, sans qu'aucune autre parole ait été prononcée.

*

Laura s'étonne de voir arriver sa sœur d'aussi bonne heure. Se dit que c'est sans doute pour être certaine de pouvoir repartir avant l'arrivée des veilleux du samedi soir. Tout le monde sait qu'Éva cherche à éviter ce genre de soirée où les hommes finissent toujours par raconter, de semaine en semaine, les mêmes vieilles anecdotes, en les embellissant à qui mieux mieux.

Aussitôt entrée, Éva s'empare d'un linge de vaisselle et s'active autour de son aînée.

– Veux-tu me dire en quel honneur tu viens m'aider à essuyer ma vaisselle ? interroge Laura.

– J'ai fini mon ordinaire plus vite que d'habitude, aujourd'hui, répond Éva d'une voix mal assurée, en tournant le dos à sa sœur pour ranger une casserole.

Laura, perplexe, fronce les sourcils. Après un bref silence, elle décide de relancer la conversation.

– Papa et Nil viennent-ils veiller à soir ?

– J'imagine que oui. Je leur ai pas demandé, répond Éva d'un ton qu'elle souhaite indifférent.

Laura renonce à comprendre. Elle fait entrer Roland et Thomas-Louis pour les débarbouiller et leur faire ses recommandations pour la soirée, tandis qu'Éva balaie vigoureusement le plancher.

– Attendez-vous bien des veilleux ?

– Les mêmes que d'habitude, je suppose. Tiens, Eutrope Gaudreault arrive justement, annonce Laura en se penchant vers la fenêtre. Toujours le premier arrivé, celui-là ! Il va sûrement être content de te voir, ajoute-t-elle d'un ton complice.

Éva hausse les épaules. Ce pauvre Eutrope a essuyé tellement de refus de sa part qu'il a fini par se résigner. Mais il n'en continue pas moins d'admirer silencieusement la jeune femme, sans même essayer de cacher ses sentiments.

– Ça se pourrait qu'Édouard Bédard soit là lui aussi, reprend Laura, des sous-entendus dans la voix.

– Édouard Bédard ? Il est pas aux États-Unis, celui-là ?

– Il est par icitte pour régler des affaires de succession. Mais sais-tu qu'avec ces deux-là, si tu restes, ça risque de finir en duel, insinue-t-elle, moqueuse, pendant que sa sœur ramasse les ordures.

Éva remet en question sa décision de passer la soirée chez Laura et Samuel. Elle s'attendait bien à ce qu'Eutrope Gaudreault soit là, mais pas Édouard Bédard. Elle se sent prise au piège : le pauvre garçon profite toujours de ses visites à Péribonka pour lui faire une cour aussi insistante qu'ennuyeuse. Et la voilà qui se retrouve chez sa sœur, avec l'air de l'attendre naïvement. Éva voudrait se voir ailleurs. Mais comment se tirer de cette mauvaise posture sans donner raison à son père ?

S'amusant de l'embarras évident de sa cadette, Laura rit maintenant de bon cœur. Éva lui décoche un regard furieux au moment où Samuel apparaît sur le seuil avec Eutrope, Joseph Boivin le charpentier, ainsi que l'étranger qui, après un bref signe de reconnaissance à Laura, se retire au fond de la pièce. Maintenant que les invités ont commencé à arriver, Éva n'a plus d'autre choix que de rester. Partir à ce moment-ci serait évidemment la dernière chose à faire.

Les deux femmes s'affairent à improviser des sièges avec tout ce qui leur tombe sous la main, pendant que le maître de la maison accueille les nouveaux arrivants. En plus des habitués, plusieurs curieux se présentent chez Samuel ce soir-là pour rencontrer Édouard, le fils d'Hyacinthe Bédard, venu pour vendre une terre appartenant à sa famille, à Honfleur. Adolphe et Nil sont entrés également, alors qu'Aline, qui les accompagne, est restée dehors, derrière la porte, avec Roland et Thomas-Louis. La petite maison est déjà remplie lorsque Édouard fait son entrée. Les épaules fièrement rejetées en arrière, arborant un sourire de conquérant, il salue joyeusement à la ronde, avant de se diriger d'un pas ferme vers Éva, qu'il a repérée dès l'arrivée.

– Ma chère demoiselle… vous êtes de plus en plus jolie. Vous pourriez rendre jalouses les plus belles filles des États, vous savez.

Peu habituée à de tels débordements, Éva subit froidement l'enthousiasme d'Édouard. Mais son malaise provient davantage du fait que, étant la seule jeune femme célibataire de la maison, elle se sent observée de tous côtés : d'abord par une Laura au sourire moqueur et par Adolphe qui, de toute évidence, tente de deviner les pensées secrètes de sa fille ; ensuite, exceptionnellement par Samuel, qui avait pourtant choisi de l'ignorer depuis un certain temps, après avoir constaté qu'elle repoussait un à un tous les prétendants qu'il lui proposait ; puis par Eutrope, l'infortuné soupirant ; et aujourd'hui, par ce M. Hémon, qu'elle a soigneusement tenu à éviter jusqu'ici. Elle essaie de penser à autre chose, se disant que ce n'est qu'un mauvais moment à passer, qu'elle n'a qu'à se taire et à écouter, comme le veut la coutume, les plus audacieux conteurs se vanter et inventer des aventures qu'ils croient susceptibles d'impressionner la galerie et, dans le cas d'Édouard Bédard, de l'épater, elle, en particulier. L'humble et timide Eutrope lui apparaît soudain sympathique, par comparaison. Elle déteste ces flatteurs qui ont à peu près toujours, en plus, la prétention d'être irrésistibles.

En attendant qu'Édouard termine sa tournée de reconnaissance, Samuel, en hôte bien élevé, évalue qui, de ses invités, n'a pas encore été présenté à son nouveau pensionnaire.

– Monsieur Hémon, je crois que vous avez pas rencontré Édouard Bédard ?

– Bonsoir, monsieur Bédard.

– M. Hémon est un Français de France, précise Samuel. Il travaille pour moi depuis une couple de semaines.

– Ah ! s'étonne Édouard, ravi de ce public inattendu. Enchanté de faire votre connaissance, monsieur Hémon.

– Édouard est un petit cousin, anciennement de Péribonka, qui travaille aux États depuis quelques années, enchaîne Samuel à l'intention de M. Hémon.

Pendant que les deux hommes se serrent la main, Samuel balaie l'assemblée du regard.

Éva se dit que son tour approche et qu'il est temps pour elle d'utiliser les cours de bienséance des Ursulines : « Gardez le sourire en tout temps, mesdemoiselles », répétait sœur Saint-Jean-de-la-Croix.

« C'est ridicule de se sentir aussi mal à l'aise », se semonce-t-elle. Mais ne serait-ce que pour éviter les remarques de son père, elle se concentre pour paraître aussi naturelle que possible.

– Bon, je pense qu'on a fait le tour ! soupire Samuel, satisfait, en regagnant son siège.

– Samuel, M. Hémon a pas rencontré Éva, lance Laura d'une voix forte et assurée.

– Ah ! je m'excuse, monsieur Hémon.

Samuel se lève de nouveau, indique l'endroit où est assise Éva, derrière la table, et ajoute, d'une voix légèrement ennuyée :

– Ma belle-sœur, Mlle Éva Bouchard.

– Mes hommages, mademoiselle.

Et l'homme s'incline légèrement, respectueux. C'est à elle, maintenant, de parler, de bouger, de réagir. Tous ces regards la figent. Elle ne sait pas, elle ne sait plus, elle n'a jamais su. Que disait donc sœur Saint-Jean-de-la-Croix ? Elle essaie de sourire, mais ne parvient qu'à rougir.

– Bonsoir, monsieur, murmure-t-elle d'une voix à peine audible.

Et elle baisse les yeux. Qu'on ne lui en demande pas plus. L'honneur est sauf. Qu'ils retournent donc à leurs histoires à dormir debout, à leurs aventures toutes plus invraisemblables les unes que les autres ; qu'ils la laissent tranquille, qu'ils oublient sa présence ! Le rire d'Aline, mêlé aux voix des enfants, lui parvient, de derrière la porte. Elle envie un instant sa jeune sœur, qui rit ou pleure sans se poser toutes ces questions et dont, surtout, on n'attend rien. Puis elle se reproche aussitôt ces pensées injustes et, dans un élan de tendresse envers Aline, se promet de l'emmener au village, le lendemain, dimanche.

Édouard, fier d'être le centre d'attraction, ne se fait pas prier pour faire valoir les charmes de la grande ville, avec ses trottoirs de bois, ses cinémas et ses magasins, le travail dans les *shops* et l'insouciance d'une vie qu'il n'hésite pas à embellir, d'autant plus qu'Éva fait partie de son auditoire. Son regard dévie d'ailleurs fréquemment dans sa direction, histoire de vérifier l'effet de ses paroles sur cette belle brune un peu sauvage, qu'aucun garçon n'a encore réussi à amadouer.

Les manœuvres d'Édouard pour attirer l'attention d'Éva n'ont évidemment pas échappé à Louis Hémon. Ni les regards admiratifs d'Eutrope. Le nouveau pensionnaire, de son poste au fond de la pièce, peut observer à loisir, tout en écoutant les conversations. Il tire parfois discrètement de la poche intérieure de sa veste un petit calepin aux pages froissées, dans lequel il note rapidement un mot ou une expression savoureuse au sujet desquels il compte interroger Mme Bédard par la suite. Car la volubile épouse de son patron, bien que méfiante à son arrivée deux semaines plus tôt, s'est vite liée d'amitié avec l'étranger et lui fournit souvent, sans le savoir, des informations précieuses.

– Samuel, étais-tu là, toi, quand les Indiens ont retrouvé Auguste Lemieux ? interroge Joseph Boivin.

– Bien sûr que j'étais là, répond Samuel, bombant le torse.

Un léger mouvement d'Éva attire l'attention de Louis Hémon. Elle ne semble pourtant pas avoir bougé ; seule sa mâchoire s'est un peu contractée, peut-être.

– Qu'est-ce qui est arrivé à Auguste ? demande Édouard, faussement intéressé.

– Le pauvre gars ! On saura jamais vraiment ce qui s'est passé, continue Samuel, prolongeant volontairement le suspense.

De toute évidence, celui-ci se prépare à raconter une fois de plus la triste fin de ce pauvre Auguste, en y ajoutant, comme le veut la coutume, un ou deux nouveaux détails de nature à rendre l'histoire plus croustillante. Éva aimerait pouvoir se lever et sortir, aller rejoindre Aline et les petits dehors. Mais elle ne peut le faire sans attirer l'attention. Elle se tourne vers Laura, espérant trouver un certain réconfort dans son regard. Mais celle-ci écoute les hommes avec son sourire habituel, prête à tendre une oreille indulgente à son mari, comme si elle ne connaissait pas déjà plusieurs versions de ce récit.

– Vous, monsieur Hémon, la connaissez-vous, l'histoire d'Auguste Lemieux ? demande Samuel en se tournant vers le jeune homme.

– Non. Je ne crois pas l'avoir entendue.

– Auguste, c'était un gars de par icitte qui servait de guide lors des excursions de chasse le long de la Péribonka et de la Mistassini, commence Samuel en faisant basculer sa chaise vers l'arrière. Une bonne journée, il y a deux Français qui se sont présentés au magasin de Sifroid Desjardins père, pendant que j'étais là à jaser tranquillement avec le vieux.

Cette fois, Éva ne peut réprimer un frisson d'agacement. Elle sait très bien que son beau-frère n'était là ni quand les deux Français sont arrivés, ni quand le pauvre Auguste a été retrouvé à moitié dévoré par les bêtes, après être manifestement mort de froid. Elle a horreur qu'on se complaise à raconter cette histoire sinistre à chacune de ces soirées où la règle principale semble être de rendre les récits toujours plus terrifiants d'une fois à l'autre. Surmontant sa timidité, elle se lève, espérant par la même occasion parvenir à dissimuler son irritation. Elle se dirige vers le poêle, saisit une tasse au passage et se verse du thé. Laura soupire imperceptiblement et rejoint sa sœur, au grand soulagement de cette dernière. Samuel fait une pause, alors que tous les regards se dirigent vers les deux femmes.

– Ils voulaient aller acheter des pelleteries chez les Indiens dans le haut de la Péribonka, reprend-il enfin, un ton plus haut. Ça fait que M. Desjardins a envoyé son garçon chercher Auguste. Pendant ce temps-là, les deux hommes ont commencé à se faire des provisions pour le voyage : de la farine, du lard, du thé, des fèves, de quoi se nourrir pendant au moins un mois en fait. Quand Auguste est arrivé, tout fin prêt, il a chargé le traîneau à toute vitesse comme à son habitude. C'était un bon gars, Auguste, mais pas patient pour deux cennes.

Samuel tasse lentement le tabac dans le fourneau de sa pipe sans lever les yeux, avant de poursuivre son récit d'un air satisfait. Tous les yeux sont rivés sur lui, toutes les oreilles, tendues.

– Mais au moment de partir, un des Français a demandé à Auguste de l'attendre une minute, puis il est retourné dans le magasin. Il est ressorti au bout de cinq minutes avec un sac de bonbons. Quand Auguste a compris qu'il avait attendu rien qu'à cause de ça, il s'est mis à crier : « Pas des nanannes, blasphème ! Que cé que vous pensez que vous allez faire avec ça, des nanannes, dans le bois ? » Ça fait qu'il a arraché le sac de la main du gars et il a garroché les bonbons dans le banc de neige. Puis il a fouetté son cheval et ils sont partis à toute vitesse. Les deux Français avaient beau lui crier d'arrêter, mais Auguste était enragé ben noir.

Samuel s'interrompt de nouveau pour allumer sa pipe et vérifier discrètement l'effet de son récit sur ses auditeurs. Tout le monde retient son souffle, personne n'ose bouger.

– Normalement, il aurait dû être revenu quatre ou cinq jours plus tard. Mais on l'a retrouvé seulement trois semaines après, juste avant Noël, complètement éventré.

Les gens se regardent, horrifiés, quelques sons s'échappent deçà, delà.

– Il y en a qui pensent qu'il s'est perdu et qu'il a été attaqué par des bêtes, ajoute Samuel après un moment, sur un ton chargé de sous-entendus.

Éva grimace légèrement malgré elle et, sentant le regard de Louis Hémon posé sur elle, tourne le dos pour déposer sa tasse sur le comptoir. Constate que sa main tremble.

– C'est une affaire qui restera toujours louche, reprend Samuel, parce qu'à part les Indiens il y a pas un homme de par icitte qui connaissait mieux le bois qu'Auguste Lemieux.

– Ne pourrait-il pas avoir simplement péri dans une tempête ? suggère Louis Hémon, que l'histoire semble intéresser tout à coup.

– Il y en a qui prétendent que c'est ça. Mais d'un autre côté, on peut pas dire qu'il avait fait ben mauvais pendant ces semaines-là…

– En tout cas, il y a une chose qu'on sait, c'est que les deux Français se sont jamais remontré le boutte du nez par icitte, ricane un voisin pendant que l'assemblée reprend son souffle.

Éva a un bref mouvement de sympathie envers l'étranger, qui a tenté de trouver une explication logique à ce récit lugubre. Elle profite de l'accalmie pour annoncer son départ.

– Excusez-moi, il faut que je me lève de bonne heure, demain, pour aller à la messe. Bonsoir tout le monde.

Pendant qu'elle s'éloigne en compagnie de sa jeune sœur, que les conversations reprennent de plus belle chez Samuel Bédard, l'étranger, fébrile, échafaude déjà le plan de son roman. Sur le petit carnet tiré discrètement de la poche de sa veste, il note des noms, des ébauches d'idées. Demain, ses créatures commenceront enfin à prendre forme, à exister indépendamment de lui, à lui dicter leur propre conduite. Ce sera alors le moment de grâce entre tous, celui où l'écrivain se retranche derrière ses personnages, où ils remplissent eux-mêmes la page blanche, où il devient leur instrument. La soirée lui paraît déjà trop longue.

*

Avant de quitter son lit ce dimanche matin, Éva récite d'abord un chapelet. Car, pour amener sa jeune sœur handicapée au village comme prévu, elle se rend compte qu'elle devra renoncer à la grand-messe : Aline ne comprendrait pas qu'il faille demeurer immobile et silencieuse pendant plus d'une heure et demie ; au bout de dix minutes, la jeune fille commencerait à s'agiter et deviendrait inévitablement source de distraction pour les fidèles recueillis.

Le soleil qui pénètre à pleins carreaux annonce déjà une journée radieuse. Elle se surprend à fredonner une mélodie de son enfance et c'est le cœur léger qu'elle descend préparer le déjeuner pour sa sœur et pour elle-même, pendant que Nil et son père s'affairent dans l'étable. De toute façon, ces deux-là doivent demeurer à jeun pour la communion.

Adolphe est particulièrement fier de conduire ses deux filles au village ce matin-là. Pour une fois qu'Aline les accompagnerait au lieu de rester avec Laura et le petit Thomas-Louis à la maison, il s'est levé à l'aube pour dépoussiérer sa vieille calèche, habituellement réservée aux grandes occasions. Après la messe, il ira déjeuner à la pension Fournier avec Nil, après quoi les deux hommes se joindront aux habitués du magasin Desjardins pour échanger les dernières nouvelles, pendant qu'Éva rendra visite à son amie Yvonne Niquet.

Aline, suspendue au bras de sa sœur, sourit à pleines dents. Éva se propose de l'emmener sur le quai. La cloche s'est tue, on croirait qu'il ne reste plus qu'elles dans la rue, que le village entier s'est englouti dans la petite église. Soudain, un bruit sec résonne dans le voisinage. Le cœur d'Éva s'affole, ses mains se glacent. « Il n'y a qu'Albert Roy pour fendre son bois en plein dimanche, au moment où le reste de la paroisse est rassemblé pour prier ! » remarque-t-elle pour elle-même, en pensant à cet insoumis notoire qui n'admet d'autres compromis que ceux dictés par sa propre conscience. Elle s'entend néanmoins proposer à Aline d'une voix fébrile :

– Et si on allait voir mon école…

Étonnée de sa propre audace, elle se reprend aussitôt :

– Mais on ferait peut-être mieux d'aller vers le quai comme prévu…

– L'école, l'école, l'école ! répète inlassablement Aline en tirant déjà sa sœur vers la petite maison chaulée, voisine de l'église. Éva suit sa cadette, se reprochant déjà son effronterie. Son cœur bat à se rompre. Elle sait que d'un instant à l'autre elle l'apercevra, dans la cour de la coquette demeure qu'il a construite planche par planche pour sa vieille mère malade. Elle connaît exactement l'endroit, elle l'a observé tant de fois de la fenêtre de la petite école. Et soudain, il est là, son long corps penché vers une énorme bûche qu'il retourne de ses grandes mains noueuses, avant de se redresser dans le soleil pour s'éponger le front du revers de la manche.

Éva serre inconsciemment la main de sa sœur au moment où il lève les yeux vers elle. Il s'immobilise pour mieux la regarder, de ce regard qui, comme chaque fois, la pénètre par tous les pores de la peau, jusqu'à la faire pratiquement ployer de douleur, jusqu'à ce que sa démarche vacille, qu'elle se sente pâlir, au bord de l'évanouissement. Et c'est alors qu'il lui sert son plus éclatant sourire.

– Bonjour, mademoiselle Bouchard !

Elle n'arrive pas à ouvrir la bouche. De toute façon, elle le sait, aucun son intelligible n'en sortirait. Ses yeux sont rivés malgré elle sur la chemise trempée de sueur, collée à la peau… Elle se sent si empesée tout à coup dans son austère robe noire, sagement bordée de dentelle au col et aux poignets. Ses vieilles angoisses refont surface : comment un homme si foncièrement libre pourrait-il jamais s'intéresser à elle ? Et comment pourrait-elle remettre en question les règles qui ont régi toute sa vie jusqu'à ce jour ?

– L'école, l'école ! insiste Aline.

Éva reprend peu à peu ses sens. Elle se racle la gorge, histoire de tester sa voix avant de se hasarder à parler, puis :

– Bonjour. Je… je voulais montrer l'école à ma jeune sœur.

Elle y est parvenue, elle a réussi à articuler quelques mots à peu près sensés. Mais il continue de la regarder et il a encore ce sourire… Elle baisse les yeux, consciente de rougir cette fois. Accélère le pas, tirant Aline tant bien que mal derrière elle. Mais sa démarche est irrégulière, saccadée, désordonnée ; elle souhaite disparaître dans l'école au plus vite pour ne plus sentir ce regard peser sur elle, ce regard qui lui donne envie de courir vers lui tout autant que de le fuir.

– Bonne journée, mesdemoiselles, dit-il de sa voix chaude au moment où Éva ouvre enfin la porte.

– Bonne journée, murmure-t-elle à son tour, en s'adossant pesamment sur la porte déjà refermée.

Quand elles sortent de l'école pour se rendre chez Yvonne Niquet, il n'est plus là. Mais une sorte de lourdeur, de brûlure sur la nuque au moment où elle s'éloigne, lui laisse une curieuse et insistante impression d'être observée. Elle dit quelque chose à Aline pour se donner une contenance, et hâte le pas afin de disparaître au plus tôt de la vue d'Albert.

*

Sur le chemin du retour, Adolphe s'étonne de l'attitude d'Éva. D'abord silencieuse, plutôt absente, elle se laisse toutefois gagner peu à peu par la fébrilité de sa jeune sœur, qui raconte tant bien que mal à son père et à son frère le plaisir qu'elle a eu à passer la matinée et une partie de l'après-midi au village. Le trajet se termine joyeusement, mais Adolphe, qui a continué d'observer discrètement Éva, demeure perplexe. Il sait cependant qu'il devra, comme d'habitude, se résigner au silence de sa fille et que tout effort de sa part pour percer la coquille hermétique dans laquelle elle s'est retirée n'aurait pour effet que de l'éloigner davantage. Aussi feint-il l'indifférence quand, dès leur arrivée, elle annonce d'un ton faussement enjoué qu'elle « traverse » chez Laura.

*

Du fond de la charrette où il s'est installé pour écrire à son retour du village, tôt ce dimanche, le pensionnaire aperçoit Éva qui s'avance d'un pas lent, dans un léger bruissement d'herbe, à travers le champ qui sépare les deux maisons.

De toute évidence elle se croit seule. S'interdisant le moindre mouvement qui risquerait de la faire sursauter, Louis Hémon retient son souffle pendant quelques secondes, le temps qu'elle franchisse les quelques mètres qui le mettront définitivement hors du champ de vision de la jeune femme. Mais contre toute attente, au dernier moment elle s'arrête, se penche et cueille quelques bleuets qu'elle dépose délicatement au creux de sa main. Puis elle se redresse lentement et commence à déguster un à un les petits fruits, le visage résolument levé vers le soleil, les yeux fermés, une ébauche de sourire se dessinant sur ses traits, détendus comme il n'aurait jamais pu les imaginer après l'avoir observée la veille. Il n'a plus le choix de se manifester, maintenant qu'elle s'est immobilisée à dix mètres de lui tout au plus ; il lui faut absolument révéler sa présence, quitte à déformer un peu la vérité pour éviter de l'indisposer.

– Ah ! Bonjour, mademoiselle Bouchard. Je somnolais un peu, je ne vous avais pas vue vous approcher. Quelle belle journée, n'est-ce pas ?

Il a prévu qu'elle rougirait ; il s'affaire donc à ranger son crayon dans la poche intérieure de sa veste, pour lui donner le temps de retrouver sa contenance. Il ajoute en souriant :

– J'ai cueilli des bleuets avec Mme Bédard ce matin. Elle en fait, paraît-il, les meilleures tartes du comté.

Il la voit se détendre un peu.

– C'est vrai que ma sœur est une bonne cuisinière, dit-elle en laissant glisser les quelques baies qui étaient encore dans sa main.

Elle se tourne vers la maison de Laura. Au moment où elle s'engage dans l'étroit sentier d'herbe battue, Louis Hémon demande encore :

– Et… vous avez fait une belle promenade au village ?

Il la voit s'immobiliser subitement, son élan freiné par cette question pourtant banale. Elle tourne vers lui un regard affolé, en rougissant une fois de plus. Il remarque qu'elle déglutit péniblement avant de répondre d'une voix hésitante :

– Oui, merci. Très belle.

Et elle s'éloigne à grands pas, presque en courant. Il devine qu'elle redoute une autre question, à laquelle elle préfère sûrement ne pas avoir à répondre. Il se remémore son attitude de la veille, alors que ce fameux Édouard Bédard venu des États-Unis et le timide Eutrope Gaudreault tentaient, chacun à sa façon, d'attirer son attention. Et il la revoit quelques instants plus tôt, rêveuse… « Quelle jeune femme secrète ! » songe-t-il en fixant l'herbe qui frissonne doucement devant lui. Puis il reprend son crayon et sa main se met aussitôt à courir fébrilement sur le papier un peu froissé du petit carnet.

*

– Je pensais que M. Hémon revenait du village avec Samuel vers la fin de la journée, fait remarquer Éva en rejoignant sa sœur dans le jardin.

– Il est revenu à pied, aujourd'hui. Il a dit qu'il avait des choses à faire.

– Pour l'instant, il est assis dans la charrette avec un crayon et du papier, déclare Éva, l'œil soupçonneux.

– Il doit faire sa correspondance.

– Si c'est ça, il doit avoir une bien grosse famille, raille Éva. Tu dis toi-même qu'il écrit tout le temps : sur le bord de l'écore quand il fait beau, dans la maison quand il pleut… Même hier soir, pendant la veillée, je l'ai vu prendre des notes dans un petit calepin qu'il avait tiré de sa poche. Cette fois-là, tu me diras toujours bien pas qu'il faisait sa « correspondance »…

Laura hausse les épaules, ennuyée. Elle n'a pas envie de défendre à tout prix l'engagé de son mari devant sa sœur. Pourvu qu'il soit correct avec eux et qu'il fasse son travail ! Quant au reste…

– Ça te fait pas peur, toi, d'avoir cet homme-là à la maison quand ton mari est absent ? demande encore Éva nerveusement.

– Tu dirais pas ça si tu le connaissais, il est pas plus dangereux qu'une mouche. Et puis, tu devrais le voir avec les enfants : il leur fait faire de la gymnastique, il leur apporte des bonbons chaque fois qu'il va en ville, il leur fait des tours de magie, il berce même Titon, des fois, pour l'endormir.

– Est-ce qu'il a fini par vous dire ce qu'il faisait par ici ? Est-ce qu'il parle de lui, des fois ?

– Ah ! pour ça, on peut pas dire qu'il est jasant ! Il pose beaucoup de questions, mais on dirait qu'il s'arrange pour pas répondre aux nôtres, admet Laura, songeuse. Il faut que je te donne raison là-dessus, il a le tour de nous faire parler de nous autres.

– Au fond, vous le connaissez pas vraiment…

– Mais il est bien élevé, par exemple ! Fiable, puis toujours prêt à rendre service. C'est une bonne nature, c'est moi qui te le dis. T'es trop méfiante, ma petite sœur.

– Sais-tu qu'à t'entendre on croirait qu'il a pas de défauts !

– Mais qu'est-ce que t'as, toi, aujourd'hui ? Il t'a pourtant rien fait, M. Hémon ! On dirait vraiment que tu lui en veux…

Éva tourne la tête pour camoufler sa rougeur subite. Elle doit s'avouer que sa rencontre imprévue avec l'engagé de son beau-frère l'a perturbée. Ce regard pénétrant qu'il a… ! Comme la veille chez Samuel, elle s'est sentie… violée dans son intimité. En fait, elle a la désagréable impression que cet homme peut lire en elle. Son cœur s'emballe une fois de plus : s'il fallait qu'on découvre les sentiments qu'elle a pour Albert ! En cherchant son souffle, elle essaie de se persuader que c'est impossible. Comment pourrait-on deviner, alors qu'elle fait tout pour dissimuler cette attirance insensée, qu'elle la combat de toutes ses forces ?

Un coup d'œil de côté la rassure : Laura ne semble pas avoir remarqué son malaise. Elle reprend d'ailleurs la conversation là où elle l'a laissée :

– À part ça, j'ai pas dit qu'il avait pas de défauts ! Il faut que j'admette qu'il travaille pas vite ; mais qu'est-ce que tu veux, il est pas habitué aux travaux de la terre. D'un autre côté, il se plaint jamais. Quand ça fait pas, il recommence ; en plus, il est toujours de bonne humeur.

Éva se détend un peu. Lentement, les deux femmes quittent le jardin, rapportant quelques légumes. Elles s'attardent devant la maison et profitent de la fraîcheur de cette fin d'après-midi tout en regardant gambader les enfants près de la route. Enfin convaincue que Laura n'a rien perçu de son trouble, Éva se risque à la taquiner :

– Une chance que tu lui reconnais une ou deux faiblesses, quand même, sinon, on croirait que tu le trouves parfait. Puis moi, les hommes parfaits, tu sais… j'y crois pas tellement !

– Non, ça, on le sait ! En tout cas, hier soir, ça sautait aux yeux, lance Laura d'un ton lourd de reproches.

Éva sursaute, surprise de la réaction de sa sœur. Elle était pourtant certaine que celle-ci l'approuvait, la veille, lorsqu'elle l'avait rejointe au poêle pour se verser une tasse de thé. Incrédule, elle croit que Laura lui joue la comédie, et elle ajoute en riant :

– En tout cas, après avoir entendu Samuel raconter qu'il était là quand les deux Français sont partis avec Auguste Lemieux, puis quand ils l'ont retrouvé dans le bois, je serais pas surprise que la prochaine fois on apprenne qu'il était caché derrière un arbre quand les deux « méchants Français » l'ont attaqué !

– Bon, ça va faire ! Quand est-ce que tu vas arrêter de te moquer de Samuel ? explose Laura.

– Mais voyons, Laurette… toi aussi, hier soir, tu…

– Justement, t'as rien compris ! Si je suis allée te rejoindre, c'était pour détourner l'attention des autres. Quand tu t'es levée, c'était comme si on t'entendait le traiter de menteur ! hurle Laura, éclatant en sanglots.

Éva est subitement submergée par les remords. Elle n'avait pas pensé que son attitude pourrait blesser Laura. Elle n'avait pas compris que sa sœur souffrait de sentir que son mari était jugé. Elle la voit pleurer et se reproche d'avoir été la cause de cette immense peine contre laquelle elle se sent maintenant impuissante. Depuis quand Laura souffre-t-elle ainsi en silence ? Évidemment, tout le monde sait que Samuel ne rate aucune occasion d'« arranger » les histoires pour les rendre plus intéressantes, mais…

– Tous les bons conteurs font ça, tu le sais, pourtant ! Et puis… c'est mon mari ! sanglote Laura, rejoignant la pensée de sa sœur.

À son tour, Éva sent monter les larmes à ses yeux. Elle s'approche de Laura qui s'est assise sur un tas de planches, remarque ses épaules déjà voûtées. Hésite un instant et, dans un élan de tendresse, prend la tête de sa sœur entre ses mains, la pose sur sa poitrine et caresse ses cheveux, comme Laura le faisait pour elle quand, toute petite, elle avait de la peine.

– Pardonne-moi, Laura. Je m'en veux tellement !

Et les deux femmes restent ainsi un long moment, jusqu'à ce que Chien annonce joyeusement le retour de Samuel. Laura se redresse aussitôt, essuie ses yeux rougis, secoue sa robe et lève un regard interrogateur vers Éva.

– Pardonne-moi, répète cette dernière. Tu as raison, j'ai été injuste envers Samuel.

Puis elle replace une mèche de cheveux qui a glissé du chignon de sa sœur.

– Ça va aller. Tu es belle, ma Laurette, lui murmure-t-elle encore, avant de s'éloigner vers la maison paternelle.

Laura se retourne aussitôt et entre chez elle, ses légumes à la main.

*
*   *

Debout près de la fenêtre de la cuisine, Éva guette le départ de Nil et de M. Hémon. Après un automne passé dans un campement à douze milles de Péribonka, sous les ordres d'un ingénieur chargé d'un nouveau projet de voie ferrée, le voyageur était revenu chez Samuel à la mi-décembre. Mais déjà, il parlait de repartir, et cette fois pour de bon, d'après ce que Laura avait compris. Cependant, une tempête l'avait empêché de quitter le village avant Noël comme prévu, tout comme elle avait retenu Adolphe loin des siens pour le réveillon. Mais, en ce 28 décembre, Nil conduirait M. Hémon jusqu'à Saint-Gédéon, d'où il ramènerait enfin Adolphe.

En voyant sortir Laura, bien enveloppée dans son éternel manteau gris à capuchon, Éva constate qu'elle est la seule, avec sa jeune sœur malade, à ne pas assister au départ de M. Hémon. Elle en éprouve un vague remords, qu'elle fait cependant taire aussitôt en se rappelant à quel point cet homme la mettait parfois mal à l'aise. Au début du moins. Force lui est d'admettre qu'elle a fini par s'habituer à lui, mais il n'en demeure pas moins qu'elle évitait de se trouver en sa présence chaque fois qu'elle le pouvait.

Indifférente à la scène qui se déroule sous leurs yeux, Aline se balance avec entrain en fredonnant un air qu'Éva n'arrive pas à identifier. « Noël, Noël », répète inlassablement la jeune fille. Éva caresse la joue de sa jeune sœur. « Noël », chantonne Aline en riant.

L'étranger serre la main de ses hôtes, tandis que Nil vérifie une dernière fois l'attelage de la robuste jument Kate, qu'il a choisie pour ce long voyage sur l'épaisse couche de neige fraîchement tombée. M. Hémon serre affectueusement le petit Thomas-Louis dans ses bras avant de le tendre à Samuel. Éva détourne vivement son regard vers sa jeune sœur.

– Papa sera là ce soir, dit-elle pour tromper l'émotion qui l'étreint.

Cette amitié spontanée, qui lie M. Hémon et Titon depuis le premier jour, l'a toujours touchée plus qu'elle n'ose se l'avouer.

– Papa ?

Sans répondre à Aline, Éva jette un dernier regard à l'extérieur. Laura continue d'agiter une main fébrile, pendant qu'Éva fixe les traces luisantes laissées par les lisses de la carriole qui emporte l'étrange voyageur.

– Papa ! répète joyeusement Aline.

– M. Niquet prétend que ça peut pas être un autre que lui, madame Bédard. D'autant plus que M. Hémon avait déjà dit qu'il voulait aller dans l'Ouest… Il m'a dit de vous donner ça, M. Niquet.

Incrédule, Laura jette d'abord un bref regard à Éva, qui reste figée derrière la table de la cuisine. Puis elle tend une main tremblante vers Ernest Murray. En proie à une agitation inhabituelle, le pauvre homme lui remet une coupure de journal à moitié chiffonnée, et reste immobile devant la porte, tournant et retournant son chapeau entre ses doigts nerveux. Ses grands yeux bleus, hérités de lointains ancêtres écossais, semblent un peu plus sombres que d'habitude. Il l'a bien connu, lui aussi, M. Hémon. Ils ont partagé leur quotidien pendant le séjour du Français chez Laura et son mari. Ils se sont bien asticotés un peu, mais…

– C'était pas une mauvaise personne, commente Ernest, comme s'il avait lu dans la pensée de Laura.

Celle-ci se laisse lourdement tomber sur la chaise berçante près de la fenêtre. Puis, dans un geste d'automate, défroisse tant bien que mal le morceau de papier et lit d'une voix chevrotante : « MONTRÉAL, QUÉ. Mardi le 8 juillet 1913, à 19 heures 20, à Chapleau, en Ontario, la locomotive 1226 du Canadian Pacific Railway a mortellement renversé deux hommes qui, selon toute vraisemblance, circulaient à pied sur la voie ferrée. L'un d'eux a été identifié grâce à un récépissé de la poste daté à Montréal le 26 juin, portant son nom ainsi que l'adresse de ses parents. Il s'agit d'un certain Louis Hémon, un Français dont on ignore encore la raison et la durée du séjour au Canada. Le second, un dénommé Harold Jackson, serait un Australien sans adresse connue. »

– Pauvre M. Hémon, que Dieu ait son âme ! gémit-elle.

Et elle se signe.

– Bon, faut que je retourne travailler, moi, déclare Ernest, hésitant encore sur le pas de la porte.

Éva se ressaisit tout à coup et remarque de grosses gouttes de sueur sur le front charnu de sa sœur, qui fixe gravement le vide, l'air absent.

– Merci, monsieur Murray, murmure-t-elle, l'autorisant ainsi à prendre congé.

Puis elle dépose lentement la pâte sur la surface enfarinée. Et constate que ses mains tremblent. Un train ! Quelle fin horrible ! À peine six mois après avoir quitté Péribonka... Une cascade désordonnée d'images s'impose à sa mémoire. D'abord, l'inquiétude de Laura à l'arrivée de l'étranger, convaincue que ça ne pouvait être qu'un voleur ; et cette façon qu'avait M. Hémon d'épier les moindres gestes des gens autour de lui, Éva ne s'en souvient que trop bien. Pourtant on avait fini par s'habituer à lui. Et il était si bon avec les deux petits de Laura. Il ne se passait pas un dimanche sans que M. Hémon rapporte du chocolat ou quelque autre gâterie pour les enfants.

– C'était pas le plus fervent catholique de la place, dit Laura d'une voix étreinte par l'émotion. Une fois, Roland lui avait dit qu'il irait en enfer parce qu'il faisait pas la prière en famille avec nous autres. M. Hémon lui avait répondu en riant : « Il y a longtemps que ma place est réservée en enfer, mon garçon ! » J'espère que le bon Dieu a pas entendu ça ! ajoute-t-elle, effondrée, en immobilisant sa chaise.

Éva saisit la pâte d'un geste machinal et la retourne, consciente que rien ne pourra changer le cours des événements, effacer l'horreur. Elle pense à son père. Adolphe aimait bien discuter avec ce voyageur qui manifestait un réel intérêt pour la colonisation. Quant à elle, sa réserve naturelle l'avait la plupart du temps tenue à l'écart de l'employé de son beau-frère, comme elle la tenait le plus souvent à l'écart des autres garçons du village. Les quelques fois où Éva Bouchard avait bavardé avec Louis Hémon, ils n'étaient pas seuls, et elle était trop soucieuse des convenances pour permettre que cela se produise. Puis il y avait ce vague malaise, cette crainte stupide qu'il puisse deviner ses pensées secrètes… Aujourd'hui, elle se reproche de ne pas être sortie, le 28 décembre dernier, pour lui souhaiter un bon voyage.

1914

Comme chaque fin d'après-midi, Alfred Duclos Decelles fait une pause devant son bureau, après avoir terminé sa dernière tournée de la Bibliothèque du parlement d'Ottawa. Comme chaque soir, il se retourne et jette un dernier coup d'œil dans les allées devenues sombres et silencieuses. Le vieil homme affectionne particulièrement cette atmosphère feutrée où les ombres s'amusent à inventer des formes insolites dans les moindres recoins. Les odeurs légèrement rances des vieux livres réveillent en lui le sentiment de confort et de sécurité qu'il a toujours éprouvé à leur contact, depuis que, tout petit, sa grand-mère lui lisait des histoires, le soir, à la seule lueur de la vieille lampe à huile.

Des bruits de pas le tirent de sa rêverie. Son assistant apporte les revues et journaux fraîchement débarqués de Paris et les dépose sur une table voisine, en vue du tri du lendemain. L'exemplaire du quotidien français *Le Temps*, qui trône au sommet de la pile, attire l'attention d'Alfred Decelles. Il s'en empare d'un geste énergique et, contournant son bureau aussi rapidement que son âge le lui permet, avant même de s'asseoir, l'ouvre résolument à la page du feuilleton journalier. Puis il s'absorbe tout entier dans la lecture du troisième épisode de *Maria Chapdelaine*. Lorsque son adjoint le salue au moment de quitter la Bibliothèque, Alfred Decelles le retient :

– Dites-moi, monsieur Sylvain, est-ce que le nom de « Péribonka » vous dit quelque chose ?

– Hum… je ne me souviens pas d'avoir entendu ce nom-là.

– Et « Roberval » ?

– C'est une ville du Lac-Saint-Jean, si je ne m'abuse.

– Maintenant, connaissez-vous un auteur du nom de « Louis Hémon » ?

L'homme hésite un instant, avant de répondre par la négative.

– Eh bien, imaginez-vous, mon cher ami, s'enthousiasme le vieil homme, que ce « Louis Hémon » signe depuis le 27 janvier, dans le quotidien *Le Temps*, un feuilleton dont l'histoire se situe à Péribonka, un petit village situé au nord du Lac-Saint-Jean. Et ses personnages se nomment Chapdelaine, Tremblay, Gaudreault, Larouche, Bouchard, Bérubé…

– Des noms bien de chez nous, commente l'adjoint du bibliothécaire en soulevant son col de fourrure.

– À présent, écoutez cet extrait : « *Eh ! bien, monsieur Larouche, ça marche-t-il toujours de l'autre bord de l'eau ?*

– Pas pire, les jeunesses, pas pire ! »

Alfred Duclos Decelles lève un regard émerveillé vers son interlocuteur.

– Me croirez-vous si je vous dis que ceci a été écrit par un Français ?

– Ça me paraît étonnant, reconnaît son collègue.

– Pour moi, il ne fait aucun doute que cet homme a séjourné dans notre province pendant une assez longue période, pour être aussi familier avec les coutumes qu'avec le langage régional. Il décrit d'ailleurs nos paysages avec une extrême justesse. Vous devriez le lire et m'en donner des nouvelles.

– Vous avez raison, ça m'intéresse. Je le lirai demain matin en arrivant, répond l'adjoint avant de saluer et de sortir pour de bon.

II

L'exil

Collection privée de l'auteure.

Éva Bouchard à 25 ans.

– Monsieur le curé, j'ai appris que vous partiez de Péribonka…

– Je suis ici depuis 1903, ma fille. Souvenez-vous, votre famille est arrivée la même année que moi. Pour des colons, onze ans, c'est court… mais un curé, après quelques années, il faut que ça débarrasse ! déclare-t-il dans un grand rire sonore.

Éva, assise bien droite en face du bureau, s'efforce de sourire. L'humour un peu rude de l'abbé Villeneuve ne fait qu'amplifier le malaise de la jeune femme, déjà terrorisée à l'idée de lui faire part de son projet. Pourtant, elle doit absolument lui parler avant son départ. Au moins, lui, il la connaît. La situation serait encore plus difficile avec un étranger.

– Votre frère se marie finalement avec Hélène, la fille de William Tremblay ? continue distraitement le curé, occupé à choisir une des nombreuses pipes alignées sur le coin de son bureau.

– Oui, le 20 avril, répond Éva, heureuse de cette diversion qui, elle l'espère, lui permettra de retrouver son assurance.

– Et ils vont habiter chez votre père ?

– Bien sûr. Comme mon père est retenu à l'extérieur du village durant la semaine par son travail de teneur de livres au bureau du chemin de fer, c'est Nil qui s'occupe de la ferme, de toute manière.

– Et vous, mademoiselle Bouchard, comptez-vous vous marier prochainement ? reprend lentement le curé, après avoir déposé une longue pipe de corne jaunie dans un cendrier déjà plein.

Puis, Abraham Villeneuve se lève sans la regarder, se dirige vers une étagère de l'autre côté de la pièce et en retire un vieux cahier noir qu'il ouvre aussitôt.

Éva sent la chaleur lui monter au front. Elle qui croyait avoir prévu dans les moindres détails le déroulement de cette rencontre, voilà qu'elle se sent déjouée sur son propre terrain. Ses mains sont moites, elle ne sait plus très bien où elle en est.

Le prêtre referme le cahier sur son index, pendant que se projette sur le mur l'ombre difforme de sa longue silhouette osseuse. Il s'approche de la fenêtre, songeur. À cette heure déjà, seuls les reflets de la lune sur la neige lui permettent d'apercevoir encore la petite église. Il se tourne vers sa visiteuse et remarque la pâleur de son visage. Regagnant son siège, il s'adresse à elle d'une voix qui se veut rassurante :

– Mademoiselle Bouchard…

Éva lève un regard tourmenté. Ses lèvres tremblent. Elle parvient toutefois à articuler :

– Monsieur le curé, vous savez très bien que j'ai… que je n'ai pas de cavalier.

– Je sais, mademoiselle Bouchard, je sais.

Il ouvre de nouveau le cahier aux pages jaunies et parcourt rapidement quelques notes manuscrites.

– Mais je vois ici que vous venez d'avoir vingt-neuf ans, enchaîne-t-il. Votre jeune sœur vous a quittés il y a quelques mois, que Dieu ait son âme ; bientôt, il y aura une autre femme dans la maison, alors je me demandais si vous aviez pensé…

Cette fois, c'en est trop ! Elle ne va pas lui laisser l'impression d'avoir décidé à sa place, alors que son avenir la préoccupe déjà depuis si longtemps ! La fille d'Adolphe Bouchard redresse les épaules.

– Monsieur le curé, annonce-t-elle d'un ton ferme, je suis venue pour vous parler de mon intention d'entrer au couvent.

Et elle plante un regard fier dans celui de l'homme assis en face d'elle.

Le curé Villeneuve cille un instant. Puis sourit de la façon dont la jeune femme a repris le contrôle de la situation. La détermination d'Éva Bouchard le surprendra toujours. Plusieurs garçons des environs, et même certains de Roberval, où elle a fait ses études d'institutrice, donneraient cher pour obtenir un peu d'attention de la part de cette belle grande brune au regard sombre. Pourtant, elle a toujours semblé imperméable aux avances des hommes.

– Il faut que je fasse une demande officielle. Pourriez-vous me fournir des références ?

– Bien sûr, ma fille, bien sûr ! Mais... quelle congrégation avez-vous choisie ?

– Les Sœurs missionnaires de Notre-Dame d'Afrique. Elles ont une maison à Lévis, près de Québec. Après quelques mois, les novices sont envoyées dans différents pays d'Afrique, soit pour soigner les malades, soit pour enseigner pendant quelques années avant de retourner prononcer leurs vœux perpétuels à la maison mère, à Alger.

– Une sœur Blanche... Vous voulez devenir missionnaire ?

– Oui, c'est ce que je souhaite.

– Vous savez que ça exige une santé à toute épreuve...

– Je sais, répond Éva, en baissant les yeux.

L'ecclésiastique penche le haut de son corps vers l'avant et fixe intensément la jeune femme, l'obligeant à le regarder de nouveau.

– Et... vous êtes certaine de ne pas regretter les plaisirs du monde ?...

Éva se raidit. Cette fois, c'est le confesseur qui s'adresse à elle. Mais elle n'est pas venue pour se confesser et n'a pas l'intention de le faire. Elle est venue chercher des références, et tout ce qu'elle demande, c'est de les obtenir pour pouvoir repartir dès que possible

– Oui je suis certaine, répond-elle dans un souffle. J'ai bien réfléchi.

L'abbé Villeneuve n'insiste pas.

Le froid glacial lui mord les joues. La neige durcie craque sous ses pas. Les arbres s'amusent à former des ombres qui lui suggèrent autant de fantômes s'inclinant sur son passage. Éva est pressée de retrouver la solitude de sa chambre, chez les Niquet. En passant devant la petite école familière, un vieux réflexe lui fait lever les yeux vers une fenêtre de la maison voisine, derrière laquelle vacille la flamme d'une lampe. Elle s'en veut aussitôt de son geste et serre davantage l'enveloppe sur son cœur indiscipliné, au moment où elle s'éloigne de la maison d'Albert Roy.

*

Jamais le petit bureau de poste opéré par les Niquet ne lui a paru aussi éloigné. Elle se promet de ne plus jamais sortir seule, les soirs d'hiver. Édouard Niquet, attablé derrière une pile de lettres, la réconforte d'un sourire :

– Bonsoir, ma fille, fait-il.

– Bonsoir, monsieur Niquet.

Puis Éva se dirige tout droit vers sa chambre, appréciant une fois de plus la discrétion de ces gens généreux chez qui elle loge pendant l'année scolaire. M. et Mme Niquet, les parents de son amie Yvonne, mariée à Sifroid Desjardins fils depuis maintenant plus d'un an, se comportent avec elle comme si elle était leur propre fille. Avec la même chaleur, la même complicité, sans jamais toutefois lui poser de questions sur sa vie privée.

Une fois assise dans son lit, Éva ouvre l'enveloppe que lui a remise l'abbé Villeneuve, au moment de son départ du presbytère :

> Péribonka, 25 février 1914
> Je, soussigné, curé de la paroisse de Saint-Édouard de Péribonka, certifie que Mademoiselle Éva Bouchard a toujours eu une conduite exemplaire dans le rapport de la religion et dans ses relations avec le monde. Durant ses neuf années d'enseignement, elle donna entière satisfaction.
>
> Abbé Villeneuve, prêtre-curé[3]

Cette soirée a été éprouvante. Étendue sur le lit, les yeux mi-clos, Éva revit chaque moment de sa rencontre avec le religieux.

« Vous êtes certaine de ne pas regretter les plaisirs du monde ? » l'entend-elle encore lui demander… Mais que pourrait-elle donc appeler les « plaisirs du monde » ?…

De sa petite enfance passée sur la terre du Pied-du-Cran, à Saint-Prime, entre la laiterie, le four à pain, la grange et l'étable, de cette candeur qui lui faisait croire que les envahissantes chenilles, une fois généreusement aspergées d'eau bénite, épargneraient leurs récoltes… jusqu'au déménagement soudain à Roberval, parce que le père, éreinté, avait dû quitter son travail à la construction du chemin de fer ; parce que la mère, entre deux grossesses, n'arrivait plus à retrouver ses forces, et que quatre des neuf enfants avaient déjà été emportés par la méningite ou la rougeole ; de cette innocence enfantine jusqu'au réveil brutal devant les cruelles réalités de la vie, que reste-t-il donc qu'elle puisse encore nommer « plaisirs du monde », à part le vague souvenir de la délicieuse odeur de bouillie qu'on cuisait sur les chenets, de la source d'eau glacée qui jaillissait joyeusement du cran à l'abri d'un bouquet de jeunes cèdres, du plaisir naïf qu'elle ressentait à caresser la jument Blonde ou l'un ou l'autre des quelques moutons qui circulaient librement sur la terre familiale ?...

Puis il y avait eu le pensionnat des ursulines où, orpheline de mère, Éva s'était retrouvée seule, après que Laura, de cinq ans son aînée, eut été rappelée à la maison pour s'occuper des hommes et de sa jeune sœur malade. Où elle attendait chaque dimanche la visite de son père qui lui apportait des nouvelles fraîches des autres membres de la famille. C'est d'ailleurs à partir de ce moment que, pour tromper son ennui, la timide et secrète adolescente s'était absorbée de plus en plus dans ses études et avait commencé à se distinguer par son travail littéraire ; que les ursulines avaient cru identifier dans cette jeune fille sage et disciplinée une éventuelle recrue. Mais c'était sans compter sur la fierté et la farouche indépendance de la principale intéressée, qui avait rejeté catégoriquement l'éventualité de passer sa vie au couvent.

Par quelle faille a donc resurgi, quelques années plus tard, cette idée de se consacrer à la vie religieuse ? Comprendra-t-elle jamais vraiment pourquoi, depuis près de deux ans, elle pense de plus en plus souvent à se retirer du « monde », comme le dit si bien l'abbé Villeneuve ?

Ses paupières s'alourdissent, un léger martèlement à la tempe gauche la distrait de ses pensées. Éva pivote lentement sur elle-même et appuie le côté endolori sur l'oreiller frais et moelleux. L'élancement diminue un peu. Elle tire sur elle l'épaisse couverture repliée à ses pieds. Se laisse glisser paresseusement dans le vide, pendant que le profil imprécis d'un homme, revêtu d'un long imperméable ocre et d'un large chapeau brun, continue de flotter un moment dans son esprit.

*

* *

Louvigny de Montigny redresse les épaules et prend une grande respiration. Il vient enfin de terminer le long travail de traduction que lui a confié son supérieur, il y a déjà près de deux mois. Quelques jours devraient maintenant suffire à dactylographier son texte en vue de la présentation officielle, après quoi il pourra enfin se consacrer à des travaux moins exigeants, du moins pendant un moment. Comme il ne lui reste plus assez de temps pour repasser à son bureau aujourd'hui, il décide de profiter de cette fin d'après-midi pour rendre visite à M. Decelles avant de quitter la Bibliothèque du Parlement.

– Mon cher de Montigny, je suis heureux d'avoir l'occasion de m'entretenir avec vous. Je vous ai souvent vu ici au cours des derniers jours, mais vous aviez l'air tellement absorbé par votre travail que je n'ai pas osé vous interrompre.

– Je l'étais, monsieur Decelles, je l'étais ! Mais je viens de terminer ma recherche, et je ne crois pas revenir avant plusieurs semaines. C'est pourquoi il n'était pas question que je parte aujourd'hui sans vous saluer, et surtout, sans vous parler d'un sujet qui me tient particulièrement à cœur.

– De quoi s'agit-il, mon ami ? questionne Alfred Decelles en indiquant un siège à son visiteur.

– De ce feuilleton paru dans *Le Temps*, dont tout le monde parle ces temps-ci.

– *Maria Chapdelaine* ?... Bien sûr ! Vous l'avez lu ?

– Mon ami Georges Pelletier, le rédacteur du *Devoir*, m'en a parlé. Je me suis procuré tous les numéros jusqu'au dernier épisode, le 19 février.

– N'est-il pas étonnant qu'un auteur français soit arrivé à dépeindre notre pays avec autant de justesse, tout en rendant aussi fidèlement le langage de nos colons !

– Je suis tout à fait de votre avis. Et je pense qu'il faut absolument tenter quelque chose pour que ce feuilleton soit publié en roman et diffusé à l'intérieur de nos frontières.

J'avais d'ailleurs l'intention de m'attaquer à cette question une fois mon travail de traduction terminé, mais on m'a appris dernièrement que vous aviez déjà entrepris des démarches dans ce sens-là.

– Vous êtes bien renseigné, mon cher ! J'ai en effet écrit au journal *Le Temps* il y a un mois, le 18 mars, plus précisément. J'ai prié le rédacteur de remettre au commissionnaire parisien de la Bibliothèque du Canada quelques copies de *Maria Chapdelaine.* Mais il se trouve que le roman n'a pas encore été édité autrement qu'en feuilleton, voyez-vous. Et on m'a appris par la même occasion que son auteur était décédé lors d'un accident en Ontario l'été dernier, annonce Alfred Decelles.

– Décédé ?… Je l'ignorais, finit par articuler de Montigny, après un silence figé.

– La nouvelle m'est parvenue par M. Félix Hémon, le père même de l'auteur, avec qui *Le Temps* m'a mis en contact. M. Hémon m'assure qu'il se chargera de trouver bientôt un éditeur, et de m'acheminer douze exemplaires du roman.

« C'était pourtant ici, chez nous, qu'il fallait le faire publier ! » songe le traducteur officiel du Sénat en rentrant chez lui ce soir-là. Le jeune homme se morfond à penser que le sort de *Maria Chapdelaine* repose entre les mains d'un vieillard accablé par la mort de son fils, de l'autre côté de l'océan. Ce bon M. Decelles a sans aucun doute agi au meilleur de sa connaissance, mais Louvigny de Montigny se répète que lui, personnellement, aurait certainement privilégié une tout autre approche.

Il essuie une première goutte de pluie sur son visage. Jette un coup d'œil distrait aux nuages menaçants. Hâte le pas. Maintenant que le bibliothécaire l'a devancé, il devra bien se résigner à attendre les résultats de cette première démarche… Que peut-on décemment tenter, dans une pareille situation, sans risquer de créer un incident diplomatique ? Dire que sans l'urgence de terminer cette traduction, il aurait devancé M. Decelles ! Décidément, ce travail est arrivé à un bien mauvais moment !

1915

Éva ne tient plus en place. Pourvu que le train soit arrivé à l'heure à Roberval ! Pourvu que l'état de santé de Léonie ne l'ait pas empêchée de faire le voyage ! Dommage que la récolte des foins ait empêché Nil de se rendre lui-même chercher la femme et les enfants de son frère Gustave : Léonie se serait peut-être sentie plus à l'aise avec lui qu'en compagnie de Samuel…

Éva envie le calme d'Hélène, qui chantonne en remplaçant les pâtés fumants, à peine sortis du four, par les tartes aux framboises et aux bleuets qu'elle vient tout juste de terminer.

– Hmmm ! Les enfants vont se régaler, commente cette dernière en se redressant.

– Pas juste les enfants ! corrige Nil qui entre au même instant.

Hélène sourit à son mari, pendant que celui-ci dépose sur la table le bac de légumes fraîchement cueillis. Puis il retourne à son travail, laissant les deux femmes à la préparation du souper.

Éva est anxieuse de retrouver son autre belle-sœur, qu'elle n'a pas revue depuis les vacances de l'année précédente, alors que Léonie, affaiblie par la maladie, avait dû garder le lit durant une partie de son séjour à Péribonka. Elle a tant de choses à lui dire !

Tout en pelant distraitement les pommes de terre, elle revoit leur première rencontre, en septembre 1906, lorsque l'abbé Villeneuve les avait présentées l'une à l'autre, sur le perron de l'église, après la confession du premier vendredi du mois. Éva enseignait alors au Petit-Pari, alors que Léonie Martel, jeune institutrice native de Saint-François-de-Sales, faisait ses débuts à l'école de la Pointe-Taillon, sur l'autre rive de la Péribonka. Les deux jeunes filles avaient tout de suite sympathisé. Éva avait alors invité Léonie, qui n'avait pas de famille dans les environs, à passer ses dimanches avec elle chez les Bouchard.

Pendant la belle saison, les habitants de la Pointe-Taillon qui voulaient assister à la messe au village quittaient leur presqu'île dès la levée du jour pour faire la traversée dans le bac de Charles Lindsay. Le retour s'effectuait vers cinq heures, ce qui laissait aux voyageurs suffisamment de temps pour visiter parents et amis. L'hiver, par contre, les plus intrépides se regroupaient dans trois ou quatre traîneaux tirés par des chevaux pour traverser la rivière gelée, scrupuleusement emmitouflés dans d'épaisses couvertures, les pieds posés sur des briques chaudes. Ils repartaient de Péribonka vers trois heures, avant que le soleil avare ne prive définitivement le village de sa lumière et de sa chaleur timides.

Léonie voyageait alors le plus souvent avec la famille de Joseph Rousseau, dont les fils Léon, Zoël et Mathias la taquinaient à qui mieux mieux sur les raisons de sa visite hebdomadaire à la famille Bouchard. Après quelques semaines, les joyeux lurons avaient en effet compris que ni la messe ni son amitié pour Éva Bouchard n'étaient les seules motivations de leur passagère pour affronter les rigueurs de l'hiver.

Lorsque le mauvais temps interdisait le déplacement dominical, c'était le facteur Joseph Néron qui, dès sa livraison du mardi, apportait infailliblement à Léonie des nouvelles de Gustave Bouchard, le frère de son amie. À Pâques, celui-ci avait demandé la main de la belle Léonie, et ils s'étaient mariés aussitôt l'année scolaire terminée.

Éva est tirée de sa rêverie par les aboiements du chien. Hélène s'avance vers la fenêtre en asséchant ses mains avec son tablier.

– Ils arrivent, annonce-t-elle d'un ton joyeux.

Et elle se précipite à la rencontre de ses invités. Éva s'empresse de déposer les pommes de terre dans la casserole déjà remplie d'eau et court rejoindre les autres. Samuel immobilise son cheval ; pendant qu'Hélène accueille la petite Simonne dans ses bras, il soutient galamment Léonie qui descend de la voiture. Celle-ci, les traits tirés par la fatigue du voyage, sourit néanmoins à la vue de son amie Éva, et les deux femmes s'embrassent tendrement.

– Tu dois être fatiguée, tu vas t'étendre un peu. Hélène et moi, on va s'occuper des petits.

Léonie remercie Samuel, qui dépose enfin le dernier enfant.

– Ça m'a fait plaisir, madame. Et oubliez pas de venir dîner en ville, un bon dimanche, quand vous irez mieux.

– Oui, dites à Laura qu'on va y aller d'ici deux ou trois semaines, quand Gustave va être arrivé, c'est certain. Merci encore !

*

Inconsciemment, Samuel Bédard redresse peu à peu les épaules en reprenant sa route vers le village où il est désormais établi avec Laura et les deux garçons Marcoux, Roland et Thomas-Louis. Certes, le trajet depuis Roberval s'est bien déroulé : Léonie était installée confortablement, les enfants étaient charmants ; il a même pris beaucoup de plaisir à écouter l'aîné, Roméo, lui raconter avec force détails, du haut de ses sept ans, ses vacances chez son grand-père Martel. Mais il lui tarde de se retrouver derrière le comptoir de son nouveau magasin général, à servir ses clients, à faire la conversation avec eux. Car il a fini par admettre une fois pour toutes qu'il était d'abord et avant tout un homme de public, même s'il s'en doutait déjà au moment de s'installer sur la ferme voisine de celle de son beau-père quelques années plus tôt. À ce moment, s'étant retrouvé sans emploi, il n'avait pu refuser l'offre de son beau-père d'exploiter un bout de terre adjacente à la sienne. Mais il ne s'était découvert aucun goût pour le travail sur la ferme et avait alors résolu de retourner à l'hôtellerie dès que l'occasion se présenterait. De toute façon, la terre appartenait toujours à Adolphe Bouchard, et Samuel supportait mal l'idée qu'on puisse colporter au village que son beau-père lui faisait la charité. D'autant plus qu'il avait fait des efforts sincères pour rentabiliser cette terre revêche.

Fort de son expérience passée de serveur à l'hôtel Beemer de Roberval et de son talent dans le domaine des relations publiques, il avait voulu réorienter sa vie. Sa première idée, en quittant la ferme, avait été de retourner dans cette ville où il était convaincu de trouver facilement un emploi de serveur bilingue ou même de gérant dans un hôtel. Dans le but de devenir lui-même, éventuellement, propriétaire.

Mais Laura ne l'entendait pas ainsi. Elle décréta qu'il n'était pas question de s'éloigner de sa famille, et Samuel ne put qu'obtempérer. Il se résigna donc à demeurer à Péribonka où, occupant déjà diverses fonctions d'intérêt public, il s'était bâti une solide réputation. Il s'associa à Adolphe Bouchard dans l'achat d'un magasin général et transforma une partie de la maison en hôtel. Puis il mit son talent au profit de son nouveau commerce et entreprit de se constituer une clientèle, espérant racheter les parts de son beau-père dès qu'il le pourrait.

Son magasin se profile à peine devant lui que, déjà, Samuel respire d'aise. Après un an d'opération, il commence à récolter les fruits de son labeur. Le seul problème est que, en dehors de ceux qui s'intéressent au commerce des fourrures et connaissent Péribonka comme un centre stratégique dans le domaine, la plupart des visiteurs s'arrêtent à Roberval, ignorant même jusqu'à l'existence de ce village. Il ne peut donc compter que sur une clientèle irrégulière, inconstante, lui qui, avec son expérience, avec son sens inné des affaires, pourrait autrement devenir un grand hôtelier.

Des cris joyeux saluent son arrivée : Roland et Thomas-Louis s'élancent à sa rencontre sur l'étroit chemin de terre battue.

– Ho ! ordonne-t-il au cheval en tirant sur les rênes.

Les deux enfants montent à ses côtés, le gratifiant de leur sourire candide. Le cœur envahi par l'émotion, Samuel se dit que la ville peut bien attendre encore.

*

Nil se retourne en entendant les cris joyeux des bambins, que sa femme s'amuse à faire courir jusqu'à l'ancienne maison de Samuel et de Laura. Pendant qu'Éva lave la vaisselle et que Léonie se repose dans une chambre, Hélène invente pour les enfants de Gustave une course dont chacun sortira vainqueur à tour de rôle. Nil l'observe d'un œil attendri alors qu'elle soulève la petite Simonne et la fait subtilement passer en tête du peloton, tout en détournant l'attention des trois autres. Puis, lors de l'épreuve suivante, elle « tombe » en riant, juste devant Roméo, que son âge et ses longues jambes avantagent, laissant ainsi à une des deux jumelles la chance de gagner à son tour.

Tandis que le petit groupe reprend son souffle, Nil continue sa route vers l'étable. Il sait que, bientôt, sa femme ramènera les enfants vers la maison où, épuisés et heureux, ils se laisseront mettre au lit sans protester. Quelle mère superbe elle ferait ! Pourquoi a-t-il fallu qu'elle perde leur premier bébé, quand son ventre commençait à peine à rondir joliment ?

Plusieurs mois après cet « accident », Hélène, dont la santé est demeurée fragile, n'est toujours pas enceinte. Tout en nettoyant le plancher de l'étable, Nil a un geste d'impatience en se remémorant les reproches de l'abbé Verreault, leur nouveau curé, lors de sa dernière confession. « Qu'est-ce qu'un curé peut bien comprendre aux affaires de femmes ! » grogne-t-il. Parvenu au bout de l'allée, il lance rageusement sa pelle dans le coin et éponge son front en sueur. Peu importe ce que disent les autorités religieuses, son premier souci sera de préserver la santé d'Hélène. Sa femme aura un autre enfant quand ses forces lui seront revenues, pas avant ! Et ce n'est certainement pas un prêtre qui va lui dicter sa conduite !

*

– As-tu pu dormir un peu, au moins ? demande Éva en rejoignant sa belle-sœur qui se berce sur la galerie.

– J'ai fait une bonne sieste, ça va aller. Après un mois de vacances, je commence à penser que le docteur avait raison : l'air de la campagne me fait du bien. Mes douleurs à la poitrine ont un peu diminué depuis que j'ai quitté Québec.

– Tant mieux !

– Il faut dire que j'ai été pas mal gâtée par ma famille, à Saint-François-de-Sales, ajoute Léonie. Je pense que je devrais pouvoir recommencer à faire un peu de travail de maison avant longtemps, avance-t-elle en fixant son attention sur une feuille de bouleau dont elle fait tourner la tige entre ses doigts.

– Si Gustave t'entendait ! Il nous a fait promettre que tu lèverais pas une aiguille. Et ça va prendre plus qu'un petit été de repos pour te remettre d'aplomb, depuis le temps que t'es malade !

– Mais il va bien falloir que je recommence à m'occuper de mes enfants un jour ! Ça va faire trois ans, Éva ! En fait, c'est depuis que Simonne est venue au monde, on dirait…

– Il faut pas oublier que tu as subi une grosse épreuve pendant que tu étais en famille…

Une ombre voile le regard de Léonie alors qu'elle revoit sa petite Marie-Rose, décédée à neuf mois des suites d'une méningite.

– C'est certain que ç'a pas été facile, répond-elle en secouant la tête pour tenter de chasser ce souvenir pénible. Mais je suis chanceuse : Simonne est tellement raisonnable pour son âge ; c'est bien simple, je l'entends pas ! Puis avec ma sœur Desneiges qui est venue rester chez nous depuis le début de ma maladie, je serais bien mal venue de me plaindre, ajoute-t-elle dans un sourire…

– N'empêche que ça t'en fait quatre, Léo. Puis il y a Gertrude et Jeannette qui ont décidé de venir au monde en même temps, ça t'a pas donné de chance !

Léonie arrête brusquement le mouvement de sa chaise et regarde Éva en fronçant les sourcils. Celle-ci, bien que se sachant observée, conserve un visage impassible, du moins jusqu'à ce que son amie l'interpelle :

– Éva Bouchard !

Les deux femmes s'esclaffent au même moment, complices de ce jeu de situation.

– Tu m'avais promis de plus l'appeler comme ça, enchaîne Léonie, feignant tout à coup d'être offusquée.

– Je t'avais promis d'essayer, Léo, rectifie Éva.

– Fais pas semblant que t'as oublié son nom.

– Mais non, voyons ! C'est… euh… !

Le fou rire s'empare à nouveau des deux fillettes espiègles qu'elles sont redevenues. Rapidement, Léonie transforme la feuille de bouleau qu'elle tenait en une petite boule compacte et la lance à Éva. Celle-ci, levant les bras à la hauteur de son visage, fait mine de se protéger d'une deuxième attaque éventuelle. Puis elles finissent par reprendre leur sérieux en s'épongeant les yeux.

– Je sais que tu as toujours aimé donner des surnoms aux enfants. Mais dans le cas d'Élisabeth, admets que tu y es allée un peu fort : tu as complètement changé son prénom !

– C'est quand même mieux que « Bébette », non ? rigole Éva pendant que Léonie lève les yeux au ciel d'un air désespéré. Et je trouve que « Jeannette », ça lui va bien, tu trouves pas ? risque-t-elle encore avec un sourire hésitant à l'endroit de sa belle-sœur.

– C'est un beau nom, c'est vrai ; j'avais même déjà pensé appeler une de mes filles comme ça, mais…

– Moi aussi, si j'en avais eu une, l'interrompt Éva, d'un ton devenu grave. On s'en était d'ailleurs parlé, une fois, quand on enseignait encore toutes les deux, t'en souviens-tu ? Ça m'avait frappée qu'on ait à ce point les mêmes goûts. Alors quand t'as eu les jumelles, j'ai retenu le nom de Gertrude ; mais chaque fois que je pensais à…. Élisabeth, je sais pas pourquoi, c'était « Jeannette » qui me venait à l'esprit. Surtout que tu l'as fait baptiser « Marie, Jeanne, Élisabeth »…

– Hum ! fait Léonie, perplexe.

– Je le fais pas exprès, tu sais. Je dis « Jeannette » comme ça, sans même y penser.

– J'espère juste qu'il est pas trop tard…

– Qu'est-ce que tu veux dire, Léo ? s'inquiète Éva.

– Depuis notre visite à Péribonka, l'année passée, quand quelqu'un lui demande son nom, elle répond toujours « Jeannette ». Et si je la reprends, elle réplique que, quand elle ira à l'école, elle dira à tout le monde qu'elle s'appelle « Jeannette ».

Éva est consternée. Elle n'avait pas prévu que la petite se servirait de cette histoire pour imposer sa volonté à sa mère. Elle se sent soudain très mal à l'aise.

– Et astheure, même son père s'en mêle, se plaint encore Léonie, d'un air faussement indigné.

Éva fronce les sourcils en essayant de déchiffrer l'attitude de sa belle-sœur. Mais celle-ci ajoute aussitôt en riant :

– Comment veux-tu que j'aie le dernier mot avec tout le clan des Bouchard contre moi ? J'ai pas le choix de l'appeler Jeannette moi aussi, elle répond même plus à son vrai nom !

Éva comprend que son amie s'est moquée d'elle et la darde d'un regard menaçant, en même temps qu'elle soupire de soulagement.

Le soleil se couche tôt au nord du lac, où la cime des arbres bordant chacune des terres délimite sa propre ligne d'horizon. Et ainsi font les hommes qui ont sué au soleil, d'un crépuscule à l'autre, pour tenter d'arracher à la terre leur humble subsistance. La nuit est venue tout doucement, chassant les moustiques, apportant avec elle ses profonds et troublants silences. Enveloppées dans d'épaisses couvertures, les deux amies sont restées là, écoutant distraitement le chant des grillons cachés dans les replis de la terre ou sous les pierres et, de temps en temps, le coassement des grenouilles leur parvenant de la rivière invisible, juste en face. Dans l'obscurité, les mots se font plus rares. On prend le temps de les choisir, un à un, d'en mesurer le sens, comme s'ils se revêtaient d'une importance qu'ils n'ont pas le jour, en pleine lumière, comme s'ils devenaient soudain porteurs d'éternité. Une fois la nuit tombée, les rires se font discrets, les voix deviennent plus graves.

– J'entre au couvent cet automne.

Léonie resserre sa couverture autour d'elle. Ne dit rien. Elle sent son cœur se gonfler, mais ne dit rien. Parce qu'il n'y a rien à dire. Déjà, l'année dernière, Éva lui avait fait part de son désir d'entrer en religion. Mais alors, elle hésitait encore. Et la congrégation avait émis des doutes sur la qualité de sa santé. Il faut une santé de fer pour être missionnaire ! Léonie n'avait plus abordé le sujet, espérant qu'il s'agissait d'une lubie passagère et qu'Éva n'en parlerait plus. Mais elle en reparlait. Il fallait qu'elle soit vraiment décidée, cette fois !

– Et ta santé ? risque-t-elle d'une voix étouffée.

– Ma santé, ma santé... je pense trop, c'est ça, mon problème. Si seulement je pouvais finir par trouver ma place !... J'ai rien à reprocher à Hélène et à Nil, au contraire, mais je me sens quand même de trop, ici. Essaie un peu de te mettre à ma place, Léonie !

Éva ne l'avait plus jamais appelée « Léonie » depuis 1906, depuis le tout début de leur amitié. Elle disait toujours « Léo », ce que celle-ci interprétait comme une marque d'affection. « C'est mauvais signe », pense Léonie. Elle laisse couler les larmes qui lui piquent les joues et retient son souffle, dans l'espoir de dissimuler son chagrin.

– Depuis que Laura et Samuel sont allés vivre en ville, papa passe ses fins de semaine chez eux à les aider avec le magasin. Déjà qu'il travaille en dehors la semaine... Si au moins il revenait ici le samedi, je pourrais toujours dire que j'habite chez mon père, je pourrais prendre soin de lui, me faire croire qu'il a besoin de moi ! Mais il est de moins en moins à la maison. Et maintenant qu'Aline est morte, veux-tu me dire à qui je suis utile ?

– Tu sais bien que ça fait plaisir à Nil et à Hélène que tu restes avec eux autres, voyons ! se hasarde à affirmer Léonie, consciente de la faiblesse de son intervention.

– Et puis j'aimerais faire quelque chose de différent, continue Éva, comme si elle n'avait pas entendu. C'est devenu trop facile, ça fait neuf ans que je répète les mêmes règles de grammaire, les mêmes tables de multiplication, je peux pas me faire à l'idée que je vais continuer comme ça toute ma vie, que je connaîtrai pas autre chose !

Elle se tait. Léonie devine qu'Éva pleure en silence à son tour, et doute de plus en plus que ses paroles aient la moindre chance de modifier le cours des évènements. Pourtant, elle ne se pardonnerait pas de l'avoir laissée faire sans rien dire. Elle doit tenter l'impossible.

– Si t'es tannée de la routine, tu penses toujours bien pas que ça va être mieux au couvent ?

– C'est en mission que je veux aller. Ça, c'est loin d'être de la routine ! Et je vais pouvoir aider des personnes qui sont vraiment dans le besoin.

– Mais tu m'as toujours pas dit ce que le docteur pense de ça ? ajoute Léonie en glissant une main discrète en dehors de la couverture pour essuyer ses joues.

– Je suis pas malade, Léo, voyons donc ! C'est pas une petite crampe à l'estomac de temps en temps qui fait de moi une malade ! C'est justement parce que je passe mon temps à ressasser les mêmes questions que j'ai ces malaises-là. Je suis certaine qu'une fois rendue au couvent ça va se replacer.

– Je pense que c'est pas à toi de décider ça, Éva. De toute manière, les sœurs se contenteront pas de ton opinion, puis tu le sais.

– Je vais aller voir un docteur en temps et lieu, tranche Éva d'un ton sans appel.

Elle sort son mouchoir et Léonie fait de même.

Léonie commence à ressentir la fraîcheur de l'air et frissonne tout à coup. Se dit qu'il est plus que temps pour elle de rentrer. Elle se redresse sur la vieille chaise, qui craque douloureusement sous l'effort. Se tourne vers Éva qui se tient encore immobile, le regard fixé droit devant elle.

– Éva, il me semble qu'on n'entre pas au couvent parce qu'on s'ennuie…

– Ça fait longtemps que je réfléchis à tout ça. Penses-tu que je m'en doutais pas, que tu serais pas d'accord ? Penses-tu que je le sais pas, que Gustave va tout essayer pour me convaincre de pas faire ça ? Mais c'est trop simple de résumer ça à une question d'ennui : j'ai besoin de vivre autre chose que ce que je vis présentement, Léonie, peux-tu comprendre ça ? Et je me trompe peut-être, mais je pense que le couvent peut m'apporter ce que je cherche. En tout cas, je prie, puis j'ai confiance que le bon Dieu va me guider. Je vous demande pas d'être d'accord, je vous demande juste de respecter ma décision.

Léonie doit se rendre à l'évidence : aucun de ses arguments n'arrivera à convaincre sa belle-sœur. Elle ressent soudain, comme un immense poids sur ses épaules, toute la fatigue de cette longue journée. Elle se lève péniblement et s'approche de la porte. Éva se lève à son tour et replace les chaises. Léonie la regarde en silence. Puis, dans une ultime tentative, risque encore :

– Éva, y as-tu vraiment pensé ? Tu reviendras plus jamais ici, tu pourras même pas venir à la mort de ton père, de tes frères, de ta sœur… On se reverra plus !

Elle éclate en sanglots. Éva la prend dans ses bras.

– Léo, je t'en supplie, arrête de pleurer, c'est déjà assez dur pour moi comme ça ! Je sais que ça va être difficile, mais si c'est la volonté du bon Dieu, il va m'aider à passer à travers. Et puis je vais quand même passer quelques mois à Lévis avant de partir en mission. D'ici là, j'espère bien revoir quelques membres de ma famille… ajoute-t-elle en souriant derrière ses larmes.

– Et ton père, qu'est-ce qu'il dit de ta décision ?

– Ah ! Tu connais papa… Il fera pas voir qu'il a de la peine, mais je pense que c'est pas étranger au fait qu'il passe de plus en plus de temps chez Samuel depuis quelques semaines. Ça l'occupe, il y pense moins, et j'imagine que ça lui fait moins mal comme ça.

Dans son rêve cette nuit-là, Léonie fait ses adieux à Gustave et à ses enfants. C'est elle qui entre au couvent. Une angoisse profonde l'étreint, comme un étau qui se refermerait lentement sur sa tête. Elle voudrait crier, mais les sons restent bloqués au fond de sa gorge. Plus elle s'agite, plus l'espace s'élargit entre elle et les siens. Engourdie par la douleur, elle se laisse glisser dans le vide. Au petit matin, elle se réveille en sueur, brûlante de fièvre.

*

* *

Après une dernière poignée de main au propriétaire, Gustave Bouchard s'éloigne de la petite maison qu'il vient de louer sur la route de la Station à Cap-Saint-Ignace. Il dirige ses pas vers la gare, à l'extrémité sud de la rue bordée de chênes gigantesques et d'érables centenaires. « À peine trente minutes de marche, juste ce qu'il faut pour tenir la forme », se dit-il. Il soupire d'agrément en songeant à la facilité avec laquelle il pourra se déplacer vers son nouveau travail, pour la compagnie Les Usines de chars et de machineries ltée, à Montmagny, la ville voisine. Même s'il a dû accepter un travail de représentant pour débuter, au moins sa Léonie respirera l'air frais de la campagne, comme le recommandait le médecin. Et avec sa sœur Desneiges qui continuera de s'occuper de la maisonnée, cette fois, il le sent, Léonie se remettra.

La gare est déserte. Gustave tire délicatement de son gousset le double étui fabriqué à partir d'une vessie de porc, qu'a patiemment ourlé et brodé pour lui sa sœur Éva, lors de son dernier passage à Péribonka. D'un côté est rangé son monocle, et de l'autre, la rutilante montre en or qu'il vient de s'offrir, pour se féliciter d'avoir en un seul jour décroché un emploi et trouvé un logis pour sa famille.

Encore plus de deux heures avant l'arrivée du train ! D'un geste résolu, il range sa montre et revient sur ses pas, redresse fièrement les épaules en passant devant la future demeure familiale et continue jusqu'à un étroit sentier qui mène au fleuve. Puis il s'arrête, le regard tourné vers le nord, et contemple les larges battures du Saint-Laurent avec, en fond de scène, les sommets arrondis des Laurentides qui se découpent hardiment sur le bleu soutenu d'un ciel resplendissant.

Demain, de retour à Québec, il annoncera qu'il quitte son emploi d'huissier et fera transporter leurs biens à Cap-Saint-Ignace. Ensuite il ira chercher Léonie et les enfants à Péribonka et ils entreprendront une nouvelle vie. Mais en attendant, il a tout son temps pour savourer la brise venue directement de la rive nord du fleuve tranquille, pour admirer les grands espaces, et le charme discret du majestueux cap Tourmente, qui n'en finit plus d'étirer son flanc sur la berge. Et plus près, à l'entrée de l'archipel, l'île aux Oies et l'île aux Grues qui, telles deux sœurs siamoises, s'amusent à confondre leurs identités au gré des marées. Gustave inspire profondément. Il a tout son temps, et la conviction intime que le meilleur est devant lui, que le monde lui appartient.

*

– C'est une idée fixe ou quoi ?... Il me semblait, Éva, que j'avais réussi à te faire changer d'idée, l'année passée...

– Tu m'avais pas fait changer d'idée, j'étais pas encore prête, c'est tout.

Gustave se tait. Sa mâchoire se crispe pendant que ses poings se serrent instinctivement. Il refuse de croire ce qu'il vient d'entendre. Il passe sa main sur son front prématurément dégarni. Il va se réveiller et constater qu'il a rêvé… il le faut ! Il secoue la tête. Tout cela n'est, hélas, que trop réel et il le sait. Il voudrait pouvoir se lever, marcher sur le terrain pour chasser cette angoisse qui lui étreint le cœur. Mais au-dessus d'eux les nuages se font menaçants, la foudre se rapproche dangereusement.

« Comme elle est habile, cette chère Éva », songe-t-il, dépité. Quelques heures à peine après son arrivée à Péribonka, elle l'entraîne sur la galerie pour lui parler, à ce moment précis où l'imminence de l'orage l'oblige à rester prisonnier de cet espace restreint, séquestré par sa propre rage. Tout s'annonçait pourtant si bien depuis quelque temps : Léonie a commencé à prendre du mieux, ils partent tous demain pour Cap-Saint-Ignace où les attendent leur nouvelle maison, une nouvelle vie pleine de promesses… Gustave sent des larmes monter à ses yeux. Il ne va quand même pas se mettre à pleurer ! Il frappe de sa grande main le bras de la berceuse. Éva sursaute.

– Qu'est-ce qui te prend d'entrer au couvent ? laisse-t-il échapper enfin d'une voix déformée par la douleur.

– Et toi, qu'est-ce qui te prend ? Ça t'avancera à rien de te fâcher, ma décision est prise, réplique-t-elle aussitôt.

– Une Bouchard chez les sœurs ! Comme si ça avait du bon sens ! Voyons donc, Éva, réfléchis, bout de baptême ! T'as trop d'envergure pour aller t'enfermer chez les bonnes sœurs ; c'est bon pour les filles qui ont pas de personnalité, pas pour toi !

– Je te permets pas de parler comme ça, Gustave Bouchard ! riposte Éva, en élevant le ton à son tour. Je dirais plutôt qu'il faut une bonne dose de courage pour prendre une décision comme celle-là. Arrête donc de dire n'importe quoi. Je comprends que tu aies de la peine, mais…

– C'est pas ça, mais ça m'enrage de te voir gaspiller ta vie comme ça : t'es la plus belle fille du Lac-Saint-Jean, tu pourrais avoir le choix des meilleurs partis, puis tu décides d'entrer au couvent !

Éva hausse les épaules, avant d'ajouter lentement, d'une voix grave :

– Je connais pas mal de femmes qui ont trouvé un « bon parti », comme tu dis. Mais quand je les regarde, dans bien des cas, j'ai souvent l'impression que ce sont elles qui ont « gaspillé » quelque chose.

Cette fois, Gustave reste muet. Éva poursuit, émue :

– Avoir su que tu réagirais comme ça, tu l'aurais su seulement quand ça aurait été fait.

– À quoi tu t'attendais ? murmure faiblement Gustave, dans un dernier sursaut de protestation. Tu pensais toujours ben pas que j'allais te donner ma bénédiction ?

– Pourquoi pas ? Je te demande pas ton avis, Gustave, je suis plus une petite fille. Je veux seulement t'annoncer ce que j'ai décidé de faire du reste de ma vie.

Gustave est désarmé. Il accueille avec reconnaissance les premières gouttes de pluie, qui dissimuleront à sa sœur les larmes qu'il ne peut plus contenir. Éva, quant à elle, resserre son châle autour de ses épaules. Elle sait que la colère de Gustave n'est pour lui qu'un rempart contre ses émotions refoulées. Elle sait qu'elle a toujours été sa préférée et qu'il accepte mal l'idée de ne plus la revoir. Ce grand frère impulsif lui manquera beaucoup à elle aussi. Avec ses colères à n'émouvoir que lui-même, ses débordements de tendresse, ses rêves gigantesques et ses déceptions démesurées qui donnent chaque fois envie de le bercer.

*

Le dos droit, les mains moites, Éva se tient immobile sur le bout de sa chaise. En la conduisant dans le petit parloir, la jeune religieuse au sourire timide l'a priée d'attendre que la mère supérieure ait terminé ses prières à la chapelle. Puis son pas léger s'est éloigné doucement.

Le silence de cette vieille maison de la rue Fraser, à Lévis, est tel qu'Éva entend les battements de son propre cœur. Elle essaie de se décontracter en respirant à fond. Observe une à une les images pieuses suspendues aux murs. « Pourvu que ce papier soit suffisant ! » songe-t-elle. Elle ouvre son sac et en sort une enveloppe d'une main tremblante. Elle avait cru que le Dr Turcotte, chaudement recommandé par Gustave, donnerait davantage de détails sur l'état général de sa santé.

> Québec, 9 septembre 1915
>
> J'ai examiné Mademoiselle Éva Bouchard. Je trouve que sa santé est bonne. Elle ne souffre d'aucune maladie organique, il n'y a aucun obstacle à son entrée au couvent.
>
> Edhime Turcotte, m.d.[4]

Si tout se passe comme prévu, elle aura dès aujourd'hui la confirmation qu'elle est admise en tant que postulante. Ensuite, elle ira passer quelques jours chez Gustave et Léonie pour leur faire ses adieux, apporter quelques souvenirs aux enfants, puis retournera à Péribonka pour distribuer le reste de ses effets personnels à Laura, à Hélène, à Nil, à son père, et fera son entrée au couvent d'ici quelques semaines.

Un frisson lui parcourt l'échine en même temps qu'elle réalise la gravité du moment. Une fraction de seconde, elle s'imagine en train de s'enfuir de cet endroit. Elle secoue vigoureusement la tête pour chasser cette pensée. Se redresse sur sa chaise. Remet la lettre dans l'enveloppe et range le tout dans son sac. Saisit son chapelet et commence à réciter le *Je crois en Dieu.*

*

Aucun bruit de pas, de porte qui s'ouvre ou qui se ferme, rien qui puisse être identifié. Seulement ce murmure à peine perceptible, s'étirant à l'infini, telle une longue plainte qui n'en finit plus. Éva remonte le drap blanc jusqu'à ses yeux, surveille un instant les reflets vacillants de la lampe de nuit, qui s'introduisent effrontément par la large ouverture sous le rideau de sa cellule et rampent jusqu'à la mince paillasse qui lui sert de lit, jusqu'à cette île inconnue où sa vie l'a menée, où elle se retrouve désormais, sans passé, dépouillée de ses biens, de ses souvenirs, et bientôt de son nom. Les yeux mi-clos, elle cherche l'horizon de sa vie. N'entrevoit qu'une mer étale, sans remous, sans surprise. Qu'un avenir au jour le jour, vers lequel la dirigent les voix qui, désormais, lui dicteront ses gestes, ses pensées, le moindre de ses mouvements d'âme.

Elle était pourtant si sûre d'elle-même, ce matin du 4 octobre, quand elle a franchi le seuil de cette vieille maison de Lévis ! Du moins aimait-elle le croire. Mais en réalité, elle a cessé de s'interroger ce jour du mois dernier où la mère supérieure lui a annoncé qu'elle était acceptée comme postulante. Depuis le temps qu'elle attendait cette réponse, elle n'allait tout de même pas remettre sa décision en question !

Et la voilà, toute seule, guettant d'un œil inquiet les ombres sur le sol, comme la petite fille du Pied-du-Cran à Saint-Prime, les nuits de grand vent. Ce soir, le vent n'agite que ses pensées et la petite fille ne peut plus se blottir dans la chaleur réconfortante des bras de sa grande sœur. Éva égrène son chapelet en essayant de se concentrer sur les paroles du *Je vous salue, Marie.* Les mots défilent les uns après les autres dans sa tête, comme une vieille chanson familière dont on ne sait plus trop de quoi elle parle. Elle recommence, crispant davantage les paupières chaque fois pour mieux se concentrer sur ce qu'elle dit. Peu à peu, un son faible, monocorde, monte de ses lèvres… *Je vous salue, Marie, pleine de grâces…* elle commence enfin à saisir le sens des mots, elle y arrive… *Vous êtes bénie entre toutes les femmes…* et sa voix se joint bientôt à ce long murmure à peine perceptible, s'étirant à l'infini… *Priez pour nous, pauvres pécheurs…*

*

Éva rejoint enfin le bord de la rivière gelée. Elle s'assoit, un peu essoufflée, sur un énorme tronc d'arbre renversé et hume avec plaisir l'air vif et froid. Les rires de ses compagnes la rejoignent dans sa rêverie. Elle sourit inconsciemment en reconnaissant celui, haut et sonore, d'Yvonne Vallin. Entrées au couvent de Lévis à six jours d'intervalle, les deux postulantes ont accédé au noviciat en même temps au bout de deux mois et, malgré les règlements très stricts de la communauté, se sont liées d'amitié. L'enthousiasme de la jeune institutrice originaire de Saint-Augustin, sa tranquille assurance fascinent Éva depuis le début.

– Éva, vous ne patinez plus ? s'inquiète Yvonne, qui s'approche en risquant quelques pas de valse sur des patins manifestement trop longs.

Puis elle se laisse paresseusement tomber près de sa compagne sur le banc improvisé. Éva s'esclaffe en apercevant les joues écarlates d'Yvonne :

– Je sais m'arrêter pendant que je suis encore capable, moi ! Et surtout, avant d'avoir les joues comme des forçures !

Yvonne rit à son tour en portant ses mitaines enneigées à son visage. Les deux amies restent un long moment en silence, à contempler la scène qui s'offre à leurs regards émerveillés, à cette heure magique où le soleil prépare sa sortie : quelques rayons bienfaisants s'infiltrent hardiment entre les branches alourdies, jetant ça et là des taches de pastel lumineux.

– C'est peut-être de l'orgueil, mais, quand je vois un spectacle comme celui-là, j'ai l'impression que Dieu est tellement proche de moi, murmure timidement Yvonne. Regardez les étincelles que le soleil fait sur la neige, on dirait que c'est Lui qui nous fait des signes.

Éva sent l'émotion la gagner à son tour. Elle envie la naïveté avec laquelle Yvonne fait parfois de ces réflexions singulières qui atteignent pourtant l'âme dans ses plus lointains retranchements.

Les autres novices ont déjà plusieurs longueurs d'avance lorsque Éva et Yvonne se résignent à suivre leurs consœurs, sur un signe de leur accompagnatrice. Elles espèrent profiter le plus longtemps possible de cette escapade, de cette entorse à la routine, cadeau de sœur Charles-Borromée, la supérieure, à l'occasion de Noël.

Yvonne fredonne joyeusement un cantique, tout en foulant énergiquement la neige qui crépite sous ses pas.

– Est-ce qu'il vous arrive de remettre en question le choix que vous avez fait d'entrer en religion ? risque Éva après un moment. Vous avez l'air si sûre de vous. Tout à l'heure, vous étiez heureuse de patiner, de flâner au bord de la rivière, comme si ça devait durer éternellement ; et maintenant, vous avez l'air aussi heureuse de rentrer. Tout a l'air tellement facile pour vous, Yvonne. Est-ce qu'il vous arrive de vous demander si vous êtes vraiment faite pour cette vie-là ?

Yvonne ralentit l'allure et inspire profondément.

– Je pense que j'ai toujours su que je serais religieuse. Ma sœur Mary, qui est maintenant sœur Léonie, est entrée au couvent quand j'avais treize ou quatorze ans ; elle est missionnaire en Ouganda. C'était mon modèle, et j'ai eu envie de faire comme elle, tout simplement. Je ne me suis pas posé de questions. De toute façon, je ne me vois pas ailleurs, conclut-elle après une brève hésitation.

Éva relève son col, croise les bras sur sa poitrine, en ramenant les pans de son manteau pour mieux conserver sa chaleur. Elle regarde en direction de sa compagne, qui avance en fixant un point imaginaire devant elle, l'air serein. Pendant ce temps, les autres ont atteint le couvent. Les deux retardataires continuent d'avancer lentement, en silence, tandis que le ciel tourne à l'orangé derrière les montagnes, de l'autre côté du fleuve figé par les glaces.

– Vous êtes triste, Éva… constate Yvonne.

– J'envie cette certitude que vous avez, d'être là où vous devez être.

– Je me laisse guider par Dieu, c'est tout. Je Lui fais confiance.

– Je suppose que je ne prie pas assez, murmure Éva, alors qu'elle franchit la porte du couvent.

Un murmure fébrile leur parvient de l'intérieur. Aujourd'hui, c'est jour de fête. À peine ont-elles retiré leurs patins qu'Yvonne est abordée par sœur Georgina, venue lui signaler que des parents l'attendent depuis un moment. Éva pense avec nostalgie aux siens que la distance empêche de la visiter, et regagne discrètement sa cellule pendant que son amie disparaît derrière la porte du grand parloir, d'où montent de joyeux éclats de voix.

*

Dans le réfectoire habituellement silencieux, les postulantes et les novices se laissent bien vite emporter par leur enthousiasme juvénile. Les plus chanceuses, celles dont les familles habitent les villes ou villages voisins, racontent avec animation les dernières nouvelles recueillies lors des visites de l'après-midi.

– J'espère qu'on va avoir la chance de goûter aux confitures de fraises des champs que ma mère a apportées, chuchote l'une d'entre elles.

– Je suis sûre qu'elles battent pas le sucre à la crème de la mienne, déclare sa voisine, moqueuse.

– Qu'elles « ne » battent pas ! corrige une autre.

– Oh ! moi, les négations, j'y arriverai jamais ! riposte la précédente. C'est Noël, on pourrait laisser faire, pour une fois ! suggère-t-elle avec une moue de protestation.

Les jeunes filles rient de bon cœur, pendant que sœur Charles-Borromée recommande d'un signe discret à son assistante d'ignorer ce léger accroc à la règle.

– Vous avez eu plusieurs visiteurs, sœur Yvonne ? demande Éva à sa compagne.

– Mon père et mon frère Rosaire, répond-elle en souriant. Imaginez-vous donc que ma sœur vient d'avoir un bébé : j'ai un nouveau neveu, déclare-t-elle d'une voix enjouée.

– Et vous, sœur Éva ? questionne une autre voix. Je vous ai pas vue au parloir…

– Oh ! moi, ma parenté vient de trop loin. Il faut plusieurs heures de train pour venir du Lac-Saint-Jean.

– Mais je pensais que vous aviez un frère dans la région ? insiste maladroitement la jeune religieuse.

Éva se mord les lèvres et retient sa respiration. Le sang lui monte aux tempes. La curiosité de sa voisine attise une souffrance que ses prières n'ont pas suffi à apaiser. Elle cherche une façon de faire dévier la conversation, mais les mots qui lui viennent à l'esprit sont trop chargés de douleur. Yvonne vient généreusement à la rescousse de son amie.

– Cap-Saint-Ignace, ce n'est pas si proche que ça ! Et puis, le frère de sœur Éva a une femme malade et des jeunes enfants ; son devoir était d'être auprès de sa famille, plaide-t-elle opportunément.

*

Une fois les prières du soir terminées, les jeunes filles regagnent le dortoir en silence. Éva échappe un long soupir de soulagement en laissant retomber le rideau de sa cellule. Retire son voile d'un geste las et le dépose sur le dossier de la vieille chaise qui, avec la table minuscule et le lit, tient lieu d'ameublement. Elle sait que, sans l'intervention d'Yvonne, elle aurait pu échapper des paroles blessantes.

Deux coups à peine perceptibles sur le mur de sa cellule la surprennent au moment où elle s'apprête à soulever l'unique couverture qui recouvre la paillasse. Yvonne se glisse furtivement dans la petite pièce, sous le regard surpris de son amie.

– Pardonnez-moi, Éva, mais il fallait que je vous voie, chuchote-t-elle en replaçant délicatement le rideau blanc. Je sais que je n'ai pas le droit d'être ici, mais je m'inquiète pour vous.

À peine remise de son étonnement, Éva s'assoit, muette, sur le bord de la couchette. Yvonne prend place à ses côtés.

– Toute la journée, j'ai senti que vous étiez triste. Vous espériez avoir de la visite, n'est-ce pas ?

Éva sent les larmes monter à ses yeux. Son amie est là, avec son sourire généreux, ouverte, prête à tout entendre.

– Je n'attendais personne, parce que je savais que c'était impossible. Mais j'ai de la misère à me faire à l'idée de ne pas voir ma famille à Noël !

– Et le reste du temps ?… risque Yvonne.

Éva la fixe à travers ses larmes, incrédule. Elle qui croyait avoir réussi à dissimuler son angoisse !

– J'ai de la misère… la plupart du temps, confie-t-elle enfin.

Puis elle cache son visage dans ses mains, réprimant tant bien que mal ses sanglots. Des images remontent pêle-mêle de sa mémoire, des flots de souvenirs refoulés se bousculent dans sa tête en feu. Une main douce mais ferme l'invite à s'étendre. Elle s'abandonne, comme jadis la petite fille malade laissait sa mère la soigner, la border tendrement. Cette main, encore, caresse ses cheveux, tandis qu'Éva enfouit son visage dans son bras replié pour étouffer les cris de douleur qui cherchent à jaillir du fond de sa gorge. Une éternité passe, pendant que défilent à l'infini les visages aimés, les lieux adorés de son enfance, les rêves brisés. Jusqu'à ce que les pleurs se tarissent, jusqu'à ce qu'elle soit totalement épuisée, à bout de larmes et de douleur.

– Pourquoi êtes-vous entrée au couvent ?

Éva se redresse lentement, saisit un mouchoir et cherche une réponse à la seule question qu'il lui semble normal de se poser, au terme de ce long voyage dans ses souvenirs, où la présence de son amie s'est révélée apaisante, rassurante, tout autant que discrète.

– Je ne sais plus où est ma place, Yvonne. Je ne sais même plus très bien qui je suis. Une fille de trente ans, célibataire, c'est toujours de trop partout de toute façon.

– Vous dites n'importe quoi.

– Non, je ne dis pas n'importe quoi et vous le savez. Vous, vous avez décidé très jeune de devenir religieuse. Tout le monde s'entend pour dire que c'est un choix noble, que c'est beau. Mais moi, pour tout le monde, je suis rien qu'une « vieille fille », qui n'a pas trouvé le moyen de se caser. Et les vieilles filles, on le sait bien, ça ne compte pas. Personne ne les écoute, on préfère ne pas les voir. On leur passe sur le corps et sur l'âme sans même s'en rendre compte. Elles n'existent pas, pour la simple raison qu'en dehors du mariage une femme n'a aucune identité reconnue. Seule la vie religieuse peut la sauver de la honte et du néant.

– Et c'est parce que vous ne trouviez votre place nulle part que vous avez décidé de vous faire religieuse ?

Éva soupire.

– J'ai pensé qu'à enseigner ou à soigner des malades, en Afrique, je ferais quelque chose de vraiment utile… peut-être… je ne sais plus. En tout cas, je ne serai plus celle qu'on ridiculise ou qu'on prend en pitié parce qu'elle n'a pas réussi à se trouver un mari, parce qu'elle n'a pas eu d'enfants. Je cesserai d'être définie par la négative. Et j'ai besoin de me voir autrement qu'à travers le regard des autres, j'ai besoin de me sentir vivante.

Éva plante son regard dans celui de son amie.

– C'est pour ça que je suis ici, ajoute-t-elle.

Yvonne Vallin continue de la regarder tendrement, avec ce même sourire bienveillant qu'elle avait au début, à peine étonnée de ce qu'elle vient d'entendre.

Libérée du poids de cette révélation, Éva respire profondément. Masse énergiquement son visage. Puis elle secoue la tête et regarde Yvonne avec gratitude.

– Je vais prier pour vous, mon amie, chuchote cette dernière en se levant doucement.

– Merci. Avec vos prières en plus des miennes, je vais peut-être y arriver, sourit timidement Éva, reconnaissante.

Yvonne retourne à sa propre cellule dans un discret froissement de jupes, tandis qu'Éva humecte son visage d'eau froide. Ce soir-là, elle récite ses prières avec une rare conviction et demeure un long moment recueillie, avant de se préparer lentement pour la nuit. En se glissant dans son lit, elle songe qu'elle ne s'est pas sentie aussi détendue depuis bien longtemps.

1916

Le maître d'hôtel de chez Gérardeau englobe la salle à dîner d'un regard discret au moment où il voit entrer Louvigny de Montigny. Il s'empresse de le rejoindre pendant que le portier le débarrasse de ses encombrants vêtements d'hiver.

– Bonsoir, monsieur de Montigny. Votre table préférée est libre, annonce-t-il de son plus pur accent parisien.

– C'est ce qu'on appelle avoir de la chance, répond distraitement de Montigny tout en observant les visages à la ronde.

Puis il se dirige vers le présentoir où s'étalent pêle-mêle les plus récentes publications, hésite un instant et s'empare de la dernière édition du *Devoir*.

– Monsieur sera seul ? interroge l'élégant majordome, en invitant son client à le suivre.

– Non, j'attends quelqu'un. Mais j'ai presque une demiheure d'avance ; je vais lire un peu.

– Dois-je apporter un apéritif à monsieur ?

– Un verre d'eau, ça ira, merci, répond de Montigny en s'asseyant, manifestement pressé de se retrouver seul pour se plonger dans la lecture du journal.

*

Édouard Montpetit, jeune économiste à la carrière prometteuse, avocat et journaliste déjà réputé, sourit en apercevant enfin la façade du restaurant, à l'angle de Sainte-Catherine et Saint-Justin[5]. Il n'a pas vu son vieux camarade depuis plusieurs semaines, et l'idée de ces retrouvailles, agrémentées d'un succulent repas, le comble d'aise. Il secoue vigoureusement ses habits enneigés avant de pénétrer dans la salle à manger, les confie au portier à qui il glisse discrètement une pièce de monnaie, puis se dirige aussitôt vers de Montigny, qu'il a repéré dès l'entrée.

– Tu semblais bien absorbé par ta lecture, observe-t-il, une fois les salutations et les souhaits de bonne année terminés.

– J'avais lu *Le Devoir* et *La Presse* très vite ce matin. Je voulais m'assurer que rien d'important ne m'avait échappé. Mais je n'ai rien vu de nouveau.

– À part deux ou trois banalités, on ne parle que de la guerre. Et si je crois ce que je lis, elle n'est pas près de se terminer.

– J'en ai bien peur…

– Dis donc, toi qui t'intéressais à la publication de *Maria Chapdelaine*, sais-tu si M. Félix Hémon a fait parvenir au bibliothécaire du Parlement les exemplaires qu'il avait promis ?

– Bien sûr que non ! J'ai justement vu M. Decelles il y a quelques jours. Les combats ont commencé peu après que M. Hémon lui eut répondu. Étant donné les bouleversements causés par la guerre, le roman n'a tout simplement pas été publié. D'ailleurs, je voulais te consulter à ce sujet-là, chuchote de Montigny, que l'arrivée du maître d'hôtel oblige à s'interrompre.

Le choix des mets et le mouvement assidu des serveurs distraient les deux hommes, qui laissent d'abord glisser la conversation vers des sujets d'ordre général. Après un moment, Louvigny de Montigny revient à sa première préoccupation :

– J'ai écrit une lettre au Pr Foucher, de la Sorbonne, dans laquelle j'exprime mon souhait de faire publier *Maria Chapdelaine* au Canada, explique-t-il. Je me risque aussi à lui demander d'intercéder pour moi auprès de M. Félix Hémon. Tu sais sûrement, j'imagine, que M. Hémon père est une personnalité bien connue en France : il a été chef de cabinet du ministre de l'Instruction publique, inspecteur d'Académie à Paris et inspecteur général de l'Instruction publique. À mon avis, le Pr Foucher a toutes les chances d'être un intermédiaire influent dans les circonstances.

– Je te reconnais bien, va ! Tu sais toujours tirer les bonnes ficelles, constate Édouard Montpetit en riant. Et quand espères-tu une réponse ?

– Il faudrait d'abord que je mette la lettre à la poste… Je voulais ton avis avant de l'expédier.

– Mais je ne comprends pas ton hésitation… Le roman est déjà à peu près oublié en France, ce ne sera pas difficile de trouver des arguments pour convaincre le principal intéressé.

– Dans ma lettre, j'écris que le Canada français profiterait grandement de cette publication, que le roman contribuera à l'édification de ses lecteurs en plus de servir de modèle à des auteurs d'ici.

– C'est impossible qu'un père, surtout un homme de sa trempe, ne soit pas sensible à ce genre de propos. Qu'est-ce que tu attends ? As-tu vraiment besoin de plus d'arguments ? lui demande Montpetit d'un ton moqueur. Dis-toi bien que si tu attends trop, quelqu'un d'autre le fera à ta place.

– C'est vrai, répond de Montigny, pensif. Bon ! Tu m'as convaincu. Je termine ma lettre ce soir.

Et il lève son verre, le regard étincelant :

– Au succès de *Maria Chapdelaine* !

– Et au tien ! répond Montpetit en choquant son verre à celui de son camarade.

*

* *

La neige qui s'obstine à tourbillonner sans relâche empêche Gustave de voir plus loin qu'à dix pas devant lui. Son équilibre est parfois compromis quand il se heurte à un obstacle que son œil invalide l'a empêché d'apercevoir à temps. Le souffle court, il enjambe un à un, péniblement, les nombreux monticules de neige qui ont rendu les rues de Lévis à peu près impraticables depuis le matin. Devant chaque entrée, il lève les yeux et essaie de repérer le couvent. Mais l'épaisse poudrerie, conjuguée à la noirceur qui a déjà envahi la ville, rend l'identification des maisons à peu près impossible. Toutefois, entre deux bourrasques, il croit bientôt distinguer l'édifice de trois étages avec sa tour centrale que lui a décrit le chef de gare. Après avoir repris son souffle, il s'engage enfin dans l'allée, s'enfonçant à mi-cuisse à chaque pas et, parvenu devant l'entrée, devine plus qu'il ne lit sur l'écriteau enneigé : SŒURS MISSIONNAIRES NOTRE-DAME D'AFRIQUE – POSTULAT. Puis il frappe à la porte.

De toute évidence, la jeune sœur réceptionniste ne s'attendait pas à voir surgir un visiteur en plein cœur de cette tempête. Gustave se découvre et s'excuse de toute cette neige qui s'étale insolemment autour de lui au moindre mouvement.

– Ce n'est pas grave, mon bon monsieur, du moment que vous êtes en sécurité. Mais vous avez l'air tout gelé, pauvre vous ! Qu'est-ce que vous diriez d'une bonne soupe chaude ?

– C'est pas de refus, répond-il, enchanté de la proposition. Mais ça serait encore mieux si je pouvais la prendre en compagnie de ma sœur, poursuit-il avec un sourire espiègle.

La religieuse lève vers lui un regard interrogateur et Gustave comprend qu'elle l'a pris pour un mendiant.

– Non, je suis pas un quêteux, dit-il en riant. Je suis venu pour voir ma sœur, Éva Bouchard.

– Ah ? fait-elle en hochant la tête, se demandant quoi répondre à cette requête inhabituelle. C'est que… normalement, les visites ne sont pas permises le soir.

– Normalement, comme vous dites ! Mais entre nous, trouvez-vous ça normal, vous, un temps de même ?

Prise au dépourvu, la jeune femme esquisse un sourire timide.

– Je vais en parler à la mère supérieure, déclare-t-elle en s'éloignant de son pas rapide vers l'autre bout du couloir.

Bientôt, une grande forme toute blanche s'avance gracieusement vers Gustave.

– Bonsoir, monsieur, fait sœur Charles-Borromée en abaissant discrètement les paupières. On me dit que vous désirez voir sœur Éva Bouchard.

– Oui, ma sœur. Je suis son frère : Gustave Bouchard, annonce-t-il en s'inclinant devant l'élégante dame à l'accent d'outre-mer. Je retournais chez nous, à Cap-Saint-Ignace, pour la fin de semaine, mais j'ai dû m'arrêter par icitte… pardon, par ici, pour la bonne raison que les trains se rendent pas plus loin. J'ai trouvé une place pour passer la nuit, mais je me suis dit que, tant qu'à être bloqué juste à côté, aussi bien rendre visite à ma petite sœur, pas vrai ?

Pendant quelques secondes, les certitudes de sœur Charles-Borromée sont ébranlées. Elle hésite, puis se ravise :

– Monsieur Bouchard, je comprends que la situation soit un peu particulière, mais notre règlement interdit toute visite sur semaine, et particulièrement le soir. Le parloir est ouvert les dimanches et jours de fête, de trois à quatre heures.

– Ma sœur, je peux pas croire que vous pouvez pas faire un petit spécial : après toutte, c'est vous qui les faites, les règlements ! À part de ça, ça va faire cinq mois qu'Éva est icitte, puis ça serait la première fois qu'elle aurait la visite de quelqu'un de la famille. C'est toujours ben pas quand elle va être rendue en Afrique qu'on va pouvoir aller la voir !

Cette fois, la supérieure est sur le point de se laisser attendrir. Mais dans une dernière tentative pour faire respecter la discipline, elle suggère :

– Je pourrais peut-être faire une exception, si vous reveniez demain matin, après les prières de neuf heures et demie...

– Et si le train part demain matin ?... Voyons, ma sœur, je peux pas croire que j'ai fait tout ce trajet-là, à pied, dans la pire tempête de l'hiver, pour me faire dire que c'est pas prévu dans le règlement, joualvert !

La religieuse rougit, tout en se raidissant imperceptiblement. Puis revoit mentalement sa dernière rencontre avec sœur Éva. Elle se souvient d'avoir constaté que la pauvre fille, malgré ses prières et sa bonne volonté, avait tendance à vivre trop repliée sur elle-même. Qui sait si la visite de son frère ne lui permettra pas de voir plus clairement ce qu'elle entend faire de son avenir ?... Elle décide finalement d'autoriser un compromis : M. Bouchard pourra rencontrer sa sœur au réfectoire. Mais cela se fera sous sa propre surveillance.

Une grande femme corpulente en tablier blanc les accueille d'un sourire chaleureux dès qu'ils franchissent la porte du réfectoire, où les odeurs de pain frais et de soupe parfumée achèvent de désamorcer l'impatience du visiteur.

Gustave s'installe sans se faire prier à la place que lui indique la mère supérieure, qui se dirige ensuite vers la cuisinière pour lui transmettre ses instructions. Puis sœur Charles-Borromée revient vers Gustave et annonce :

– Je vais faire prévenir sœur Éva. À elle aussi, ça fera du bien, finalement.

– Ma visite ou la soupe ? demande Gustave en riant.

– Les deux, sans doute, répond la supérieure en souriant à son tour. Votre sœur s'ennuie de sa famille, vous savez.

– Ça me surprend pas ! J'ai toujours pensé qu'elle était pas faite pour faire une sœur, et je continue de le croire.

– Il faut lui laisser le temps, monsieur Bouchard. Sœur Éva prie beaucoup pour sa vocation, et nous toutes avec elle. Elle a un désir très intense de servir Notre-Seigneur. Il faut lui laisser le temps, répète-t-elle, pendant que la cuisinière dépose un bol de soupe fumante devant le visiteur. Ce n'est pas toujours facile pour nos jeunes filles de s'habituer à la routine du couvent. Mais la prière fait souvent des miracles.

– Prier pour sa vocation, comme vous dites, vous pensez pas que c'est un peu tard, une fois rendue icitte ? Il me semble qu'on l'a ou qu'on l'a pas, la vocation !

– Monsieur Bouchard, votre sœur vient d'avoir trente et un ans. Puis-je me permettre de vous faire remarquer que vous devriez respecter sa décision et la laisser libre de son choix. Faites-lui confiance ! Elle s'est remise entre les mains du Seigneur, et Il saura sûrement la guider.

Incommodé par le regard insistant de sœur Charles-Borromée, Gustave porte la première cuillerée à ses lèvres pour se donner une contenance. Mais la soupe trop chaude lui brûle la langue. Les yeux exorbités, il avale bruyamment le liquide bouillant. Puis tire brusquement son mouchoir de sa veste, tousse, et lève un regard furieux vers la religieuse :

– Bout d'ba… ! pardon, ma sœur.

Et il remet son mouchoir dans sa poche, les joues rouges, l'air confus.

– J'aurais dû vous prévenir, reconnaît la dame dans un demi-sourire ; nous gardons toujours un chaudron de soupe sur le feu pour les passants, du matin au soir. Excusez-moi.

– Ça va aller, répond Gustave sans lever les yeux.

La religieuse s'éloigne de son pas silencieux vers une table voisine et, tout en s'asseyant sur le bout d'un banc, murmure :

– Sœur Éva sera là dans quelques minutes.

*

La mince silhouette glisse doucement sur le parquet luisant. Gustave blêmit. Est-ce bien elle ? Il doute un moment que cette forme humaine qui s'avance vers lui, si légère qu'elle donne l'impression de flotter, soit sa sœur. Elle lui paraît déjà à demi effacée, si fragile qu'on la croirait sur le point de disparaître. Gustave ne se rappelle pas qu'Éva ait été aussi menue. Il voudrait aller à sa rencontre, mais n'y arrive pas. Il se contente de se lever et de la regarder s'approcher, les traits tirés et le teint pâle, les mains enfouies dans les larges manches de sa robe. « Elle ressemble déjà à une vraie sœur », se dit-il. Et son cœur se serre encore davantage.

Soudain elle est là, devant lui, un sourire maladroit sur son visage troublé.

– Comment ça va ? parvient-il à articuler.

– Très bien, et vous ?

Il n'avait pas prévu ce vouvoiement. Décidément, il ne s'habituera jamais ! Elle contourne lentement la table, presque fluide. Elle s'assoit, très droite, en face de lui. Et ils commencent à se jauger en silence, un instant, une éternité pendant laquelle les paroles étouffées, les gestes retenus érigent entre eux un mur de réserve douloureuse.

Puis elle dit ces mots que Gustave entend à peine, des mots pour mettre fin à la torture, des mots pour rien, ou plutôt pour éclipser la souffrance, l'absence, pour faire enfin taire la peur, nier l'angoisse. Ils se mettent à parler de la neige et du vent, de l'hiver... Lentement, la vie les rattrape, le regard d'Éva s'illumine :

– Comment va votre femme ?

Et Gustave se met à raconter : Léonie, les enfants, leur père... Enfin, il reconnaît l'étincelle derrière la sombre prunelle, il arrive à oublier le teint pâle et les joues creusées. Il a enfin retrouvé sa sœur.

– Le Dr Turcotte avait raison. L'air de la campagne est en train de redonner des couleurs à ma Léo. Elle a même recommencé à faire un peu de couture pour les enfants.

– Parlez-moi d'eux. Roméo doit être grand, déjà. Et Jeannette, et Gertrude, elles vont à l'école, j'imagine ?... Puis ma filleule, comment va ma belle petite Simonne ?

– Joualvert, Éva, prends le temps de souffler, je peux pas toutte te dire en même temps !

Et Gustave rit. Du bonheur de retrouver sa sœur préférée, de la voir s'animer, l'œil vif, les joues roses de plaisir.

– Cette fois-là, Hélène a bien l'air partie pour rendre son bébé à terme.

– Tant mieux ! Elle est tellement bonne avec les enfants, elle est faite pour avoir une belle grosse famille. Et parlez-moi donc de Laura...

Le temps a cessé d'exister. L'univers gravite autour d'eux. Ils ont tant de choses à se dire, tant de temps à rattraper. Quand sœur Charles-Borromée se racle la gorge, ils se sentent tous deux comme des enfants pris en faute. La récréation est terminée. Gustave tire sa montre de sa poche. Éva reconnaît la vessie de porc qu'elle avait ourlée et brodée pour lui. Sa gorge se serre.

– J'espère que ça s'est calmé un peu dehors. Il faut que je retourne à l'hôtel.

Elle le guide vers la sortie.

– Faites attention à vous. Dites bonjour à Léo et embrassez les enfants pour moi. Puis quand vous irez chez nous, vous saluerez tout le monde de ma part : papa, Laura, Nil, toute la famille, et les autres... les Niquet...

– Je vais faire du porte à porte pour leur donner de tes nouvelles, badine-t-il, tout en enfilant son manteau.

Et soudain, elle imagine Gustave qui frappe à la porte de la maison d'Albert Roy : « Je viens vous dire que ma sœur va bien. » Vite, elle secoue la tête pour déloger cette pensée stupide. Pourtant, elle aurait tellement envie de demander à son frère s'il sait quelque chose : Albert est-il toujours à Péribonka ?... que fait-il ?... À son lancinant besoin de savoir, elle oppose plutôt un silence farouche. Les joues en feu, elle se sent défaillir à la pensée que Gustave puisse percevoir son malaise. Mais, déjà préoccupé par son affrontement imminent avec le vent sournois, appliqué à s'emmitoufler convenablement, il ne remarque rien.

C'est pourtant un regard mouillé qu'il lève bientôt vers elle, malgré le sourire qu'il s'impose.

– Eh bien, ma petite sœur, il va falloir prendre soin de toi ! Je vais essayer de revenir au début du printemps.

Les yeux embués, le sourire figé, Éva voit son frère ouvrir la porte, prêt à se glisser dans la nuit tourmentée, mais n'entend plus ses dernières recommandations. À peine sent-elle le frôlement de sa joue rugueuse contre la sienne. Elle ne souhaite plus qu'une chose : s'isoler dans sa cellule. Elle parvient tout de même à remercier sœur Charles-Borromée de cette permission spéciale et à replacer les chaises du réfectoire. Puis elle monte péniblement l'escalier qui mène au dortoir et, d'un geste d'automate, se dirige vers son grabat où elle se laisse glisser sur le côté, les jambes remontées vers la poitrine, le cœur protégé par ses mains repliées.

Elle avait cru que l'éloignement apaiserait sa douleur. Elle avait cru que le recueillement quotidien lui ferait définitivement oublier cet homme auquel elle avait pourtant déjà renoncé une fois pour toutes. Mais il a suffi d'une simple allusion à Péribonka pour que sa mémoire la transporte jusqu'à la petite maison voisine de l'école, cette maison qu'elle l'a vu construire jour après jour de ses grandes mains tannées par le soleil, et pour que remonte en elle toute cette souffrance refoulée. Elle l'a tant attendu, elle l'a si longtemps espéré en silence, tout en fuyant son regard et en se méprisant pour sa propre maladresse. Elle peut bien se l'avouer maintenant : elle a toujours su qu'il n'espérait qu'un geste d'elle, qu'un signe... et pourtant elle l'a laissé attendre sans jamais lui laisser entrevoir le moindre espoir. Ils se sont attendus, ils se sont espérés, ils se sont aimés à contretemps, toujours... jusqu'à l'épuisement de sa patience d'homme, jusqu'à ce que l'irrémédiable passage des ans signifie à son cœur de femme qu'il était désormais trop tard.

Éva passe une main moite sur son front dans une ultime tentative pour écarter les regrets inutiles. Cherche un abri où se réfugier contre le reflux de ces souvenirs douloureux. Ferme les yeux... « Je vous salue, Marie... »

Le temps était doux, ce dimanche d'octobre 1906, où elle avait accompagné son frère et son amie Léonie à la Pointe-Taillon pour visiter le calvaire érigé quelques années plus tôt par la famille Roy. Albert raclait le terrain tout autour. En réponse aux questions de Gustave, il leur avait expliqué que les statues du Christ et de la Vierge avaient été commandées par sa mère au sculpteur Henri Angers de Québec, et qu'il continuait d'entretenir la petite chapelle même si sa mère avait dû vendre le terrain l'année précédente pour aller s'établir à Péribonka. Puis, Léonie et Gustave s'étaient éloignés un peu, en quête d'intimité. Elle s'était retrouvée seule, muette, face à cet homme qui hantait secrètement ses pensées depuis si longtemps déjà. « L'été indien », avait-il dit avec ce sourire qui lui avait chaviré l'âme. Il s'était appuyé sur son râteau et elle avait pu l'observer discrètement pendant qu'il lui parlait, tout doucement, comme s'il s'était parlé à lui-même, le regard dirigé vers le village, de l'autre côté de la rivière : « C'est curieux de vous rencontrer ici aujourd'hui, en promenade à la Pointe-Taillon, alors que, depuis un an, j'habite la maison voisine de l'école où vous enseignez, et que j'ai jamais eu le bonheur de croiser votre regard… »

Éva s'agite sur la mince paillasse. L'espace est restreint, elle abandonne toute tentative pour se retourner, il ne faut surtout pas… tomber… *il ne faut surtout pas… qu'elle laisse transparaître son trouble… Que lui reprochait-il donc, déjà ?… de l'ignorer, il lui reprochait de l'ignorer. Et pourtant, s'il savait qu'elle se levait avant l'aube tous les matins de la semaine afin d'être à l'école au moment où il quitterait le village pour se rendre sur son lot à bois, derrière les coteaux ; qu'elle le regardait partir de la fenêtre de sa classe encore vide, revêtu de son long imperméable ocre et coiffé de son éternel chapeau brun à large bord, son fusil sur l'épaule…*

Mais comment faire pour s'intéresser à un homme sans passer pour une écervelée ? Comment cela s'était-il passé pour Léonie et Gustave ?… Elle n'avait pas remarqué. Tout avait eu l'air si simple pour eux, si naturel. Pourquoi était-ce donc si compliqué maintenant qu'il s'agissait d'elle-même ?… Quelqu'un lui dirait-il un jour ce qu'elle devait faire ?… On ne lui avait jamais appris.

Elle tente encore de se retourner dans son sommeil. La paille lui pique les côtes. *La paille… l'étable… ce dimanche après-midi, elle était allée donner un coup de main à son père en l'absence de Nil… Adolphe retournait nerveusement la paille, dans un silence inhabituel… Quand son père prenait cet air grave, elle savait qu'il s'apprêtait à dire quelque chose d'important. « Tu sais, Albert Roy est un peu sauvage, avait-il fini par déclarer, d'une voix qui trahissait son malaise. Pour être un bon gars, c'est un bon gars, mais il reste jamais longtemps à la même place et il a jamais réussi à se fixer nulle part. Son père était gardien de phare ; il a été élevé au bord de la mer. Cet homme-là a besoin de grands espaces, de liberté. Si tu veux un mari, c'est probablement pas l'homme qu'il te faut… »*

Plus encore que les commentaires qu'il avait émis, c'était le fait qu'il ait deviné son attirance pour Albert qui l'avait fait rougir, qui lui avait dicté de continuer à remplir les abreuvoirs tout en feignant de n'avoir pas entendu. Comme si son absence de réaction pouvait annihiler les paroles incommodantes, comme si on pouvait faire reculer le temps. Elle y avait presque cru, l'espace d'une seconde, mais s'était aussitôt reproché sa naïveté. Puis elle en avait voulu à son père de lui répéter ce qu'elle savait pourtant déjà depuis longtemps : oui, Albert Roy était un peu « sauvage ». Et après ?… Ne l'était-elle pas elle-même un peu ?… Adolphe lui en avait d'ailleurs déjà fait la remarque. Et pourquoi tenait-il donc pour acquis qu'elle voulait un mari ?…

Ses pieds heurtent soudain le mur de l'étroite cellule. Elle prend conscience, pendant une fraction de seconde, de l'endroit où elle est, du rêve dont elle revient. Mais, en est-elle vraiment revenue ?… Ses paupières se crispent légèrement. Elle se laisse doucement couler dans cette agréable torpeur, qui la replonge aussitôt dans ses souvenirs…

Il n'est plus là. Il a quitté Péribonka après la mort de sa mère, tout le monde le sait au village. Elle était pourtant certaine qu'il s'intéressait à elle. Elle se blâme de ne pas lui avoir fait ce signe qu'il attendait sans doute. Mais elle avait si bien assimilé les recommandations de sœur Saint-Jean-de-la-Croix : elle avait gardé la tête droite et n'avait pas regardé les garçons dans les yeux, comme il se devait. Seulement, voilà que le seul homme qui l'ait jamais intéressée est parti Dieu sait où !

Une plainte monte de sa gorge, de son cœur éclaté. Sœur Charles-Borromée s'approche sur la pointe des pieds, tire un peu le rideau de coton blanc. Éva semble calme. « Un vilain cauchemar, songe la maîtresse des postulantes. La visite de son frère l'a sans doute perturbée. Peut-être n'aurais-je pas dû l'autoriser… Enfin ! les semaines à venir seront sans doute décisives pour cette pauvre fille tourmentée. » La religieuse décide de laisser passer quelques jours, après quoi elle rencontrera sœur Éva pour faire le point avec elle. D'un geste maternel, sœur Charles-Borromée remonte la couverture et se retire aussi discrètement qu'elle est venue.

Mais le froid a déjà envahi les membres d'Éva… *Ce froid qui ne la quitte plus depuis ce matin où elle a appris le départ d'Albert. La petite maison voisine de l'école a pris des allures spectrales malgré la présence d'Angéline. Attend-elle son frère ?… Sait-elle où il est ?… S'il reviendra ?… Et quand ?… Toutes ces questions restent sans réponses, les Roy étant on ne peut plus discrets.*

Et le temps, le temps, le temps, qui est supposé refermer les plaies même les plus vives, le temps qui a fait d'elle une « vieille fille » : « Mais qu'est-ce qu'Éva Bouchard peut bien attendre ?… Elle doit sûrement approcher de la trentaine, et toujours pas de prétendant en vue ! Pour qui se prend-elle donc pour les repousser ainsi les uns après les autres ?… »

Entrer au couvent... Elle avait commencé à y penser… Mais d'abord, elle irait passer quelques mois chez sa cousine Adèle à Saint-Cœur-de-Marie pour mieux réfléchir…

Puis le retour, brutal. Et Laura qui avait deviné, même si elle n'avait jamais rien dit. C'est avec grand ménagement qu'elle avait annoncé à Éva qu'Albert était revenu au cours de l'été. Qu'il s'était enquis d'elle auprès de Samuel. Laura l'observait de son poste derrière le comptoir du magasin. Il n'avait pas cillé lorsque Samuel lui avait appris qu'elle entrerait probablement au couvent. Mais il avait pâli, Laura l'aurait juré. Il avait payé son tabac et s'en était retourné sans rien ajouter. Deux jours plus tard, il avait de nouveau quitté le village.

C'est le trou noir. Le néant. Le désert du cœur qui s'est vidé de son essence même. Le silence, l'absence.

À l'aube, Éva se réveille courbaturée, fatiguée, comme si elle n'avait pas fermé l'œil de la nuit. Elle se souvient pourtant de chaque détail de son rêve douloureux. Il lui semble même avoir senti une présence, à un certain moment. Quelqu'un qui la bordait tendrement. Mais où commence la réalité ? Où finit le mirage ?

L'eau froide achève de la réveiller. Une autre journée commence. C'est l'heure des matines. Heureusement, il reste la prière.

*

* *

– Cette fois, ça y est ! Je crois que mon projet est en bonne voie de se réaliser, confie Louvigny de Montigny à son camarade Édouard Montpetit.

– La dernière fois que nous nous sommes vus, chez Gérardeau, tu t'apprêtais à poster une lettre au Pr Foucher de la Sorbonne. Je ne suis pas venu chez toi pour me contenter d'un simple résumé, mon cher, plaisante Montpetit en se calant dans un fauteuil. Allez, raconte-moi tout dans les détails.

– La dernière fois, c'était en janvier ?… réfléchit de Montigny, les sourcils froncés. Oui, c'est ça.

Il prend une gorgée de whisky avant de déposer son verre sur la petite table sise à sa droite, et il continue :

– J'ai d'abord reçu une lettre de M. Félix Hémon à la mi-février.

– Tu avais donc raison de penser que le Pr Foucher serait un bon intermédiaire…

– Il semble bien que oui. M. Hémon a semblé aimer l'idée de voir le roman de son fils publié au Canada. Il s'en est même complètement remis à moi pour négocier les conditions de l'édition. Et le 22 avril, j'ai été en mesure de lui annoncer que le volume serait illustré par Marc-Aurèle de Foy Suzor-Coté, que je lui ai présenté comme étant un ancien élève de Léon Bonnat. Bonnat est un peintre français dont M. Hémon connaît la renommée.

– Hum… Suzor-Coté ! Excellent choix en effet !

– Mais quelle histoire ! Imagine-toi que, lors des premiers contacts avec l'éditeur J.-Alphonse LeFebvre de Montréal, Suzor-Coté devait puiser dans ses cartons déjà existants, pour lesquels il demandait un montant de 50 $. Mais le cher maître s'est ravisé par la suite et est venu à Ottawa cette semaine pour me proposer de créer de nouvelles illustrations expressément pour *Maria Chapdelaine*, en échange de quoi il souhaite participer aux bénéfices.

– Il me semble que c'est plus intéressant d'avoir des originaux… non ?

– Évidemment que c'est plus intéressant ! Mais pour lui aussi, tu t'en doutes bien ! Il a dû se rendre compte tout à coup que le roman présentait des chances de retombées positives et il a changé d'idée. Le problème, pour moi, est que les arrangements étaient déjà pris avec l'éditeur. Alors, devine où sera puisée la somme additionnelle ?… Directement dans ma poche, déclare de Montigny d'un ton faussement joyeux. Et tu sais comment sont ces artistes… au train où vont les choses, je suis loin d'être convaincu que nous aurons les dessins à temps. M. LeFebvre est au courant de mes inquiétudes, et même si nous ne sommes qu'en juin, je lui ai fortement recommandé d'insister auprès de Suzor-Coté s'il souhaite publier avant les fêtes.

De Montigny saisit son verre et le vide d'un trait. Puis s'emploie à faire tourbillonner les quelques gouttes de liquide demeurées au fond, pendant que son interlocuteur l'observe pensivement.

– Et le tirage ? demande celui-ci après un moment.

– Heu !... 3000 exemplaires, répond de Montigny, subitement ramené à la réalité.

Il dépose son verre et se tourne dans son fauteuil pour mieux faire face à son invité, avant de poursuivre :

– J'ai pensé que le livre devrait avoir deux préfaces : une canadienne, qui témoignerait du réalisme des mœurs dépeintes par l'auteur, et une française, qui confirmerait la valeur littéraire de l'œuvre. Mon premier souhait était que la préface française soit signée par un membre de l'Académie française, à défaut de quoi elle aurait pu l'être par le Pr Foucher, qui a au moins le mérite de pouvoir ajouter à son nom quelques titres d'une intéressante longueur, ironise-t-il avec un sourire entendu. Mais, ajoute-t-il avec une fierté non dissimulée, je t'apprends en primeur que le préfacier sera finalement nul autre que le fameux philosophe Émile Boutroux.

– Ah ! Finalement, tu l'as, ton académicien. Bravo !

– C'est également un ancien professeur de Louis Hémon. As-tu pensé au crédit que ça apportera au roman ?

– Hum !... À condition que le préfacier canadien soit à la hauteur, bien entendu, glisse Montpetit en fixant sa tasse de thé, l'air absorbé.

Le sourire de Louvigny de Montigny se fige instantanément pendant qu'il cherche le regard de son ami. Ne pouvant se contenir davantage, ce dernier éclate d'un rire moqueur.

– Tu m'as eu, tu m'as bien eu ! admet de Montigny en reprenant son souffle. Mais quoi qu'on en dise, cela aurait pu être quelqu'un d'autre, avec un nom plus prestigieux…

– Allons, ne joue pas les modestes. Pas avec moi. Avoue que tu meurs d'envie de signer cette préface. Et puis disons-le, tu es celui qui a lancé l'affaire, tu es un homme de lettres, tu as la crédibilité, la compétence, et… bon, que faut-il encore te dire pour te rassurer ?…

Et il rit de nouveau.

– Cesse de me railler, ordonne de Montigny en se dirigeant vers le buffet. Heureusement que ce commentaire vient de toi, Montpetit, sinon…

Il se sert une deuxième rasade de whisky et tend la carafe de cristal en direction de son visiteur, le questionnant du regard.

– Tu sais que j'ai horreur de l'alcool. Remplis plutôt ma tasse de thé. De toute façon, tu sais très bien que je te taquinais : je n'ai jamais douté un seul instant que tu sois la personne toute désignée pour signer cette préface. Ça te revient de droit, il me semble. Mais dis-moi, comment se déroule l'opération « promotion » ?

– Le gouvernement provincial a accepté d'acheter deux exemplaires, à un dollar l'unité. Quant au gouvernement canadien, il semble qu'il ne faudra pas y compter : il y a un mois, LeFebvre a invité M. Decelles, en tant que directeur de la Bibliothèque du Parlement fédéral, à acquérir un certain nombre d'exemplaires, mais il attend toujours la réponse.

*

*　*

– Comme de raison, vous devez trouver que les bleuets de par ici font pas mal pitié à côté de ceux du Lac-Saint-Jean.

Yvonne Vallin termine sa phrase dans un rire sonore, attendant une réplique. Mais son commentaire demeure sans réponse. La jeune novice se redresse et jette un coup d'œil circulaire. Éva se tient à quelques pas d'elle, cueillant les bleuets sans conviction, avec des mouvements d'une excessive lenteur.

Yvonne n'est pas sans avoir remarqué le peu d'enthousiasme manifesté par sa compagne au cours des derniers jours. Mais elle n'a pas osé la questionner, et a préféré mettre le tout sur le compte de la chaleur. Éva a d'ailleurs été prise d'un léger vertige il y a à peine une semaine, alors qu'elle effectuait quelques réparations mineures au toit de la remise, avec deux autres jeunes religieuses.

« Une légère insolation, a commenté sœur Charles-Borromée au souper. Sœur Éva se repose dans sa cellule où on lui a porté son repas. Elle sera sur pied demain. »

– Ça ne va pas, Éva ?

Éva se relève lentement et se tourne vers Yvonne, qui s'arrête instantanément en constatant la mine affligée de son amie.

– Mais qu'est-ce qu'il y a ? Parlez, vous m'inquiétez !

– Je ne partirai pas avec vous pour Alger le mois prochain, Yvonne.

– Qu'est-ce que vous me dites là ? s'exclame cette dernière, espérant avoir mal compris.

– Je quitte le couvent.

Un long moment de silence suit cette déclaration, pendant que les deux jeunes femmes s'éloignent légèrement du groupe.

– Quand avez-vous pris votre décision ?

– Hier.

– Est-ce que votre départ a quelque chose à voir avec le malaise que vous avez eu il y a quelques jours ?

– D'une certaine manière, oui. C'était en quelque sorte une épreuve de santé qu'on me faisait subir. Et j'ai échoué. Je ne crois pas que je supporterais la chaleur de l'Afrique. Mais au fond, cette épreuve n'a fait que hâter ma décision.

– Vous voulez dire que vous ne seriez pas restée de toute façon ?

– Je ne crois pas, répond Éva après une brève hésitation. En fait, je n'ai jamais cessé d'avoir des doutes. Je vous envie, Yvonne. Pour moi, ça a toujours été difficile.

– Et qu'est-ce que vous allez faire ?

– Pour l'instant, je vais chez mon frère Gustave à Cap-Saint-Ignace. Il vient me chercher samedi. Puis j'irai probablement passer quelque temps chez ma cousine Adèle à Saint-Cœur-de-Marie. C'est à quelques milles de Péribonka, j'ai besoin de cette distance-là. Après, je verrai. J'espère pouvoir enseigner dans un village voisin.

– Pas à Péribonka ?

– Pas si je peux l'éviter. Mais je verrai en temps et lieu.

– Est-ce que notre mère supérieure est au courant ?

– Bien sûr. Quant à vous, j'attendais le moment propice pour vous en parler.

– Vous allez me manquer, murmure Yvonne, en s'immobilisant tout à coup.

– Vous aussi. Vous avez été tellement bonne pour moi, ajoute Éva en lui pressant le bras.

– Je vous souhaite de trouver votre chemin. Je vais prier pour vous.

Éva reste muette et sourit tout en retenant ses larmes.

– Quant à moi, ma route est toute tracée, je n'ai qu'à me laisser guider. Vous n'aurez donc pas à vous en faire pour moi, conclut Yvonne dans un rire étouffé qui camoufle mal son émotion.

*

La pluie de la nuit a dissipé l'écrasante humidité de la veille. Une brise fraîche pénètre par la fenêtre ouverte sur le nord. Éva ouvre les yeux, vaguement inquiète. Non, elle ne rêve pas, elle est bien chez Gustave. Elle s'étire un instant, goûtant le confort du matelas de plumes. Quel contraste avec la rigidité de la paillasse sur laquelle elle a dormi ces derniers mois ! Le couvent… maintenant qu'elle s'est glissée hors de cette coquille qui la protégeait des remous de l'existence, elle sait qu'elle devra de nouveau faire face à sa réalité, reprendre sa vie à zéro, retourner au champ de bataille. Rien que d'y penser, elle sent se resserrer cette espèce d'étau qui lui comprime l'estomac depuis qu'elle a commencé à envisager son départ il y a quelques semaines, cette pression qui ne diminue souvent que tard dans la nuit, quand le sommeil finit par avoir raison de son angoisse. Elle se force à respirer profondément. Pour l'instant, elle a envie de profiter de ce premier matin de liberté retrouvée. Elle s'assied sur le bord du lit. Elle avait oublié combien il est agréable de s'éveiller au chant des oiseaux. Puis elle se lève, se dirige vers la fenêtre, et ouvre tout grands les rideaux.

De l'étage supérieur, on distingue plusieurs îles de l'archipel, isolées dans ce fleuve magnifique dont la largeur, ici, rappelle déjà la mer. Les Laurentides, sur l'autre rive, se perdent encore dans la brume matinale de ce dernier dimanche de juillet. Quelle chance que Gustave ait déniché un emploi dans ce coin de pays à la fois prospère et si agréable ! D'autant plus qu'après plusieurs années de maladie le climat de la campagne semble enfin favoriser la santé de Léonie, qui retrouve peu à peu ses couleurs en même temps que son entrain.

Des bruits de pas discrets se font entendre au rez-de-chaussée. C'est sûrement Gustave qui se prépare à l'accompagner, comme promis, à la messe de six heures.

*

Semaine après semaine, les jeux des enfants, leurs questions candides qui vous prennent presque toujours par surprise, leurs éclats de rire spontanés, les longues conversations avec Léonie à la tombée du jour, toute cette vie bouillonnante retrouvée après neuf mois passés dans le silence du couvent, redonnent à Éva le goût de rire, le goût de vivre. Ce samedi, elle est néanmoins heureuse d'aller accueillir son frère à la gare, un large parapluie à la main. Avec ce déluge, il aurait été trempé jusqu'aux os avant même d'avoir franchi la moitié du chemin. Et elle se doutait bien qu'il rapporterait de Péribonka, où son travail l'a amené au cours de la semaine, un ou deux chapons et quelques légumes provenant de la ferme familiale.

– Tu parles d'un temps de chien ! s'exclame le voyageur en descendant du train.

– Est-ce qu'il pleuvait aussi à Péribonka ?

– Imagine-toi donc qu'ils ont eu un été sec comme ça s'est jamais vu de mémoire d'homme. Par contre hier soir, quand je suis parti, il tombait des grêlons gros comme des prunes. Nil était au désespoir. Il avait même peur que ça compromette sa récolte de patates.

– Et comment va Hélène ?

– Elle va bien et le bébé aussi. Ils l'ont appelé Louis-Joseph.

Une fois tout le monde servi, Léonie et Éva s'attablent à leur tour devant leur assiettée de bouilli de légumes.

– Ma tante, pouvez-vous couper ma viande ? demande Simonne, qui est assise à côté de sa marraine.

– Il va falloir que tu t'habitues, ma grande fille, dit Gustave. Ma tante sera pas toujours ici pour te gâter !

Il jette un coup d'œil du côté de Léonie, qui hoche discrètement la tête.

– Comment va papa ? risque Éva, tout en surveillant les gestes malhabiles de la fillette.

Son frère hésite un instant, avale une bouchée, puis prend une grande inspiration avant de répondre :

– Il s'est informé de toi.

– Est-ce qu'il va bien ? insiste-t-elle.

– Oui. Mais il veut savoir quand tu vas retourner à la maison.

Éva soupire.

– Et qu'est-ce que tu lui as dit ?

– Écoute, Éva. Il va falloir que tu t'expliques toi-même avec lui. J'ai bien essayé de lui faire comprendre que c'était pas facile pour toi de retourner au village pour le moment, mais il continue de dire que tu te caches.

Gustave jette un coup d'œil vers sa sœur. Celle-ci se contente de serrer les mâchoires.

– Et si tu veux tout savoir, je trouve qu'il a pas tout à fait tort.

Éva lève un regard outré vers son frère et dépose lentement sa fourchette sur la table.

– Excusez-moi ! dit-elle en se levant dignement.

Puis elle se dirige posément vers l'escalier qui mène à sa chambre.

Longtemps après le coucher du soleil, une fois les enfants endormis, Éva redescend à la cuisine, où Léonie et Gustave se bercent doucement devant la fenêtre. Elle les regarde à tour de rôle, esquisse un faible sourire, et s'excuse de nouveau.

– Veux-tu manger quelque chose ? demande Léonie. Il reste du gâteau à la rhubarbe, que Desneiges a fait cet après-midi.

– Je vais me préparer une tasse de lait chaud, ça va aller comme ça, merci Léo.

– Faudrait surtout pas te laisser aller, ma petite sœur. Léo me disait que tu avais commencé à retrouver l'appétit. Mais tu as encore les joues un peu creuses, je trouve.

Il se lève et se dirige vers la pièce originellement destinée à servir de salle à manger, et transformée en chambre à coucher pour Léonie en attendant son complet rétablissement.

Ignorant la remarque de son frère, Éva verse un peu de lait dans une casserole qu'elle dépose sur le poêle à bois. Elle vient de s'asseoir à la table quand Gustave dépose une enveloppe devant elle.

– C'est Adèle qui t'envoie ça. Elle t'a déjà répondu.

Les mains d'Éva tremblent pendant qu'elle déchire l'enveloppe. Puis son visage s'illumine à mesure qu'elle parcourt la lettre de sa cousine.

– Je peux aller habiter chez elle aussi longtemps que je le voudrai. Et elle croit que ce serait possible que je puisse faire la classe à Saint-Cœur-de-Marie, ou sinon travailler comme sacristine.

– Comme ça, tu veux pas retourner à Péribonka…

– Pas tout de suite, Gustave. Je ne suis pas prête. J'aimerais tellement que vous puissiez comprendre : pour moi, décider d'entrer au couvent n'a pas été facile, mais décider d'en sortir a été encore plus difficile.

Elle se lève, va vérifier la température du lait, et reste debout près du poêle, les bras croisés.

– Je sais que, pour vous autres, je suis la même personne, que vous me considérez autant qu'avant. Mais c'est de l'attitude des autres que j'ai peur. J'étais déjà une « vieille fille » qui n'avait pas réussi à se marier. Maintenant, en plus, je serai une « vieille fille » qui n'a pas réussi sa vie religieuse. Et ça, pour la majorité des gens, c'est considéré comme honteux.

Le lait frémit dans la casserole. Éva le verse dans une tasse de grès, y ajoute un peu de sucre et va s'asseoir à la table.

Gustave cesse de se bercer. Il penche son long corps vers l'avant, plonge un regard sévère dans celui de sa sœur, la pointe du doigt et déclare :

– Et en faisant ce que tu fais, tu leur donnes raison. C'est exactement comme ça qu'on alimente les commérages, tu sauras.

Il se recule et continue de se bercer avant de poursuivre :

– Retourne à Péribonka, va à l'église comme d'habitude, au magasin, au bureau de poste, marche la tête haute, puis tu vas voir qu'ils vont te respecter. Parce que tu es une femme respectable et que t'as aucune raison d'avoir honte. Pour faire ce que t'as fait, il fallait plus de courage qu'il en faudra jamais à la plupart d'entre nous. Ça fait que viens pas me dire que t'as peur de ce que les autres vont dire. Tu vaux plus que ça, Éva Bouchard, et moi, j'accepterai pas que ma sœur se cache à cause de quelques mauvaises langues. Parce que, contrairement à ce que tu penses, c'est juste une minorité qui va placoter. La majorité va te respecter, c'est moi qui te le dis !

Éva est ébranlée. Elle est surtout touchée d'entendre son frère vanter son courage, alors que, l'année précédente, il lui tenait un tout autre discours en apprenant son entrée au couvent. Elle prend une gorgée de lait pour camoufler les larmes qui lui embrouillent la vue, mais Gustave a perçu l'émotion qui s'emparait d'elle. Il se lève et va vérifier l'état du poêle. Il a besoin de s'occuper pour dissimuler son propre trouble.

– Je vais partir pour Québec en même temps que toi demain soir, annonce-t-elle après un moment. Je n'aime pas prendre le traversier toute seule. On se laissera à la gare de Québec. Je passerai quelques jours à Péribonka pour voir mon monde : papa, Laura, Nil… Après, je me rendrai à Saint-Cœur-de-Marie voir ce qu'il y a pour moi.

Elle se tait et regarde en direction de son frère, qui lui tourne encore le dos. Puis Gustave pivote sur lui-même lentement, n'essayant même plus de cacher ses yeux embués, et sourit à Éva :

– C'est papa qui va être content !

*

* *

Un curieux pressentiment envahit Louvigny de Montigny au moment où il aperçoit, à travers son courrier quotidien, une enveloppe provenant de la France, plus précisément de Quimper. Contrairement à son habitude, il déchire prestement le mince papier délicatement ombré, avant même de retirer son manteau.

Quimper (Finistère), le 19 novembre 1916

Monsieur,

J'ai le grand chagrin de vous annoncer la mort de mon père, Monsieur Félix Hémon.

Vous vous êtes peut-être aperçu qu'il avait signé de manière presque illisible la dernière lettre qu'il m'avait dictée pour vous.

Sa vue s'affaiblissait depuis bien des mois et sa santé avait été ébranlée par des douleurs successives. Son intelligence seule était restée intacte jusqu'au bout.

La dernière satisfaction de sa vie a été la publication de *Maria Chapdelaine* et nous vous sommes profondément reconnaissantes, ma mère et moi, de lui avoir procuré cette satisfaction. Nous regrettons qu'il n'ait pas vécu assez longtemps pour voir entièrement réalisé ce projet qui lui était cher.

Je vous prie de croire, Monsieur, à mes sentiments les plus dévoués et distingués.

Marie Hémon[6]

Louvigny de Montigny continue de fixer la lettre un moment sans la voir, paralysé par la surprise. Puis il secoue la tête en signe d'impuissance, laisse glisser son manteau et le suspend nonchalamment à la patère derrière lui. Abandonnant le reste de son courrier sur la console, il se dirige vers le boudoir, où il s'affaisse dans son fauteuil.

Rien ne lui a laissé pressentir cet événement. Le 14 juillet, M. Hémon lui avait expédié comme prévu la préface d'Émile Boutroux, priant de Montigny de s'assurer que la photo de son fils ne serait pas publiée dans le livre. Le vieil homme avait annoncé par la même occasion que le libraire-associé qu'il avait d'abord contacté n'avait pas donné de nouvelles et qu'il avait finalement dû se tourner vers la librairie Charles-Delagrave, l'éditeur de ses propres œuvres. La négociation avec LeFebvre s'était alors compliquée pour de Montigny, étant donné l'avidité démontrée par Delagrave. Néanmoins, Suzor-Coté avait livré ses dessins en juillet. De Montigny les avait jugés excellents dans l'ensemble. Il avait cependant demandé que soit repris celui représentant François Paradis, dont la première esquisse lui rappelait davantage un chasseur tyrolien qu'un coureur des bois canadien. Le reste s'était déroulé à peu près normalement et le volume était sorti fin novembre.

Las, déçu, Louvigny de Montigny ferme les yeux. Quand il a posté le premier exemplaire de *Maria Chapdelaine* le jeudi précédent, il s'est plu à imaginer la fierté du vieil homme au moment où il recevrait le colis. Mais il semble que le destin en ait décidé autrement. Ainsi, M. Hémon n'aura jamais vu, relié en volume, le roman écrit par son fils.

*

* *

Charles Tremblay est venu au magasin général livrer du fromage pour son frère Georges. Assis sur une caisse renversée, il fume tranquillement en attendant son tour, pendant qu'Esdras Murray, le deuxième fils d'Ernest, appuyé nonchalamment au comptoir, regarde Samuel compter les clous qu'il lui a commandés. Pierre Niquet, fils d'Édouard, et Joseph Boivin le charpentier discutent des effets de la guerre sur le prix des victuailles, quand la porte s'ouvre bruyamment. Tous les regards convergent vers le commis voyageur qui, aussitôt la porte refermée derrière lui, s'arrête brusquement dans un silence solennel.

– Bonjour, monsieur Lacasse, fait Samuel, sur un ton un peu sec, signifiant ainsi au nouveau venu qu'il désapprouve ses manières inconvenantes.

Le commis voyageur se ressaisit, le temps d'une excuse murmurée du bout des lèvres, et enchaîne aussitôt d'une voix grave, après s'être assuré d'un coup d'œil circulaire que les cinq hommes regardaient dans sa direction :

– J'en ai une bonne à vous annoncer.

Il inspire profondément, comme si, chargé d'une mission capitale, il avait retenu son souffle depuis son départ de Québec.

– Ben voyons, monsieur Lacasse, agitez-vous pas de même ! Qu'est-ce qui se passe ? interroge Samuel en délaissant les clous pour rejoindre les autres à l'avant.

– Monsieur Bédard, vous vous souvenez de M. Hémon, le Français qui a travaillé pour vous il y a quelques années ?

– Ben sûr que je m'en rappelle, répond Samuel. Même que c'est vous qui nous avez appris qu'il s'était fait frapper par un train, six mois après qu'il fut parti de Péribonka. Comment ça se fait que vous nous parlez de lui aujourd'hui ?

Philémon Lacasse, heureux de se voir transformé, pour une fois, en colporteur de grande nouvelle, serre gravement la mâchoire, plisse les yeux pour bien faire sentir à son public l'importance de la primeur qu'il détient ; hésite encore un peu pour mieux savourer la tension que sa mise en scène a réussi à créer, puis, sur un ton de confidence, martelant chaque mot, révèle enfin le secret qu'il a fièrement porté jusqu'au nord du lac :

– Figurez-vous qu'avant de mourir M. Hémon avait écrit un livre qui parle de Péribonka !

Et il se tait, le corps droit, le menton dressé, le regard fixé au-dessus des têtes de ses auditeurs stupéfaits, en attente de leur réaction.

– Un livre ? répète finalement Samuel, abasourdi. Quelle sorte de livre ?

– Il paraît que ça serait l'histoire d'une famille de par ici. C'est mon voisin qui a appris ça de son cousin qui est professeur à l'université. Comme il savait que je connaissais le Lac-Saint-Jean, il lui a emprunté le livre et il est venu me le montrer. Je vous le dis, monsieur Bédard, je l'ai vu de mes propres yeux : tout de suite à la première page, à la première ligne, ça parle de Péribonka. L'histoire commence dans l'église, à la fin de la messe. Je lui ai demandé de me le prêter pour que je puisse vous le montrer, mais, étant donné qu'il l'avait emprunté, il a pas voulu…

Laura, occupée à ranger de la marchandise dans la pièce attenante au magasin, a suivi la conversation depuis le début. Cette histoire de livre pique sa curiosité. Le souffle suspendu, elle entend le commis voyageur ajouter :

– J'ai vu le nom de M. Hémon sur la couverture, avec le titre du livre : *Maria Chapdelaine.*

– Vous me parlez d'une histoire ! s'exclame Samuel. Remarquez que c'est pas si surprenant que ça d'un côté : M. Hémon écrivait quasiment tout le temps. Il disait qu'il faisait sa correspondance. Pour moi, en autant que son travail était fait, il pouvait ben occuper ses congés comme il voulait, mais je serais ben curieux pareil de voir à quoi ça ressemble, ce livre-là…

Pendant que les hommes continuent de commenter l'événement, Laura, dans l'arrière-boutique, le cœur en désordre, doit s'agripper à une tablette de l'étagère pour contrer son vertige. Les jambes flageolantes, elle parvient avec peine à se rendre jusqu'à une vieille chaise bancale qui traîne dans un coin et s'y laisse tomber lourdement, compromettant dangereusement leur équilibre à tous les deux.

Maria Chapdelaine… Le nom résonne dans sa tête, comme une rengaine tenace qui s'impose d'elle-même à la mémoire. Comment donc le nom de Maria Chapdelaine s'est-il retrouvé comme titre d'un livre ?… Un livre écrit par M. Hémon sur une famille de Péribonka. *Maria Chapdelaine…* Laura essaie de comprendre, mais pour le moment elle n'arrive pas à mettre ses idées bout à bout. Une vague impression de trahison l'oppresse, sans qu'elle arrive à s'expliquer pourquoi. Elle tire un mouchoir chiffonné de sa manche et essuie son front en sueur. Puis, les mains sur les genoux, les épaules rejetées en arrière, s'oblige à prendre de grandes respirations qui lui rendront, elle l'espère, ses forces et ses esprits. Elle tend l'oreille. Le commis voyageur promet à Samuel de rapporter un exemplaire de l'œuvre de M. Hémon lors de son prochain voyage le mois prochain.

Peu à peu, les chaleurs se dissipent, les idées s'éclaircissent. Laura songe à Éva qui ne reviendra de chez sa cousine Adèle que dans une quinzaine de jours, l'avant-veille de Noël. Si seulement elle pouvait partager avec sa sœur ce qu'elle vient d'entendre ! Pour l'instant, bouleversée, elle ne sait pas encore ce qu'elle doit en penser. Mais elle est au moins sûre d'une chose : Samuel n'a jamais entendu prononcer le nom de Maria Chapdelaine avant aujourd'hui. Si c'était le cas, il aurait déjà réagi à l'annonce du commis voyageur. Sans trop savoir pourquoi, elle décide d'attendre Éva avant de parler à son mari de la Maria Chapdelaine qu'elle connaît, de Thomas Lebrun et de leur cousine Élodie Desjardins.

Elle se lève enfin, finit de ranger les derniers objets de ses mains encore tremblantes, avant de traverser l'étroit couloir qui mène à la cuisine. Elle active la pompe, emplit d'eau fraîche un gobelet d'étain suspendu à un crochet sur le mur et s'avance lentement vers la fenêtre. Esdras Murray, son sac de clous à la main, vient de quitter le magasin, accompagné de Charles Tremblay. D'ici deux jours, tout le village parlera du livre de M. Hémon.

Heureusement, ce soir, Nil viendra conduire Adolphe au moment où Samuel sera à sa répétition pour les chants de la messe de minuit. Elle devra convaincre son père et son frère de ne pas commenter le titre du livre. Du moins pas avant qu'elle n'ait parlé à Éva.

Son cœur recommence à battre la chamade. Est-ce que le fait de cacher ce genre de chose à son mari peut être considéré comme un péché ?... C'est la première fois que cela lui arrive. Elle se met à fredonner pour tenter de chasser cette pensée.

*

Levée tôt, Laura a préparé les crêpes, puis s'est installée dans la chaise berçante près de la fenêtre de la cuisine pour mieux surveiller l'arrivée de sa sœur. Tout en commençant à réciter ses mille *Ave*, elle ne peut s'empêcher de se rappeler la surprise, ensuite la curiosité de M. Hémon quand elle lui avait expliqué qu'elle et sa sœur se faisaient un devoir, chaque année, depuis leur première communion, de réciter mille *Ave* la veille de Noël, après quoi elles faisaient un vœu qu'elles espéraient voir se réaliser. « Et vous y croyez vraiment ? » avait-il demandé. « C'est une coutume religieuse qui nous vient de notre mère », avait riposté Laura, son orgueil un peu secoué. « Depuis que j'ai les petits, j'ai rarement la chance de finir, mais ma sœur Éva a jamais manqué une année depuis sa première communion », avait-elle ajouté, citant fièrement sa cadette en exemple. M. Hémon était resté un instant songeur, puis était retourné à ses papiers dans la petite pièce séparée par un simple rideau qui lui servait de chambre l'hiver, derrière le poêle à trois ponts.

Laura consulte la vieille horloge adossée au mur de la cuisine. Si tout va comme prévu, Éva devrait être là dans une dizaine de minutes avec Samuel, qui devait la cueillir à la sortie de la messe, où Nil l'a conduite plus tôt ce matin. La neige tombe, lourde et humide, sur un sol déjà blanc. Laura frissonne et se lève pour ajouter une bûche dans le poêle. Elle n'entend pas le traîneau qui s'immobilise devant le magasin.

La porte s'ouvre sur Roland, qui s'écarte aussitôt joyeusement pour laisser entrer Éva.

– Comment va ma grande sœur ?

Les deux femmes s'embrassent, attendries, heureuses de se retrouver. Laura s'éloigne un peu, tenant toujours Éva à bout de bras, et la jauge d'un regard maternel :

– Je trouve que t'as meilleure mine qu'au mois d'août. On devrait pouvoir te réchapper.

Les deux femmes rient encore quand Samuel entre à son tour.

– Vous devez avoir faim ! s'exclame Laura en jetant un coup d'œil du côté de son mari. Je vous sers à déjeuner. Roland, va réveiller ton frère.

Après le repas, les enfants sortent jouer dehors et Samuel passe du côté du magasin, où une dizaine d'hommes se rassemblent chaque dimanche matin pour discuter des sujets de l'heure. Les deux sœurs commencent à confectionner les tourtières et les tartes pour le souper de Noël, quand Laura aborde le sujet qui la préoccupe :

– As-tu entendu parler du livre que M. Hémon aurait écrit ?

– Oui, Nil m'en a glissé un mot, en revenant de Saint-Cœur-de-Marie, hier. Il m'a dit que tu m'en parlerais. Qu'est-ce que c'est que cette affaire-là ?

– On sait pas encore grand-chose, mais apparence que ça serait l'histoire d'une famille de la région. M. Lacasse, le commis voyageur, dit qu'il a vu le nom de Péribonka dans le livre.

Laura observe sa sœur qui, bien que songeuse et les sourcils légèrement froncés, continue de mélanger tranquillement le saindoux à la farine. Manifestement, Éva ignore encore le titre du livre de M. Hémon.

– Sais-tu le titre ? risque-t-elle enfin.

– Non, répond distraitement Éva, absorbée par sa tâche.

Mais la soudaine hésitation de Laura à poursuivre fait naître un soupçon dans l'esprit d'Éva, qui se redresse lentement, dépose son couteau, et plonge un regard inquiet dans celui de sa sœur.

– Qu'est-ce que c'est ? demande-t-elle d'une voix grave.

– *Maria Chapdelaine.*

Éva émet un son bref et inarticulé, s'appuie des deux mains sur le bord de la table et s'applique à contempler le vide en face d'elle. Après un moment, elle secoue la tête et murmure d'une voix vacillante :

– *Maria Chapdelaine* ?...

Puis elle regarde Laura, et répète, incrédule :

– *Maria Chapdelaine* !

Elle nettoie sommairement ses mains avec son tablier et s'assoit sur la première chaise à sa portée.

– J'ai eu la même réaction que toi, dit Laura.

– Maria Chapdelaine, c'est bien le nom de la femme de Thomas Lebrun ?

Laura confirme d'un mouvement de la tête et enchaîne :

– De Thomas Lebrun, qui est le garçon de notre cousine Élodie Desjardins, la fille de notre tante Angèle Dumais qui, elle, est la sœur de maman. Autrement dit, Maria est notre petite-cousine.

– Mais comment ça se fait que M. Hémon a appelé son livre *Maria Chapdelaine* ?... Il ne peut pas connaître Maria ! Même nous autres, on l'a vue seulement deux ou trois fois !

– J'ai pensé à tout ça, Éva. Mais te rappelles-tu le soir où Édouard Bédard est venu veiller, dans le temps que M. Hémon restait chez nous ?

Comment Éva aurait-elle pu oublier cette soirée où elle s'était retrouvée coincée entre Édouard, qui lui faisait une cour aussi insistante que ridicule, et Eutrope Gaudreault qui ne cessait de lui adresser des sourires résignés ? Mais elle se rappelle surtout que ce même soir elle avait fait de la peine à sa sœur sans le vouloir, quand Samuel avait raconté « à sa manière » la triste fin d'Auguste Lemieux.

– Le lendemain, poursuit Laura, M. Hémon m'a demandé s'il y avait beaucoup de monde de la région qui allait vivre aux États comme Édouard. Ça fait que je lui ai parlé du garçon de notre cousine Élodie, qui venait de partir avec sa nouvelle femme, Maria Chapdelaine. Je me rappelle que je l'ai nommée, parce que j'ai toujours trouvé ça beau, moi, ce nom-là. M. Hémon a répété : « Maria Chapdelaine ? » Puis je lui ai expliqué que son vrai nom, c'était « Marie-Antonia Chapdelaine », mais que tout le monde l'appelait « Maria ».

Éva soulève les épaules et pousse un long soupir.

– Je voudrais bien voir ça, moi, ce livre-là !

– Et moi, donc ! Ça me rend mal à l'aise de penser que M. Hémon s'est servi du nom de quelqu'un de notre famille.

– Écoute, Laura. Je vais m'arranger pour avoir le livre. D'ici à ce qu'on sache de quoi ça parle, personne ne doit savoir qu'une de nos petites-cousines s'appelle comme ça.

– C'est pas moi qui vais en parler, ça, c'est certain ! Mais pour le livre, le commis voyageur est supposé en rapporter un de Québec quand il va revenir en février.

– Bon. Mais je vais quand même essayer de mon côté. En attendant, on a tout avantage à se taire. M. Hémon a vécu chez vous, il a écrit l'histoire d'une famille de Péribonka, il s'est même servi du nom d'une personne de notre famille, je pense que c'est assez pour qu'on soit sur nos gardes.

*

Péribonka, 24 décembre 1916

Cher Gustave,

Ta dernière lettre m'a fait grand plaisir. J'étais très heureuse d'apprendre que notre chère Léo continue de prendre du mieux. Il paraît que ton Roméo démontre des talents de pianiste ?... Ça ne me surprend pas vraiment, car nous connaissons tous, dans la famille, tes talents de chanteur, que tu tiens d'ailleurs de notre père. Et quelle belle formation, pour un enfant, que l'étude de la musique ! J'espère que tu donneras la même chance aux jumelles une fois qu'elles seront en âge. Les filles sont trop souvent oubliées quand il s'agit d'éducation. Et puis, qui sait, tu finiras peut-être par avoir une famille de musiciens ?... Enfin, je sais que pour ma belle Simonne, il est encore un peu tôt, mais dis-toi que le moment venu, sa marraine a bien l'intention de voir de près à sa formation.

Ici, tout le monde va bien. Nil est venu me chercher à Saint-Cœur-de-Marie hier, après être passé prendre papa. Quel plaisir ce fut pour moi de faire le voyage de retour avec eux ! J'ai trouvé

Hélène et son bébé en santé. Laura, Samuel, Roland et le petit Thomas-Louis sont tous bien aussi.

Aujourd'hui, j'ai passé une partie de la journée chez Laura à préparer avec elle le souper du réveillon, que nous prendrons tous chez Nil, demain soir. Vous nous manquerez.

Mon cher Gustave, j'aurais besoin de ton aide. Imagine-toi que M. Louis Hémon, l'homme que Samuel avait engagé il y a plus de quatre ans, et qui est décédé, comme tu sais, l'année suivante dans un accident, aurait écrit un livre dont au moins une partie de l'action se déroule à Péribonka. Évidemment, nous sommes tous curieux de voir de quoi il s'agit. Mais ce qui nous inquiète un peu est que le titre de ce livre est « Maria Chapdelaine ». Tu te souviens sans doute de la femme que Thomas Lebrun, le fils de notre cousine Élodie Desjardins, a épousée… Laura se rappelle avoir parlé de Maria à M. Hémon, et il a utilisé son nom comme titre de son livre. Tu comprendras que nous sommes tous très anxieux d'en vérifier le contenu.

Étant donné que tu voyages beaucoup et que tu as souvent l'occasion d'aller dans les grandes villes, je me demandais si tu ne pourrais pas te procurer un de ces livres et me le faire parvenir. J'aimerais toutefois que tu restes discret sur cette démarche. Et surtout, tu seras d'accord qu'il n'est pas question de dévoiler à qui que ce soit notre lien de parenté avec une certaine « Maria Chapdelaine ».

Te connaissant, mon cher frère, je ne doute pas que tu sois aussi curieux que nous d'en savoir davantage. Alors je compte sur toi, et j'attendrai impatiemment de tes nouvelles.

Maintenant, je dois te laisser pour finir de réciter mes mille *Ave*, comme chaque année. Et je fais le vœu de vous retrouver tous en santé dès que possible. Demain soir, au souper, nous aurons une pensée toute spéciale pour votre petite famille.

Bons baisers à mon neveu et à mes nièces, à Léo et à toi-même.

Ta sœur Éva

1917

– Quand le fou à Bédard venait icitte à la fromagerie, il pouvait rester des heures à me regarder travailler. Une fois, il a demandé si j'avais de l'ouvrage pour lui. Quand ben même que j'en aurais eu, je l'aurais jamais engagé, y était assez feluette ! La plupart du temps, il fallait que je l'aide à débarquer les canisses de lait. Pour les vider, c'était toute une histoire, maladroit comme y était !

– Y'avait rien que Samuel Bédard pour engager un homme de même sans le connaître. Moi, je lui aurais jamais fait confiance.

– Dire qu'il restait chez eux, dans une maison où il y avait ben juste assez de place pour leur petite famille !

– Je me demande pourquoi c'est faire que Samuel l'a gardé. Il avait même de la misère à atteler la jument. Une fois, il lui a jusque mis le collier à l'envers !

Les hommes rient.

– En tout cas, moi, j'ai jamais compris qu'un homme puisse se donner de même, pour du manger, avec juste huit piastres de gages par mois. Ça regarde mal, en tout cas.

– Pis l'avez-vous vu après la messe, le dimanche, pendant la criée ? Y s'accotait à un arbre ou ben encore à une voiture, y reluquait le monde, puis y écrivait dans son petit calepin. Y'a pas à dire : y avait l'air troublé en blasphème !

– Après, il venait au magasin. Il passait une demi-heure à regarder la marchandise, à s'informer des prix. Mais y achetait rien, à part du chocolat pis des nanannes pour les enfants ou ben donc du tabac pour lui.

– Ouais ! Y annonçait pas grand-chose, de même, mais en fin de compte, malgré son air innocent, y écoutait toutte ce qu'on disait pareil !

– Quand on pense qu'il nous espionnait ! Ah ! Y'a pas à dire, on s'est ben fait avoir !

– Dans le fond, y était ben plus fin que touttes nous autres.

Le groupe des hommes se défait lentement, l'un attrapant au passage une boîte de thé sur une étagère, l'autre s'approchant du comptoir pour payer le cent de farine qu'il a posé à ses pieds, un troisième soulevant un rond du poêle situé au centre de la pièce pour attiser le feu avec le tisonnier.

– Je pense qu'on aurait tort de sauter trop vite aux conclusions. Qu'est-ce qui nous dit que c'est pas correct, ce qu'il a écrit ? Il y a encore personne, icitte, qui a lu son livre !

Les regards étonnés se tournent vers l'homme qui, muet jusqu'à ce moment, continue de soupeser calmement des rouleaux d'étoffe. Après avoir imposé le silence de sa voix basse et grave, Albert Roy soulève son chapeau brun à large bord, salue d'un signe de la tête et sort dans le froid glacial de janvier.

*

Éva referme le volume et le dépose doucement sur sa table de chevet. Masse son front et ses tempes de ses doigts engourdis, pose son châle sur le dossier de la chaise, s'étire, puis soulève les couvertures et se glisse dans son lit. Demain, c'est lundi, il lui faut dormir au plus vite. Le carillon sonne onze heures au moment où elle éteint la lampe.

Adèle et son mari dorment depuis longtemps déjà. Pourtant il fallait qu'elle aille au bout de sa lecture, qu'elle en ait le cœur net. Depuis le temps qu'elle s'interroge au sujet de ce livre...

Elle s'étend sur le dos, un bras replié derrière la nuque. La tête pleine des noms des personnages de ce roman troublant, elle n'arrive pas à trouver le sommeil. Elle pense à Laura, qui a été si bouleversée en apprenant l'existence de ce livre écrit par son ancien pensionnaire. Il faudra la rassurer : si Maria Chapdelaine est le nom de l'héroïne, rien ne permet de faire un lien avec leur cousine, dont M. Hémon ne connaissait d'ailleurs que le nom.

Il semble évident que M. Hémon s'est en partie basé sur ce qu'il a vu à Péribonka pour écrire *Maria Chapdelaine*, mais ça reste un roman. Même si on y reconnaît des paysages et des lieux, l'histoire en elle-même n'est rien d'autre que de la fiction. Éva l'écrira dès demain à Laura et on arrêtera de s'inquiéter, dans la famille, parce que l'auteur a utilisé le nom d'une vague parente, nom qu'il avait d'ailleurs entendu par hasard et qui avait tout simplement plu à son oreille.

Onze heures et demie. Éva a beau se répéter ces évidences qu'elle souhaiterait rassurantes, mais le sommeil ne vient toujours pas. Elle se tourne sur le côté. Samuel Chapdelaine... Le père de Maria s'appelle Samuel. Curieux hasard, tout de même ! De plus, la mère Chapdelaine est une Bouchard... Et Eutrope... celui du livre se nomme Gagnon, mais on pourrait facilement croire que ce sont deux frères jumeaux. Et Esdras, et tant d'autres noms familiers... et cette impression de déjà-vu qu'elle a souvent ressentie tout au long de la lecture...

Éva se crispe, essaie de ne plus penser. Se redit pour la dixième fois qu'un auteur doit nécessairement s'inspirer de la réalité pour écrire une histoire qui soit vraisemblable.

Mais, le cœur affolé, les yeux encore grands ouverts sur la nuit, elle repense à cet Eutrope Gagnon, que l'auteur a représenté en amoureux timide de Maria, à Lorenzo Surprenant, copie conforme d'Édouard Bédard, et à l'histoire de François Paradis, qui, à quelques détails près, ressemble à s'y méprendre à celle d'Augustin Lemieux...

Mais au-delà de toutes ces questions persiste un malaise plus profond encore. L'attirance de Maria pour François Paradis ramène à sa mémoire des souvenirs qu'elle n'a jamais pu enfouir tout à fait. Elle a beau se dire que c'est impossible, mais les réactions de Maria, quand elle pense au beau François, lui rappellent les siennes à une certaine époque. Plus elle repense à certains passages, plus elle est convaincue que cette Maria, invention de M. Hémon qui, autrement, ne lui ressemble en aucun point, connaît pour François la même attirance et vit les mêmes émotions qu'elle envers l'énigmatique Albert. Elle laisse refluer ses souvenirs un instant, puis s'en veut aussitôt d'avoir eu ces idées stupides et se tourne pour chercher le sommeil.

Sa mémoire l'entraîne pourtant malgré elle jusqu'à ce dimanche où M. Hémon, assis sur le tablier de la charrette, l'avait surprise à rêver alors qu'elle marchait vers la maison de sa sœur. Ce jour-là, elle avait eu la désagréable impression que l'employé de son beau-frère avait deviné ses pensées les plus intimes, qu'il avait pu y lire sa passion secrète pour Albert. Tourmentée par le spectre de cette idée, elle s'endort à l'aube.

*

* *

Après avoir fermé le magasin, Samuel se poste habituellement près de la fenêtre de la cuisine, allume sa pipe, et se berce en attendant que sa femme lui serve son thé. Ce soir cependant, Laura s'étonne de le voir debout sous le chambranle, le regard vague, la mine songeuse. Elle dépose la tasse de son mari sur la table et le fixe d'un œil interrogateur.

– J'ai eu la visite d'un journaliste, aujourd'hui, déclare-t-il enfin.

– Un journaliste ? répète Laura en s'installant à la table.

– De Québec, précise Samuel en hochant la tête. C'est un certain Potvin. Un homme qui est venu au monde dans la région. Il est en visite dans sa parenté pour Pâques.

– Qu'est-ce qu'il voulait ?

Samuel s'assoit en face de sa femme et tire sa tasse vers lui.

– Nous rencontrer.

– Nous ?... s'exclame Laura, commotionnée.

– Il dit qu'il fait une enquête et qu'il veut nous questionner étant donné qu'on a connu M. Hémon.

– Je me demande ce qu'il peut attendre de nous autres, dit Laura, méfiante. En tout cas, moi, j'ai rien à lui dire.

– Il veut absolument nous voir tous les deux. Je lui ai dit de revenir demain avant-midi, après la grand-messe.

Laura se lève, rouge de colère.

– Vous auriez pu m'en parler ! proteste-t-elle d'un ton sec.

Puis elle saisit sa tasse sur l'armoire près de la cuvette de l'évier, s'approche du poêle et y verse le liquide bouillant.

– J'ai bien essayé de lui dire que vous pourriez rien lui apprendre de plus que ce que je sais, mais il a insisté. J'ai pas eu le choix.

– Moi non plus, d'après ce que je peux voir !

– Écoutez, Laura, ça peut juste être bon pour notre commerce que le monde sache que M. Hémon est resté avec nous autres pendant une couple d'années.

– Six mois ! corrige Laura en fronçant les sourcils d'un air sévère.

« Et ça, c'est en comptant ceux qu'il a passés dans le bois », se retient-elle d'ajouter.

– Je suis certain que c'est rien qu'un commencement, poursuit Samuel, ignorant la remarque de sa femme. Il va venir d'autres journalistes, puis des touristes. Vous allez voir, on va pouvoir louer des chambres. Vous le savez, que j'ai toujours voulu avoir un hôtel, c'est peut-être notre chance…

– Si c'est comme vous dites, je suis pas sûre qu'ils vont être bien reçus dans le village. Il y en a qui prétendent que M. Hémon s'est moqué de nous autres, pis qui sont pas mal fâchés de ça.

– Moi, je suis pas prêt à dire qu'il s'est moqué de nous autres. Il a écrit les affaires comme il les voyait, c'est toutte !

– Ben, c'est justement pour ça que le monde est fâché. C'est comme s'il nous avait espionnés.

Samuel observe sa femme comme s'il ne l'avait pas vue depuis longtemps. Puis il se lève, va chercher sa pipe sur le bord de la fenêtre et revient prendre place à la table.

– Vous, Laura, avez-vous eu l'impression, en lisant le livre de M. Hémon, qu'il s'était moqué de vous ?

Prise au dépourvu, Laura reste bouche bée. Samuel bourre sa pipe lentement, frotte une allumette sur sa cuisse et déclare gravement :

– Vous devriez pas tant écouter les commérages, ma femme.

Et il aspire la fumée par petits coups réguliers qui creusent ses joues autant de fois. Avec l'air tranquille de quelqu'un qui domine la situation, il ajoute :

– De toute façon, inquiétez-vous pas. Vous aurez juste à me laisser parler. S'il vous questionne, vous direz comme moi.

*

– Comment que vous avez su que M. Hémon avait travaillé pour moi ? questionne Samuel, une fois les présentations faites.

– J'ai des relations, mon cher monsieur, j'ai des relations, répond Damase Potvin en bombant le torse d'un air satisfait.

Laura, agacée par l'attitude de cet homme trop sûr de lui, hausse les épaules en entendant cette réponse qu'elle juge insolente. Elle lui tourne le dos pour finir de verser le thé.

– Et puis, continue-t-il, j'ai encore de la famille au Lac-Saint-Jean… en particulier une cousine, pas très loin d'ici, qui vous connaît.

– Ah oui ? Qui, ça ? demande Samuel.

– Vous comprendrez qu'elle a exigé de moi la plus entière discrétion et qu'il est pas question que je trahisse sa confiance, plaide le visiteur, un sourire malicieux au fond du regard.

À ce moment, Laura dépose deux tasses sur la table et retourne au poêle se servir à son tour.

– Merci pour le thé, chère madame, enchaîne-t-il. J'ose espérer que vous vous joindrez à nous bientôt.

Et sans attendre de réponse, il reprend sa conversation avec Samuel.

– Alors, si j'ai bien compris, vous habitiez à l'autre bout du village lors du passage de Louis Hémon…

– C'est ça. Du côté des chutes de Honfleur. Ah ! c'était du bon monde, M. Hémon. On l'aimait bien…

– Combien de temps est-il resté chez vous ?

Samuel se raidit légèrement, sur ses gardes :

– Ah ! ben, vous savez ce que c'est, on remarque pas tout le temps ces affaires-là. J'ai eu pas mal d'engagés, à cette époque-là…

Puis il se redresse nerveusement avant de poursuivre, évitant habilement le regard de sa femme qui vient de les rejoindre à la table :

– Plusieurs mois, en tout cas. Ça, je peux vous le garantir. Pas loin d'un an, que je dirais. Peut-être même plus…

Laura garde les yeux baissés. Seule sa mâchoire se contracte.

– Et que pensez-vous du fait que Louis Hémon ait donné votre prénom au père de l'héroïne ? continue l'étranger.

– Il devait être à court d'idées, plaisante Samuel, ne sachant encore jusqu'où il doit s'aventurer dans cette histoire.

– Je ne dirais pas ça, commente Damase Potvin. Est-ce qu'il n'y a pas aussi d'autres noms qui vous ont frappés à la lecture de *Maria Chapdelaine* ? demande-t-il en regardant Laura.

Celle-ci, à la pensée de sa petite-cousine Maria, rougit jusqu'à la racine des cheveux. Sa tasse heurte bruyamment la table au moment où elle la dépose d'une main incertaine. Profitant du malaise, Damase Potvin pousse encore plus à fond son interrogatoire :

– Avez-vous reconnu Eutrope Gagnon, Lorenzo Surprenant, François Paradis ?… N'êtes-vous pas vous-même, monsieur Bédard, un homme reconnu pour aller toujours plus loin, qui n'hésite jamais à recommencer ?… N'êtes-vous pas, comme Samuel Chapdelaine, de la race des pionniers, des bâtisseurs ?… Et vous, madame Bédard, si on ne tient pas compte de votre âge, qui est évidemment bien inférieur à celui de la mère Chapdelaine, n'êtes-vous pas la femme courageuse et raisonnable que Louis Hémon a décrite dans son livre ?

Pour toute réponse, Laura, le visage rouge et l'œil mauvais, se lève et dirige son pas mal assuré vers l'unique chaise berçante, avant de s'y laisser tomber en soufflant bruyamment.

Damase Potvin caresse son épaisse moustache du bout des doigts et, d'un sourire qui se veut rassurant, déclare :

– Croyez-moi, vous devez considérer comme un honneur le fait d'avoir été choisis pour représenter deux personnages aussi attachants que M. et Mme Chapdelaine.

Laura lui jette un regard noir. Le journaliste se tourne vers Samuel, mais celui-ci fixe le plancher. Damase Potvin constate qu'il les a un peu bousculés. Il doit leur laisser le temps de respirer un peu. Depuis la sortie du livre en librairie, il a tellement travaillé à mettre un nom sur chaque personnage qu'il en est venu à penser que le reste du monde adopterait d'emblée ses idées. Il a sans doute été naïf de croire que les principaux intéressés adhéreraient aussi facilement à ses propres convictions. Il opte donc pour une autre approche.

– Que pensez-vous de tout ça, monsieur Bédard ?

– Ah ! c'est sûr... c'est sûr que les Chapdelaine sont du bon monde. Mais comment pouvez-vous dire que M. Hémon pensait à nous autres quand il a écrit son livre ? Je suis pas un défricheur comme le père Chapdelaine, moi. Je vois pas vraiment comment vous pouvez avancer une affaire de même.

– Monsieur Bédard, il ne faudrait pas penser qu'un auteur dresse le portrait exact de ses modèles. Pour respecter l'intimité des individus, il doit nécessairement tricher un peu. Il y a d'ailleurs toujours une bonne part d'invention dans chaque personnage de roman. Sinon, ce ne serait pas un roman, mais une biographie. Le fait qu'il ait utilisé votre prénom me porte à croire qu'il a voulu vous témoigner son amitié, malgré les différences qui existent entre vous et Samuel Chapdelaine. Je suis convaincu qu'il vous a emprunté plusieurs traits de caractère. Je vous encourage à relire le livre à la lumière de ce que je vous dis. Vous serez sans doute surpris de constater le nombre de ressemblances. Et ce qui est vrai pour vous l'est probablement tout autant pour madame, conclut-il en se tournant vers Laura.

Celle-ci pose sur lui un regard las, pour la première fois dénué d'hostilité. Damase Potvin lui adresse un sourire et constate avec satisfaction qu'elle soutient son regard.

– Mais les autres, qu'est-ce que vous en faites ? Nous autres, on a deux enfants, pas six comme les Chapdelaine ! Puis on n'a pas de fille, objecte Laura, encore sceptique.

– Il ne faut pas s'y laisser prendre, jubile Damase Potvin, devant la soudaine participation de la femme, jusque-là silencieuse. Ce ne serait pas la première fois qu'un auteur déjouerait ainsi ses lecteurs, affirme-t-il en connaisseur. Quel âge ont vos enfants ?

– Euh !... Roland a douze ans, et Thomas-Louis, huit.

– En 1912, ils avaient donc sept ans et trois ans, n'est-ce pas ?

Laura fixe son interlocuteur sans broncher, estimant que cette question ne mérite pas de réponse.

– Bon ! poursuit celui-ci sans se laisser désarmer. Avez-vous remarqué que cela correspond aux âges de Télesphore et d'Alma-Rose au moment où le roman a été écrit ?

– Mais Alma-Rose est une petite fille ! s'indigne Laura.

– C'est probablement pour détourner l'attention, pour que les ressemblances ne soient pas trop évidentes, que l'auteur a changé votre petit Thomas-Louis en fille.

– C'est drôle que vous disiez ça, réfléchit Samuel, parce que M. Hémon agaçait souvent Titon en le traitant de « petite fille »...

Damase Potvin se redresse sur sa chaise et dirige un regard étonné vers Samuel.

– Comme c'est intéressant ! murmure-t-il pensivement.

Et il caresse de nouveau sa moustache.

– Ben on aura tout vu ! s'exclame Laura en secouant la tête.

– Il ne faut pas vous offusquer, chère madame. C'est une pratique courante en littérature.

Laura essaie de se représenter Thomas-Louis en fillette, et trouve cette pensée irritante. Elle se souvient cependant d'avoir entendu M. Hémon se moquer affectueusement de lui en disant : « Qu'est-ce qu'elle a à pleurer, cette petite fille ? » Mais de là à adhérer à l'idée que son Thomas-Louis ait pu devenir l'Alma-Rose du roman, il y a une marge.

– Et les autres enfants, où c'est que vous les prenez ? demande Samuel, qui s'efforce de suivre le raisonnement du journaliste jusqu'au bout.

– Les trois garçons peuvent très bien avoir été pris au hasard dans votre entourage. N'y avait-il pas, d'ailleurs, un certain Esdras qui travaillait pour vous à l'occasion ?

– Vous m'avez l'air bien renseigné, commente Samuel.

– C'est mon métier, mon cher monsieur, répond Damase Potvin dans un demi-sourire, le sourcil levé et le menton pointé.

À cette réponse, Laura sent une fois de plus monter sa colère. Et se met à redouter sérieusement le moment où il posera un nom sur la Maria Chapdelaine du roman.

– Maintenant, dites-moi, poursuit-il, comme s'il avait lu dans ses pensées, y aurait-il, à votre avis, une jeune fille de votre entourage qui pourrait correspondre à Maria ?...

Et il laisse la question en suspens devant l'embarras évident de Laura, tandis que Samuel cherche une réponse qui puisse le qualifier aux yeux du journaliste sans le compromettre à ceux de sa femme.

– D'après mon enquête, finit par déclarer le visiteur, il m'est apparu que la seule personne qui puisse prétendre à ce titre est votre sœur, madame Bédard, c'est-à-dire Mlle Éva Bouchard.

– Ben voyons donc ! Quel titre ? fulmine Laura, dans un élan de solidarité fraternelle.

– Plusieurs indices laissent supposer que Mlle Bouchard a pu servir de modèle à Louis Hémon.

– Je voudrais ben savoir quoi. Avez-vous déjà rencontré ma sœur, monsieur ?

– Je dois reconnaître que je n'ai pas encore eu ce plaisir, mais comme je vous le disais plus tôt, certaines de mes relations, des personnes d'ailleurs tout à fait dignes de confiance, m'ont guidé vers Mlle Bouchard. Et plus je progresse dans mon enquête, je dois bien l'avouer, plus je suis convaincu du bien-fondé de cette hypothèse.

Laura est interloquée. Ce roman a pourtant déjà créé plus que sa part de remous au sein de la communauté : depuis sa publication, elle et Samuel ont dû subir le mépris de certains médisants notoires qui leur reprochaient d'avoir hébergé ce « fou qui les avait espionnés et avait ridiculisé les habitants de Péribonka devant tout le pays ». Impuissants, ils ont attendu patiemment que la poussière retombe. Et voilà qu'un individu sans scrupule vient leur proposer « sa » version des faits et scruter leur vie privée jusque dans ses moindres replis, pour assurer sa popularité à leurs dépens. Elle imagine l'indignation de sa sœur lorsqu'elle apprendra que, « après enquête », de parfaits inconnus ont décrété qu'elle était cette Maria Chapdelaine.

Si au moins son mari pouvait venir à sa rescousse ! Mais un seul coup d'œil dans sa direction lui indique qu'il a choisi de ne pas se compromettre. Elle sera donc seule pour défendre leur cause.

– Comme ça, monsieur Potvin, lance-t-elle, vos « relations » ont dû oublier de vous dire qu'Éva est pas tout à fait la « belle grosse fille » du livre, mais plutôt une grande brune mince, peut-être même un peu maigre, que je dirais.

Puis contrairement à votre Maria qui a pas appris à lire, ma sœur, elle, est maîtresse d'école.

Elle s'astreint à une courte pause, fière de l'avantage qu'elle vient de se donner sur un interlocuteur visiblement désarmé, et enchaîne sur le même ton ferme et volontairement ironique :

– En plus de ça, elle a pas d'amoureux, et elle s'est jamais mariée, ni à un printemps ni à un autre.

Damase Potvin demeure interdit devant l'assurance soudainement déployée par cette femme qui était restée muette durant la première partie de leur entretien. Il risque un œil du côté de Samuel, et abandonne aussitôt l'espoir d'être appuyé par cet auditeur devenu subitement passif devant l'intervention énergique de sa femme.

– Sauf le respect que je vous dois, madame Bédard, permettez-moi de vous rappeler que les ressemblances sont nombreuses. Corrigez-moi si je me trompe, mais je crois savoir que votre sœur est une personne discrète, modeste, dévote, toutes des qualités que Hémon a attribuées à son héroïne, comme vous le savez. Et peut-être pouvez-vous reconnaître dans *Maria Chapdelaine* des habitudes, des manières d'être qui se rapprochent de celles de Mlle Bouchard... et sans doute des prétendants qu'elle aurait pu avoir dans le passé, des jeunes hommes attirés par son charme, par sa personnalité, par sa grâce...

Laura réprime avec peine un frisson de dégoût devant l'acharnement de cet homme à exploiter, aux dépens de sa cadette, une situation qui tomberait sans doute rapidement dans l'oubli, pour peu qu'on s'en tienne à ce qui a déjà été dit et fait. Une fois de plus, elle cherche son mari du regard. Il semble aussi décontenancé qu'elle, tiraillé entre l'envie d'assurer la paix de son ménage, en remettant M. Potvin à sa place, et celle de tirer profit d'une situation inespérée. Mais Samuel n'a pas appris à remettre les gens à leur place. Il n'a appris que la diplomatie.

Sentant peser sur lui le regard réprobateur de sa femme, il ferme les yeux pendant quelques secondes, cherchant ses propres désirs, ses propres envies, à travers cette confusion d'opinions et d'émotions entremêlées. Évidemment, la perspective que sa belle-sœur devienne le pôle d'attraction dans cette affaire ne l'incite pas, de prime abord, à encourager le journaliste dans ses recherches, mais l'intérêt que pourrait représenter une histoire comme celle-ci, pour son entreprise, l'oblige à analyser la situation. Il détient peut-être, à travers cet événement, la clé de sa réussite. Car, selon toute vraisemblance, leur retour à Roberval devient chaque jour plus improbable, et il semble que c'est à Péribonka qu'il devra se résigner à vivre désormais.

Samuel décide tout à coup que, si, pour l'intérêt de son commerce, il doit participer à propulser sa belle-sœur à l'avant-scène, il le fera. Discrètement, mais il le fera. Il collaborera avec l'homme assis devant lui et qui est peut-être en mesure de lui offrir, grâce à ses recherches et à son imagination, le secret du succès auquel il était presque venu à renoncer. Il restera à Péribonka, soit, mais tous ceux qui voudront entendre parler de Louis Hémon y seront les bienvenus.

Il inspire profondément et plonge son regard dans celui de son invité. Damase Potvin y lit une nouvelle détermination et comprend aussitôt qu'il peut désormais compter sur un allié. Mais pour l'instant, souhaitant mettre fin à la tension des dernières minutes, il annonce son départ. Il comprend qu'il vaut mieux rencontrer Samuel Bédard seul à seul, à un autre moment.

– Vous m'avez pas beaucoup aidée, reproche Laura à son mari dès que le journaliste a franchi le seuil.

– Vous aviez pas besoin de moi. J'ai parlé au commencement, vous avez parlé à la fin, c'est correct de même.

Puis, prétextant un travail de comptabilité à terminer, il s'engouffre dans le couloir qui mène au magasin.

*

* *

La vaisselle du souper est rangée, le plancher, balayé, Adolphe est parti reconduire Laura au village. Nil annonce qu'il va finir le ménage de l'étable, pendant qu'Hélène préparera le petit Louis-Joseph pour la nuit. Éva se retrouve seule, la tête et le cœur gonflés de tendresse. Les retrouvailles familiales, après six mois passés chez sa cousine Adèle, ont remué bien des émotions.

Elle sort sur la galerie en quête d'un peu d'air frais. Mais la moiteur de l'atmosphère produit exactement le contraire de l'effet escompté. Chassant d'une main distraite les nuées de moustiques qui se disputent une place de choix autour de sa tête, Éva franchit d'un pas assuré les quelque deux cents pieds qui séparent la maison paternelle de la petite route de terre, qu'elle traverse du même élan. Retrouver la fraîcheur de la Péribonka lui fera le plus grand bien. Elle relève sa jupe jusqu'aux genoux, enjambe résolument les gerbes d'aulnes naissants et s'arrête bientôt, à quelques pas de l'écore, pour reprendre son souffle.

Elle ferme les yeux un instant. Elle croit entendre encore la description acerbe que lui a faite Laura de ce M. Potvin, le journaliste fouineur qui vient de demander à Samuel de lui « arranger » une rencontre avec sa belle-sœur. Une vague nausée la force à ouvrir les yeux, elle est sur le point de perdre l'équilibre. Éva inspire profondément et remonte lentement jusqu'au bouleau au pied duquel s'asseyait jadis pour écrire l'homme qui est à l'origine de tant de remous dans sa vie depuis quelques mois, de toute cette agitation qu'elle n'a pas souhaitée, qu'elle voudrait bien voir se calmer et oublier. Devant elle, la Péribonka s'écoule paisiblement ; un soupçon de fraîcheur lui parvient enfin.

D'un pas hésitant, s'agrippant aux branches du bouleau, elle entreprend de descendre le long de l'écore, et s'avance prudemment sur les pierres mauves qui bordent la rivière. Dans ce lieu familier, elle se sent enfin à l'abri, protégée, isolée du reste du monde. Elle s'assoit sur une roche plate et hume l'air parfumé. Un sentiment intense de bien-être l'envahit, lui donne un instant l'illusion de la liberté. Elle voudrait prolonger à l'infini ce moment de grâce. Mais sa mémoire ne lui laisse pas de répit. Elle repense au livre, aux gens à l'affût de commérages, à cette envie qu'elle aurait de leur crier que, non, elle n'a pas choisi d'être identifiée à une héroïne de roman, qu'elle n'y est pour rien s'ils lui trouvent des ressemblances avec Maria Chapdelaine ; que, oui, elle a connu M. Hémon, mais que ça ne la rend pas pour autant responsable de ce qu'ils n'ont pas aimé dans le livre et qu'elle n'a surtout pas le goût d'être exhibée sur la place publique.

Comme l'an dernier à son retour du couvent, c'est encore pour faire plaisir à son père qu'elle a affronté les regards des curieux à la sortie de la messe ce matin. De ceux qui ont lu le roman ou qui en ont simplement entendu parler, mais qui se sont fait une opinion sur le sujet. Le cœur serré mais la tête haute, elle a dû subir les questions parfois sournoises des plus audacieux, mais aussi les allusions ou les silences des envieux, leurs regards parfois chargés de mépris.

– Pourquoi tu t'occupes de quelques mauvaises langues ? Ils sont quand même pas touttes de même ! lui a reproché Adolphe à leur retour à la maison.

Elle sait tout cela, mais n'a pas moins besoin d'encore un peu de temps pour retomber sur ses pieds. Et pour l'instant, elle n'a surtout aucune envie de rencontrer ce M. Potvin qui semble se faire une spécialité de remuer sans pitié les sentiments des individus qu'il a impitoyablement ciblés, sans aucun égard envers ceux qu'il exhibe sur la place publique.

Non. Elle a mieux à faire que d'attendre passivement qu'il vienne troubler ce qu'il lui reste de paix, qu'il envahisse sa vie pour de bon. N'en déplaise à Laura et à son père, elle repartira dès que possible. Et cette fois, ce n'est pas à Saint-Cœur-de-Marie qu'elle ira se réfugier. Maintenant que ce vautour a atterri dans les parages et que ses « rapporteurs » lui ont signalé l'adresse d'Adèle, il n'est pas question que ce journaliste en mal de publicité aille importuner sa cousine. M. le curé lui a parlé d'une nouvelle école dans un village en construction, quelque part le long de la route qui mène à Mistassini. Elle retournera le voir demain et lui dira que le poste d'institutrice l'intéresse.

*

– Ça te servira à rien d'essayer de te sauver, Éva. Si M. Potvin veut te retrouver, il va réussir, tu le sais bien.

– Il peut toujours venir me relancer s'il a du temps à perdre, mais, moi, je n'ai pas l'intention de le recevoir. Et au moins, il ne dérangera pas Adèle et son mari.

– Il peut toujours pas te faire grand mal, soupire Laura en replaçant bruyamment une chaise.

– C'est drôle que tu dises ça, après ce que tu m'as raconté de sa visite le mois dernier…

Laura a une seconde d'hésitation ; elle décide finalement d'ignorer le commentaire de sa sœur.

– À part ça, là où tu t'en vas, c'est complètement en dehors de la route. Il faut aimer se donner de la misère pour enseigner dans un village qui a pas encore de nom, dans un trou où il y a même pas d'église ! Juste quelques maisons et une cabane mal chauffée qui va te servir d'école et de logement, avec une truie en plein milieu que tu vas être obligée de chauffer pendant vingt-quatre heures en hiver… Y'a pas à dire, t'as une âme de missionnaire !

Éva adresse un sourire amusé à sa sœur :

– Bien sûr que j'ai une âme de missionnaire, mais ça, tu le sais depuis longtemps ! Et vu que je n'avais pas la santé pour supporter la chaleur de l'Afrique, j'ai pensé que par ici je ne courais aucun risque, avec le froid qu'il fait ! Une chose est sûre en tout cas, c'est que je vais me conserver… Finalement, c'est peut-être la solution idéale, ironise-t-elle.

Laura hausse les épaules, mais ne peut s'empêcher de sourire à son tour.

– Et qu'est-ce que tu avais à dire, déjà, pour la défense de ton M. Potvin ? enchaîne Éva.

– D'abord, c'est pas « mon » M. Potvin, proteste Laura. Mais… n'empêche qu'il est pas si pire que ça.

– Ce n'est pourtant pas ce que tu disais la dernière fois…

– C'est vrai, mais il est revenu depuis ce temps-là. Moi, je l'ai pas revu, mais il a rencontré Samuel.

– Ah ! soupire Éva sur un ton chargé de sous-entendus.

– Pour une fois, tu pourrais pas essayer de te mettre dans la tête que Samuel peut avoir raison de temps en temps ?

Le souvenir de la scène vécue au lendemain de la fameuse veillée chez sa sœur quelques années auparavant fait aussitôt regretter à Éva son attitude. Elle tourne vers Laura un regard contrit.

– Excuse-moi. Qu'est-ce qu'il dit, Samuel ?

Encore un peu méfiante, Laura entreprend de défendre Damase Potvin qui, selon elle, ne fait que son travail de journaliste. Après tout, il n'a rien imposé, il n'a émis que des hypothèses, et si on y regarde de plus près, il a probablement raison sur plusieurs points.

Éva l'écoute sans broncher, muette d'étonnement, pendant que Laura s'essouffle à essayer de tout dire en même temps. Finalement, elle s'arrête, le front perlé de sueur.

– Mais j'avais cru comprendre que M. Potvin t'était apparu plutôt… désagréable ? avance Éva après avoir pesé chaque mot.

– C'est vrai que, sur le coup, ses questions et ses suppositions m'ont un peu… dérangée, finit par répondre Laura, rassurée par l'attitude pacifique de sa sœur. Mais tu te souviens à quel point on avait peur que quelqu'un découvre qu'on avait une petite-cousine qui s'appelait Maria Chapdelaine ?… Eh bien, quand il est arrivé chez nous, je pensais rien qu'à ça, moi, j'avais rien que ça dans l'idée. Ça fait que j'étais sur la défensive, puis je l'ai probablement mal jugé.

– Sauf que maintenant, Laura, ce n'est plus de notre petite-cousine qu'il s'agit, mais de nous. Le livre, il est écrit, on n'y peut plus rien. Mais, moi, je n'ai pas envie qu'on me transforme en personnage de roman. Je veux qu'on me laisse tranquille, c'est tout ce que je demande !

Laura pince les lèvres, à court d'arguments. Puis se hasarde à ajouter, sur un ton qui se veut rassurant :

– De toute manière, ça risque de s'arrêter comme ça a commencé, cette histoire-là. Moi, je suis d'avis que le mieux, c'est encore de laisser aller les choses.

– Tu as probablement raison, conclut Éva avec un sourire résigné.

Puis elle pense à Gustave qu'elle n'a pas vu depuis fort longtemps. Elle lui écrira, ça lui fera du bien.

1918-1919

Ce 23 février, Damase Potvin se présente à l'hôtel de ville de Québec avec deux heures d'avance. Les membres de la Société des arts, sciences et lettres ne devraient commencer à arriver qu'une demi-heure avant le début de sa conférence. Mais avec l'horaire chargé des derniers jours, après la tension causée par sa dernière et vaine tentative pour rencontrer Éva Bouchard, il entrevoit ce répit comme une bénédiction.

Répondant poliment mais plutôt distraitement aux salutations empressées du portier, il devance l'officier affecté à son service et se dirige tout droit vers le bureau qu'on lui a assigné lors de sa visite d'exploration il y a quelques jours. Au bout de l'interminable couloir où, à son grand étonnement, il ne rencontre personne de sa connaissance, après un bref signe de tête à son accompagnateur, il referme rapidement derrière lui la porte de la petite pièce sombre à fenêtre unique donnant sur la cour. Puis il dépose sa serviette sur la table de chêne rouge et, après avoir délié les muscles de ses épaules, s'assoit sur le bout de la chaise trop basse, décidé à ne pas perdre une minute.

Les sourcils froncés dans un effort de concentration, l'écrivain journaliste mémorise une dernière fois, pour se rassurer, les noms déjà familiers de ceux qu'il a identifiés une fois pour toutes : Maria Chapdelaine représente Éva Bouchard, cela va de soi ; quant à Samuel Chapdelaine et sa femme, il s'agit bien entendu de Samuel Bédard, son précieux collaborateur, et de son épouse Laura, une Bouchard d'ailleurs, comme dans le roman ; Télesphore et Alma-Rose, ce sont Roland et Thomas-Louis Marcoux, tout simplement, Hémon ayant volontairement transformé le garçonnet bouclé en petite fille pour rappeler à ses hôtes ses propres taquineries envers cet enfant qu'il affectionnait particulièrement. Quant à Edwidge Légaré, c'est une copie presque conforme du malin Ernest Murray, alors qu'Eutrope Gagnon ressemble comme un frère jumeau à Eutrope Gaudreault, l'amoureux transi. Puis, il y a Lorenzo Surprenant, qui, comme Édouard Bédard, avait émigré aux États-Unis. Enfin, il reste un certain nombre de figurants qu'on pourrait assez facilement apparier à l'un ou l'autre des habitants du village, mais il en est un qu'on ne peut absolument pas ignorer, et ce pour une raison bien évidente : c'est Charles Lindsay, représenté par… Charles Lindsay.

Damase Potvin est persuadé d'avoir en main tous les éléments nécessaires pour convaincre son auditoire que les principaux personnages du roman sont bel et bien jumelés à des gens de la communauté de Péribonka. Même François Paradis est identifiable, du moins par son aventure en forêt, à Augustin Lemieux. Il fera aujourd'hui en détail le décompte de ses nombreux voyages au Lac-Saint-Jean, relatera les incroyables découvertes qu'il a faites au fil de ses rencontres avec Édouard Niquet, dont il devra malheureusement taire le nom à sa demande. Il attribuera plutôt ces informations à une soi-disant cousine, comme il l'a fait depuis le début. Finalement, pour appuyer ses allégations, il citera les confidences de Samuel Bédard ainsi que celles de sa femme, dont il est finalement parvenu à gagner la confiance, songe-t-il avec un sourire empreint de fierté.

Le valet qui ouvre délicatement la porte après avoir frappé deux fois sans être entendu découvre Damase

Potvin perdu dans ses réflexions, se souriant à lui-même. Contrarié d'être ainsi surpris dans son intimité, celui-ci rejette plutôt sèchement l'offre pourtant honnête du préposé au service. Non, monsieur ne prendra pas de thé. Non, monsieur n'a besoin de rien, merci. Plus tard, peut-être. C'est ça. Merci encore.

Le conférencier fixe la porte derrière laquelle s'éloigne discrètement l'employé importun. Grimace. Une ombre au tableau, évidemment : cette Éva Bouchard qui s'obstine à ne pas vouloir le rencontrer ! Il retient à la dernière seconde ce poing qui, dans un geste d'impatience, allait frapper le bureau. Il a pourtant usé de tous les stratagèmes possibles, tout fait pour ménager sa susceptibilité. Pourquoi, malgré l'intervention de sa sœur, n'a-t-elle pas consenti à le rencontrer ? De quoi a-t-elle peur finalement ?...

Bon. Il est trop tard pour le moment. Il se reprendra, c'est certain, mais aujourd'hui il devra se résigner à donner cette conférence sans avoir rencontré la principale intéressée. Un peu embarrassant, tout de même ! Il se devra d'être doublement convaincant et il le sait.

Il regarde ses notes. Approche sa chaise de la table. Appuie son front sur ses mains moites. Il reste une heure avant l'arrivée des premiers auditeurs. Plus une minute à perdre. Il lui faut se concentrer. Hum !... un verre d'eau ?... Non, tout de même ! Il ne va quand même pas rappeler l'employé qu'il vient de retourner si cavalièrement !

*

* *

Aujourd'hui, c'est Gustave qui attend Éva, le grand parapluie noir à la main, à sa descente du train. L'humidité la pénètre jusqu'aux os au moment où elle pose le pied sur le sol déjà froid de ce matin d'automne. Gustave remarque les cernes sous les yeux de sa sœur et devine qu'elle n'a pas fermé l'œil de la nuit.

– Ça va ? demande-t-il.

– Ça va aller. Rien de neuf ?

– Non. Rien de neuf.

Il s'empare de la petite valise brune, et ils se mettent aussitôt en route. En silence, la tête vide et le cœur lourd. Vite ! Retourner à la maison, si possible sans être vus, en cachette, comme des voleurs. Éva s'accroche au bras de son frère et court plus qu'elle ne marche pour arriver à le suivre. Elle jette un regard furtif sur ce visage fermé d'homme qui souffre, de géant terrassé. Gustave lui apparaît plus démuni que jamais devant cette situation qui le dépasse, plus encore que pendant les longues années de la maladie de Léonie ; celle-ci ne cessait alors, malgré son état de santé précaire, d'encourager son homme, de lui raconter des histoires de jours meilleurs où les héros sortent toujours victorieux des dures batailles ; elle prenait sur ses propres épaules, en plus de la sienne, la grande peine de son mari, son angoisse d'enfant apeuré, pour que survive malgré tout le rêve dans ses yeux affolés.

Mais, cette fois, la forte fièvre accompagnée de frissons qui s'était manifestée dès le début n'avait laissé aucun doute sur la nature de la maladie qui avait déjà emporté tant d'enfants et de vieillards dans les villages des alentours, tant de jeunes hommes à peine rentrés d'une guerre qu'on leur avait imposée, tant de mères de famille qu'une santé chancelante avait rendues plus vulnérables. Léonie était de celles-là. À son arrivée de Québec, deux jours auparavant, Gustave a trouvé sa femme alitée, blanche comme une morte, ayant à peine la force de lui adresser un pauvre sourire. Desneiges lui a expliqué que le Dr Cloutier était déjà passé et qu'il avait posé son diagnostic sans la moindre hésitation : grippe espagnole.

La grippe espagnole ! Juste d'entendre ce mot met Gustave hors de lui. Et seule la colère peut encore lui donner l'illusion d'avoir une quelconque emprise sur le mal abject, sur cette « chose » ignoble contre laquelle il se sent complètement impuissant. Si au moins c'était une maladie connue par ici !... Il lui semble que les docteurs pourraient la soigner, qu'on pourrait se défendre. Mais non ! Ça vous arrive des vieux pays, transporté par de pauvres petits soldats, comme si ce n'était pas assez qu'ils soient allés risquer leurs vies à cause de cette guerre maudite ! Et ça vous tombe dessus sans scrupule, sans égard pour les personnes que ça frappe.

Et cette « chose » menaçait de s'attaquer à ses enfants, de décimer sa famille en entier ! « Une fois que c'est entré dans une maison, il faut y enfermer le mal pour éviter qu'il se propage », avait dit le Dr Cloutier. C'est pourquoi il les avait mis en quarantaine : il les avait « placardés » ; c'est ainsi qu'on nommait cette isolation forcée à laquelle ils étaient contraints. « Placardés », parce qu'on avait affiché leur tare à la porte de leur maison, sur un horrible « placard » que tout le monde ne pouvait manquer de voir en passant. On les avait marqués du sceau de la honte. Ils ne devaient recevoir personne, visiter personne. Mais qu'ils ne s'inquiètent pas, on ne les abandonnerait pas, leur avait-on promis ; au contraire, on leur fournirait tout ce dont ils avaient besoin ; ils n'avaient qu'à faire une liste et on leur passerait quotidiennement les vivres nécessaires par un carreau de fenêtre. Un carreau de fenêtre : leur seul contact avec l'extérieur ! Par contre, ils n'avaient pas à payer tout de suite. Non ! On leur ferait gentiment crédit. Car bien sûr, si on pouvait faire entrer des choses chez eux, il n'était pas question d'en faire sortir quoi que ce soit. Même leur argent était devenu menaçant, maintenant. Leur argent pourrait transporter le virus, cette saleté qui transmettrait le mal à l'épicier, qui, lui, le transmettrait à ses clients… Et ils seraient responsables de tous ces malades, de tous ces morts. Décidément, ils étaient sales, il fallait les cacher, les enfermer !

Gustave n'est plus autorisé à approcher Léonie, ni pour l'aider à boire sa tisane, ni même pour simplement lui tenir la main. Desneiges ne l'a laissé rentrer à la maison qu'à cette seule condition. C'est elle qui, le nez et la bouche recouverts d'un masque improvisé, soigne la malade et la lave, le plus souvent en pleurant, persuadée qu'elle est l'unique responsable de ce gâchis. La veille, elle a avoué à son beau-frère que, depuis quelque temps, elle « rencontrait » un soldat récemment rentré du front, un certain Jean-Louis Gamache. Mais Desneiges est jeune et robuste. Elle se désole en pensant que c'est Léonie, encore fragile, qui est atteinte. S'il fallait que son aînée n'ait pas la résistance pour vaincre ce virus infect ! La jeune fille est inconsolable, et bien décidée à expier sa faute. C'est elle qui s'occupera de sa sœur, qui l'aidera à se gargariser à l'eau salée matin et soir, la lavera, la veillera, jour et nuit s'il le faut, jusqu'à ce que toute trace de la maladie soit dissipée.

C'est un cri de détresse que Gustave a lancé lorsqu'il a téléphoné au magasin de son beau-frère Samuel, la veille, les enjoignant d'aller chercher Éva pour l'envoyer d'urgence au chevet de sa belle-sœur.

– C'est un cas de force majeure, ils auront pas le choix de la laisser partir ! De toute manière, presque toutes les écoles de la province sont fermées. Dites-lui de se faire passer pour une garde-malade s'il le faut. Mais elle doit prendre le train !

Et puis, maintenant qu'il ne peut plus compter sur Léonie pour le soutenir, il faut bien à Gustave une oreille pour l'entendre clamer sa colère, une épaule sur laquelle se réfugier, une âme aimante pour le réconforter…

*

Gustave descend l'escalier sans faire de bruit, s'assied en face d'Éva sur la berçante et laisse échapper un long soupir.

– Comment tu la trouves aujourd'hui, Gustave ?

– Mieux. Elle est encore faible, mais on dirait qu'elle est moins pâle qu'hier. En tout cas, elle va sûrement mieux que quand tu es arrivée il y a deux semaines !

– Le docteur dit que le pire est passé. La fièvre est tombée, c'est un bon signe.

– J'ai eu tellement peur, Éva !

– Je sais.

– Merci d'être venue. J'y serais jamais arrivé tout seul.

– C'est surtout Desneiges que tu dois remercier. Elle a fait plus que sa part, la pauvre petite.

– Mais pendant qu'elle s'occupait de Léo, j'avais besoin de toi pour les enfants et pour le reste.

– Encore une couple de semaines et on devrait pouvoir sortir d'ici.

– Ouais, mais quand je suis à la maison, les factures grimpent : l'épicier, le docteur... J'ai pas le choix, je repars lundi.

– Dis-toi que les temps sont durs pour tout le monde, Gustave : il faut que tu respectes la quarantaine. Si tu décides de partir, tu passes la prochaine fin de semaine à l'Hôtel Boulianne.

– Bout d'baptême, par exemple, y'a toujours ben des limites ! J'aurais plus le droit de rentrer chez nous, astheure ? À part ça, l'Hôtel Boulianne, c'est quasiment dans notre cour ! Et puis l'épidémie est pour ainsi dire contrôlée, c'est le docteur lui-même qui l'a dit. Ils parlent même d'ouvrir les églises et les écoles.

– Seulement si tout va bien. Mais il faut attendre encore un peu pour être certains que ça ne reprendra pas ailleurs dans la province. Et toi, avec tout le monde que tu rencontres pour ton travail, tu pourrais tout aussi bien ramener le microbe. Pense aux enfants, Gustave. Je ne crois pas que tu aies envie de faire entrer cette peste-là une autre fois dans la maison… Donne une chance à Léo de se remettre complètement, donne-toi encore une semaine pour être bien certain.

Gustave décoche un regard furieux à sa sœur. Éva baisse les yeux pour dissimuler un sourire. Elle sait que, malgré ses grognements, son frère se soumettra scrupuleusement aux ordres du médecin.

– Et dans deux semaines, ce sera à mon tour de partir, poursuit-elle en surveillant discrètement sa réaction. Moi aussi, je dois gagner ma vie.

Elle le voit hausser les épaules en signe d'abandon et se dit qu'il doit sûrement être très fatigué pour renoncer aussi facilement à discuter. Elle se lève lentement et va vers le poêle, où elle remplit deux tasses d'eau chaude. Ça leur fera du bien à tous les deux.

– Comme ça, tu as rencontré le fils du premier ministre ? interroge-t-il après un moment, une lueur malicieuse au fond des yeux.

– M. Gouin, oui. Il a aussi rencontré Laura et Samuel. Il est supposé publier un article dans une revue, répond-elle dans un soupir en s'assoyant. Mais que ce soit le fils du premier ministre ou pas, je ne vois pas ce que ça change, ajoute-t-elle en portant la tasse à ses lèvres.

– C'est de valeur que ça soit sombre dans la cuisine, je gage que tu as rougi en disant ça.

– Arrête donc ! s'exclame Éva d'un ton indigné.

Et le rire de Gustave fuse soudain en une longue cascade, emplissant tout l'espace, rejaillissant d'un mur à l'autre de cette maison où l'on ne se parlait plus qu'à voix basse depuis des semaines, où l'on ne circulait qu'à pas feutrés, timides, craintifs. Gustave rit parce qu'il a réussi à faire sortir sa sœur de ses gonds. Parce qu'il l'a sentie embarrassée après qu'il eut supposé qu'elle avait rougi et parce qu'elle se retient à présent pour ne pas rire à son tour. Il rit pour exorciser l'angoisse des dernières semaines. Il rit parce que sa Léonie est sauvée, qu'elle reprendra bientôt sa place à ses côtés et qu'il recommencera à croire en des jours meilleurs. Parce que le petit garçon en lui a besoin d'une femme qui le rassure et qui l'enveloppe d'un amour inconditionnel. Il rit tellement qu'il doit bientôt sortir son mouchoir de sa poche pour éponger quelques larmes.

Il rit encore quand il se lève et marche jusqu'à la fenêtre pour reprendre son souffle. Une volée d'oies passe au-dessus de la maison. Il ne peut les voir, mais il les entend. Les oies blanches se parlent entre elles quand elles voyagent. Elles savent toujours, d'instinct, quand celle qui dirige la formation commence à être fatiguée, et se relaient à la tête du peloton. Pour permettre à chacune de se reposer.

Gustave lève la tête et aperçoit bientôt des ombres argentées qui s'agitent dans le ciel. La lune se reflète sur le blanc de leurs ailes, malgré le noir profond de la nuit. Il observe un instant ce spectacle magnifique et, le cœur serré, comprend que depuis un moment déjà il ne riait plus vraiment. Il assèche doucement ses joues humides et retourne à sa place avant que sa sœur ne devine son trouble.

– Éva, j'aimerais que tu m'expliques pourquoi tu réagis si mal à cette histoire de Maria Chapdelaine.

Éva ramène son regard fatigué sur la tasse vide abandonnée sur la table. Cette question, encore ! Combien de fois se l'est-elle posée ? Combien de fois se l'est-elle fait poser par son père ? Et maintenant par Gustave. Devra-t-elle se justifier toute sa vie de sa réaction ? Elle soupire, lasse. Une seule lampe à huile est restée allumée, dessinant des ombres insolites sur les murs, au gré du mouvement de la flamme. Elle resserre son châle autour de ses épaules. À Gustave, elle veut bien tenter une fois de plus d'expliquer ce qu'elle-même n'est pas encore tout à fait certaine de bien comprendre. Tout cela est arrivé si vite. Elle voudrait parfois avoir le pouvoir de retourner en arrière, d'effacer tous ces événements qui ont propulsé la petite institutrice qu'elle était au rang de curiosité régionale, puis bientôt provinciale, quelqu'un qu'on traque ou qu'on évite, selon ce qu'on attend d'elle, mais que plus personne ne regarde de la même manière.

– Je n'ai rien contre le livre, Gustave. Contrairement à bien des gens qui ne l'ont même pas lu et qui crient au scandale parce que M. Hémon se serait apparemment moqué de nous, je pense que c'est un bon livre. Je l'ai relu plusieurs fois. Et même si ses personnages ressemblent jusqu'à un certain point aux gens de Péribonka, même s'il a utilisé notre langage, reste que c'est une histoire inventée. Et je ne crois pas qu'il ait voulu se moquer de nous autres. Laura, qui l'a bien connu, a toujours dit que c'était quelqu'un de bien et qu'il avait toujours été correct avec elle et Samuel, comme avec les enfants.

– Alors, c'est quoi le problème ?

– Le problème, c'est que je veux qu'on me laisse tranquille, c'est tout. Je n'ai rien demandé, moi !

– Pourtant tu l'as connu un peu, toi aussi, M. Hémon. Tu dois bien avoir des choses à dire à son sujet...

– On dirait que tu te prépares à me faire subir le même genre d'interrogatoire que MM. Gouin, Potvin et compagnie, lance-t-elle, méfiante.

– Es-tu en train de me dire que tu as rencontré Damase Potvin ?

– Il a bien fallu !

Gustave retient son souffle. Il sent qu'elle est au bord de l'exaspération.

– Mais moi, je suis pas journaliste, Éva. J'essaie juste de comprendre. Cette histoire-là, ç'a été toute une surprise pour nous autres : on savait qu'à l'époque ça arrivait que Samuel garde des engagés, mais on savait rien de ce M. Hémon en particulier. Puis tout d'un coup, on apprend qu'il a écrit un livre et qu'en plus ça s'appelle *Maria Chapdelaine* !

Gustave la voit respirer profondément. De toute évidence, cette épreuve est pénible pour sa sœur. Et il sait que, si elle se sent bousculée, elle risque de se refermer totalement.

– C'est sûr qu'au début je l'ai trouvé bizarre, comme à peu près tout le monde, commence-t-elle après un long silence. Mais si tu l'avais vu… il avait vraiment l'air d'un quêteux : il nous surveillait du coin de l'œil, il prenait des notes à tout moment, il était loin d'être rassurant, tu peux me croire. Et il faut dire que Laura m'avait plutôt fait peur quand elle m'en avait parlé le lendemain de son arrivée. Elle-même se méfiait terriblement de lui. Par contre, une quinzaine de jours après, on en a reparlé et elle a fini par me convaincre que c'était « du bien bon monde », comme elle disait.

Éva fait une pause, le regard perdu dans ses pensées, avant de poursuivre :

– La première fois que je l'ai rencontré, chez Laura, Samuel avait entrepris de raconter l'histoire d'Augustin Lemieux, en y ajoutant des nouveaux détails, comme il fallait s'y attendre…

– Ah ! Ton histoire préférée racontée par ton beau-frère préféré, dit Gustave d'un ton moqueur.

– Ce soir-là, continue Éva sans se laisser distraire, malgré que ses regards me mettaient mal à l'aise, M. Hémon m'est apparu plutôt sympathique à un certain moment : alors que tout le monde était suspendu aux lèvres de Samuel qui s'amusait à sous-entendre que le pauvre Augustin avait été tué par les deux Français, M. Hémon a été le seul à chercher une explication logique à l'histoire.

– Et à part cette fois-là, l'as-tu rencontré souvent ?

– Je ne pourrais pas dire combien de fois je l'ai vu, soit chez Laura, soit chez nous, mais je ne lui ai pas parlé souvent par contre. La fois où je l'ai vu le plus longtemps, c'est un dimanche où Laura et Samuel étaient partis visiter de la famille du côté de Samuel. Ils m'avaient laissé Roland et M. Hémon avait la responsabilité de la ferme. Je me souviens que plusieurs jeunesses s'étaient rassemblées chez nous cet après-midi-là : Eutrope Gaudreault et sa sœur ; Hélène et son frère, François Tremblay, étaient là aussi. C'était avant qu'Hélène et Nil se marient. Puis il y avait Nil, Aline et moi, en plus de M. Hémon. On avait jasé tous ensemble, sur la galerie, une partie de l'après-midi. Je me souviens vaguement qu'il m'avait posé une ou deux questions, mais c'était sûrement des sujets banals, parce que j'ai oublié ce que c'était.

Gustave l'observe du coin de l'œil. Elle se tient droite, parfaitement immobile, dans un effort soutenu de concentration.

– Par contre, il y a une chose dont je me souviens parfaitement : les enfants couraient dans l'herbe, précise-t-elle, comme si la scène se déroulait encore devant elle. À un moment donné, Roland est parti en courant et je l'ai vu entrer dans la maison de Laura et Samuel. Il en est revenu tout excité, avec une boussole dans les mains. Il me l'a montrée en disant qu'il avait trouvé une montre. J'ai tout de suite compris qu'il avait fouillé dans les affaires de M. Hémon. J'étais mal à l'aise. Je savais que M. Hémon avait eu connaissance de tout. Je m'attendais à ce qu'il se fâche, mais, au lieu de ça, il a tranquillement demandé à Roland de lui redonner la boussole et ça s'est arrêté là. Pas de reproches, rien ! Il a continué à parler avec les autres comme si de rien n'était. C'est là que j'ai compris que Laura avait raison de dire que c'était « du bon monde ».

Éva est toujours aussi absorbée dans sa réflexion. Gustave se demande encore s'il doit commenter quand elle enchaîne :

– Je n'ai rien dit. J'aurais probablement dû expliquer à Roland que ce qu'il avait fait n'était pas bien, mais je n'ai pas été capable. M. Hémon m'a toujours un peu intimidée. Même quand papa l'invitait à souper, je me contentais de les servir, je parlais le moins possible.

– Et… c'est arrivé souvent ?

– Deux ou trois fois probablement. Papa aimait jaser avec lui. M. Hémon s'intéressait à la colonisation, il posait toutes sortes de questions.

– En tout cas, je m'aperçois que tu sais pas mal de choses. Puis je suis certain que, si tu cherchais encore un peu, tu retrouverais d'autres souvenirs. Tu devrais raconter tout ça aux journalistes. Peut-être qu'après tu aurais la paix…

– Non. Ils sont comme des sangsues : plus tu leur en donnes, plus ils en veulent. Ça les excite. Si je commence, ils ne me lâcheront jamais. Chacun essaie de m'en faire dire plus que celui qui est passé avant. Parce que l'enjeu, c'est de prouver que c'est moi qui ai servi de modèle à M. Hémon pour sa Maria, tu comprends ?

– Je veux bien croire, mais je vois rien de mal à ça ! Je suis même plutôt fier, moi, que ma sœur passe pour une héroïne de roman. Une belle fille comme toi, il était temps qu'on te remarque !

– Arrête donc de dire des bêtises. De toute façon, Maria Chapdelaine ne me ressemble pas, il me semble que ça se voit tout de suite.

– Ça dépend du point de vue où on se place. C'est sûr que M. Hémon a fait ce qu'il a voulu du personnage de

Maria, puisque c'est un roman. Mais ça empêche pas que tu peux lui avoir servi de modèle au point de départ. Et puis, si ça fait plaisir au monde de penser que c'est toi, qu'est-ce que ça t'enlève ?

Éva hausse les épaules, visiblement exténuée. Gustave comprend qu'il a avantage à ne pas s'attarder sur ce terrain.

– Mais les journalistes en question, j'ai cru entendre qu'ils étaient allés souvent chez Samuel et Laura…

– Oui. Parce que Samuel aime la publicité que ça lui fait. Il espère que cette histoire va lui amener de la clientèle. Parce que lui et Laura ont vraiment connu M. Hémon et qu'ils ont pas mal plus de choses à raconter. Parce que Laura est naturellement accueillante, alors que moi je suis… disons, timide. Parce que les journalistes voudraient bien m'inventer une amourette avec M. Hémon, ça leur ferait enfin quelque chose d'intéressant à écrire. Et moi, j'en ai assez de tout ça !

Gustave constate que la décision de sa sœur est sans appel.

– Ouais… il me semble que c'est clair.

– Tu sais que j'ai eu droit à un sermon de Samuel, l'année passée, après avoir refusé une première rencontre avec M. Potvin. Il m'a dit que je l'empêchais de développer son commerce. Il m'a dit que, pour une fois qu'il se passait quelque chose à Péribonka, je n'avais pas le droit de penser seulement à moi. Il m'a dit : « Ça vous enlèvera rien de lui parler une fois, et puis ça va passer de toute façon. Dans un an, on n'en parlera plus. » Eh bien ! tu vois où on en est, un an plus tard…

– On peut pas dire que c'est le grand amour entre toi et Samuel, hein ?

– Si ç'avait été rien que de moi, son discours n'aurait rien changé. Mais si j'ai accepté de rencontrer M. Potvin, c'est pour Laura que je l'ai fait, seulement pour elle. Je sais qu'elle et Samuel ne roulent pas sur l'or, que le pensionnat pour les garçons leur coûte cher, et je voulais surtout éviter une chicane avec le mari de ma sœur. Laura a toujours été tellement généreuse. J'avais déjà eu une prise de bec avec elle au sujet de Samuel il y a quelques années et je m'étais sentie très coupable envers elle par la suite. Je ne voulais pas que ça se reproduise. C'est pour ça que je suis polie avec les journalistes, mais il ne faut pas m'en demander plus. Tu ne peux pas imaginer à quel point ça me tanne. Quand mes réponses ne font pas leur affaire, ils me posent des questions biaisées, ils me suggèrent presque les réponses. Et tu le sais, je n'ai jamais eu la repartie rapide. Au lieu de trouver une réponse qui les remettrait gentiment à leur place, je me sens piégée, je finis par bafouiller, par bégayer, par rougir. Alors je sens qu'ils interprètent mes silences, la moindre de mes hésitations. Je les vois sourire d'un air satisfait, je sais à l'avance qu'ils vont probablement écrire à peu près n'importe quoi dans leurs papiers minables, qu'ils vont exagérer et déformer tout ce que j'ai dit, inventer au besoin, et j'ai envie d'être n'importe où sauf là où je suis. Si tu savais comme je les déteste !

Gustave la regarde tristement.

– Mais comme de raison, ajoute-t-elle ironiquement, je ne dois surtout pas être désagréable avec ces messieurs de la presse, ce serait pire ! Alors je m'efforce de garder le sourire. Même si des fois j'ai envie de crier, j'attends patiemment que le supplice se termine. Cette histoire en est venue à me dégoûter complètement. J'ai l'impression de nager constamment en eau trouble.

Gustave pense aux sacrifices qu'elle s'est imposés au cours des deux dernières années pour tenter de se mettre à l'abri de cette racaille qui lui tourne autour, tels des oiseaux de proie. Entre l'enseignement, ses fonctions de sacristine et son dévouement auprès des pauvres, elle n'a finalement réussi à trouver qu'une paix toute relative dans un endroit qui n'a de village qu'un début d'apparence, auquel les autorités n'ont pas encore daigné donner de nom, et où elle continue malgré tout de craindre l'assaut des journalistes.

– Des fois, j'en viens à regretter de ne pas avoir pu rester chez les sœurs. Je serais en Afrique à l'heure qu'il est.

– Dis pas de niaiseries.

– Pourtant, il va bien falloir que tout ça finisse un jour ou l'autre !

*

Éva, le teint pâle, les traits tirés, descend de la voiture qui la ramène de Roberval où Nil l'a cueillie tôt le matin à l'arrivée du train.

– Comment va Léonie ? demande Adolphe en offrant le bras à sa fille.

– Le mieux possible dans les circonstances. Elle devrait être sur pied dans quelques jours.

– Mais, toi, t'en mènes pas large, à ce que je vois, constate le vieil homme au moment où sa fille passe devant lui.

Il n'avait jamais remarqué ces longs fils blancs dans l'abondante chevelure brune.

– Bah ! Un peu de repos et ça ne paraîtra plus.

– T'as pas l'intention de repartir tout de suite, toujours ?

Éva, percevant l'inquiétude dans la voix de son père, décide d'ignorer la question et se met à commenter la fin de la guerre, espérant ainsi créer une diversion. Mais Adolphe n'est pas dupe des ruses de sa fille et devine que sa décision est prise. Sachant toutefois que rien ne pourra la faire changer d'idée, il secoue légèrement la tête, renonçant à poursuivre une discussion perdue d'avance, pendant qu'Éva avance vers la maison d'un pas résolu.

– Tu es certaine que tu veux t'en retourner aujourd'hui dans ton coin perdu ? demande Nil, lorsque Éva descend de sa chambre quelques heures plus tard, sa valise à la main.

– Ne t'inquiète pas pour moi, mon petit frère. Ça va aller. Et puis, mon « coin perdu », comme tu dis, est en voie de devenir une belle paroisse. On s'en reparlera dans quelques années. De toute façon, c'est mon devoir d'y retourner, maintenant que l'épidémie est enrayée.

Elle fronce les sourcils en apercevant un journal grand ouvert sur la table, dont un titre aux lettres géantes attire son attention : « Une "veillée" à Péribonka-sur-Péribonka[7] ».

– C'est *Le Progrès* de la semaine passée. Papa l'a mis là pour que tu lises l'article que M. Gouin a écrit sur sa visite au village du mois d'août.

Éva se laisse glisser lentement sur la chaise la plus proche sans quitter des yeux l'hebdomadaire. Après les paragraphes d'introduction, qui expliquent que l'auteur raconte son voyage à Péribonka à un certain abbé Lionel Groulx, elle repère enfin les passages qui l'intéressent :

« *Monsieur Hémon », me dit M. Bédard, « a travaillé tout près de deux ans chez nous*[8] [...]. »

Éva frémit imperceptiblement en serrant les mâchoires. Elle se redresse sur sa chaise avant de poursuivre sa lecture.

« *Monsieur Hémon m'a déclaré qu'il venait étudier pour faire un livre sur les gens de par ici*[9]. »

– Ah bon ! ne peut s'empêcher de maugréer Éva. Il essaie de leur faire croire que M. Hémon lui avait fait des confidences. Cher Samuel ! Il ne se doutait pas plus que nous autres que son employé était écrivain.

Nil jette un coup d'œil du côté d'Hélène, qui hausse les épaules en signe d'impuissance. Ils avaient un peu prévu sa réaction.

Dans le journal, c'est de Laura que parle l'auteur, maintenant :

C'est le type idéal de nos braves mères canadiennes. Aussi forte qu'une Normande, elle déborde d'une exubérante gaieté et d'une bonté toute maternelle. C'est la cordialité même ! Hémon a mille fois raison de l'appeler « une créature dépareillée ». Intelligente, parlant un français qui ferait honneur à plus d'une, madame Bédard confirme tout d'abord les paroles de son homme.

« Ah ! Oui ! dit-elle, nous l'aimions bien, ce pauvre monsieur Hémon. Vous ne pouvez pas vous figurer combien il était bon pour nos petits enfants adoptés. Le petit dernier, "Tit'homme", était alors encore en petite robe. Monsieur Hémon passait tout son temps à le faire étriver. À tout bout de champ, il lui disait : "Voyons, Tit'homme, voyons ! Tu sais bien que tu n'es qu'une petite fille." Bébé se fâchait tout rouge. C'est effrayant comme ça le choquait. […] Ça ne les empêchait pas d'être bien unis tous les deux. Tous les dimanches, en revenant de la grand-messe, monsieur Hémon lui faisait le même tour. En débarquant de la "planche", il criait à Tit'homme : "Dis donc, la petite ! veux-tu du sucre ?" – "Bien sûr", répondait le petit. Ils allaient alors ensemble à la brimbale du puits, monsieur Hémon prononçait là quelques mots magiques dans une langue que je ne connais pas. Ça rimait avec "Taquini-Taquino". "Le chocolat sortira !". Monsieur Hémon disait à Tit'homme : "Tire sur la corde !"… et le chocolat sortait de la manche de monsieur Hémon. Je n'ai pas besoin de vous dire que le chocolat ne venait pas tout seul[10]. »

Éva se lève, consulte l'horloge grand-père et s'avance vers le poêle où elle se verse une tasse d'eau chaude. Nil peut lire la tension imprimée sur ses traits. Il continue néanmoins de se bercer sans modifier son rythme. Seul un faible mouvement de ses lèvres trahit la préoccupation d'Éva. Elle retourne sans tarder à sa lecture. Au moment où elle pose la tasse sur la table, Nil constate que la main de sa sœur tremble.

« Télesphore, c'est notre Roland. Quand monsieur Hémon dit que c'est Télesphore qui boucanait les maringouins, il s'ôte son mérite. C'était toujours lui, monsieur Hémon, qui s'en chargeait. Il y avait des temps où il devenait tout sérieux. C'était quand il était malade de sa gorge. Mais même dans ces secousses-là, il souriait pareil. Il ne s'est jamais fâché devant nous autres. Il ne s'est jamais énervé pour rien. »

« Un dimanche », continue madame Chapdelaine, « j'étais toute seule à la maison avec monsieur Hémon. Il composait sur la table de la cuisine. Voilà-t-il pas que je me mets la tête à la porte et j'aperçois les animaux en train de sauter dans le grain. "Monsieur Hémon", que je lui dis, "les animaux vont sauter dans le grain. Ils vont tout abîmer. Est-ce que vous ne pourriez pas les envoyer ?" – Et lui de me répondre sans s'exciter : "Madame, laissez-les faire ; moi, j'écris !" Ça y était, ils étaient dedans. Je le fais assavoir à monsieur Hémon et il me répond toujours bien tranquille : "Oh ! madame, si ce n'était pas cela, ce serait autre chose." »

Cette douce philosophie, ce fatalisme résigné, fait la joie de cette brave madame Bédard. « Un jour, dit-elle, nous arrachions les souches sur notre terre d'Honfleur. On suait à mourir. Monsieur Hémon, accoté sur un tronc d'arbre, nous regardait faire sans grouiller. Il avait les pouces enfoncés dans les ouvertures de sa veste. Il était bien à son aise, je vous en donne ma parole ! Je m'approche de lui. Comme il ne travaillait pas depuis une bonne secousse, je lui demande en riant : "Monsieur Hémon, est-ce que ça serait-il fête légale, aujourd'hui ?" – "C'est bien mieux que cela !" qu'il me répond. "Est-ce que ça serait-il votre fête ?" que je lui demande. "Mais oui, madame", qu'il me dit, "et comme personne ne me fête, eh ! bien, alors, moi, je me fête !" Je vous assure que ce n'était pas un tempérament nerveux. C'était bien le meilleur homme de la terre. Il n'était pas fier du tout. Il faisait sa religion comme tous nous autres. Ah ! je vous assure qu'on l'aimait bien ! »

Madame Bédard, comme toutes les jeunes filles du Lac-Saint-Jean, est un « ange » de Roberval, c'est-à-dire une élève des Ursulines. Elle leur doit son langage correct, sa prononciation parfaite et ses très jolies manières. On est tout charmé de trouver aussi loin, au bout du monde civilisé, la courtoisie la plus affable et l'hospitalité la plus cordiale. Comme madame Bédard, sa sœur mademoiselle Éva Bouchard ne déparerait pas le plus « chic » de nos salons. Elle porte aussi l'empreinte des Dames Ursulines. Elle en a la distinction bien française, l'élégance presque parisienne de pensée et d'allure. L'œuvre de ces saintes éducatrices est au-dessus de tout éloge[11] !

Éva, soudain consciente du regard de son frère, essaie de dissimuler son tremblement. Elle a toutefois l'impression que les battements de son cœur peuvent être entendus dans toute la cuisine, où s'affaire également en silence sa belle-sœur. L'estomac dans un étau, elle réprime une grimace de douleur, éponge la sueur sur son front d'un air aussi détaché que possible et porte sa tasse à ses lèvres à l'aide de ses deux mains. Puis elle replonge dans sa lecture.

C'est mademoiselle Bouchard qui a servi de modèle à Hémon pour son héroïne saguenayenne. Aucun doute n'est possible, c'est bien elle « notre Maria nationale ». M. Potvin se fait fort de le prouver à tout sceptique.

Mademoiselle Bouchard est plutôt grande. Elle a les cheveux bruns, le teint un peu pâle, des grands yeux très expressifs. Hémon en a deviné la poésie discrète, la douceur un peu triste. Il a senti en elle une âme de Française, « un cœur héroïque et chrétien ». Il se dégage de sa personnalité sympathique un charme tendre et exquis. « On prétend, me dit-elle avec une modestie touchante, que c'est moi que monsieur Hémon a peinte sous les traits de Maria Chapdelaine. Cela ne doit pas être vrai, je suis si peu intéressante ». « Vous avez tort de vous défendre, mademoiselle Chapdelaine, réponds-je. Moi, je comprends parfaitement Hémon »… Et notre héroïne de rougir comme savent rougir tous les « anges » de Roberval, c'est-à-dire d'une manière charmante et exquise[12].

Éva n'a plus envie de voir la suite. Du moins pas pour l'instant. Elle se lève précipitamment, retient de justesse la chaise qu'elle a bousculée dans son mouvement, et s'engage aussitôt dans l'escalier.

Étendue sur son lit, elle attend que se calment les battements désordonnés de son cœur. Puis se concentre sur une mince fissure qui naît au centre du plafond et s'effile jusqu'à disparaître complètement en haut d'un mur. Elle essaie de ne pas penser, mais une larme brûlante glisse bientôt sur sa tempe. Elle se sent violée dans son intimité. Elle déteste cette impression de ne plus contrôler sa vie ; elle se reproche sa naïveté, qui fait qu'on arrive à lui soutirer des confidences pour en faire ensuite un étalage indécent. Décidément, elle a horreur d'être un personnage public. Pourra-t-elle jamais retrouver la paix, la sérénité que préserve l'anonymat ?

Elle sursaute en entendant un bruit de casserole à l'étage inférieur et constate qu'elle s'est assoupie un bon moment. Elle ouvre de grands yeux. Se fait le serment que personne ne décidera plus jamais rien pour elle. Dans quelque domaine que ce soit.

Elle se lève, rajuste ses vêtements, nettoie les traces de larmes séchées sur ses joues et descend d'un pas décidé. Nil n'a pas bougé de sa chaise. Elle le fixe d'un regard déterminé.

– Je suis prête à partir, annonce-t-elle.

*

*   *

Cap-Saint-Ignace, 16 août 1919

Chère Éva,

J'ai le grand plaisir de vous annoncer, à toi et à toute la famille, que, mercredi de cette semaine, nous avons eu du nouveau. La petite va s'appeler Annette et elle est en parfaite santé. Pour Léonie, ça s'est passé presque sans douleur, comme les autres fois. Ça m'inquiétait, étant donné qu'elle a été tellement malade ces dernières années. Mais je me rends compte encore une fois que ma femme est une vraie force de la nature.

J'ai une autre bonne nouvelle : je commence à travailler au département des ventes de la Compagnie A. Bélanger ltée, lundi qui vient. C'est une compagnie solide qui fabrique les meilleurs poêles au Canada. Ils ont agrandi l'usine l'année passée, c'est en pleine expansion. Un des avantages est que je vais voyager moins. Parce qu'avec cinq enfants, ma femme va avoir besoin que je sois là plus souvent, d'autant plus que Desneiges vient de nous annoncer qu'elle va se marier avec son petit soldat. Ça fait que, pour rendre la vie plus facile à tout le monde, j'ai loué une belle grande maison à Montmagny, juste en arrière de l'église, à côté du couvent. Deux étages et une cuisine d'été, de l'espace en masse : je peux même en sous-louer une partie pour augmenter mes revenus. Et on va avoir le téléphone en plus. Je te le dis, ma petite sœur, on a fini de tirer le diable par la queue ! Aussitôt que Léo va se sentir capable, on déménage.

J'ai aussi l'intention d'acheter un piano pour que Roméo puisse pratiquer plus souvent. D'après la sœur qui lui donnait ses cours jusqu'à cette année au Cap, il a vraiment beaucoup de talent. Des fois, je me laisse aller à penser que mon Roméo pourrait faire une carrière internationale. Sais-tu qu'il y a un petit gars de Cap-Saint-Ignace, Léo-Pol Morin, un pianiste compositeur, qui a gagné le prix d'Europe en 1912 ? Pourtant, il avait commencé par ici, lui aussi. Plus tard, il est allé suivre des cours d'Henri Gagnon à Québec. Des talents comme ça, il faut les cultiver dans la meilleure terre possible.

Et tant qu'à avoir un piano, on va en profiter au maximum : je veux que les filles aient leur chance d'apprendre à jouer aussi. Les jumelles vont avoir dix ans en novembre, elles sont en âge de commencer. Si tu les voyais… c'est surprenant de voir à quel point elles peuvent avoir des caractères différents : autant Gertrude est tranquille, douce et docile, autant Jeannette est agitée, ricaneuse et espiègle. Quand je dois la chicaner parce qu'elle a fait un mauvais coup, puis qu'elle me regarde droit dans les yeux en faisant la lippe, les bras croisés en attendant sa sentence, j'avoue que, des fois, j'ai de la misère à garder mon sérieux.

Simonne, elle, nous parle tout le temps de sa marraine. Cette enfant-là est vraiment attachée à toi. Mais elle trouve que tu ne viens pas nous voir assez souvent. Et je serais plutôt d'accord avec elle, si tu veux savoir ce que j'en pense.

Pour ma part, maintenant que je serai à la maison presque tous les soirs, j'ai bien envie de me faire plaisir et de faire du chant, comme j'ai toujours eu envie de le faire. J'ai décidé d'engager la dame qui donnera les cours de piano aux enfants, Mlle Maria Létourneau, pour me faire pratiquer une couple de fois par semaine. En fait, j'aimerais préparer un tour de chant. Mon idée, c'est de commencer par me monter un répertoire, puis, quand je serai prêt, d'engager un gérant. Je pourrais faire des petites tournées dans la région, vers Québec ; après, on verra bien !

Je ne voudrais pas que tu penses que je suis tombé sur la tête, ma petite sœur. C'est un vieux rêve, tu le sais, je t'en ai déjà parlé. En fait, je ne sais pas encore où ça va me mener, mais je tiens à essayer. J'ai trente-six ans. Si je veux y arriver un jour, il est grand temps que je m'y mette !

En attendant, sois sans inquiétude, je vais prendre mon nouvel emploi au sérieux. J'ai une famille, je ne suis quand même pas un irresponsable ! Alors rassure tout le monde, je ne vais pas tout laisser tomber pour courir après la gloire, ce n'est pas mon genre. Ma famille est plus importante que tout, et elle le restera toujours.

J'ai écrit à Nil et à Hélène pour leur offrir mes sympathies. Même si ça fait plusieurs années qu'on a perdu Marie-Rose, on y pense encore, surtout Léo. Elle n'en parle pas souvent, mais quand elle a appris la nouvelle pour le petit Louis-Joseph, elle a pleuré et s'est mise à parler de notre petite Marie-Rose. J'espère que l'arrivée de leur nouveau bébé l'hiver prochain va les aider à passer à travers cette épreuve-là. L'enfant qui s'en vient, c'est ce qui pouvait leur arriver de mieux, même s'il ne remplacera jamais le premier.

Transmets mes salutations au reste de la famille. On espère vous voir bientôt.

Ton frère Gustave

P.-S. Avec tous les changements qui s'en viennent pour nous autres, il n'est pas question que j'aille à la cérémonie du 18 septembre. Je sais que tu as décidé de ne pas y aller toi non plus, mais si tu voulais faire le message à Laura, j'apprécierais.

*

Samuel apparaît pour la centième fois à l'entrée de la cuisine où s'affairent, sous la supervision de Laura, les femmes engagées pour préparer le repas. Il ajuste nerveusement ses bretelles. Pourvu que tout soit parfait ! Il lui faut absolument arriver à impressionner ses invités. Ce n'est pas tous les jours qu'on reçoit des personnalités aussi importantes. Dire que l'attitude de sa belle-sœur aurait pu faire compromettre cet événement ! Eh bien, tant pis, on se passera d'elle. De toute façon, sa présence n'aurait fait que distraire l'attention des dignitaires, alors que, maintenant, en tant que maître d'œuvre de cette réception, Samuel peut s'attendre à ce que ses talents soient appréciés à leur juste valeur. M. Potvin a tellement travaillé pour obtenir que soit élevé à Péribonka ce monument à la mémoire de Louis Hémon, il n'était pas question pour lui de laisser passer pareille occasion. Samuel se félicite d'avoir gagné la confiance de cet homme si influent. Aujourd'hui, il aura l'insigne honneur de recevoir chez lui, à l'Hôtel Chapdelaine, tout ce beau monde, après la cérémonie protocolaire.

Laura, apercevant son mari dans l'embrasure de la porte, en profite pour faire une pause et essuyer du revers de son tablier son front couvert de sueur.

– Ça va ? questionne l'homme de la maison.

– Ça avance pas trop mal. On a les meilleures cuisinières en ville, déclare-t-elle dans un sourire à l'intention des autres femmes. Si seulement c'était pas aussi humide !

– Le temps s'est couvert, j'ai bien peur qu'on ait de la pluie.

– Ça serait de valeur, pour une si belle cérémonie !

– Ils ont prévu faire l'assemblée dans le couvent et sortir tout juste le temps de dévoiler le monument, si jamais la température permet pas de rester dehors.

– Ça serait de valeur pareil.

– Il va falloir que vous laissiez les autres femmes finir toutes seules, puis que vous alliez vous préparer ben vite, ma femme.

– Êtes-vous sûr qu'il faut que je sois là moi aussi ?… Ça m'énerve, des affaires de même. J'aimerais mieux rester icitte.

– M. Potvin m'a bien averti qu'il fallait qu'on soit là tous les deux quand les invités vont commencer à arriver. Il veut nous présenter à tout le monde.

– Bon, je vais regarder ce qu'il reste à faire, puis je vais demander à Mme Bérubé de voir à ce que tout soit fin prêt quand on va revenir avec le monde, soupire Laura. Allez donc m'attendre au magasin. C'est pas la place d'un homme, icitte !

– Mais dépêchez-vous, par exemple !

*

Une fois découverte l'imposante stèle de granit haute de neuf pieds, on peut y lire l'inscription suivante :

À LOUIS HÉMON
HOMME DE LETTRES
NÉ À BREST, France
LE 12 OCT. 1880
DÉCÉDÉ À
CHAPLEAU, ONT.

LE 8 JUILLET 1913
HOMMAGE DE LA SOCIÉTÉ DES ARTS, SCIENCES ET LETTRES DE QUÉBEC

Sitôt le dévoilement terminé, les invités se pressent à l'intérieur du couvent pour se protéger de la pluie. La salle se révèle bien vite trop petite pour contenir les nombreux curieux venus pour voir et entendre ces notables en provenance de Québec, de Montréal, d'Ottawa, et même de la France.

L'honorable Cyrille Delage, surintendant de l'Instruction publique, M. Émile Moreau, député du Lac-Saint-Jean, M. Marquis, président de la Société des Arts, Sciences et Lettres, M. Henri Ponsot, consul général de la France au Canada, M. de Saint-Victor, agent consulaire de France au Québec… Laura tente d'abord de retenir les noms des dignitaires qui lui sont présentés, mais y renonce après les quatre ou cinq premiers. Elle se contente de sourire et de présenter la main, comme M. Potvin le lui a recommandé.

– M. et Mme Samuel Bédard… ou si vous préférez, Chapdelaine, se plaît à répéter Damase Potvin à chaque fois, pour accentuer l'effet de ses présentations.

– Mes hommages, madame Chapdelaine, répondent certains de ces messieurs en s'inclinant devant elle.

« Une vraie dame de la haute », s'amuse-t-elle à penser, s'imaginant elle-même en train d'observer la scène de l'extérieur. Elle se plie au jeu de bonne grâce, se surprenant même de l'aisance avec laquelle elle répond aux questions des invités d'honneur.

– Votre sœur n'a pas eu envie de changer d'idée et de venir à notre petite fête ? demande Damase Potvin, à l'abri des oreilles indiscrètes, une fois les présentations terminées.

– Écoutez, monsieur Potvin, ma sœur veut rien savoir, puis vous le savez. Pourquoi que vous la laissez pas tranquille une fois pour toutes ? demande Laura.

– J'imagine que je n'aurai plus le choix, maintenant qu'elle s'est réfugiée à Lac-Bouchette pour enseigner…

Laura se raidit. Elle ne croyait pas que la nouvelle du départ subit de sa sœur se serait répandue aussi rapidement. Le souffle coupé, elle continue de fixer son interlocuteur. Celui-ci, fier de l'effet produit par sa déclaration, ne peut retenir un sourire de satisfaction.

– Les nouvelles voyagent vite ! commente-t-elle enfin, après avoir retrouvé ses esprits.

Elle s'approche discrètement, couvrant partiellement sa bouche de sa main, comme pour lui faire une confidence, forçant ainsi Damase Potvin, piqué de curiosité, à se pencher vers elle :

– En tout cas, je pense que son message est clair, et j'espère que cette fois-là vous l'aurez compris ! chuchote-t-elle, avant de se redresser dignement.

– Je vois que vous la défendez ardemment, c'est tout à votre honneur, répond le journaliste sans perdre contenance.

Puis il s'éloigne lentement, gratifiant d'un sourire courtois chaque invité se trouvant sur son passage.

Laura rougit de plaisir à l'idée d'avoir su clouer le bec à ce M. Potvin, malgré l'air désinvolte qu'il affiche. Elle est certaine d'avoir visé juste et pense que sa sœur serait bien fière d'elle. Mais aussitôt, inquiète, elle cherche son mari du regard. Pourvu qu'il n'ait pas vent de l'audace qu'elle vient de se permettre face à un homme à qui il voue une si grande admiration !

Elle essaie de chasser cette pensée et se concentre plutôt sur les discours du président de la Société des Arts, Sciences et Lettres et du député du Lac-Saint-Jean qui se livrent un solide combat d'éloquence, faisant tous les deux l'éloge de Damase Potvin, cet « humble fils du Lac-Saint-Jean », dont l'acharnement a rendu possible l'élévation d'un mausolée à la mémoire de Louis Hémon.

Puis elle observe discrètement Ernest Murray, Eutrope Gaudreault et tous les autres témoins du passage de Louis Hémon qui, venus en curieux, semblent maintenant se demander ce qu'ils font là : ils écoutent de parfaits étrangers leur parler de cet homme qu'ils ont à peine connu, que certains ont même cru fou, mais qui les a pourtant si bien observés qu'il a, à quelques détails près, raconté leur quotidien dans un livre dont ils ne savent encore que penser. Ils se demandent s'ils doivent se sentir fiers d'être en quelque sorte devenus des héros, comme le laissent entendre quelques-uns de ces messieurs qui parlent si bien, ou furieux d'avoir été épiés dans leur intimité, comme d'autres le leur suggèrent.

Laura revoit en pensée M. Hémon, le soir après souper, alors qu'il fumait tranquillement sa pipe dans son coin, « officiellement » occupé à faire sa correspondance, mais, en réalité, probablement en train de noter des idées pour son futur roman. Elle est convaincue que son ancien pensionnaire serait le premier surpris de toute cette agitation, et ne peut s'empêcher d'avoir un mouvement de sympathie envers celui qui, malgré son évidente inaptitude pour les travaux manuels, s'était rapidement mérité leur estime et, en particulier, l'affection des enfants.

1920

Daniel Halévy, récemment nommé à la direction de la toute nouvelle collection « Les Cahiers verts », est dans un tel état d'excitation qu'il entre dans le bureau de son patron sans même frapper.

– J'ai fait une heureuse découverte, monsieur Grasset. Extraordinaire, même, insiste-t-il en brandissant un livre à bout de bras dans un geste de victoire.

Bernard Grasset dépose sa plume, à la fois surpris et amusé de l'exaltation de ce jeune loup dont il admire secrètement l'enthousiasme.

– Mon cher Daniel, reprenez un peu vos esprits ! Que se passe-t-il donc de si important pour que vous négligiez ainsi les règles les plus élémentaires de la politesse ?

– Oh ! Veuillez m'excuser, monsieur. Je suis impardonnable. Comment allez-vous ?

Grasset, se délectant de l'embarras de son employé, s'esclaffe sous le regard méfiant de ce dernier avant de l'inviter à s'asseoir.

– Racontez-moi, maintenant. Quelle est donc cette merveille qui vous met dans un tel état ?

– Il s'agit de *Maria Chapdelaine*, reprend Daniel Halévy, d'un ton à peine plus posé. C'est un roman qui a d'abord été publié ici à Paris sous forme de feuilleton dans le quotidien *Le Temps* au début de 1914, après que son auteur, un

Breton du nom de Louis Hémon, fut décédé dans un accident au Canada en 1913.

– Hum !... Hémon, dites-vous ?...

Et Grasset tire élégamment une cigarette de l'étui d'argent resté ouvert sur son bureau.

– Vous avez peut-être lu certains de ses textes : il a tenu une chronique sur le Canada français dans *La Patrie* en 1912.

– Ah bon ! fait distraitement l'éditeur en aspirant voluptueusement sa première bouffée.

– Son roman glorifie la ténacité des Canadiens français à se bâtir un pays, malgré tous les obstacles qu'ils doivent affronter. C'est un hommage à une « race qui ne sait pas mourir », comme il le dit lui-même. C'est... mais je vous invite plutôt à le lire, ajoute-t-il en déposant le livre devant son patron.

– Vous me semblez tout à fait convaincu...

– *Maria Chapdelaine* a déjà été publié au Canada en 1916, quoique avec peu de succès. Mais plusieurs hommages ont néanmoins été rendus à son auteur depuis la publication : la Société de Géographie du Québec a rebaptisé deux lacs des noms de « Hémon » et « Chapdelaine » ; la Société des Arts, Sciences et Lettres a inauguré un monument en l'honneur de l'auteur il y a un peu plus d'un an sur les lieux qui l'auraient inspiré, et, finalement, la Société Saint-Jean-Baptiste a posé une pierre gravée sur sa tombe à l'endroit de sa mort.

– Vraiment ?... jette négligemment Bernard Grasset, pendant que Halévy reprend son souffle.

– L'exemplaire que vous voyez là appartient à ma mère.

– Votre mère ?...

– Elle avait lu le feuilleton dans *Le Temps* à sa sortie il y a quelques années et, quand elle a su que le roman avait été publié au Canada, elle m'a demandé de le lui trouver. Puis elle a insisté pour que je le lise. Monsieur Grasset, j'ai tout simplement été renversé, déclare Halévy. J'ai donc fait quelques recherches et… voilà ! conclut le jeune homme, manifestement fier de sa présentation.

– Eh bien ! si Mme votre mère recommande ce livre, je ne peux que m'incliner, déclare Grasset en haussant les sourcils, avec un sourire dont Halévy tente de décoder le sens.

1921

– Allô ?…

– Allô… allô ?

– Oui… j'entends mal ! Allô ?…

– Gustave ?

– Oui… ? Qui c'est qui parle ?… Papa ?

– Oui. Comment ça va ?

– Quoi ?

– J'ai dit : comment ça va à Montmagny ?

– Ça va bien. Tout le monde est en santé. (Léo, c'est papa !) Puis vous autres ?

– Nous autres aussi. On est touttes chez Samuel : Éva, Nil, Hélène, la petite Rita… on fête la nouvelle année. Allô ! Allô !… Ça griche donc ben, ces machines-là ! Gustave, m'entends-tu ?

– Oui, oui. Nous autres aussi, on réveillonne.

– Ça fait longtemps que t'es pas venu nous voir…

– On ira peut-être à l'été, si on a le temps. Ma nouvelle job m'occupe plus que je pensais. Et avec mes pratiques pour les soirées « Maria Chapdelaine »…

– Quoi ?… Maria Chapdelaine ?…

– Je vous l'ai pas dit ?

– Attends, je vois ta sœur qui se tortille sur sa chaise. Je te la passe. Salue bien Léo pis les enfants. Icitte, Samuel, Laura, Nil, tout le monde vous salue, puis on vous souhaite la bonne année. Faites attention à vous autres…

– Oui, papa. Vous autres aussi, bonne année.

– Je te passe ta sœur. Mais faites ça vite, on peut être coupés à tout moment.

– Éva ?

– Oui, allô… ? Gustave ?…

– Parle plus fort, je t'entends pas !

– Gustave ?…

– Là, c'est mieux. Comment ça va, toi ?

– Ça va bien.

– Et ton nouveau travail à Lac-Bouchette ?

– J'enseigne, puis je passe mes temps libres à l'Ermitage Saint-Antoine. J'aide l'abbé DeLamarre à préparer ses pèlerinages.

– L'abbé qui ?… Parle plus fort, Éva !

– L'abbé DeLamarre. C'est celui qui a fondé le nouveau centre de pèlerinages dédié à saint Antoine.

– Ah oui ! C'est un petit-cousin de la fesse gauche. Le savais-tu ?

– Oui. Mais qu'est-ce que c'est que cette histoire de « Maria Chapdelaine » ?

– Mon tour de chant… Tu sais, je t'en ai parlé.

– Oui, puis… ?

– J'ai découvert qu'il se donne des soirées « Maria Chapdelaine » un peu partout dans la province…

– Gustave, ça grince, je t'entends mal, des soirées de quoi ?…

– Des soirées « Maria Chapdelaine », hurle Gustave. C'est des chanteurs qui vont d'une ville à l'autre pour faire connaître le roman tout en donnant un tour de chant.

– Tu veux faire ça ?

– Pourquoi pas ?… J'ai assez travaillé depuis un an à préparer ce tour de chant-là ! En plus, en tant que frère de

Maria Chapdelaine, as-tu pensé comment ça va m'aider dans ma publicité ?

– Es-tu fou, Gustave Bouchard ?... Je te défends de te servir de cette histoire-là, m'entends-tu ?

– Oui, certain, t'as crié assez fort pour que je t'entende, cette fois-là !

– Gustave, je suis sérieuse. Tu sais très bien que je...

– Je vais devoir vous couper, intervient la standardiste.

– Attendez, mademoiselle, supplie Éva. Gustave... ? Gustave... ?

– Écoute, Éva, ça t'enlève rien. T'es rendue à Lac-Bouchette, astheure.

– Je te défends de dire que je suis Maria Chapdelaine, as-tu compris, t'as pas le droit !

– Pourquoi ?

– Tu sais très bien que je...

– Désolée, chantonne une voix nasillarde.

Cette fois, la standardiste a bel et bien interrompu la communication. Gustave imagine sa sœur tremblante de colère à l'autre bout. Il raccroche et s'éloigne en silence vers la chambre à coucher avec une moue de dépit, pendant que les enfants, surexcités, essaient de comprendre ce qui vient de se passer.

– Votre père vient de parler avec grand-papa Bouchard et votre tante Éva, explique Léonie tout en les invitant à retourner à la salle à manger.

Roméo a cru saisir que l'idée des soirées « Maria Chapdelaine » déplaisait à sa tante. Il décide, en sa qualité d'aîné, de prendre la situation en main en attendant le retour de son père. Constatant que sa mère, malgré ses efforts pour dissimuler son inquiétude, est bouleversée par la réaction de son mari, il ordonne d'une voix autoritaire à ses sœurs de reprendre leur place à table. Gertrude obéit en s'efforçant d'afficher un air détaché ; quant à Jeannette, elle s'exécute bruyamment tout en dirigeant vers son frère un regard chargé de reproches.

Seule Simonne, restée dans le vestibule, demeure figée devant le téléphone, essayant de comprendre où pouvaient bien se cacher son grand-père et sa marraine, pour que son père arrive à leur parler juste en criant dans ce curieux appareil.

*

– Dis-moi donc ce qui s'est passé au téléphone cet après-midi avec Éva, demande Léonie à son mari, une fois les enfants au lit.

– Ah ! ça ?… bredouille Gustave.

Puis il passe une main sur son front et se racle la gorge :

– Elle veut pas que je dise que je suis le frère de Maria Chapdelaine.

– Qu'est-ce qu'elle t'a dit, au juste ?

– Que j'avais pas le droit de dire ça… de toute manière, on n'a pas eu le temps de finir notre discussion, on a été coupés, tranche Gustave, visiblement agacé à l'idée d'avoir à rapporter cette conversation.

– Et toi, qu'est-ce que t'en penses ?

– J'en pense, j'en pense… marmonne-t-il, impatient. Je me demande ce que ça peut lui faire, que je dise que Maria Chapdelaine est ma sœur. On est à Montmagny, icitte, pas à Péribonka ! Ça peut juste me donner un coup de main pour ma publicité, ça lui enlève rien, joualvert ! À part ça, elle devrait être contente : c'est rendu que même le journaliste qui a parti l'affaire, le fameux Damase Potvin, est en train de virer son capot de bord.

– Qu'est-ce que tu veux dire ?

– Ben imagine-toi que Jean-Charles Harvey, tu sais, le journaliste que le député Charles-Abraham Paquet a fait engager pour faire la publicité de la Machine agricole, icitte à Montmagny... ben figure-toi que le M. Harvey en question a décidé de se mêler de cette histoire-là, lui aussi. Il dit que Louis Hémon peut pas avoir pris Éva comme modèle, que Maria Chapdelaine lui ressemble pas. Bout d'baptême ! il a jamais vu Éva de sa vie, Jean-Charles Harvey ! Comment c'est qu'il peut dire ça ? Il devrait s'occuper de sa job, au lieu de se mêler de nos affaires. D'autant plus que ça va pas ben fort à la Machine agricole, d'après ce qui se dit ! C'est pas parce que c'est écrivain que ça peut se permettre de dire n'importe quoi sur n'importe qui !

– Mais c'est quoi le lien avec Damase Potvin ?

– Potvin et Harvey se sont chicanés un bout de temps en se servant des journaux, puis là, c'est rendu que Damase Potvin dit qu'il est plus tout à fait certain qu'Éva soit vraiment Maria Chapdelaine.

– Doux Jésus ! Je comprends qu'Éva soit tannée d'entendre parler de cette histoire-là : tout le monde parle d'elle dans les journaux ! Tu me parles d'une affaire !

Gustave voit arriver avec soulagement la fin de cette conversation. Il ne peut s'empêcher de craindre la réaction d'Éva si jamais il en vient à mettre à exécution le projet secret qu'il a en tête. Il vaut mieux évidemment garder en réserve pour le moment cette vision géniale qu'il a eue dernièrement en feuilletant ses partitions musicales. Mais il reste convaincu que, au moment de lancer sa campagne publicitaire pour de bon, son idée lui garantira le succès à coup sûr.

*

*   *

Daniel Halévy referme la porte derrière lui. Il suspend son chapeau et son manteau à la patère et s'apprête à retoucher sa coiffure lorsqu'il entend la voix ferme de son patron :

– Halévy, dans mon bureau, tout de suite !

Il range aussitôt le petit peigne de corne dans la pochette intérieure de son veston et, un peu inquiet, se précipite dans la pièce déjà enfumée malgré l'heure matinale.

– Fermez la porte et asseyez-vous.

– Oui, monsieur Grasset.

– Écoutez, je n'irai pas par quatre chemins : j'ai lu *Maria Chapdelaine* pendant le congé de Noël. Il nous faut aller chercher de l'information. Connaissez-vous le moyen d'entrer en contact avec les héritiers de Hémon ?

Pris au dépourvu, Halévy hésite un moment avant de bégayer :

– Heu !... Je... Enfin, je sais où joindre la famille.

– Bon ! Alors, vous allez contacter ces gens, leur envoyer une dépêche télégraphique. Aujourd'hui même ! Dites-leur que nous souhaitons publier *Maria Chapdelaine* dès que possible. Nous devons savoir s'ils ont déjà pris des engagements avec une autre maison d'édition. Renseignez-vous.

Comprenant que son patron ne tolérera aucun délai, Halévy se lève et se dirige vers la porte. À mi-chemin, il se ravise. Et puis non ! Ce n'est pas le moment de parler à son directeur de l'irritation que lui cause de plus en plus la cigarette.

*

– Monsieur, j'ai la réponse de Mlle Marie, la sœur de Louis Hémon.

Bernard Grasset ne s'attendait manifestement pas à un résultat aussi rapide. Il plante son regard anxieux dans celui de son employé, retenant la fumée à l'intérieur de ses poumons.

– Eh bien ?... grommelle-t-il, impatient.

– La mauvaise nouvelle, c'est qu'ils ont déjà signé un traité avec Payot il y a six mois. Mais la bonne, c'est que rien n'a encore été fait.

– Tous les espoirs sont donc encore permis. Mais faudra se montrer prudent : surtout, ne pas éveiller la méfiance de Payot, cet incompétent !

Grasset se sourit à lui-même, perdu dans ses réflexions, tout en écrasant son mégot avec soin. Halévy rappelle sa présence en se raclant la gorge.

– Bon travail, mon cher Daniel, commente Bernard Grasset, reprenant ses esprits. Maintenant, nous allons attendre un peu. Question de stratégie.

– Vous avez donc aimé le livre, monsieur ?

– C'est un chef-d'œuvre, mon cher, un chef-d'œuvre ! Décidément, vous avez eu du flair.

Halévy sourit et remercie, avant de se diriger vers la sortie. Au moment où il va franchir la porte, il entend Grasset ajouter :

– Et... mes hommages à Mme votre mère !

Daniel Halévy ne se doute pas à quel point son supérieur est soulagé, lui qui s'est rappelé, en lisant le roman, avoir reçu une copie du manuscrit que Hémon lui avait posté du Canada juste avant sa mort, en juillet 1913, et qu'à ce moment il l'avait jugé inintéressant.

*

* *

L'atmosphère feutrée lui rappelle celle du vieux couvent de Lévis où elle faisait une entrée timide un peu plus de cinq ans auparavant. « Les parloirs se ressemblent tous plus ou moins », songe-t-elle. Ici, cependant, une odeur d'éther se mélange à celle des vieilles boiseries. Éva en est à se demander si l'on s'habitue à ces effluves singuliers à force de vivre dans un hôpital, lorsque, souriant et détendu, l'abbé DeLamarre s'avance vers elle.

– J'espère que vous avez fait un bon voyage à Péribonka et que les vôtres se portent bien, s'enquiert-il courtoisement.

– Oui, je vous remercie, monsieur l'abbé. Je n'étais pas retournée dans ma famille depuis l'été. Passer les fêtes avec eux m'a fait du bien.

– Bon. Tant mieux ! Maintenant, venons-en aux faits, dit-il en l'invitant à s'asseoir. Si je vous ai demandé de vous arrêter ici, à Chicoutimi, en retournant à Lac-Bouchette, c'est pour vous faire une proposition : j'aimerais que vous acceptiez de devenir ma secrétaire.

Éva s'attendait à cette offre, à la suite d'une conversation qu'elle avait déjà eue avec ce vague petit-cousin quelques mois auparavant. Elle ne peut néanmoins s'empêcher de rougir et de baisser les yeux. Ayant souvent travaillé comme bénévole à l'Ermitage, elle connaît, grâce aux autres secrétaires, l'excellente réputation d'Elzéar DeLamarre. Toutes s'entendent pour dire que c'est un travailleur acharné, un homme calme et réfléchi, un patron respectueux et bon pour ses employés. Elle sait aussi que sa personne de confiance, sa nièce Hélène DeLamarre, décédée de la grippe espagnole deux ans plus tôt, n'a jamais été remplacée. Et elle est particulièrement attirée par l'atmosphère quasi familiale qui règne dans le petit groupe dont l'abbé DeLamarre a su s'entourer. Cette espèce de cocon lui paraît rassurant, après le harcèlement incessant qu'elle a dû subir ces dernières années. L'Ermitage pourrait devenir un refuge idéal au terme de la longue fuite qu'elle s'est imposée depuis la publication de *Maria Chapdelaine*. Mais, pour le moment, elle s'inquiète surtout de sa propre performance en tant que secrétaire, dans une institution qu'elle ne connaît pour ainsi dire que de l'extérieur.

Elzéar DeLamarre devance la question d'Éva, dont le regard angoissé vient de se lever vers lui :

– Mademoiselle Bouchard, je peux comprendre vos préoccupations. Vous avez été institutrice ; officiellement, vous n'avez jusqu'à présent exercé que ce métier. Vous êtes probablement inquiète face à ce qui vous est proposé aujourd'hui. Mais ma nièce Hélène n'avait, elle non plus, aucune notion de comptabilité quand elle a commencé à travailler pour moi en 1903. Comme je l'ai fait avec elle, je m'engage personnellement à vous aider au cours des premières semaines. Et souvenez-vous que c'est une noble cause que nous servons : les profits de notre œuvre servent à payer les cours à des élèves qui autrement seraient trop pauvres pour fréquenter le séminaire. Indirectement, c'est à former de futurs prêtres que nous travaillons.

Éva, qui a retenu son souffle pendant la plus grande partie du discours de l'abbé, inspire profondément et baisse à nouveau les yeux.

– J'ai eu d'excellentes références de l'abbé Boulanger : vous avez été très appréciée à Sainte-Jeanne-d'Arc. Si cette nouvelle paroisse a aujourd'hui une église, si elle porte le nom d'une nouvelle canonisée, si elle existe, c'est en partie grâce à votre dévouement comme sacristine, à votre implication dans les Enfants de Marie et à votre grand dévouement auprès des pauvres.

Elzéar DeLamarre fait une pause. Éva, mal à l'aise, ne bronche pas. Peu habituée aux éloges, elle attend, les yeux rivés au sol, que son interlocuteur ait fini de vanter ses mérites.

– Je vous ai beaucoup observée depuis votre arrivée à Lac-Bouchette : vous avez une âme de missionnaire, mademoiselle Bouchard, déclare l'ecclésiastique. Par ailleurs, d'après ce que je connais de votre tempérament, je crois sincèrement que vous pourriez être heureuse à l'Ermitage, que la vie au sein de notre petite communauté vous ferait le plus grand bien.

Éva devine que l'abbé DeLamarre, en homme cultivé, constamment au fait de l'actualité, est au courant de ses déboires avec la presse. Elle lui sait gré de ne pas y faire allusion. Cela renforce son estime pour cet homme dont elle admire déjà la délicatesse, la réserve et la modestie. Elle lève les yeux et rencontre le regard noir et vif, qui semble lire, à travers ses silences, la moindre de ses pensées.

Pressentant sa réponse, Elzéar DeLamarre esquisse un léger sourire.

– Il me faudra d'abord trouver quelqu'un pour me remplacer à l'école, se contente-t-elle de dire, en souriant timidement à son tour.

– Mon frère Joseph passe l'hiver à Lac-Bouchette pour chauffer la maison et les dépendances. Il vous ramènera à Chicoutimi quand vous serez prête. Car vous n'êtes pas sans savoir que nous passons l'hiver à l'Hôtel-Dieu de Saint-Vallier, n'est-ce pas ?

– Je suis au courant, répond Éva en hochant la tête. Je connais déjà quelques personnes qui travaillent pour vous.

– J'imagine que vous avez rencontré nos deux cuisinières, mes sœurs Marie et Christine…

– Oui, bien sûr.

– Et je crois savoir que vous vous êtes liée d'amitié avec Mlle Célina Boivin, une autre de nos employées.

– Oui. Je connais d'ailleurs la plupart des membres de sa famille.

– Ces gens sont très actifs dans la préparation des pèlerinages.

– Mais qu'est-ce que je ferai, en hiver, quand nous serons à Chicoutimi ?

– Votre tâche sera la même pendant le reste de l'année : trier le courrier, compiler les renseignements qui pourraient être publiés dans la revue *Le Messager* et tenir la comptabilité.

De nouveaux défis, une nouvelle vie qui se superposera à la première… Éva se surprend à rêver d'un univers calme et serein où ne seront admis que des êtres chers, un monde dans lequel personne ne fera plus allusion à cette période de sa vie où on a tenté de lui faire revêtir contre son gré la peau d'un personnage issu de l'imagination d'un romancier ; un univers feutré où, tout en exerçant sa fonction entourée de milliers de pèlerins, elle redeviendra une employée anonyme parmi tant d'autres, où on ne verra désormais en elle personne d'autre qu'Éva Bouchard !

*

*   *

Une toux rauque tient Bernard Grasset éveillé depuis quatre heures, ce samedi matin. Après s'être levé sans bruit et s'être versé un grand verre d'eau, il traîne son édredon dans la salle de séjour et se laisse choir dans son fauteuil favori. La tête renversée, il somnole un moment avant que la même toux persistante ne le laisse à nouveau épuisé, avec cette sensation de brûlure intense qui le met chaque fois hors de lui.

Il tend la main vers l'étui d'argent trônant sur la table jouxtant son fauteuil, s'en empare, l'ouvre, en considère le contenu d'un air méfiant. Puis, dans un geste d'impatience, il referme bruyamment le couvercle et lance l'objet suspect sur le canapé qui lui fait face. Le fermoir cédant sous le choc, les cigarettes s'étalent impudemment jusque sur le tapis. Quelqu'un se retourne en soupirant, dans une chambre à l'étage. Il retient son souffle un instant. Chez lui, on est habitué à ces réveils précoces, à ces toux interminables, à ces colères matinales accompagnées de résolutions sincères suivies d'autant de manquements. On n'y fait plus tellement attention.

Puis il ferme les yeux à nouveau, et le silence du petit jour reprend ses droits. Mais cette histoire de *Maria Chapdelaine* le maintient éveillé malgré tout. Quoiqu'il ait obtenu l'autorisation de Payot d'éditer 6000 exemplaires, ce dernier conserve le droit de reprendre l'édition à son compte, une fois cette quantité écoulée. Dire que ce minable profitera peut-être des retombées de la publicité payée par la maison Grasset ! Quelle merde, tout de même !

Une nouvelle quinte de toux le secoue. Il lui semble qu'il en émerge chaque fois de plus en plus difficilement. La gorgée d'eau qu'il avale n'arrive pas à calmer l'irritation de sa gorge en feu. Il pense à LeFebvre, cet éditeur canadien qui a prétendu un moment détenir le copyright de *Maria Chapdelaine*, alors qu'il ne possédait qu'un droit d'édition limité. Heureusement que Louvigny de Montigny, le parrain canadien de l'œuvre, avait accepté de collaborer avec Grasset ! Mais on avait quand même dû demander l'intervention de Marie Hémon, la sœur de l'auteur, pour remettre cet effronté de LeFebvre à sa place.

Une autre gorgée d'eau. Enfin, il se sent mieux. Il se répète une fois de plus qu'il devrait cesser de fumer. Mais il ne peut plus se mentir, il n'y arrivera pas sans changer ses habitudes. Et pour cela, il aurait besoin de calme, d'isolement. Depuis des mois, voire des années, il prétexte qu'il ne peut pas quitter la maison d'édition. Pourtant, tout s'y déroule présentement pour le mieux : Louis Brun, son second, son homme de confiance, a déjà commencé à préparer la campagne de promotion. Halévy, pour sa part, prend très au sérieux la nouvelle collection des « Cahiers verts » ; ils seront prêts sous peu pour l'impression. Son personnel pourrait très bien se passer de lui pendant quelques semaines. C'est décidé : aujourd'hui même, il téléphonera à la station thermale de Divonne-les-Bains. Le printemps, c'est un bon moment pour entreprendre une cure.

*

* *

Péribonka, 16 avril 1921

Mademoiselle Éva Bouchard
Chicoutimi

Chère Mademoiselle,

Votre bonne lettre m'a fait du bien et je vous en remercie. Vous savoir heureuse est de nature à me réjouir. Je craignais un peu d'avoir été l'auteur d'une déception, en vous ayant fait paraître trop belle la position que vous occupez. Votre lettre me rassure, et j'ai la certitude que vous aurez, en ce bon M. DeLamarre, un directeur éclairé et versé dans la vie spirituelle. C'est pour vous, j'oserai dire, de la plus grande importance. Veuillez accepter tout de suite mes sincères remerciements pour le beau cadeau que vous avez laissé à Sainte-Jeanne-d'Arc en nous quittant. L'autel en sera paré les jours de grande fête.

L'élection de la présidente des Enfants de Marie se fera le premier dimanche de mai. Sera-ce Mademoiselle Antoinette ? Pauvre elle, votre départ semble lui avoir causé de l'ennui. C'est tout naturel, elle vous aimait tant ! [...]

Soyez assurée que depuis votre départ, chaque matin, au Saint Sacrifice, j'ai parlé de vous à Notre-Seigneur et je n'y manquerai pas à l'avenir. Bonne santé et beaucoup de bonheur, ma bonne paroissienne, et que Notre-Dame de Lourdes vous couvre de son manteau à votre arrivée à « San Tonio ».

Votre tout dévoué en Notre-Seigneur,

D.-A. Boulanger, prêtre

P.-S. Ne vous laissez pas venir malade [*sic*]. Voyez la bonne petite sœur Saint-Gérard qui est médecin à l'Hôtel-Dieu, à moins qu'une autre ait pris sa place. Dans tous les cas, soignez votre digestion.

Un petit secret : on est content de vous là-bas [13].

1922

– Maintenant que *Maria Chapdelaine* commence à avoir du succès, que j'ai finalement mis Payot hors d'état de nuire, il faut que ce profiteur de LeFebvre récidive ! Il aurait pu bénéficier tranquillement des retombées de la publicité que je fais au livre en France pour finir de vendre son édition de 1916... mais non !

Daniel Halévy observe son patron qui arpente nerveusement la pièce enfumée, et hoche la tête, le regard désapprobateur.

– Dire que j'ai cru que tout serait réglé après l'intervention de Mlle Hémon l'hiver dernier ! Quel naïf je fais ! poursuit Bernard Grasset en s'arrêtant pour chercher quelque chose sur le bureau en désordre.

– Mais que se passe-t-il donc pour vous mettre dans un tel état ? questionne Halévy en s'asseyant.

– Quand je pense que nous devions le poursuivre pour prise illégale de copyright ! continue Grasset pour lui-même.

– Et puis ?

– Avez-vous une cigarette, Daniel ?

Halévy ferme les yeux un instant, serre les dents, expire un peu plus bruyamment qu'il ne l'aurait voulu. Difficile de conserver son calme dans une telle situation.

– Je ne fume pas et vous le savez. D'ailleurs, même si vous ne voulez pas l'entendre, je vous donne quand même mon opinion : vous avez fait une grosse erreur en recommençant après huit mois. Il me semble que ça se passait plutôt bien depuis votre cure du printemps dernier…

– C'est temporaire, affirme Grasset, ne trompant personne d'autre que lui-même. C'est seulement depuis que j'ai appris que LeFebvre avait accordé des autorisations de traduction en anglais.

– Mais ce sont des autorisations illégales, monsieur Grasset ; c'est d'ailleurs pour cette raison que vous vouliez lui intenter un procès…

– Eh bien, le représentant de la maison McMillan, de Toronto, m'affirme que l'autorisation que LeFebvre aurait reçue de M. Hémon père s'étendrait aux droits de traduction.

Halévy se cale dans sa chaise et soupire.

– Vous voulez dire…

Bernard Grasset s'assied sur le bord de son bureau avant de répondre :

– Je veux dire qu'il faut refaire la preuve que cette autorisation se limitait vraiment à la reproduction limitée de l'œuvre, excluant toute propriété et tout droit de traduction. Et d'abord contacter Louvigny de Montigny une fois de plus ; il sera notre meilleur allié dans cette cause.

– Vous ne croyez tout de même pas que LeFebvre a raison ?

– Bien sûr que non ! Sa crédibilité laisse d'ailleurs de plus en plus sérieusement à désirer. Mais je n'ai pas le choix de prendre toutes les précautions possibles. Quel escroc, quand même !

*

* *

– Comment va mon vieux camarade ? demande Édouard Montpetit en accueillant Louvigny de Montigny dans son bureau de l'Université de Montréal.

– Le mieux du monde, répond celui-ci, accompagnant ses paroles d'une franche poignée de main.

– Je t'attendais plus tard, mais je suis bien content que tu sois là, nous aurons plus de temps.

– Mon dernier rendez-vous s'est terminé plus tôt que prévu et j'ai pensé que…

– Tu as bien fait. De toute façon, par une aussi belle journée de printemps, qui a envie de travailler ?… Tiens, que dirais-tu si on allait marcher un peu sur la montagne ?

Les deux hommes quittent l'édifice et s'élancent d'un pas léger vers la forêt voisine, bavardant comme deux gamins insouciants. Ils savourent à coups d'éclats de rire cette sensation de liberté que suggère la saison toute neuve, avec ses rayons chauds qui s'infiltrent sournoisement entre les branches, ses bourgeons vert tendre dont la seule vue suffit à illuminer le regard des flâneurs, et ses odeurs qui vous ramènent subitement l'enfance à la surface de l'âme.

– Comme ça, tu es toujours en contact avec M. Bernard Grasset, si j'ai bien compris ? demande Montpetit en s'appuyant sur un banc en quête de repos, après plus d'une heure de marche.

– J'ai dû le rassurer, après que LeFebvre eut entrepris des démarches pour faire traduire *Maria Chapdelaine* en anglais. M. Hémon père ne lui avait pas cédé ses droits, contrairement à ce qu'il prétendait. Mlle Hémon a dû s'en mêler une fois de plus. Décidément, LeFebvre ne semble vouloir laisser aucun répit à Grasset. Le moins qu'on puisse dire est qu'il a toutes les audaces.

– Grasset a-t-il toujours l'intention de le poursuivre ?

– L'intention, oui, répond Louvigny de Montigny. Mais toutes ces démarches ont évidemment retardé la procédure et, pour le moment, il est passablement occupé par la publicité.

– C'est un as en la matière, à ce qu'on dit…

– Et comment ! Ce diable de Grasset, rien ne l'arrête.

– J'ai lu ce matin qu'il en avait vendu 350 000 exemplaires.

– Et ce n'est pas fini, crois-moi. Si tu le voyais aller… Il n'arrête pas de m'étonner. Il a réussi à faire parler de *Maria Chapdelaine* dans tous les milieux. Son dynamisme est sans limite : il a consenti des sommes quasi incroyables à la publicité. Et il semble viser juste à tout coup.

Édouard Montpetit contourne le banc de bois et s'y glisse lentement en invitant d'un geste son camarade à faire de même. De Montigny poursuit sur sa lancée dès qu'il est assis :

– Il a pénétré des diocèses complets, en faisant parvenir à des milliers de curés un exemplaire du livre, accompagné d'une lettre dans laquelle il insiste sur l'orientation religieuse du roman. Tu parles ! Il va même jusqu'à leur suggérer d'en faire la propagande dans les églises.

– Et ça marche ? questionne Édouard Montpetit, l'air plutôt sceptique.

– Oui, et c'est ce qui est le plus surprenant. D'ailleurs, sa publicité est loin de se limiter à la clientèle religieuse. Ce n'était qu'un exemple. Il a écrit dernièrement à Mlle Marie Hémon qu'il expédiait quotidiennement quelque 500 exemplaires un peu partout dans le monde.

– C'est plutôt aventureux, en effet. Et ici, au Canada ?

– J'ai l'intention de demander à M. Grasset un droit de reproduction pour *La Presse*, continue Louvigny de Montigny. Je crois beaucoup à l'idée d'imposer la lecture d'un livre en entrant directement dans la maison des gens par le biais de leur quotidien favori.

– Alors c'est bel et bien reparti, si je comprends bien… D'ailleurs, il y a deux jours, j'ai été invité à une soirée « Maria Chapdelaine », à la salle des concerts, rue Sherbrooke Est. Il y avait là du bien beau monde : d'abord, c'était sous la présidence d'honneur de Mgr Bélanger, et nous avons eu droit à des allocutions du juge Fabre-Surveyer, ainsi que du consul général de France au Canada.

– Vous avez entendu des airs de Gagnon chantés par l'Association chorale de Saint-Louis-de-France, enchaîne Louvigny de Montigny. Et l'orchestre du Conseil Lafontaine des Chevaliers de Colomb a fait les frais de la musique, poursuit-il en souriant.

– Ma foi… est-ce que tu y étais ?

– Non. Mais je suis parfaitement au courant de ces soirées « Maria Chapdelaine » qui se donnent un peu partout dans la province.

– Ah !… Parce que ce n'était pas un cas isolé ?

– Pas du tout, mon vieux. Et je crois bien qu'avec la publication dans *La Presse*, et éventuellement la relance de la vente du livre, on n'a pas fini de voir ces soirées se multiplier un peu partout.

*

* *

Dans la salle de l'hôtel de ville de Montmagny, les applaudissements ont cessé. Les rideaux s'ouvrent une dernière fois sur les spectateurs qui entament leur déplacement vers la sortie. Desneiges, qui a déjà atteint l'arrière de la salle en trottinant derrière son époux, se retourne avant de sortir et adresse un sourire contrit à son beau-frère. Elle aurait aimé aller le féliciter personnellement, mais n'a pas osé le demander à son mari. Le vide se crée peu à peu autour des sièges réservés à Léonie et aux enfants. Gustave hésite à lever le regard dans cette direction de peur de lire dans les yeux de sa femme la même déception, le même vague sentiment d'inconfort qu'il ressent à la suite de sa prestation. Il a pourtant offert une bonne performance. De cela, il ne doute pas. Mais au prix de quel effort ! Le seul fait de commencer ce tour de chant dans son propre milieu, en présence de sa famille et des notables que, dans son enthousiasme, il avait tenu à inviter à sa première, lui a valu un trac incontrôlable qui ne l'a à peu près pas quitté de l'après-midi. Il en émerge épuisé, en sueur, conscient que, malgré un concert techniquement réussi, le courant n'a circulé qu'avec peine entre lui et les spectateurs.

Des coulisses, Albéric Marquis, le responsable de la salle, lui murmure en connaisseur qu'il est temps de se retirer à l'arrière-scène. Gustave jette un dernier coup d'œil sur les quelques silhouettes indistinctes qui remuent encore au fond de la salle et entend, au moment de disparaître côté cour, une voix familière :

– Monsieur Bouchard ?...

La pénombre l'a empêché de voir son interlocuteur, mais son oreille avertie le reconnaît :

– Oui, monsieur Béchard, répond Gustave en rebroussant chemin, en même temps qu'une sueur froide lui parcourt le dos.

Son patron, le président de la Compagnie A. Bélanger, lui avait fait clairement comprendre lors de leur dernier entretien que, s'il avait accepté de le libérer pour quelques jours avant son tout premier spectacle, il ne pourrait en être ainsi chaque fois. Il avait ajouté que, s'il encourageait les aspirations artistiques de son employé, celles-ci ne devraient en aucun cas nuire à son travail.

– Je vous félicite, mon ami. Belle performance, vraiment !

– Merci, monsieur Béchard.

– Votre voix de basse a impressionné ma femme, ajoute Philippe Béchard en désignant la dame qui se tient un peu en retrait dans l'allée. De même que mes amis Charles-Abraham Paquet et Maurice Rousseau, que vous connaissez sans doute…

Gustave, qui était descendu de la scène à l'approche de son patron, sent une boule d'angoisse se nouer dans sa poitrine à la vue des deux autres plus importants industriels de la ville, dont le premier est également député à l'Assemblée législative. Les jambes flageolantes, il trouve la force de s'avancer vers eux pour les remercier d'avoir bien voulu assister à la première de son tour de chant.

– C'est très gentil d'être venus.

– Mais ce fut un plaisir, proteste l'un, aussitôt distrait par l'arrivée inopinée de Jeannette, accourue rejoindre son père.

– Vous devriez songer sérieusement à faire carrière, monsieur Bouchard, renchérit un homme inconnu de Gustave, faisant toutefois visiblement partie du même groupe. Mais de grâce, ne vous limitez pas à la région ! Vous devriez pousser plus loin, pensez-y ! déclame-t-il d'une voix traînante où Gustave croit déceler une pointe d'ironie.

Puis l'homme se dirige vers la sortie sans attendre de réponse, suivi de M. Béchard qui adresse un dernier sourire à son employé, en même temps qu'il ajoute :

– À demain, monsieur Bouchard.

– Vous savez pas ce que le monsieur a dit à papa, s'empresse d'annoncer Jeannette à sa mère, en revenant à sa place.

– Bien, dis-le ! s'impatiente Roméo.

Et pendant que la jeune fille répète ce qu'elle vient d'entendre, Gustave s'assoit, songeur, à quelque distance des siens, et tente de distinguer la part de vérité de la basse flatterie dans ce commentaire. Léonie, qui trouve que son mari a très bien chanté, se demande ce qui le tracasse à ce point. Elle invite les enfants à se calmer et à laisser un peu de temps à leur père pour se remettre de ses émotions.

– Il est fatigué, leur dit-elle simplement en guise d'explication.

Albéric Marquis a déjà commencé à nettoyer la salle quand Gustave émerge enfin de son isolement. Il se tourne lentement vers sa Léonie, qui lui sourit. Comme ce sourire lui fait du bien ! Sa femme sait-elle seulement ce que sa présence peut chaque fois lui redonner de courage et d'énergie ?

– Papa, je veux m'en aller à la maison, se lamente Simonne.

– Bien sûr, ma belle. Je ramasse mes partitions et on y va.

*

– Et tu l'avais jamais vu avant ?

– Non. Je pense pas que ce soit quelqu'un de Montmagny. Mais il était avec M. Béchard, ça c'est certain.

– Tu devrais pas te torturer avec ça. Il voulait probablement juste te faire un compliment. Tu as travaillé beaucoup, ces dernières semaines. Tu es fatigué, Gustave. Ça arrive qu'on se fasse des fausses idées quand on est fatigué.

– J'ai pourtant eu l'impression qu'il se moquait de moi.

– Bon, bien, si ton idée est faite, j'y peux rien, soupire Léonie en se levant péniblement de sa chaise. Moi, j'ai trouvé ça bon, les enfants aussi, puis Desneiges, puis nos locataires, puis…

Une crampe au bas du ventre l'interrompt soudainement. Elle s'efforce de dissimuler sa douleur, mais Gustave a perçu son hésitation et reconnaît le pli familier sur son front. Il s'empresse de la conduire au salon et l'aide à prendre place dans le fauteuil le plus confortable.

– Ça va aller, assure-t-elle, sa voix ayant déjà retrouvé son aplomb.

– Il faudrait pourtant que j'arrête de me plaindre, dit-il en s'installant à ses pieds. Tu pourrais bien te passer de ces tracasseries-là, dans ton état, s'excuse Gustave, ému devant la silhouette alourdie par cinq mois de grossesse.

– Tu m'as soutenue pendant huit ans, entre la naissance de Simonne et celle d'Annette. C'est à mon tour, astheure !

– Non. Malgré ta maladie, c'était toi qui me soutenais, qui m'empêchais de me décourager complètement, c'était toi la plus forte malgré tout.

– Je pouvais rien faire d'autre, de mon lit. C'était bien le moins que j'essaie de t'aider à garder le moral. On s'est mariés pour le meilleur et pour le pire, oublie-le pas !

Gustave sourit tristement à sa femme et saisit sa main :

– Mais avec mes idées folles, je te fais pas mal plus souvent connaître le pire que le meilleur…

– Mais non, Gustave. J'ai choisi de passer ma vie avec toi et je me vois pas autrement, répond-elle d'une voix lasse.

Elle ferme les yeux.

Pendant un long moment encore, Gustave caresse en silence cette main blanche que Léonie lui a abandonnée. Puis lentement, il recule et contemple le visage pâle, observe les rides naissantes autour des yeux et sur le front soucieux. Reconnaissant, il pose sa grande main sur le ventre gonflé. Léonie ouvre les yeux et lui sourit. Il se relève doucement.

– Te sens-tu capable de monter à la chambre ?

– Bien sûr, répond-elle d'une voix qu'elle souhaite enjouée.

Mais c'est avec d'infinies précautions qu'il la soutient dans l'escalier et prépare lui-même le lit, pendant qu'elle enfile sa robe de nuit discrètement derrière le paravent. Alors qu'elle finit de dénouer son chignon, il entreprend de brosser lui-même la longue chevelure, à travers laquelle il aperçoit, étonné, quelques fils argentés.

*

Étendu sur le dos, caressant machinalement le bras qui l'enlace, Gustave rêve à des jours meilleurs pour lui et les siens. Il échafaude des histoires de succès et de gloire où il se voit rentrer à la maison les mains pleines d'argent, où femme et enfants l'accueillent joyeusement, comme le héros qu'il est enfin devenu pour eux. Finis l'incertitude du lendemain, les emplois insatisfaisants, finies la nostalgie dans les yeux de sa femme, l'inquiétude qu'elle n'arrive pas malgré tout à lui dissimuler. Son heure approche, il en est certain cette fois. D'un geste nerveux de la tête, il chasse le premier doute qui se présente à son esprit. Léonie déplace sa jambe. Il sent son ventre dur contre son flanc. Non, il n'a plus le droit de douter, il n'a plus le droit de se tromper.

Blottie contre son mari, la tête appuyée sur sa poitrine, Léonie peut voir, même les yeux fermés, les rêves que son homme élabore en silence dans l'obscurité de la chambre. Les seuls battements de son cœur lui indiquent qu'il est prêt une fois de plus à déplacer toutes les montagnes du monde, pour elle et pour leurs enfants à qui il voudrait tant pouvoir offrir le meilleur, tous les jours, une fois pour toutes.

– Il avait peut-être raison, finalement, celui qui m'a dit ça : je vais tenter ma chance du côté de Québec. De toute façon, c'est pour ça que je me prépare depuis des mois. Ce sera probablement moins difficile que de chanter devant le monde que je connais. Puis comme le livre *Maria Chapdelaine* a recommencé à se vendre et que les soirées fonctionnent bien à Montréal, je vois pas pourquoi ça marcherait pas à Québec. Surtout si le chanteur est le frère de Maria elle-même…

– Tu as vraiment l'intention de te servir de ce nom-là ?

– Pourquoi pas ?

– Éva…

– Éva vit retirée dans son Ermitage, elle est heureuse comme elle l'a jamais été ; je vois pas le mal que ça pourrait lui faire. De toute manière, j'y pense depuis longtemps et le projet est déjà en marche : à partir de maintenant, sur toutes les affiches qui circuleront dans la région de Montmagny, de la Beauce et de Québec pour annoncer mon « tour de chant », et sur la page couverture de toutes les partitions de mon répertoire, le nom qu'on verra sous ma photo sera mon nouveau nom d'artiste : « Gustave B. Chapdelaine. »

Longtemps après que Gustave s'est endormi paisiblement, confiant comme un jeune enfant pour qui chaque lendemain recèle un trésor caché, Léonie veille encore, les yeux ouverts sur la nuit.

*
* *

Bernard Grasset s'incline élégamment devant Mme Hémon au moment où celle-ci lui présente sa main.

– Mes hommages, madame. C'est un honneur pour moi d'être reçu dans votre maison. J'ai remarqué que votre jardin est magnifique.

– Je vous remercie. Comme nous passons exceptionnellement l'été à Paris, nous avons plus de temps pour nous en occuper, évidemment. Mais venons-en aux faits, si vous le voulez bien. Sachez, cher monsieur, que nous vous sommes toutes les deux très reconnaissantes de prendre ainsi nos intérêts à cœur. Sans vous, nous serions, j'en ai bien peur, à la merci de cet éditeur canadien sans scrupule.

– Prendrez-vous des petits gâteaux avec votre thé, monsieur Grasset ? les interrompt sa fille Marie de son ton un peu bourru, en déposant un plateau d'argent sur la table basse devant lui.

– Bien volontiers, chère demoiselle, répond-il en se servant, alors que c'est d'une cigarette qu'il aurait plutôt envie.

– Ainsi, cet individu pousserait l'effronterie jusqu'à vous poursuivre ? interroge la vieille dame pendant que sa fille verse le thé.

– « Effronterie » est un mot bien poli, mère, pour décrire cet « individu », comme vous dites. Si je n'avais pas appris les bonnes manières, c'est tout autrement que je qualifierais son attitude.

Puis elle s'assied en face de Bernard Grasset et enchaîne :

– Par contre, selon ce que nous tenons de notre correspondant canadien, si vous me permettez une petite intervention, il semble que nous n'ayons pas trop à nous inquiéter. M. de Montigny nous dit que ce M. LeFebvre n'a pas très bonne réputation au Canada. Tous, y compris les juges, savent à quoi s'en tenir à son sujet.

– C'est ce que M. de Montigny affirme en effet, confirme Bernard Grasset.

– Et pour ce qui vous amène ici, j'ai bien réfléchi, monsieur Grasset : si mon témoignage est nécessaire, je ferai ce qu'il faut. Nous n'allons tout de même pas laisser cet homme s'enrichir à nos dépens, alors qu'en tant qu'héritières de mon frère nous n'avons encore jamais touché de sa part l'ombre de ce qui pourrait ressembler à des droits d'auteur.

– Je vous suis infiniment reconnaissant, mademoiselle, de bien vouloir collaborer avec notre maison.

– C'est la moindre des choses.

– Je ne croyais plus devoir vous importuner avec tout ceci à la suite de votre intervention de l'an dernier.

– Décidément, cet homme semble prêt à toutes les ruses pour arriver à ses fins.

– Il est du genre à ne reculer devant rien pour intimider l'adversaire. Mais vous savez, mademoiselle, ce genre d'histoire peut traîner encore de longs mois, sinon des années.

Marie Hémon hésite un instant.

– Eh bien, nous ferons ce qu'il faudra, et quand il le faudra, soupire-t-elle en portant un morceau de gâteau à ses lèvres.

Bernard Grasset quitte la maison de ses hôtes sans avoir aperçu la moindre trace de la présence de Lydia-Kathleen, la fille de l'auteur. La famille Hémon avait cueilli la fillette chez une tante maternelle au moment où la presse avait dévoilé son existence quelques années auparavant. La petite était désormais sous la tutelle de sa tante Marie, qui lui servait à la fois de mère et de père.

*

* *

Le temps est doux pour un matin de septembre. L'Ermitage fermera pourtant ses portes aux visiteurs ce soir même. Déjà, les dernières soirées du mois d'août ont été plutôt fraîches, et l'abbé DeLamarre a rendu sa décision au début de la semaine : samedi, les employés feront un dernier ménage avant le départ de Lac-Bouchette pour Chicoutimi, qui aura lieu après la dernière messe de dimanche matin.

Éva, un peu nostalgique, a fait un détour par la chapelle pour saluer les derniers pèlerins de la saison. En entendant la porte se refermer, la jeune Zoé Boivin, sœur de son amie Célina, lui adresse un de ces sourires radieux dont elle seule a le secret. Et continue d'épingler patiemment les carrés de tissu blanc aux épaules des dames qui, par coquetterie inopportune ou par négligence, se sont présentées à la messe avec un décolleté un peu trop accentué. Comme il n'est pas question de les laisser recevoir la communion dans une tenue le moindrement inconvenante, Zoé a pour mission de leur couvrir la gorge d'une pièce de coton. Depuis trois ans, d'un bout à l'autre de l'été, la jeune normalienne est à son poste tous les matins, s'assurant que les visiteuses répondent aux normes les plus strictes de la décence avant de s'avancer à la balustrade.

Éva se signe en faisant sa génuflexion, englobe la nef du regard, et en ressort quelques instants plus tard après avoir constaté que tout se déroulait dans l'ordre. Le soleil, se pointant au-dessus de la cime des grands conifères, la surprend dès la sortie et lui fait plisser les yeux. Elle décide de prolonger sa promenade et dirige son pas vers le boisé qui mène au chemin de croix, quand elle entend Marie DeLamarre l'appeler doucement :

– Mademoiselle Éva, M. l'abbé mon frère m'envoie vous remettre cette lettre qui vient d'arriver pour vous.

– Mais qu'est-ce qui se passe, mademoiselle Marie, vous avez couru, on dirait ? Reprenez votre souffle.

– Je voulais juste vous donner cette lettre, dit-elle en tendant une enveloppe.

Éva reconnaît l'écriture de Gustave.

– Merci, mademoiselle Marie. Je rentre tout de suite.

– Non, non ! Mon frère m'a dit de vous dire qu'il voulait que vous preniez votre temps, riposte la petite dame en martelant chacun des mots. Il vous a vue sortir de la chapelle et il m'a dit : « Va lui donner cette lettre-là. Puis dis-lui de profiter de la belle température. C'est sa dernière belle journée ici avant le départ. Dis-lui que je veux qu'elle profite de la belle… » Bon ! Ça, je vous l'ai déjà dit, hein ?… demande Marie dans un large sourire.

– Oui, mais ça ne fait rien, répond Éva en souriant à son tour.

Depuis quelque temps, il arrive à la vieille cuisinière de se répéter, mais la plupart du temps elle s'en rend compte aussitôt.

– Hum ! fait-elle. Ça ne fait rien tant que je ne mets pas de sel deux ou trois fois dans la soupe…

Cette fois, Éva rit de bon cœur.

– Ne vous inquiétez pas, votre soupe est toujours délicieuse, réplique-t-elle, au moment où la vieille dame commence à s'éloigner.

Puis celle-ci s'arrête et se retourne vers Éva :

– Il a aussi dit : « Le soleil va lui faire du bien. »

– Bon !… Eh bien, soit. Je vais rester encore un peu dehors. Merci encore, mademoiselle Marie.

Elle s'assied sur un banc le long du sentier et ouvre l'enveloppe.

*

Malgré que le nombre de pèlerins ait diminué considérablement, la journée s'est avérée épuisante pour Éva. Après le souper, plutôt que de continuer à bavarder comme d'habitude dans le réfectoire avec les autres employés, elle se réfugie dans sa chambre dès que les règles de la bienséance l'y autorisent. Étendue sur son lit, vaguement somnolente, elle essaie de ne penser à rien. Graduellement, le sommeil engourdit ses membres. À l'heure où chacun se retire habituellement dans sa chambre, trois coups légers sur sa porte la font sursauter.

– Qui est là ?

– C'est moi, Christine, répond la sœur cadette de Marie DeLamarre. Mon frère m'envoie vous demander de le rejoindre dans son bureau.

Éva reste quelques secondes sans bouger, sans parler. Puis se soulevant péniblement de son lit, elle finit par répondre :

– Je vous remercie, mademoiselle Christine. Je vais y aller.

La tête vide, avançant comme une somnambule, Éva se rend jusqu'au modeste bureau de l'abbé DeLamarre, qui reconnaît son pas pourtant discret.

– Entrez, mademoiselle Bouchard, murmure-t-il avant même qu'elle ait frappé.

Sur un signe de l'homme en soutane, elle se laisse glisser jusqu'à la chaise de paille qui fait face au bureau.

– Vous avez eu de mauvaises nouvelles, aujourd'hui, mademoiselle Bouchard ?

Éva savait avant d'entrer qu'il avait deviné son trouble. Elle n'a jamais pu lui cacher quoi que ce soit. Au début, évidemment, la clairvoyance de l'abbé DeLamarre dérangeait la femme fière et indépendante qu'elle était. Mais la douceur et la discrétion de cet homme de cœur ont bientôt eu raison de sa résistance et, sans qu'elle s'en rende tout à fait compte, il est peu à peu devenu son confident.

– On ne peut vraiment rien vous cacher, monsieur l'abbé, dit-elle avec un sourire résigné.

– Déjà, cet après-midi, c'était facile de voir que vous étiez soucieuse ; mais vous avez confirmé mes doutes en quittant la table plus tôt qu'à l'accoutumée.

Secouant la tête pour chasser les restes de sommeil, Éva se redresse lentement :

– J'ai reçu une lettre de mon frère Gustave.

Le silence et l'immobilité de l'abbé l'invitent à poursuivre :

– Ma belle-sœur a eu un nouveau bébé samedi dernier : un petit garçon qu'ils ont nommé Yvon. C'est leur sixième enfant vivant.

L'abbé glisse un peu sur sa chaise, repoussant son dos vers l'arrière et, les bras repliés sur les accoudoirs, joint ses longs doigts sous son menton, formant avec ses pouces un triangle dont la forme presque parfaite captive un moment son interlocutrice. Mais il a tout son temps, et il sait que ces nouvelles mondaines ne sont qu'une entrée en matière, qu'Éva ne fait que retarder le moment de dévoiler ce qui la préoccupe vraiment. Cette femme d'un naturel secret, pour qui la confession va contre sa nature, a encore besoin de prendre certains détours avant de s'engager dans le vif du sujet, avant de livrer ses angoisses. Après un profond soupir, elle continue :

– Il m'annonce qu'il a laissé son emploi et qu'il a l'intention de se consacrer à temps plein à ses concerts.

Puis elle porte la main à son front, essayant sans succès de retenir les sanglots qui lui montent à la gorge et de cacher son visage ravagé. Elzéar DeLamarre penche le torse vers l'avant, pose les bras sur son bureau et continue d'observer Éva en silence.

– Monsieur l'abbé, j'ai peur pour eux, lance-t-elle finalement.

Sa pudeur naturelle fond alors d'un seul coup en même temps qu'elle prononce ces paroles libératrices, qu'elle s'ouvre enfin à la seule personne en qui elle ait assez confiance pour révéler sans retenue ses craintes et ses désespoirs, autant que ses rêves et ses joies. Elzéar DeLamarre la laisse pleurer un moment, sans intervenir. Quand elle semble se calmer un peu, il questionne :

– Est-ce qu'ils sont dans la misère ?

– Non… On ne peut pas dire ça. Mais ils n'ont pas de réserves non plus. Depuis qu'ils sont à Montmagny, ils s'entassent toujours un peu plus pour pouvoir prendre des nouveaux pensionnaires afin d'arriver à boucler les fins de mois. Mon frère voit grand pour sa famille : il paie des cours de piano à son plus vieux et aux jumelles. En plus, il donne sa propre série de concerts « Maria Chapdelaine ». Mais il s'est rendu compte que travailler le jour, répéter le soir et chanter les fins de semaine, c'était épuisant, d'autant plus que les concerts ne rapportent pas autant qu'il l'aurait cru.

Elle soupire une fois encore, tire un mouchoir de sa manche et s'éponge les joues pendant que l'abbé DeLamarre rapproche sa chaise du bureau, comme pour s'assurer de bien saisir toute la dimension de la douleur étalée devant lui.

– Il dit qu'il est certain que ça va marcher, que le principal problème était son manque de disponibilité, qu'il va enfin pouvoir se risquer du côté de Québec. Mais moi...

– Vous... reprend l'ecclésiastique presque à voix basse, qu'est-ce que vous en pensez ?

– Moi, ça m'inquiète. Je voudrais être aussi convaincue qu'il l'est, mais la population de Québec n'est pas celle de Montréal et je crains qu'il risque trop. Je pense à ma belle-sœur, aux enfants...

– Vous ne m'avez pourtant jamais parlé de votre frère comme étant un étourdi...

– Oh, non ! Bien sûr que non ! Sa femme et ses enfants sont ce qu'il y a de plus important pour lui. Mais... je crains qu'à force de vouloir toujours leur donner plus il en vienne à prendre de trop grands risques.

– Et... personnellement, croyez-vous pouvoir faire quelque chose pour eux ? demande-t-il après une longue pause.

Éva lève un regard étonné vers lui. Elle ne s'était pas posé cette question, entièrement livrée qu'elle était à sa peine et à son désarroi.

– Parce que c'est la seule chose que vous devez vous demander en réalité, enchaîne le prêtre d'une voix douce et calme. Autrement, à quoi servirait de vous morfondre ? Le

Seigneur n'a que faire de vaines inquiétudes. Votre désespérance ne peut guère procurer de bienfaits à votre frère et à sa famille. Par contre, votre prière est toute-puissante.

Honteuse, Éva baisse les yeux. Mais l'abbé DeLamarre se fait rassurant :

– Remarquez qu'il est humain de réagir comme vous l'avez fait. Sous l'effet du choc, nous n'avons pas toujours les réactions qu'il faudrait. L'important est de se reprendre.

Le religieux se lève et promène sa longue silhouette à travers la petite pièce. Éva sait qu'il va ajouter quelque chose. Curieusement, elle se sent déjà plus calme. La sagesse du jugement de cet homme l'a toujours réconfortée et elle attend tranquillement qu'il poursuive sa réflexion :

– Mais ma question allait au-delà de ces considérations purement religieuses. Je vous demande si, en plus de la prière, vous pensez pouvoir leur apporter une aide quelconque, si vous pouvez leur offrir une assistance concrète...

De nouveau, Éva est surprise par cette question. Elle fixe sans le voir le crucifix derrière le bureau et essaie d'imaginer ce qu'elle pourrait faire pour soulager Gustave et Léonie, comment elle pourrait contribuer à leur accorder un peu de répit. Léonie doit être si fatiguée ! Et Gustave, si angoissé malgré les rêves un peu fous auxquels il croit encore.

La voix de l'abbé DeLamarre interrompt sa rêverie :

– Prenez le temps d'y penser, mademoiselle Bouchard. De toute façon, cette journée a été éprouvante pour vous et il serait temps d'aller vous reposer. Je n'aurais d'ailleurs peut-être pas dû demander à Christine d'aller vous déranger.

– Ne vous faites surtout pas de reproches, monsieur l'abbé. Vous me faites voir les choses d'un autre angle. J'entrevois même déjà une possibilité. Mais... je ne sais pas si c'est réalisable.

– Dites toujours...

– Je me demande si ma sœur Laura, dont les deux garçons sont maintenant aux études à Chicoutimi, ne prendrait pas un des enfants de Gustave pendant un certain temps, un an peut-être…

Éva observe Elzéar DeLamarre un instant. Attentif, le visage paisible, il lui fait signe de poursuivre.

– J'ai pensé à Simonne, ma filleule. Elle a dix ans. Elle est très sage pour son âge, mais elle n'a pas encore tout à fait accepté la naissance d'Annette il y a quatre ans. Annette lui a fait perdre sa place de « bébé » et elle n'arrive pas à s'entendre avec sa petite sœur. Je sais que ça cause beaucoup de souci à ma belle-sœur. Quant à Laura, elle aime beaucoup les enfants et je suis certaine que ça lui ferait plaisir d'avoir la petite chez elle pendant un certain temps. En fait, ça pourrait faire du bien à tout le monde : Annette pourrait plus facilement prendre sa place dans la famille, Simonne pourrait compter sur toute l'attention de Laura qui ne demande pas mieux que d'avoir des enfants autour d'elle, et Gustave aurait une bouche de moins à nourrir.

Elle s'arrête, essoufflée, un peu embarrassée de s'être emballée ainsi.

– Je ne connais pas votre famille, mais, de prime abord, l'idée me paraît intéressante.

– Comme de raison, il faudrait d'abord que j'en parle à Laura.

– Et votre beau-frère ?… J'avais cru comprendre que vous n'étiez pas dans les meilleurs termes…

– Samuel a bien ses défauts, dit Éva en rougissant, mais il faut lui donner ce qu'il a : il est bon pour les enfants. Je ne pense pas que Laura ait de la misère à le convaincre.

– Écoutez, la nuit porte conseil. Si vous pensez toujours la même chose demain matin, vous pourrez téléphoner à votre sœur. Et si tout le monde est d'accord, vous irez chercher votre filleule. Je suis convaincu que vous êtes la personne tout indiquée pour vous charger de cette mission. Si la petite Simonne doit reprendre l'année scolaire à Péribonka, le plus tôt sera le mieux, j'imagine...

1923-1925

C'est à l'Hôtel-Dieu de Chicoutimi, où elle avait rencontré l'abbé DeLamarre près de trois ans plus tôt, qu'Éva reçoit son père. Elle l'aperçoit avant d'entrer dans le parloir et s'arrête pour mieux l'observer à son insu. Assis sur le bord de sa chaise, il regarde son chapeau qu'il fait lentement tourner entre ses doigts noueux. « Il a vieilli », songe Éva, le cœur serré avant de franchir la porte.

– Bonjour, papa, dit-elle en s'avançant d'un pas ferme.

– Bonjour, Éva. Tu m'as l'air en santé, dit-il en se levant.

– Je vais bien. On est bien traités ici. Mais je ne vous attendais pas… Rien de grave, j'espère ?

– Non, non. Je t'avais pas vue depuis que t'es passée chercher la petite Simonne pour la ramener à Montmagny à la fin des classes, ça fait que j'ai eu l'idée de venir te donner des nouvelles de ton monde.

Éva sourit en s'assoyant. Elle devine que son père lui rend visite dans un but bien précis. Mais elle sait aussi qu'il n'en parlera que lorsqu'il sera prêt.

– Comment va Laura ? demande-t-elle.

– Elle s'ennuie terriblement de Simonne, mais elle va bien. Elle te fait des salutations et fait dire que tu devrais venir plus souvent à Péribonka.

Éva hoche la tête.

– Ce n'est pas facile de laisser, on a tellement de travail ! Mais dites-lui que j'aime ce que je fais et que je suis bien. Ça devrait la rassurer un peu.

– Je vais lui dire.

– Et pour les autres, comment ça va ? demande-t-elle encore.

– Ça se pourrait bien qu'Hélène soit repartie pour un autre bébé. On dirait qu'ils veulent reprendre le temps perdu, ces deux-là.

– Tant mieux ! Ils ont tellement le tour avec les enfants.

Adolphe se tait.

– Et vous, papa, comment allez-vous ? s'inquiète Éva.

– Ah ! Moi, ça va... comme ça peut aller pour un petit vieux, je suppose.

– Voyons, papa, arrêtez de parler de vous comme étant un « petit vieux » !

– Mais c'est ce que je suis, Éva. Je me rends bien compte que je perds un peu plus de mes forces à chaque jour. Que veux-tu... c'est la vie et je me plains pas, conclut Adolphe dans un sourire résigné.

Elle toise son père d'un regard soupçonneux. Quelque chose le tourmente, elle en est convaincue.

– Et Gustave ? lance-t-elle tout à coup, certaine de toucher le point sensible. Gustave va bien ?

Adolphe lève vers elle un regard troublé. Elle a visé juste, elle le sait.

– Comment va Gustave ? répète-t-elle, angoissée.

Adolphe prend une longue inspiration.

– Gustave veut acheter un hôtel à Beauceville.

Éva ferme les yeux, soudainement étourdie. Elle avait compris, à la dernière lettre de son frère, que les concerts « Maria Chapdelaine » n'étaient pas aussi rentables que prévu. Déprimé, il lui avait parlé du vide des fins de soirées dans les chambres d'hôtel anonymes, de l'angoisse qui s'emparait de lui à chaque levée de rideau, lorsqu'il constatait que le public n'était pas venu en aussi grand nombre que son gérant le lui avait laissé entrevoir. Il lui avait même décrit l'anxiété de chaque retour à la maison, sachant qu'il n'avait d'autre choix que d'avouer à sa femme un nouvel échec. Mais jamais Éva n'aurait imaginé un tel revirement de situation.

– Un hôtel ?...

– Il paraît que c'est une affaire en or. L'Unité sanitaire doit s'établir à Beauceville au cours des prochains mois. Puis juste avec le personnel qui va s'occuper de l'implantation, c'est supposé lui garantir sa clientèle pour au moins trois ans.

– Mais après ?

– Tu connais Gustave ?... Il a déjà des idées pour les dix prochaines années.

– Mon Dieu ! Un hôtel... Ça me paraît tellement gros !

– Des fois, il faut savoir prendre des risques... ajoute Adolphe, un ton plus bas.

« Comme ces deux-là se ressemblent », songe Éva. Et elle les revoit tous les deux en 1903 quand ils avaient transporté leurs quelques meubles de Roberval à Péribonka à bord d'un simple bac. Elle et Laura les observaient de la rive du lac. Gustave, alors âgé de vingt ans, était particulièrement fier d'être en charge du groupe d'hommes à qui Adolphe avait délégué cette tâche difficile. Le lourd poêle à trois ponts qui avait suivi la famille Bouchard de Baie-Saint-Paul à Saint-Prime, puis de Saint-Prime à Roberval, avait nécessité, à lui seul, quatre paires de bras bien solides : il fallait réussir à le déposer délicatement, et ce, dès la première tentative, en plein centre du chaland, pour éviter de le déséquilibrer. Depuis le déménagement qui en avait fait des complices, le père et le fils se comprenaient la plupart du temps sans avoir à échanger une parole. Quand, au cours des périodes creuses, Adolphe semblait trouver la charge familiale trop lourde, Gustave se mettait à raconter avec le même inlassable enthousiasme à ses frère et sœurs l'époque où, réduits à presque rien et armés de leur seul courage, ils avaient traversé le lac pour recommencer, le cœur gonflé d'espoir, une nouvelle vie dans ce lieu pourtant encore isolé en pleine forêt qu'était alors Péribonka. Adolphe, sa fierté fouettée chaque fois qu'il entendait ce récit, se remettait à la tâche avec une énergie décuplée qui les étonnait toujours.

Aujourd'hui, Gustave, tout comme son père avant lui, espère découvrir ce « coffre aux trésors » qui lui permettra de mettre une fois pour toutes les siens à l'abri du besoin. Comme lui, il est enclin à s'effondrer lorsque les choses ne se déroulent pas comme il l'a prévu. Et c'est Léonie, malgré les nombreuses années de maladie qu'elle a traversées, malgré les grossesses et la marmaille toujours plus nombreuse, qui arrive à remonter le moral de son homme. Elle parvient chaque fois, à force de patience et de douceur, à annihiler en lui cette sensation d'échec, à lui redonner la confiance qui lui fait défaut, à lui insuffler la force de se réorienter vers un nouvel objectif à la mesure de ses rêves.

– Mais comment est-ce qu'il va faire ? Il n'a pas d'argent, papa !

Adolphe se gratte le crâne.

– Justement, c'est pour ça que je suis venu.

Éva écarquille les yeux.

– J'ai revendu mes parts du magasin de Samuel depuis belle lurette, enchaîne Adolphe, j'ai mis un peu d'argent de côté et j'aimerais en profiter pour donner sa chance à Gustave.

– Mais voyons, papa, vous avez pas de permission à me demander !

Dans son regard las, elle lit l'usure de toutes ces années pendant lesquelles il a lutté contre la maladie, contre une lassitude récurrente surtout, pour réussir à assurer malgré tout un minimum de confort à sa famille. Une grande tendresse envahit Éva au moment où son père ajoute à voix basse :

– C'est cet argent-là que je te réservais pour ton héritage.

Le souffle coupé, Éva ne trouve rien à dire.

– Je te garde aussi la petite maison, mais c'est sûr que c'est pas avec ça que tu vas assurer tes vieux jours...

– Papa, voulez-vous bien arrêter de parler d'héritage ! Vous me faites peur. À part ça, cet argent-là vous appartient, vous en faites ce que vous voulez.

– Écoute, Éva, cet argent-là, dans ma tête, c'est comme s'il était déjà à toi. Quand je vais mourir, Nil va avoir la ferme. Quant à Laura, elle a déjà le magasin avec Samuel. Et vu que Gustave avait un métier, je voulais te laisser le petit peu d'argent que j'ai pu ramasser. Mais là, il a besoin d'un coup de pouce et...

– Papa, Gustave a une famille ; moi, je suis seule, la question ne se pose même pas. Et puis ici, je suis bien, j'ai un nouveau métier, j'arriverai bien à me débrouiller.

– Mais c'est pas une vie pour une fille d'être obligée de travailler pour vivre !

– Le monde change, papa, et je ne vois pas pourquoi une fille célibataire devrait nécessairement être prise en charge par sa famille. D'ailleurs, si je veux marcher la tête haute, comme vous avez toujours voulu que je le fasse, si je veux me faire respecter et me faire reconnaître comme une personne à part entière, il faut que moi aussi je gagne mon pain quotidien. Vous savez très bien que je vais toujours me tirer d'affaire.

– Ah ! Pour ça, j'ai pas de doutes. Mais reste que je peux laisser mon argent à qui je veux.

– Donnez-le donc à ceux qui en ont le plus besoin, vous trouvez pas que c'est plus logique comme ça ?

Adolphe s'adosse en respirant profondément.

– Je suis ben fier de toi, ma fille. Puis soulagé que tu prennes ça de même. De toute façon, c'est un prêt que je veux faire à Gustave. Mais je tenais à t'en parler, au cas où il y aurait un problème.

– J'espère pour lui que ça va marcher, cette fois. Et arrêtez de vous en faire avec ça en ce qui me concerne et venez plutôt visiter nos bureaux. Je vais en profiter pour vous présenter l'abbé DeLamarre.

*

* *

Beauceville, 27 avril 1925

Chère Éva,

Je viens d'apprendre la mort de l'abbé DeLamarre. J'imagine que son départ doit t'avoir beaucoup touchée, depuis le temps que tu travaillais avec lui. Je sais à quel point tu le tenais en estime. Mais je m'inquiète pour ta santé. Laura me dit que, depuis que papa est malade, tu fais l'aller-retour Chicoutimi-Péribonka toutes les deux fins de semaine pour prendre la relève auprès d'elle, mais elle me dit aussi que tu as recommencé à avoir mal à l'estomac. Déjà que tu as toujours été fragile de ce côté-là, je trouve que, là, tu t'en demandes trop. Tu sais très bien que Laura s'occupe de papa et qu'il ne manque de rien. Quand vas-tu apprendre à laisser les autres faire ce qu'ils ont à faire sans te sentir tout le temps responsable ?

Ça te prendrait du repos. Il me semble que ça serait une bonne idée que tu viennes passer quelques semaines à Beauceville. Ça te changerait les idées. Et si tu veux absolument te sentir utile, tu pourrais toujours donner un coup de main à Léo avec la cuisine de l'hôtel, parce que, vois-tu, ma femme est en famille. Elle attend ça pour la fin de septembre. Penses-y, ma proposition est sérieuse.

À part ça, ici, ça va plutôt bien. Roméo joue régulièrement de l'orgue à l'église. En plus de ça, il m'aide avec le commerce. Il va à Québec toutes les semaines pour les achats. D'ici l'été, j'ai l'intention d'acheter un char. Moi, je ne peux pas conduire à cause de mon œil, mais ça sauverait du temps à Roméo dans ses déplacements. Il pourrait aussi s'en servir pour aller chercher sa tante à Québec quand elle viendrait nous rendre visite, si tu vois ce que je veux dire…

De toute manière, les affaires sont plutôt bonnes. Gertrude a suivi un cours de coiffure ; Jeannette et Simonne achèvent leur école ménagère à Saint-Pascal-de-Kamouraska ; les deux plus jeunes restent dans la petite maison que j'ai achetée en arrière de l'hôtel, avec Mme Veilleux, notre gouvernante. Pour la première fois, j'arrive à faire vivre ma famille plus que convenablement, et ça m'a tout l'air d'être parti pour continuer de même.

Bon, j'ai assez placoté. C'est à ton tour de me donner de tes nouvelles. Mais surtout, soigne-toi, et prends du repos. Il va bien falloir que tu apprennes à te ménager un de ces jours !

Bons baisers de toute la famille,

Ton frère Gustave

*

* *

MORT DU PÈRE DE « MARIA CHAPDELAINE »
M. Adolphe Bouchard s'éteint à Péribonka
à l'âge de 72 ans

Roberval. 17. - Le père de « Maria Chapdelaine », l'héroïne du roman de Louis Hémon, M. Adolphe Bouchard, de Péribonka, vient de mourir à l'âge de 72 ans. Il demeurait depuis quelques années avec son gendre, M. Samuel Bédard, « Samuel Chapdelaine », avec qui il s'était associé pour tenir un magasin général sous le nom de Bédard et Bouchard.

C'était un homme d'une grande probité et un esprit averti. Le défunt fut longtemps à Roberval à l'emploi du grand industriel B. A. Scott et c'est là qu'il put donner à ses enfants une si bonne éducation. Puis il alla se fixer à Péribonka où il fut l'un des premiers colons. À l'époque de Louis Hémon, il demeurait encore sur son lot, voisin de Samuel Bédard, lui aussi à cette époque simple colon.

Il laisse pour pleurer sa perte deux filles, Mme Samuel Bédard et Mlle Éva Bouchard, et deux fils, Gustave et Nil. Ce dernier demeure sur la terre paternelle[14].

*

Après avoir assisté à la lecture du testament chez le notaire d'Adolphe, à Roberval, Laura et Samuel, fourbus, rentrent directement chez eux. À leur retour à la ferme, Gustave donne un coup de main à Nil pour faire le train, après quoi ils prennent un repas léger. Puis Nil et Hélène montent à peine un peu plus tard que les enfants.

Malgré la fatigue de la journée, Éva tient à rester avec Gustave le plus longtemps possible, celui-ci devant repartir pour Beauceville dès le lendemain.

– Comme ça, tu as donné ta démission à l'Ermitage…

– Ma décision était presque prise quand tu es venu pour l'enterrement de papa, mais je voulais me donner le temps d'y penser à tête reposée avant de l'annoncer. C'est pour ça que j'ai attendu jusqu'à l'automne. Après le décès de l'abbé DeLamarre le printemps dernier, j'ai demandé un congé pour pouvoir m'occuper de papa à temps plein avec Laura, comme tu le sais. Mais après la mort de notre père, je n'avais plus le goût de retourner là-bas. Tu comprends, bien des choses ont changé : ce sont les Capucins qui ont pris la relève à Lac-Bouchette. Ils sont bien bons, mais, moi, c'est avec l'abbé DeLamarre que j'ai appris et je ne me sentais pas le courage de recommencer avec de nouveaux patrons.

– Et qu'est-ce que tu as l'intention de faire ?

– Pour le moment, j'aide Hélène avec ses quatre petits, surtout que, dans sa condition, il faut qu'elle se ménage : le cinquième sera là d'ici la fin de l'année.

– Mais c'est pas un peu trop pour toi ?... Tu aurais peut-être dû rester chez Laura plus longtemps après la mort de papa, elle te dorlotait comme si tu avais été sa fille.

– C'est vrai que Laura a toujours été comme une mère pour moi. Et tant que papa était là, d'autant plus qu'il était malade, c'était correct, parce qu'on se relayait pour rester à son chevet et que je l'aidais avec l'ouvrage de maison. Après, je suis restée deux semaines de plus pour me reposer un peu. Mais, à un certain moment, il fallait que je parte. Tu le sais, Samuel et moi, on ne peut pas vivre bien longtemps dans la même maison.

– Et ici, comment ça se passe ?

– Pour le moment, j'essaie d'en faire le plus possible pour soulager Hélène. Elle commence à être pas mal essoufflée. Mais quand elle sera relevée de ses couches...

– Qu'est-ce qui va arriver ?

Éva se lève et dépose sa tasse vide dans l'évier. Gustave a immobilisé sa chaise berçante, dans l'attente d'une réponse. La maisonnée est silencieuse, Hélène et Nil se sont endormis depuis un moment déjà.

– Quand je parle à Nil de payer une pension, il ne veut rien entendre, mais je ne veux pas être à leur charge. D'ici trois mois, Hélène pourra très bien se passer de moi. Et je ne veux pas être la sœur, la belle-sœur, la vieille tante célibataire qu'on héberge par pitié en échange de quelques services, comme peler les patates ou faire de la tarte à la ferlouche une fois par semaine. Je peux faire autre chose et je voudrais choisir ce que ce sera. Je ne veux pas passer le reste de ma vie à faire des pâtés !

Gustave bondit sur ses pieds et monte à sa chambre d'où il revient bientôt avec une liasse de papiers. Il s'approche de la table et invite sa sœur à faire de même.

– En attendant, si ça peut te soulager un peu, je t'ai apporté de l'argent, annonce-t-il fièrement.

Éva lève de grands yeux étonnés.

– Même si j'ai toujours su que ça devait se passer de même, j'attendais la lecture du testament pour t'en parler. Mais depuis aujourd'hui c'est officiel : l'argent de papa te revient. Ça fait que ce que je lui avais emprunté pour acheter l'hôtel, c'est à toi que je le dois, astheure. Puis comme mes affaires vont pas trop mal, d'après moi, d'ici les fêtes, je devrais finir de te rembourser complètement.

Gustave compte les billets devant sa sœur ébahie et insiste pour qu'elle vérifie le montant à son tour. Il lui tend des documents :

– Lis, et tu signeras en bas des deux copies. Ça, c'est ce que j'avais emprunté au début, dit-il en indiquant un montant du bout du doigt. Chacune des pages représente un montant, avec la date du remboursement. Toutes dûment signées par papa. Il va me rester 315 $ à te livrer, et je compte le faire d'ici la fin de l'année.

Éva le regarde toujours fixement, comme si elle avait perdu l'usage de la parole.

– J'aime que les choses soient en règle, précise Gustave, en se levant pour aller chercher une plume et un encrier dans une vieille armoire au fond de la pièce.

– Je… je vois bien ça, balbutie Éva, émergeant de sa torpeur. Mais ce sont de gros montants ! Ton commerce va donc si bien que ça ?

– Comme tu vois ! répond Gustave, un éclair de fierté dans le regard. L'année passée, on a été un peu plus serrés étant donné que Jeannette et Simonne sont retournées à l'école, mais pour l'année qui vient, j'ai bonne espérance de pouvoir enfin commencer à gâter mon monde. Ça sera pas trop tôt !

Éva sourit à son frère. Enfin, la vie offre un répit à ce grand garçon qui n'a jamais admis que la récompense de ses efforts ne soit pas instantanée. Elle se dit que ce serait bien d'aller lui rendre visite dans cet hôtel où sa famille vit depuis maintenant deux ans, de renouer avec son amie Léonie, avec sa filleule Simonne, avec ses autres neveux et nièces, de connaître enfin ce nouveau bébé que Gustave lui décrit déjà comme un petit prodige.

– Comme ça, Léonie s'est bien remise de ses couches ? demande-t-elle en lui tendant les papiers signés.

– Comme de raison, autrement, tu t'imagines ben que je serais pas icitte ! J'hésitais à partir, mais elle trouvait que j'étais un peu blême. Puis comme elle dit, pendant ce temps-là, Roméo est obligé de prendre l'hôtel en charge, ça fait que ça lui donne de l'expérience.

– Il paraît que ça s'est fait vite…

– Imagine-toi qu'une demi-heure avant que le petit arrive, elle était dans la cuisine de l'hôtel en train de faire cuire un steak. Ça lui a pris comme ça, tout d'un coup, elle a demandé à se faire remplacer, elle est montée à sa chambre et c'est à peine si le docteur a eu le temps d'arriver que c'était fait : René était au monde.

– Ça fait deux « René Bouchard » dans la famille, avec celui de Nil.

– Oui, ça nous a fait hésiter un peu. Mais on aimait tous les deux ce nom-là. Et puis, il y en a un qui reste à Beauceville, pis l'autre à Péribonka : on risque pas trop de les mêler, d'autant plus qu'ils ont quatre ans de différence.

Éva acquiesce d'un mouvement de la tête.

– En tout cas, je peux te dire que notre René est un beau bébé bien en santé, puis fait fort, en plus. Un bon gros garçon, toujours de bonne humeur.

Gustave s'interrompt soudainement devant le visage moqueur d'Éva.

– Ben quoi ?

– Si tu t'entendais, Gustave Bouchard ! On croirait vraiment que tu es en train de parler de la huitième merveille du monde.

– Mais c'est la huitième merveille du monde, réplique Gustave sans se laisser dérouter.

Et son rire se mêle à celui de sa sœur.

*

– Pendant que j'habitais chez Laura, je me suis rendu compte que je recevais encore des lettres d'un peu partout. La plupart viennent de personnes que je ne connais même pas, et qui me posent toutes sortes de questions sur M. Hémon, glisse Éva, à voix basse, en déposant une dernière tasse de thé devant son frère.

Gustave s'étonne :

– Après tout ce temps-là ?

– Ça a commencé à la sortie du livre, quand Damase Potvin a fait courir le bruit que j'étais Maria Chapdelaine, en fait. Et ça n'a jamais arrêté. Pendant les années où j'étais à l'Ermitage, je ne voulais pas en entendre parler. J'avais demandé à Laura de ramasser mon courrier et de s'en débarrasser. Mais pendant que je restais chez elle, j'ai bien vu que les lettres continuaient d'arriver.

Gustave reste immobile, suspendu aux lèvres d'Éva, impatient d'en savoir davantage. Elle s'assoit en face de son frère et lui jette un regard avant de baisser les yeux, embarrassée.

– J'ai été curieuse de savoir pourquoi tous ces gens m'écrivaient.

– T'as pas à avoir honte de ça, c'est normal que tu aies été curieuse de savoir ! Puis, qu'est-ce qu'ils disent ?

– Il y en a qui me demandent combien de temps M. Hémon est resté par ici, si je l'ai bien connu, quelles étaient ses habitudes, répond-elle, en dirigeant son regard vers la fenêtre, comme si elle cherchait à lire dans la nuit. Il y en a aussi qui m'envoient des coupures de journaux. C'est d'ailleurs comme ça que j'ai appris qu'il y a deux semaines un groupe de Canadiens ont posé une plaque sur la maison natale de M. Hémon, à Brest, en France. D'autres prétendent que je devrais ouvrir un musée dans la maison qu'il a habitée pendant son séjour par ici, que les gens seraient sûrement intéressés à visiter l'endroit où il a écrit *Maria Chapdelaine.* Si tu savais toutes les suggestions qu'on me fait, toutes les questions qu'on me pose…

Gustave l'observe en silence. Il devine, à l'inquiétude qu'il lit dans ses yeux, qu'elle n'a pas encore tout dit.

– Il y en a même qui me demandent s'il a été mon amoureux, poursuit-elle enfin, d'une voix chevrotante.

– Et c'est ça qui te dérange, hein ? interroge Gustave après une courte pause.

– Mets-toi un peu à ma place ! réplique Éva, indignée. C'est à peine si M. Hémon m'a parlé quatre ou cinq fois. À part ça, moi non plus, je me suis jamais intéressée à lui !

– Bon. Admettons. Mais ce que je comprends pas, c'est que ça a l'air de t'insulter qu'il y ait une ou deux personnes qui pensent ça. C'est toujours ben pas la fin du monde, après toutte ! M. Hémon, c'était pas n'importe qui, même si vous l'avez pris pour un voyou quand il est arrivé. Et puis il y a pire que d'avoir inspiré un auteur comme lui, tu trouves pas ?

Éva regarde son frère d'un air suppliant. Si seulement il pouvait comprendre son angoisse ! Elle cherche une autre issue.

– Jusqu'à aujourd'hui, on a été assez chanceux pour que personne ne découvre qu'on avait une « Maria Chapdelaine » dans la famille. Mais reste que, moi, j'ai pas envie d'être identifiée à ce personnage-là, riposte-t-elle sèchement.

– Énerve-toi pas de même !

Éva se lève et se dirige droit vers la fenêtre, tournant le dos à son frère.

– Maria Chapdelaine est une jeune fille grassouillette, illettrée et qui a fini par marier un de ses trois prétendants. Tu trouves vraiment que ça me ressemble ?

– Pas du tout. Toi, tu es maigre, instruite, et... pas mariable.

Furieuse, Éva se retourne d'un geste brusque, juste à temps pour voir son frère glousser doucement.

– Très drôle ! commente-t-elle simplement en haussant les épaules.

Puis elle secoue la tête et se frotte vigoureusement les yeux.

– Il est tard, Gustave. Il faut que je me lève de bonne heure. On reparlera de tout ça une autre fois, veux-tu ?

– Attends une minute ! Moi aussi, je suis fatigué, ça fait à peu près trente-six heures que j'ai pas dormi. Mais là, il faut qu'on règle ça une fois pour toutes. Ça va faire dix ans que le livre est sorti, et tu tiens encore le même discours. T'as peur de quoi, au juste ?

Elle se sent piégée, elle n'a d'autre choix que d'écouter ce que son frère a à lui dire. Se réfugiant dans un mutisme obstiné, les bras croisés à la hauteur de la poitrine, elle se tourne de nouveau face à la fenêtre noire.

– Écoute, Éva, soyons sérieux : je te dis pas que Maria est ta copie, je suis pas fou, je le vois ben que c'est pas toutte toi. Puis les gens qui t'écrivent le savent eux autres aussi, puisqu'ils s'attendent à ce que tu sois capable de lire leurs lettres et de leur répondre.

Gustave fait une pause et guette la réaction de sa sœur. Ses épaules se soulèvent et elle laisse échapper un soupir impatient.

– Mais prends Eutrope Gaudreault, Édouard Bédard... Qu'est-ce que ces deux-là auraient pas donné pour que tu leur laisses un peu d'espoir ?... J'essaie juste de te dire qu'il y a des ressemblances frappantes, que M. Hémon t'a probablement observée plus que tu penses et que tu as tort de t'arrêter à des détails.

Elle ne bouge pas. De dos, on pourrait croire qu'elle a cessé de respirer.

– Puis l'histoire de François Paradis, à part les deux Français, tu peux toujours ben pas dire que ça ressemble pas à ce qui est arrivé à Auguste Lemieux !...

– Peut-être, mais, moi, je n'étais pas amoureuse d'Auguste, alors que Maria l'était de François Paradis !

– C'est vrai. Pourtant tu m'as déjà dit que Samuel avait raconté l'histoire d'Auguste devant M. Hémon. Le reste, M. Hémon l'a inventé, c'est toutte. Et ça suppose aussi qu'il a pu trouver ben d'autres idées pour son livre du temps qu'il restait chez Laura.

Éva se contente de serrer les dents.

– Tu sais bien que j'ai raison, mais tu l'avoueras pas pour une terre en bois deboutte ! Si t'étais pas aussi orgueilleuse, aussi ! ajoute Gustave d'une voix lasse.

Éva voudrait protester, mais la fatigue a raison de sa ténacité. Elle se retourne, et lit le même épuisement sur les traits de son frère.

– Tu peux bien parler d'orgueil, Gustave Bouchard ! Comme si tu avais des leçons à me donner dans ce domaine-là ! arrive-t-elle à articuler sans conviction, dans un dernier effort de résistance.

Gustave se laisse glisser doucement sur sa chaise, en se voûtant le dos. Il se répète les dernières paroles de sa sœur et conclut pour lui-même qu'il est d'accord : il n'a de leçon d'humilité à donner à personne. Il se tait. Puis s'étonne aussitôt de cette immense lassitude qui le laisse muet devant la dernière remarque d'Éva. « Cela ne ressemble pas à

Gustave Bouchard de ne pas protester », se dit-il. Il ébauche un demi-sourire amusé.

Après le long trajet dans un train bruyant et inconfortable, ne se sentant plus la force de discuter, il observe le visage de sa sœur. Celle-ci le regarde, incrédule. Alors qu'elle s'attendait à une vive riposte, elle le voit sourire béatement. Elle écarquille les yeux. Devant la réaction d'Éva, Gustave se met à rire franchement cette fois. Désarmée, elle l'imite sans trop savoir pourquoi, par réflexe, malgré elle. Il n'en faut pas plus pour que Gustave s'esclaffe pour de bon, et que son hilarité se communique à Éva avant qu'elle n'ait le temps de comprendre ce qui lui arrive.

Le premier moment de surprise passé, elle tente de réprimer ce fou rire qui risque de réveiller la maisonnée, mais qui, surtout, lui apparaît inconvenant, trois mois à peine après le décès de leur père. Soucieuse de conserver un minimum de décence, elle ordonne à Gustave de s'efforcer, à tout le moins, de baisser le ton :

– Gustave, on est encore en deuil !

Saisi, celui-ci reprend lentement ses esprits tout en se redressant sur sa chaise. Puis il se lève, rassemble ses papiers et se dirige tout droit vers l'escalier. Lui fait un geste vague de la main en laissant échapper encore une dernière saccade étouffée. Et monte lourdement vers sa chambre.

Éva reste seule dans la cuisine, lave les deux tasses d'un geste d'automate et demeure immobile, le regard fixe. Une évidence s'impose à elle tout à coup : elle est arrivée à une croisée de chemins et n'a plus d'autre choix que de faire face seule à sa propre réalité, de prendre sa vie en charge, de ne plus compter que sur elle-même.

*

* *

CÉLÈBRE ROMAN QUI DONNE LIEU À UN LITIGE

*

Bernard Grasset, l'éditeur français de « Maria Chapdelaine », est poursuivi à Montréal.

*

LIBRAIRIE BEAUCHEMIN

*

J.-A. Lefebvre prétend avoir le droit exclusif de vendre cet ouvrage au Canada.

—— * ——

« Maria Chapdelaine », le célèbre roman de Louis Hémon, et l'un des plus grands succès contemporains de librairie, a fait naître un litige qui sera décidé [*sic*], en première instance par la Cour Supérieure du district de Montréal. Ce litige met en cause Bernard Grasset, l'éditeur bien connu de Paris, qui lança « Maria Chapdelaine » devant le grand public en 1921, la Librairie Beauchemin, agent de la maison Bernard Grasset à Montréal, et M. J.-Alphonse Lefebvre, aussi de Montréal, qui prétend avoir le droit exclusif de publier et de vendre cette œuvre de Louis Hémon au Canada.

Poursuivi par Lefebvre, la Librairie Beauchemin Ltée, qui est représentée par l'étude légale Beaulieu, Gouin, Marin et Mercier, a appelé hier en garantie M. Bernard Grasset, et a obtenu de l'honorable juge Bruneau la permission de l'assigner par la voie des journaux, car il n'a ni domicile ni place d'affaires dans la province.

Dans sa déclaration, la Librairie Beauchemin Ltée déclare que M. Bernard Grasset lui a accordé le droit exclusif de vendre « Maria Chapdelaine » au Canada en déclarant qu'il possédait lui-même tous les droits d'auteur enregistrés pour ce roman. La Librairie Beauchemin ajoute en outre que de septembre 1921 à septembre 1924, elle a vendu 8 325 exemplaires de l'ouvrage. Lefebvre, qui a poursuivi le premier la Librairie Beauchemin Ltée, prétend de son côté, qu'il possède seul le droit de vendre « Maria Chapdelaine » au Canada. Il réclame de la Librairie Beauchemin 19 750 $ de dommages pour tenir lieu des profits que cette dernière aurait réalisés par la vente du volume. Il demande aussi une injonction pour empêcher la Librairie Beauchemin Ltée de continuer à vendre le volume. Dans son action en garantie contre Grasset, la Librairie Beauchemin Ltée demande que ce dernier intervienne sur l'action que lui a intentée Lefebvre, et la garantisse contre toute condamnation qui pourrait être prononcée contre elle[15].

III

Le grand malentendu

Collection privée de l'auteure.

De gauche à droite : Jean-Pierre Aumont, Éva Bouchard, Jean Gabin et Madeleine Renaud.

1926

En refermant la porte derrière elle, Éva est éblouie un moment par la réverbération du soleil sur cette surface infiniment lisse qui s'étale devant elle, vaste jusqu'à engloutir dans son giron blanc les arbres qui bordent la Péribonka. Elle ferme les yeux, le temps de reprendre son équilibre, les rouvre lentement et commence à distinguer une à une les formes familières des sapins aux membres alourdis, les bouleaux transis, immobilisés depuis novembre dans leur pose suppliante et, au-delà, la rivière figée, muette, pétrifiée, comme si l'hiver s'y était installé pour l'éternité.

Pourtant, ce midi, par une fenêtre donnant sur le sud, elle a clairement vu la glace devenir peu à peu luisante, puis ruisselante, et un premier glaçon se détacher du toit. Elle a eu envie de sortir, de respirer librement l'air vif et piquant, de goûter la chaleur du soleil sur son visage, d'entendre le bruit de l'eau le long des caniveaux, de vérifier elle-même tous ces signes qui, chaque année, annoncent infailliblement le printemps.

Elle descend prudemment jusqu'à la route, remonte de quelques pas en suivant les traces de patins des traîneaux, et s'arrête pour observer la petite maison et le hangar abandonnés à leur sort au milieu du champ. Il y a quinze ans, Samuel avait prévu rendre le hangar habitable, afin de pouvoir se débarrasser de la maison, décidément trop petite pour une famille. Dans une première étape, il avait d'ailleurs fait construire la grange, en 1912, dans le but de libérer la remise des instruments et de l'outillage qui y étaient entreposés. Mais le goût des affaires l'avait repris avant même qu'il ait amorcé quelque modification que ce soit aux autres bâtiments, et il avait abandonné à son beau-père la maison et les dépendances dont son mariage avec Laura l'avait doté. Il les avait troqués contre la participation d'Adolphe dans l'achat d'un magasin général à l'entrée du village. Et à la mort de son père, Éva était devenue propriétaire de la partie du terrain familial comprenant la petite maison ainsi que le hangar.

Elle risque un premier pas, puis un deuxième, sur la surface glacée. La croûte résiste. Bientôt elle sort de sa poche la grande clé rouillée et sourit à l'idée que c'est une bien grande clé pour une si petite maison. La serrure résiste un moment. Il faudra demander à Nil de la changer. L'humidité, à l'intérieur, rend le froid insupportable. Elle ne devra pas rester longtemps, l'air est malsain, elle serait bien capable d'attraper une maladie des poumons. Elle regarde autour d'elle et songe qu'elle n'a pas mis les pieds à cet endroit depuis une bonne dizaine d'années. Des toiles d'araignée pendent un peu partout ; une épaisse couche de poussière gît sur les meubles et le plancher, se soulevant en nuages au moindre mouvement. Dès que la neige aura fondu, elle s'attaquera au grand ménage. Ce ne sera pas une mince tâche. Mais l'essentiel est que tout soit là, intact : le poêle à trois ponts, les vieux meubles, le rideau qui séparait la chambre à coucher principale de la cuisine. Même le lit où M. Hémon dormait, l'hiver venu, à l'arrière, est resté là. C'est une chance finalement que Samuel n'ait pas mené son projet à terme.

Un frisson lui parcourt l'échine. Éva sort aussitôt de la maison et, dès le seuil franchi, aspire une bonne bouffée d'air frais. La chaleur du soleil sur sa peau lui fait l'effet d'une caresse. Elle referme la porte, secoue la poussière de son manteau, regagne la route. Et de nouveau, se retourne pour contempler la petite maison. Cette fois elle se surprend à sourire. Pour la première fois de sa vie, elle ressent la fierté d'avoir quelque chose qui lui appartient en propre. Elle est impatiente d'entreprendre le travail, même si elle devine la tâche longue et ardue.

On parle encore d'elle à l'occasion dans les journaux et elle reçoit presque tous les jours des lettres de personnes qui seraient intéressées à se rendre à Péribonka si elles avaient la certitude de pouvoir visiter la maison où IL a vécu. Eh bien voilà ! C'est ce qu'elle fera : donner un lieu à visiter à tous ces gens qui ont été touchés par le livre de M. Hémon, qui ont besoin d'une relique à vénérer. Et puis ça lui fera du bien d'établir de nouveaux contacts, le public lui manque un peu depuis qu'elle a quitté l'Ermitage.

Elle soupire. Se répète sagement que ça pourrait ne pas fonctionner. Se dit qu'il ne sera pas question de faire payer les visiteurs au début. Elle recueillera plutôt les offrandes spontanées, tout au plus. Et vendra avec un léger profit les exemplaires de *Maria Chapdelaine* qu'elle vient de commander. Elle commencera discrètement, verra au fur et à mesure ce qu'il y a lieu de faire. Demandera conseil, au besoin. Si seulement Gustave n'était pas aussi loin !

Pour la première fois depuis ce jour de 1917 où un journaliste sans scrupule a envahi sa vie en imposant au public sa vision étroite d'un simple personnage de roman, elle n'a plus envie de se cacher. Elle se permet d'échafauder des projets, y trouve même du plaisir. La voici, votre Maria ! Vous l'avez voulue, vous avez fini par gagner. Mais elle fera ce qu'elle voudra, comme elle le voudra, quand elle le voudra et à son rythme ; elle ne laissera surtout personne la brusquer.

Remplie d'une énergie nouvelle, d'une assurance qu'elle n'a encore jamais ressentie, Éva se dirige d'un pas ferme vers la maison. Le petit Fernand, debout sur une chaise devant la fenêtre, la regarde s'approcher. Elle lui fait des signes joyeux. Elle se sent en paix. Pour la première fois depuis bien longtemps.

*

Péribonka, le 10 avril 1926

Mademoiselle Blanche Vermette
Saint-Jean-Chrysostome
Comté de Lévis

Chère Madame,

Votre gentille lettre m'a fait grand plaisir. Je tiens cependant à m'excuser de n'y avoir pas répondu plus tôt et à vous remercier pour votre grande patience. Je dois avouer que je commence tout juste à accepter l'idée que M. Hémon ait pu s'inspirer en partie de moi, quoique je n'en sois pas encore tout à fait convaincue. J'aurais préféré continuer à vivre dans l'anonymat, mais après une dizaine d'années, je dois bien admettre que les admirateurs de M. Hémon sont d'une telle ténacité qu'ils ne me laissent guère le choix. J'essaierai donc de répondre de mon mieux à vos questions.

Oui, je l'ai un peu connu, pendant la période où il a habité chez ma sœur, de l'été 1912 jusqu'au temps des fêtes de la même année. Après son départ, quelques jours après Noël, nous n'avons plus jamais entendu parler de lui, jusqu'à ce mois de juillet 1913, où quelqu'un qui l'avait connu par ici nous a rapporté avoir lu qu'il avait été frappé par un train. Quelle horrible fin, n'est-ce pas ?

Il travaillait comme engagé pour mon beau-frère, qui était alors voisin de la maison que j'habitais avec mon père, mon frère et ma jeune sœur. J'ai eu l'occasion de parler à M. Hémon à quelques reprises, et il m'est arrivé de le voir prendre des notes dans un petit calepin qu'il avait toujours sur lui, dans la poche de sa veste.

M. Hémon était un homme très poli. Par contre, il était plutôt malhabile de ses mains. Mais il avait un excellent caractère et ne se fâchait jamais : s'il ne réussissait pas un ouvrage, il recommençait sans rechigner. Il était également très bon avec les deux enfants de ma sœur. Il les amusait et leur apportait des bonbons ou du chocolat tous les dimanches en revenant de la messe.

Il ne nous est jamais venu à l'idée qu'il pouvait écrire un livre. Il recevait des journaux et des lettres de sa famille, il écrivait beaucoup, mais nous pensions qu'il faisait sa correspondance.

Dans la dernière partie de votre lettre, vous dites que vous aimeriez venir « en pèlerinage » à Péribonka. Je me ferai un honneur de vous faire visiter l'humble maison où ma sœur et mon beau-frère l'ont accueilli lors de son bref passage chez nous. La maison se situe à trois milles passé le village, quand vous arrivez de Mistassini. N'importe qui dans les environs pourra vous indiquer où elle est située. Vous n'aurez qu'à venir frapper à la porte de l'autre maison située sur le même terrain, et je vous accompagnerai avec plaisir.

Pour ce qui est de votre suggestion d'y vendre des travaux des Fermières des environs, je trouve que l'idée est excellente et j'y penserai sérieusement. Pour l'instant, j'ai investi dans l'achat de quelques romans « Maria Chapdelaine », que j'ai l'intention de revendre aux visiteurs qui se montreront intéressés.

J'espère que j'aurai l'occasion de vous connaître bientôt et de profiter de vos précieux conseils. Si vous désirez passer une nuit à Péribonka, ma sœur Laura et son mari, ceux-là même qui ont accueilli M. Hémon lors de son passage, offrent depuis peu au village un service d'hébergement qui a pour nom « Hôtel Chapdelaine ».

Merci encore pour votre intérêt, et au plaisir de vous rencontrer.

Éva Bouchard

*

Au moment où Éva s'apprête à insérer la clé dans la serrure, le son lointain d'un moteur attire son attention. Elle aperçoit bientôt la rutilante voiture rouge vin de Samuel Bédard qui s'approche lentement sur la route cahoteuse. Éva ouvre la porte de la petite maison et attend sa sœur sur le seuil. Pendant que Laura descend du véhicule, son mari soulève le bord de son éternel chapeau brun et salue froidement mais poliment sa belle-sœur. Éva lui répond d'un bref signe de tête avant d'adresser un sourire à sa sœur.

– J'espère que tu te sens d'attaque, Laura, parce qu'on en a pour la journée.

– Ça m'a jamais fait peur, la grosse ouvrage, tu le sais bien.

– Ça remonte à quand, la dernière fois que tu es venue ici ?

– À l'année où on est allés rester en ville, répond Laura en entrant.

Puis elle s'immobilise subitement sur le seuil, ébahie par l'ampleur de la tâche, pendant qu'Éva guette sa réaction d'un œil inquiet.

– Ouais ! t'avais raison, on n'est pas sorties du bois ! Mais on va toujours bien commencer par ouvrir les châssis : on étouffe ici-dedans.

– C'est sûr qu'à la fin de juin, comme ça, dans une maison aussi petite… J'aurais dû traverser pour ouvrir les fenêtres en me levant ce matin.

Les deux femmes s'entendent pour se débarrasser d'abord des toiles d'araignée, pour retirer les rideaux et sortir les matelas, après quoi elles entreprendront de laver le plafond et les murs.

– J'ai vu que tu avais collé un petit carton sur la vitre à côté de la porte. Qu'est-ce que tu as écrit dessus ?

– « Ici a vécu Louis Hémon, auteur de *Maria Chapdelaine*, de juillet à décembre 1912. »

– T'as pas peur que ça s'efface avec la pluie et le soleil ?

– On verra, répond Éva, un peu agacée. On verra bien.

– Ça te rend nerveuse, ma petite sœur, on dirait…

– C'est vrai. Ça m'arrive encore de penser que je me suis embarquée dans une affaire trop grosse pour moi.

Laura s'arrête soudainement et interroge Éva du regard.

– Crains rien, reprend aussitôt cette dernière. Je suis rendue trop loin pour reculer maintenant. N'empêche que le monde en parle de plus en plus et… disons que ça me met de la pression.

– Samuel a lu dans le journal que le monument aurait déjà été jeté dans la rivière par des gens de la place qui prétendaient que M. Hémon avait voulu rire de nous autres en nous traitant de « défricheux ».

Éva hausse les épaules. Elle a entendu tellement de commentaires. Laura enchaîne :

– Moi, je me rappelle juste de la fois, il y a déjà plusieurs années de ça, où des jeunesses l'ont fait tomber par terre un soir, après avoir un peu trop fêté ; mais de là à le jeter dans la rivière...

– Les gens racontent n'importe quoi. Et les journalistes, comme de raison, ne demandent pas mieux que d'en rajouter.

– Remarque que, moi, ça me dérange pas. Samuel dit même que plus on en parle, mieux c'est pour le commerce.

« Évidemment ! » pense Éva en arrachant le dernier pan de rideau d'une main un peu trop énergique.

– Reçois-tu encore bien des lettres ? continue Laura qui ne semble pas avoir perçu l'irritation de sa sœur.

– Plus que jamais, surtout depuis que la nouvelle a commencé à se répandre que je vais ouvrir la petite maison aux visiteurs à partir de l'été.

– Et tu continues de répondre à tout le monde qui t'écrit ?

– Oh oui ! ça, j'y tiens.

– Il faut que tu aimes écrire... Moi, j'aurais pas cette patience-là.

– À propos, j'ai reçu une lettre différente des autres la semaine passée, poursuit Éva, songeuse, en faisant une pause. D'une demoiselle Ernestine Pineault de Montréal. Elle me pose à peu près les mêmes questions que les autres, elle me fait des suggestions, mais on dirait que... je sais pas comment t'expliquer... on dirait vraiment qu'elle prend mon histoire à cœur. C'est comme si elle s'intéressait à moi personnellement. Et puis elle a des contacts. Elle dit qu'elle connaît des gens influents au gouvernement, dans les cercles littéraires, des journalistes… Elle m'offre de m'aider.

– En quoi tu penses qu'elle pourrait t'aider ?

– Je sais pas encore, mais je pense qu'elle pourrait être de bon conseil. Elle m'inspire confiance.

– Méfie-toi quand même un peu, intervient Laura. Je te gage que tu vas connaître toutes sortes de personnes importantes et intéressantes, mais…

– Mais probablement aussi des gens désagréables et des profiteurs, je le sais bien, enchaîne sa cadette.

– C'est la rançon de la gloire, comme ils disent.

– Hum ! se contente de murmurer Éva en hochant la tête.

– Et les deux hommes qui étaient venus t'offrir d'acheter le terrain, le mois passé, est-ce qu'ils sont revenus ?

– Ils reviennent la semaine prochaine.

– Qu'est-ce que t'as l'intention de faire ?

– De ne pas me laisser faire, justement. J'ai beau trouver que c'est un gros contrat, maintenant qu'ils ont tout fait pour que j'accepte l'idée de représenter un symbole, qu'ils ont parlé de moi dans les journaux pendant des années sans ma permission, ils ne se débarrasseront pas de moi aussi facilement. Je vais me donner la chance d'essayer. Tout ce que je demande, c'est de ramasser assez d'argent cet été pour pouvoir payer quelques réparations qui vont me garantir que la maison va continuer à tenir debout.

– T'as raison. Après toutte, c'est toi qui as le gros boutte du bâton.

– S'ils s'intéressent à la terre et à la maison, c'est sûrement parce qu'il y a de l'argent à faire avec, s'agite Éva. S'ils pensent que je vais me laisser faire sans rien dire parce que je suis une femme, ils se trompent. J'ai résisté pendant presque dix ans, mais maintenant que je suis décidée, ils ont beau m'envoyer tous les hommes d'affaires qu'ils voudront, le premier ministre s'il le faut, je vendrai si je veux et quand je voudrai.

Laura a subitement arrêté sa chasse aux araignées et, appuyée sur son balai, contemple sa sœur en silence, un éclair amusé dans les yeux. Éva abandonne à son tour le nettoyage, se laisse tomber sur un banc, regarde Laura et sourit timidement :

– C'est bien moi qui ai parlé comme ça ?

Laura s'assied à son tour dans la vieille chaise berçante. Un nuage de poussière l'enveloppe. Puis elle éclate de son grand rire sonore et puissant.

Éva continue de sourire. De fierté à présent.

*

Les deux sœurs se sont assises sur un tas de vieilles planches empilées devant la maison, s'offrant leur première pause de la journée. Laura éponge son front en sueur à l'aide de son tablier poussiéreux, pendant qu'Éva s'abandonne au soleil, les yeux fermés, la tête appuyée contre le mur de la petite maison. Un bruit de moteur interrompt leur repos. Laura le reconnaît avant même d'apercevoir la voiture de son mari.

– Eh bien ! mesdames, ça avance, le ménage ? demande Samuel en refermant délicatement la portière.

– Je pensais pas qu'il était aussi tard, s'étonne Laura. Venez-vous donc déjà pour me chercher ?

– Non. Pas encore. Je passais et j'ai voulu voir où c'est que vous en étiez.

– C'est de la grosse besogne, vous pouvez me croire.

– J'espère que ça en vaut la peine, au moins ! commente Samuel en jetant un regard soupçonneux vers sa belle-sœur.

Celle-ci décide d'ignorer la remarque.

– Où c'est que vous alliez de même ? enchaîne Laura.

– Je me rends à Saint-Henri-de-Taillon voir ce qui se passe. Avez-vous remarqué comment la rivière est haute ?

– Bien sûr, tout le monde en parle ! Le lac a monté comme c'est pas possible ces derniers jours. Mais je peux pas croire… par une si belle température… ça va bien finir par arrêter !

– Les terres basses de la Pointe-Taillon sont complètement inondées et ça continue de monter. Le niveau d'eau est à peu près de quinze pieds.

– Quinze pieds ! s'exclame Laura, incrédule. Mais comment ça ?

– Ils viennent de se rendre compte que la Compagnie Duke-Price a fermé les vannes de son barrage de l'Isle-Maligne.

– Ils peuvent pas laisser faire une chose pareille quand il y a du monde qui risque de perdre leur terre, s'indigne Laura.

– Ça se trouve que c'est justement ça qu'ils veulent, imaginez-vous donc. Ces grosses compagnies-là, vous savez, ça se moque pas mal du petit monde. C'est l'argent, puis rien que l'argent qui les mène. L'exploitation des terres de la Pointe-Taillon nuit au développement de la compagnie ?… Ben voyons donc ! C'est simple : ils ferment les vannes.

– Vous voulez dire qu'ils savaient ce qui risquait d'arriver et qu'ils ont laissé faire ça ? interroge Éva, horrifiée.

– Pire que ça : tout était planifié depuis longtemps. Y'a rien qu'à voir comment ça se passe depuis un an et demi : la Duke-Price a commencé par demander le démembrement de la municipalité. Pensez-vous, une paroisse comme celle-là, qui vient juste d'être fondée officiellement, qui a aucune dette… Comme de raison, les habitants de la Pointe ont refusé. Ça fait que les dirigeants de la compagnie ont bien été obligés de trouver d'autres moyens pour avoir ce qu'ils voulaient…

– Voulez-vous parler des terres agricoles que le gouvernement leur a vendues ? questionne Éva, intéressée.

– C'est en plein ça. Mais souvenez-vous de toutes les petites inondations que la Pointe a subies depuis un an…

Éva hoche la tête, déconcertée.

– Je peux pas croire ! s'exclame Laura en s'épongeant le visage.

– Oui, mesdames, croyez-moi, c'était pas dû à des caprices de la nature, comme tout le monde pensait au commencement. C'était fait dans le but bien précis de décourager les habitants, pour arriver à les convaincre de vendre leurs terres. Puis des terres qui sont inondées la moitié du temps, ça a pas tellement de valeur, si vous voyez ce que je veux dire… Le conseil municipal s'attend à ce que la compagnie leur fasse une offre.

– Est-ce que les habitants vont pouvoir faire quelque chose pour empêcher ça ? demande Éva.

– Ça, c'est à voir. Ils vont sûrement tout tenter pour convaincre le gouvernement de les protéger, mais à leur place, je me ferais pas trop d'idées. Le gouvernement essaie de faire croire au monde qu'il a du pouvoir, mais, au fond, c'est l'argent des grosses compagnies qui mène.

*

Antoine Tremblay, de Péribonka, s'est servi de son amitié avec la famille Bouchard pour introduire chez Nil son ami Léon Rousseau, maire de la municipalité de la Pointe-Taillon, ainsi qu'Auguste Gagné, un autre de ses fidèles alliés. Mais c'est à Éva qu'ils ont affaire.

– Depuis que le premier ministre Taschereau a admis qu'au point de départ l'expropriation avait d'abord été prévue dans seulement trois ans, on s'est dit qu'il fallait qu'on tente quelque chose. Trois ans ! On sait jamais !… Il y a peut-être encore quelque chose à faire pour les convaincre d'arrêter les procédures, annonce Antoine d'entrée de jeu.

Bien sûr, Éva sympathise avec les résidants de la Pointe, mais pourquoi viennent-ils lui raconter ces détails ?

– Jusqu'à maintenant, on a formé un comité de défense des citoyens, on s'est pris un avocat et on a adressé une plainte au gouvernement ; imaginez-vous qu'ils ont accordé un permis pour l'élévation des eaux du lac à la Compagnie Duke-Price. Nous autres, on considère que ce permis-là est illégal, et on a demandé que les dommages causés aux propriétés soient évalués et payés, continue Antoine. Un des deux évaluateurs qu'ils nous ont envoyés est apparemment le plus grand spécialiste en agronomie de la province. C'est le député libéral du comté de Kamouraska au fédéral. Ben croyez-le ou non, après tout ce qu'il a vu, il prétend encore qu'y a rien qui prouve que la perte des récoltes soit due au barrage, que ça prendrait des enquêtes plus poussées. C'est clair qu'il a les mains liées et qu'il veut pas se mouiller…

L'image amuse Léon Rousseau et Auguste Gagné, qui répriment difficilement un sourire. Éva baisse discrètement les yeux, pendant qu'Antoine Tremblay poursuit son envolée, le souffle court, seul à ne pas avoir pris conscience du jeu de mots.

– C'est comme Émile Moreau. En tant qu'ancien maire de Péribonka et député du Lac-Saint-Jean, on espérait pouvoir compter sur lui ; on l'a invité à une réunion, mais il s'est pas présenté et on a dû la remettre.

– Mais qu'est-ce que vous attendez de moi, au juste ?

– L'évaluateur en question est encore par ici au moins jusqu'à la fin de juillet, et il paraît qu'il a pas encore rédigé son rapport.

Éva fronce les sourcils, intriguée.

– Il paraît que, dimanche, il a l'intention de visiter la maison où Louis Hémon a vécu.

Léon Rousseau et Auguste Gagné acquiescent du même mouvement de la tête tout en demeurant muets. Fort de cet appui, Antoine poursuit son interminable préambule :

– Écoutez, on a tous vu combien vous avez eu de visiteurs cet été. Moi-même, j'en ai renseigné quelques-uns qui demandaient où trouver Maria Chapdelaine. C'est tout dire !

Mue par un vieux réflexe, Éva rougit.

– Votre appui pourrait être important pour nous autres, vous savez.

Les deux autres hochent de nouveau la tête dans un geste synchronisé. Éva retient un sourire amusé.

– Et puis, on sait jamais, vous pourriez vous trouver un lien de parenté : il s'appelle Georges Bouchard.

Cette fois, Éva hausse les sourcils, stupéfaite. Antoine semble enfin avoir terminé son discours. Il baisse les yeux, visiblement mal à l'aise, le temps de reprendre son souffle.

– Je ne vois pas vraiment où vous voulez en venir. Bon, j'ai compris que vous souhaitiez que je tente de faire une intervention auprès de ce monsieur, mais je ne vois pas ce que le fait qu'il s'appelle « Bouchard » va y changer. Au cas où vous auriez pensé le contraire, nous n'avons aucun lien de parenté. Je le sais parce qu'il loge chez ma sœur.

– Nous aussi, on le sait. Mais on a pensé que ça pourrait vous faire une bonne entrée en matière…

Éva le lorgne de ses grands yeux incrédules.

– … de parler de vos ancêtres communs.

Éva hoche la tête et sourit.

– Écoutez, j'endosse votre cause à cent pour cent. Vous voulez me demander de faire ma petite part pour vous aider. Et même si je doute fort que je puisse avoir la moindre influence dans cette affaire, je veux bien essayer. Mais s'il vous plaît, épargnez-moi vos petites ruses d'enfants d'école.

Contrits, les trois hommes baissent la tête en même temps. Éva considère Antoine. Elle sait qu'il s'est spontanément offert dès le début pour aider les victimes de l'inondation à gagner leur bataille et qu'il se dépense sans compter depuis ce moment. Elle se demande comment elle pourrait venir en aide à ces gens en détresse.

– Mettez-moi plutôt au courant du dossier, je veux savoir de quoi je parle quand je rencontrerai ce M. Bouchard, reprend-elle enfin, évitant ainsi de prolonger le malaise de ceux qui n'ont eu d'autre tort que de vouloir lui faciliter la tâche.

Une heure plus tard, les visiteurs remercient Éva et s'apprêtent à repartir, pleins d'un nouvel espoir, pour entreprendre une nouvelle étape de leur laborieuse mission.

*

Le vent a fraîchi considérablement au cours des derniers jours. Avec l'arrivée de septembre, les visiteurs se sont faits plus rares. Éva songe à fermer la petite maison jusqu'au printemps. Dire qu'elle aurait pu vendre trois fois la quantité de livres qu'elle avait achetés ! Si elle avait su...

Mais on ne sait jamais qu'après. Car si elle pouvait savoir maintenant ce qui est bien ou pas, elle cesserait peut-être de se torturer en se demandant jusque tard dans la nuit si elle doit vendre la terre et la petite maison au gouvernement, à une entreprise privée ou encore... à son beau-frère Samuel Bédard. Mais Éva se méfie. Surtout de Samuel, qui espère obtenir d'elle un prix de faveur sous prétexte que « ça resterait dans la famille ». D'ailleurs, le cher beau-frère se fait un peu trop insistant auprès d'elle : « C'est bien trop de trouble pour ce que ça peut vous rapporter. Avec la santé fragile que vous avez, vous devriez pas vous embarquer dans une affaire de même. » Depuis quand Samuel se préoccupe-t-il de sa santé ?

Plus elle y pense, moins elle a envie de vendre. Ni à Samuel, ni à personne. Elle n'est quand même plus une enfant d'école ! Tous ceux qui ont visité avec l'intention d'acheter ont fini par la rendre méfiante : ils étaient bien pressés de critiquer le bâtiment vieillissant et de déprécier la situation géographique en insistant sur le mauvais état de l'unique route qui donne accès à Péribonka. « Attends donc de constater par toi-même ce que ça vaut et de voir si tu aimes ça », lui a recommandé Gustave au téléphone. Elle est d'accord avec lui. Il faut qu'elle se donne du temps avant de prendre une décision.

En une saison, elle a tout de même appris à accueillir les gens, à comprendre ce qui les intéresse et ce qui les laisse indifférents. Elle croyait se lasser de répéter indéfiniment la même rengaine, mais elle s'est fait un devoir d'en améliorer peu à peu la version à chaque fois, de la peaufiner. Évidemment, le fond du discours n'a pas changé, mais les gens ne sont jamais les mêmes et elle s'est amusée à adapter sa présentation à chacun d'eux. Elle y a pris du plaisir et les touristes ont semblé apprécier.

Certaines suggestions sont revenues fréquemment : vendre des produits locaux, des photos ou encore des cartes postales illustrant les lieux. Ce qui l'a amenée à penser qu'elle pourrait éventuellement faire une demande pour obtenir le droit de vendre des timbres. Si seulement elle avait plus d'espace ! Mais elle ne veut pas transformer la petite maison en simple commerce, il n'en est pas question. Elle tient à respecter ce lieu sacré. Tout au plus s'autorise-t-elle à laisser quelques exemplaires de *Maria Chapdelaine* sur la table pour ceux qui en désirent.

Mais la demande a été plus forte que l'offre, et plusieurs visiteurs lui ont payé à l'avance des volumes qu'elle s'est engagée à leur expédier par la poste, dûment dédicacés, dès qu'elle aurait reçu sa dernière commande. « En souvenir de votre passage à Péribonka, Été 1926, Éva Bouchard. » Cette fois, ajoutera-t-elle, sous sa signature, le même « Maria Chapdelaine », timidement retenu entre des parenthèses, qu'elle a déjà osé écrire à la demande de certains touristes ? Une fois, deux fois, cinq fois… Puis elle ne les a plus comptées.

Cette audace lui a laissé un arrière-goût un peu âcre. Après avoir si énergiquement refusé d'être identifiée à l'héroïne du roman, voilà qu'elle avait commencé à utiliser son nom, dans un mélange diffus de provocation et de culpabilité. Ils insistaient tellement pour qu'elle le fasse. Ils avaient envie de retourner chez eux avec quelque chose en plus des photos, avec un souvenir plus personnel de cette femme modeste qui les avait si gentiment guidés dans leur quête de rêve. Ils voulaient pouvoir dire à leur mère, à leur père, à leurs enfants : « Nous l'avons vue, celle qui a connu le grand écrivain, celle qui l'a inspiré. Nous lui avons parlé, elle nous a fait visiter la maison où il a conçu son chef-d'œuvre. Regardez-la, sur la photo, à côté de nous, c'est elle. Et à la première page du livre, voyez ce qu'elle a écrit juste en dessous de son nom. »

La première fois, elle s'est dit que c'était sans conséquence, que ce serait dommage de décevoir cette si charmante vieille dame, que ce genre de demande ne se répéterait sûrement pas. Les trois ou quatre fois suivantes, elle s'est convaincue que les volumes jauniraient, oubliés sur un rayon poussiéreux de bibliothèque. Et que c'était bien peu pour faire plaisir à des visiteurs aussi gentils. Quand son mal d'estomac l'a tenue éveillée jusqu'aux petites heures, une nuit, elle s'est dit pour calmer son anxiété que ça ne pouvait finalement faire de mal à personne, que ça ne représentait qu'un symbole. Pouvait-elle refuser cette concession aux pèlerins frénétiques qui voulaient voir de leurs yeux, toucher une sorte de relique qui les relierait pour ainsi dire à l'auteur adulé ? Bon, elle n'allait tout de même pas se rendre malade pour si peu !

Éva range les quelques billets au fond de sa poche en se promettant de fermer dès dimanche. Soupire. Avec l'argent gagné cet été, elle pourra comme prévu se permettre de faire blanchir la maison et d'en faire renforcer la base. Mais il y a tout un hiver à passer, pendant lequel elle ne retirera aucun revenu ; un long hiver à répondre au courrier, mais aussi à attendre le retour de l'été. Car on ne peut se le cacher : le tourisme, dans la région, c'est à peine plus de trois mois. Le reste du temps…

– On attend, s'entend-elle murmurer, au moment même où on frappe à la porte de la petite maison.

Des touristes à cette heure tardive où le jour s'estompe déjà ? Elle n'a pourtant entendu arriver aucune voiture…

Vaguement inquiète, elle se lève pour aller ouvrir. Elle ne reconnaît pas tout de suite la longue silhouette qui se découpe dans l'entrée. Puis son cœur s'arrête, tandis qu'un frisson familier parcourt son âme. Il est là, comme dans les rêves qu'elle fait encore parfois la nuit, comme dans ceux qu'elle faisait si souvent le jour, avant ; il est là, dans toute sa splendeur, tenant à la main son chapeau à large bord, le dos à peine un peu plus voûté qu'il y a vingt ans. À peine. Elle va mourir, elle en est certaine. Puis son cœur se remet à battre dans le plus complet désordre, ignorant son rythme habituel, méprisant toute discipline. Ses idées se brouillent, elle se dit qu'elle va à tout le moins s'évanouir. Elle arrive pourtant à reculer d'un pas et se demande aussitôt comment elle a pu y arriver alors qu'elle ne sent même pas ses jambes.

Il n'a pas bougé. Mais elle distingue son sourire dans la pénombre. Son sourire un peu timide, qui pourtant semble scruter jusqu'au plus profond de son être, l'empêcher de respirer librement, de reprendre ses esprits.

– Assoyez-vous, dit-il, en même temps qu'il tire une chaise juste derrière elle.

Juste à temps. Juste avant qu'elle ne s'effondre. Puis il reste là devant elle, le corps un peu penché vers l'avant. Une seconde ? Une éternité ? Elle ne sait pas. Le temps, toutefois, qu'elle sente peu à peu le sang remonter à ses joues, qu'elle retrouve un minimum de dignité.

– Ça va mieux ? l'entend-elle lui demander.

Évidemment, il s'est rendu compte de son désarroi, il a perçu son trouble. Comme elle s'en veut de n'avoir pu contrôler ses émotions, de ne pas l'avoir accueilli aimablement mais froidement, comme il eût été de mise. Mais comment y arriver quand il est là, si près d'elle, avec ses grands yeux toujours un peu tristes, lui qui arrive à l'émouvoir même dans ses rêves !

– Pardonnez-moi, arrive-t-elle à articuler d'une voix chevrotante. Je suis un peu fatiguée ces temps-ci, ment-elle.

– Je passais et j'ai eu envie de m'arrêter… en touriste.

Son sourire. Pourquoi son sourire lui pénètre-t-il l'âme aussi cruellement, aussi intensément chaque fois, jusqu'à anéantir sa réserve naturelle, jusqu'à lui suggérer des élans dont autrement la seule évocation la ferait rougir ?… Elle rougit. Mais la demi-obscurité camoufle heureusement son malaise. Il fait trop noir. Elle tourne instinctivement la tête vers la lampe. Il surprend son geste :

– Voulez-vous que j'allume ?

Elle le regarde. Pour la première fois. Bien en face.

– Je…

Elle se demande ce qu'elle doit répondre, elle se demande ce qu'elle veut. Constate que ses idées sont encore confuses. Serre les dents dans un effort ultime de concentration :

– Je crois que ce n'est pas convenable.

– Qu'est-ce qui n'est pas convenable ?... Qu'on soit tous les deux, vous et moi, dans cette maison ?... Mais vous l'avez fait visiter à de parfaits inconnus tout l'été.

Il s'assied sur le banc juste en face et l'approche d'elle. Leurs genoux se touchent presque. Elle sent son cœur battre encore plus fort.

– Qu'est-ce qui n'est pas convenable, pouvez-vous me le dire ? Le fait qu'il fasse noir ?... Je viens de vous offrir d'allumer la lampe.

Son sourire, une fois de plus. Pourquoi a-t-il ce sourire à lui faire basculer la raison ?... Il avance son long corps vers elle et la fixe intensément, l'obligeant à soutenir son regard :

– Qu'est-ce qui n'est pas convenable, Éva ?

Il l'a appelée Éva. Éva. Jamais elle n'avait pensé que son prénom pouvait être aussi doux à entendre. Il l'a appelée Éva. Et maintenant il lui prend la main, doucement, tout doucement. Elle ferme les yeux un instant, saisie de vertige. Elle ne peut pas être cette femme, là, si près de cet homme ; elle arrive presque à se convaincre qu'elle rêve... Ce n'est sûrement pas elle... ou bien, ce n'est pas lui... Pendant quelques secondes, elle doute. Et pourtant...

– Éva, regardez-moi.

Elle le regarde, elle observe cet homme et cette femme, des étrangers sans doute ; elle est absente de la scène, elle en est certaine. Voilà pourtant qu'il répète son prénom, et elle est de nouveau devant lui, sa main toute petite et tremblante dans sa grande main d'homme. Elle le regarde.

– Vous avez toujours été une femme très convenable, beaucoup trop même.

Elle sent son souffle chaud sur sa joue. Instinctivement, elle tend son visage vers lui. Imperceptiblement.

– Éva, j'ai cinquante-six ans. Je n'ai plus de temps à perdre avec les convenances.

Elle non plus, mais ça ne se dit pas. Maintenant elle le regarde comme elle n'a jamais osé le regarder. Tant pis ! Elle le regarde pour toutes les autres fois où elle se l'est défendu, où elle a détourné la tête sur son passage, parce qu'elle avait peur de ce qu'il pourrait lire dans ses yeux, parce qu'elle craignait son propre regard s'il venait à se poser sur lui. Elle regarde les rides que la vie a creusées sur son front et ses joues. Elle a envie d'y poser les doigts. Mais elle n'a jamais appris les gestes de l'affection, de la tendresse. Et maintenant, il est trop tard.

– Je pars demain, Éva. Depuis que j'ai compris que vous ne feriez jamais de place pour moi dans votre vie, j'ai bien essayé de vivre dans le même village que vous, mais j'y suis pas arrivé. Quand j'étais loin, j'avais envie de vous voir, je pensais que tout pouvait être encore possible. Puis je revenais et vous m'évitiez. Je suis revenu et reparti je ne sais plus combien de fois. Maintenant, je deviens vieux, je suis un peu fatigué. Je m'en vais chez mon neveu à Roberval. Il a beaucoup de travail, je peux encore l'aider.

Il prend une grande respiration avant de poursuivre :

– Mais cette fois-là, j'ai décidé de vous parler avant de partir. Parce qu'on a trop perdu de temps, vous et moi, avec nos silences.

Une larme coule sur la joue d'Éva. Albert regarde la main dans la sienne, s'émeut de la finesse de la peau.

– Je voulais juste savoir…

Éva le laisse faire alors qu'il guide sa paume ouverte jusqu'à sa joue un peu rugueuse. Elle a oublié ce qui est convenable ou pas. Elle sait seulement qu'elle est triste, infiniment triste, que, cette fois, elle ne rêve pas et qu'elle voudrait que cet instant ne finisse jamais.

Il retire la main de sa joue et la pose sur sa large poitrine d'homme, là où le cœur soulève bruyamment la peau chaude sous le tissu. Le cœur d'Éva s'accorde au rythme de celui d'Albert, et ils restent là tous les deux sans bouger, ne sont plus autre chose que ces deux cœurs qui battent ensemble, n'entendent plus rien d'autre que ce son qui leur déchire la poitrine.

– Je voulais savoir…

Elle le regarde comme elle n'aurait jamais pensé regarder un homme, comme elle n'aurait jamais pensé qu'elle oserait regarder Albert. Son regard le supplie de lui dire les mots qu'elle a besoin d'entendre. Leurs visages se touchent presque, leurs genoux se frôlent.

– ... si vous aussi…

Il effleure maintenant le visage humide d'Éva. Son doigt un peu rude essuie quelques larmes. Elle pense un instant qu'elle a perdu son contrôle habituel et chasse aussitôt cette pensée. Elle saisit plutôt la grande main d'homme sur sa joue et la presse comme si c'était pour elle un geste familier, naturel. Elle la reconnaît, cette main qu'elle a tant cherchée dans ses rêves ; elle en reconnaît la forme, l'odeur, la douceur. Et ils restent ainsi immobiles, étrangers à tout ce qui n'est pas eux.

Doucement, tout doucement, l'enchantement fait place à la réalité. Albert éloigne un peu son visage, tandis qu'Éva a un léger mouvement de recul. Elle n'a plus peur. Ils continuent de se regarder pendant que leur mémoire grave à jamais ce moment d'éternité. Il caresse la joue d'Éva une dernière fois.

– ... et j'ai enfin la réponse que j'attendais.

Sa grande main serre un peu plus la petite main blanche sur son cœur, puis la dépose sagement sur la robe, où il l'avait cueillie. Ses yeux sont mouillés. Il se lève. Elle le suit du regard. Il secoue la tête. Lui offre son plus beau sourire, chargé du poids de la douleur, s'approche de la porte. La nuit a eu raison des dernières lueurs du jour. Elle ne distingue plus ses traits.

– Je reviendrai un jour, je sais pas quand. Mais je tiens à mourir à Péribonka.

Et il s'éloigne sans bruit, comme il est arrivé.

Très tard, ce soir-là, quand Éva rentre à la maison, le visage ravagé par les larmes, Nil veille encore. Il jette un regard discret vers sa sœur et continue de se bercer en silence, pendant qu'elle monte lourdement à sa chambre.

*

Éva se sent lasse. Impuissante et lasse. Les travaux de rénovation de la petite maison s'avèrent beaucoup plus coûteux que ce qu'elle avait prévu. Elle devra puiser une bonne partie de l'argent dans ses ressources personnelles. À quoi lui a servi de travailler tout l'été si elle doit utiliser le peu que lui a laissé son père pour assurer ses vieux jours ? Ces dernières semaines, elle a sérieusement remis en question sa décision de garder la « Terre de Maria Chapdelaine », ainsi que la nomme sa nouvelle amie.

Le dos un peu voûté derrière sa table de travail, elle déplie les minces feuillets noircis d'une écriture longue et fine, quoique ferme. Cette Ernestine Pineault l'intrigue. Éva relit au hasard un extrait de sa lettre du 13 juillet, écrite de Saint-Donat, et dans laquelle Mlle Pineault affirme qu'elle aurait aimé pouvoir aller la rencontrer à Péribonka, disant espérer qu'elles feront bientôt connaissance, et lui demandant une photo.

Éva, mise en confiance, a répondu à cette lettre par une longue épître où elle s'ouvre entièrement à cette étrangère qui n'en est plus vraiment une, depuis qu'elles ont entrepris une correspondance assidue. Et maintenant, elle relit cette autre lettre écrite le 2 octobre, d'Outremont :

> Les admiratrices de Maria Chapdelaine, les curieux, les curieuses de l'héroïne de Louis Hémon doivent en effet être très nombreux, mais ce ne sont pas ceux et celles-là que Maria appelle ses amis. Elle n'a pas tort. L'amitié n'est-elle pas plutôt un échange de sympathie, de fidélité, de dévouement réels. Bien rares aujourd'hui sont les gens qui nous donnent cette preuve d'un cœur noble et généreux, n'est-il pas vrai ? Vous croyez que je puis vous donner quelque garantie de ce genre, chère Mademoiselle, puisque vous m'appelez votre amie… Sachez que vos confidences m'honorent. Laissez-moi vous dire aussi que je pense mériter la confiance que vous me témoignez. Je souffre donc avec vous, chère amie, des malheurs qui vous arrivent : comme je voudrais être capable de « sauver » la Terre de Maria Chapdelaine ! Ne me dites pas qu'elle est vendue, tenez bon pendant quelques mois encore[16].

Oui, mais comment ? Ses maux d'estomac ont empiré dernièrement, elle se sent continuellement fatiguée. Au point où elle s'est résignée à consulter. L'abbé Hudon, un prêtre avec qui elle entretient depuis l'époque de l'Ermitage une correspondance assidue, semble convaincu qu'elle devra aller en cure. Il lui a recommandé un certain Dr Albert Paquet, à Québec, un médecin de sa connaissance, spécialiste de ce genre de problèmes. Il prend même le rendez-vous pour elle et obtient que le Dr Paquet la soigne gratuitement. Éva décide d'en profiter pour se rendre à Beauceville. S'éloigner quelque temps de son milieu ne peut que lui faire du bien.

Dans sa lettre, Mlle Pineault lui recommande de s'adresser, au sujet de la terre, à M. Victor Morin, « l'ex-président de la Société Saint-Jean-Baptiste, c'est un patriote qui prend à cœur nos causes canadiennes-françaises. N'est-ce pas lui le promoteur du mouvement en faveur de Louis Hémon en France ? Écrivez-lui une bonne lettre comme celle que vous m'avez envoyée au mois d'août, et je suis sûre du succès de votre démarche[17] ». Et elle lui donne l'adresse de ce M. Morin. Mais, pour le moment, Éva ne pense qu'à se soigner et à se reposer. Trop de tension sur ses frêles épaules. Elle se serait crue plus forte.

Le temps. Seul le temps peut arranger les choses. Le temps et le repos. Pour lui permettre de prendre une décision éclairée. Elle se sent trop vulnérable. Elle ne s'autorise même pas à écrire à ce M. Victor Morin. En revenant de la Beauce dans quelques semaines, peut-être. Elle verra alors.

Elle regrette un peu d'avoir dit à Mlle Pineault qu'elle se rendait à Québec et à Beauceville.

> Venez donc me voir, à l'aller ou au retour de votre voyage. Nous en causerons sérieusement. Il faudra prendre les moyens les plus propres à la réalisation de votre désir. J'en ai d'autres à vous suggérer. Ne croyez pas que je veuille me désintéresser de la chose, je voudrais tant vous être utile, mais je crois que certaines personnes pourront davantage servir votre cause. Je vous invite donc et vous attends. Venez, n'est-ce pas ? Je suis convaincue que Monsieur votre frère ne vous refusera pas cela. Fixez une date[18].

Il n'est évidemment pas question pour Éva de se rendre à Montréal dans sa condition, mais le problème est qu'elle n'a pas parlé de son état à Mlle Pineault. Cette femme prend tellement à cœur sa situation qu'il serait malhonnête de lui laisser ignorer les raisons de son refus. Ce n'est pas ainsi qu'on traite une amie.

Elle se masse le visage, se délie les épaules, puis tire lentement jusqu'à elle son papier à lettres.

*

BULLETIN DE SANTÉ
Docteurs Paquet, Paquet et Poliquin
71 rue Sainte-Anne, Québec
Examen du sang :
Mademoiselle Éva Bouchard, Péribonka, Lac-Saint-Jean
Nombre de globules rouges par mm^3 : 4 200 000
Hémoglobine : 62 %
Valeur globulaire : 0,75
Nombre de globules blancs par mm^3 : 5 200[19]

Éva replie le mince feuillet et le glisse dans l'enveloppe, en espérant que la lettre qui l'accompagne lui en apprendra davantage.

– Qu'est-ce qu'il dit ? interroge Gustave, qui se berce près d'une fenêtre de la salle de séjour.

– Rien de bien nouveau, ajoute-t-elle après avoir refermé la lettre. Le Dr Paquet écrit que mon test sanguin est satisfaisant et ne révèle aucune pathologie particulière.

– Bon ! Au moins, c'est rien de grave, c'est toujours ça de pris ! Qu'est-ce qu'il te conseille de faire pour te remettre sur le piton ?

Éva soupire.

– De me reposer. Encore du repos ! Je commence à me demander si un jour je serai capable de travailler sans toujours être fatiguée ou avoir mal à l'estomac.

– C'est de famille, le mal d'estomac, tu le sais bien. Mais si tu veux mon avis, toi, en plus, tu te donnes pas de chance.

– Qu'est-ce que tu veux dire ?

– Que t'as toujours aimé ça, te casser la tête.

– J'aime pas ça, Gustave Bouchard, je suis comme ça !

– N'empêche que tu pourrais essayer de prendre la vie autrement.

– Mais comme tu l'as dit, c'est de famille. Et je ne vois pas comment tu peux me donner des conseils, puisque tu es comme moi.

– Moins maintenant.

– Bien sûr ! Mais j'imagine que c'est un peu plus facile quand les affaires vont bien. Seulement, ce n'est pas mon cas.

Gustave voit s'approcher de l'hôtel deux habitués du bar et se dit, rassuré, que Roméo va s'occuper d'eux.

– Qu'est-ce qu'il a écrit, à part ça, le docteur ? demande-t-il sans cesser de regarder à l'extérieur.

– Il veut me revoir au début de février.

Gustave pivote sur son siège et se retrouve face à Éva, arborant son plus large sourire :

– Bon, tu vois, c'est pas rien que des mauvaises nouvelles…

– Comment ça ?

– On va t'avoir avec nous autres pour toutte l'hiver !

Et il laisse résonner son grand rire d'enfant ravi. Éva se retient de sourire à son tour.

– Je pourrais partir et revenir à la fin de janvier…

– Ben oui, c'est ça ! Pour te faire geler deux fois pour rien dans des trains mal chauffés. Puis pour aller faire quoi à Péribonka, en plein hiver ?

– Hélène doit bien avoir besoin d'un coup de main…

– Tu passes ton temps à dire que tu te sens de trop chez Nil. C'est la plus belle occasion pour toi de te changer vraiment les idées et de…

Mais Gustave comprend au sourire d'Éva qu'elle se moque de lui depuis un moment. Elle l'a laissé parler pour rien, s'amusant à le voir s'enflammer à chaque nouvel argument. Il lui rend aussitôt son sourire, trop heureux du dénouement.

– Ah ben, ça, c'est une bonne nouvelle ! Il faut que j'aille tout de suite annoncer à Léo que tu vas passer Noël avec nous autres. Tu vas voir, on va te traiter aux petits oignons. Quand tu vas repartir, tu vas être comme une neuve.

Et il disparaît vers l'escalier menant à la chambre où Léonie se repose en attendant l'heure du souper.

Éva continue de sourire pour elle-même. C'est vrai que, finalement, c'est une bonne nouvelle. Elle ne s'est pas sentie aussi soulagée depuis longtemps. Soulagée pour quelques mois de ses responsabilités et des soucis qui y sont reliés. La réalité reprendra ses droits bien assez vite. Pourquoi ne profiterait-elle pas de ce répit, pourquoi ne se laisserait-elle pas aller à vivre au rythme de la famille de son frère, de cette cellule vivante, bourdonnante, où deux de ses neveux restent encore à connaître, où les aînés sont à redécouvrir ?

Elle imagine les longues conversations qu'elle pourra s'offrir avec Léonie et Gustave, les parties de cartes, les fous rires, comme au bon temps où elle leur servait de chaperon lors des promenades dominicales.

– Mon Dieu, que c'est loin tout ça ! soupire-t-elle.

N'empêche. Il y a longtemps qu'elle ne s'est pas sentie aussi détendue, aussi heureuse.

1927

Ce soir, c'est Éva qui veille sur le sommeil des plus jeunes dans la « petite maison de la cour », comme l'a baptisée sa filleule. Elle a insisté pour que Mme Veilleux prenne congé, mais c'est surtout à elle-même qu'elle fait plaisir en s'accordant cette pause. À l'hôtel, elle a l'impression de vivre dans une ruche. Il y a tellement d'agitation qu'elle en est parfois un peu étourdie.

En revanche, ses maux d'estomac ont diminué considérablement depuis quelques semaines. La présence de son frère, celle de sa belle-sœur, avec qui elle partage de plus en plus souvent la préparation des repas pour les clients, les rires joyeux des enfants, les conversations tranquilles avec la bonne Mme Veilleux dont elle s'est fait une amie, tout ceci a contribué à détendre Éva au point où les douleurs se sont graduellement faites de plus en plus rares, où l'angoisse a fait place à la paix de l'esprit et du corps. Elle prend conscience de respirer plus lentement, plus profondément, et s'amuse secrètement à s'imaginer que chaque expiration libère ses poumons des tensions accumulées au cours des dix dernières années, participant par la même occasion à la cicatrisation des plaies, parfois profondes, que les revers de la vie lui ont infligées.

Et quel plaisir de renouer avec ses neveux et nièces ! Simonne demeure évidemment sa préférée. Éva se demande si ce lien particulier unit toutes les marraines à leurs filleules ou si c'est le simple fruit du hasard. Peu importe ! Cette enfant exerce sur elle un attrait spécial, et elle n'a tout simplement pas envie de l'analyser davantage.

Ce n'est manifestement pas toujours facile d'élever de grands enfants, constate Éva, qui n'a vécu jusqu'à ce jour qu'avec les petits de Nil et d'Hélène. Elle repense avec un frisson de déplaisir à la discussion entre son frère et sa belle-sœur, à laquelle elle a assisté bien malgré elle en novembre.

– J'ai trouvé le cadeau de Noël de Roméo, avait annoncé Gustave, en entrant dans le salon familial où les deux femmes prenaient une pause entre deux repas à préparer.

– Qu'est-ce que c'est ? avait questionné Léonie.

Éva avait bien remarqué que son frère évitait de les regarder, mais ne se doutait pas encore qu'elle allait assister à une querelle de couple en règle.

– C'était une bonne occasion, je pouvais pas laisser passer ça.

– Mais c'est quoi ? avait insisté sa femme.

– C'est le curé qui m'a mis en contact avec les enfants d'une vieille dame riche de Saint-Georges qui est morte il y a un mois.

– Gustave... avait dit Léonie d'une voix traînante où Éva sentait déjà poindre une ombre d'impatience.

Gustave arpentait nerveusement la pièce, se frottant les mains comme s'il cherchait à les réchauffer. Puis il s'était immobilisé et avait soudainement fait face à sa femme. Ses mâchoires s'étaient légèrement crispées au moment où il avait ouvert la bouche. Éva avait eu une brève réminiscence du petit garçon qu'il avait été, s'apprêtant à annoncer à son père la dernière bêtise qu'il venait de faire.

– C'est un orgue.

Et il avait baissé les yeux en rougissant avant d'enchaîner :

– Personne n'en voulait dans la famille, depuis que la mère était morte. Plus personne n'en jouait et ils trouvaient que ça prenait trop de place. Tu parles ! Trop de place… un meuble comme ça, on lui fait de la place, c'est toutte ! Le reste, c'est des détails. Ils avaient un bijou entre les mains et ils avaient même pas l'air de s'en douter. Un Casavant par-dessus le marché. Ils connaissaient vraiment pas la valeur de cet instrument-là. Je te le dis, Léo, je l'ai eu pour une bouchée de pain.

Éva était aussi essoufflée que son frère, ayant retenu sa respiration tout au long de sa tirade. Elle aurait souhaité se voir ailleurs, n'importe où sauf au cœur de la tempête qui s'annonçait. De toute façon, Gustave l'avait sciemment écartée de la discussion, à partir du moment où il avait posé son regard sur Léonie et avait prononcé le nom de sa femme, excluant du même coup sa sœur.

– Une bouchée de pain, vraiment ?

Éva enviait et admirait le calme apparent de sa belle-sœur.

– Si je voulais, je pourrais le revendre pour le double du prix demain matin, avait encore avancé Gustave en risquant même un sourire qu'il essayait de faire paraître détendu, mais dans lequel Éva devinait toute l'inquiétude du petit garçon qui se sait fautif.

– Et où va-t-on la mettre, cette… bouchée de pain ?

Le ton s'était soudain fait plus ferme. Gustave avait redressé les épaules, prêt à l'inévitable affrontement.

– C'est déjà tout réfléchi : on va percer le plafond de la salle de séjour du côté nord pour pouvoir passer les tuyaux. Ça donne sur la chambre de débarras.

Il avait lancé un regard furtif à Léonie et continué son discours :

– As-tu pensé à l'attrait que ça va exercer sur la clientèle ? Sans compter que Roméo va enfin pouvoir pratiquer autant qu'il veut, sur un instrument qui va vraiment mettre son talent en valeur.

Léonie n'avait fait aucun commentaire. Mais elle s'était penchée vers l'avant et avait pris sa tête dans ses mains. Elle n'avait rien dit. Et Gustave, qui s'était attendu à une verte réplique, était resté planté devant elle, les bras ballants et le regard ahuri.

Éva avait alors compris qu'ils avaient tous les deux fini par oublier réellement sa présence.

Après un moment qui avait paru durer l'éternité, Léonie avait lentement relevé la tête et posé un regard voilé sur son mari.

– On a sept enfants, Gustave. Sept ! Comment est-ce qu'on va pouvoir donner aux autres l'équivalent de ce que tu viens d'acheter à Roméo ?

Éva avait cru déceler un léger tremblement dans les mains de Gustave. Puis il s'était animé de nouveau, avait tiré une bergère, s'était installé en face de sa femme et lui avait pris la main.

Éva avait alors estimé que le temps était venu pour elle de quitter la pièce et de les laisser en tête-à-tête, mais, comme elle allait se lever, son frère s'était tourné vers elle et lui avait fait un sourire. Elle avait mis deux ou trois secondes à interpréter ce geste et avait finalement conclu qu'il souhaitait sa présence. Elle était restée, tout en s'autorisant enfin à respirer.

– L'amour qu'on a pour nos enfants se mesure pas à la valeur des cadeaux qu'on leur donne, Léo. C'est certain qu'un orgue c'est un beau cadeau. Pour Roméo ! Mais peut-être que ce que je pourrais trouver de mieux pour… Annette, par exemple, c'est une poupée. Et pour René, un bicycle à trois roues…

– Tu as une de ces façons de simplifier les choses !

– Mais dis-moi que j'ai pas raison. Tiens, toi, Éva, qu'est-ce que t'en penses ?

Celle-ci s'était trouvée complètement déstabilisée par cette question inattendue. Elle avait rougi jusqu'à la racine des cheveux avant de bégayer :

– Ah !... c'est... c'est votre affaire. Moi... j'aime mieux rester en dehors de ça.

Et elle en avait voulu à son frère de la mêler à leurs querelles de famille.

– Je comprends ce que tu me dis, Gustave, avait fini par répondre Léonie. Mais des fois, j'ai peur.

– Peur de quoi ?

– Peur de l'intérêt que tu portes à Roméo.

– Comment ça ? avait répété Gustave, interloqué, tout en laissant lentement glisser la main de sa femme.

– Tu voudrais tellement qu'il soit parfait que tu finis par croire qu'il l'est vraiment.

Même si elle était en désaccord total avec son mari, Léonie avait parlé lentement, avec une infinie douceur. Éva en avait été émue. Elle s'était dit que c'était sûrement ça, l'amour. Gustave, pour sa part, avait dégluti péniblement.

– Je sais que tu as un faible pour lui, Gustave. C'est peut-être normal, étant donné que c'est le plus vieux de tes garçons, je sais pas... Mais tu l'as toujours tellement gâté que j'ai peur qu'il devienne paresseux.

– Paresseux ? Comment ça ?

– Parce qu'il sait que, peu importe ce qu'il va faire ou ce qu'il ne fera pas, tu es prêt à tout lui donner tout cuit dans le bec.

– Tu trouves pas que t'exagères un peu ?

– Non. Je trouve pas. Regarde-le comme il faut, Gustave. Il a déjà commencé à te manipuler. Il a toujours eu tout ce qu'il voulait de toi et il le sait. Il en profite et tu t'en rends même pas compte.

– Mais c'est un talent, Roméo ! Je rêvais d'avoir un artiste dans la famille et mon fils en est un. On traite pas ça n'importe comment, des talents de même !

– Fais attention. Il y en a d'autres comme lui qui sont devenus des profiteurs.

– Pas Roméo !

– Gustave, tu as acheté un char pour qu'il puisse aller faire les achats à Québec. C'est correct, mais ça prend pas deux jours, faire les achats !

– Il en profite pour aller voir son ami Armand.

– Puis ça, c'est à part des journées de congé qu'il te demande à la moindre occasion. Il fait ce qu'il veut quand il le veut. Tu laisserais jamais autant de liberté à tes filles.

– Ben c'est pas pareil.

– Comment, c'est pas pareil ? Justement, ça devrait être pareil. Les filles doivent être là tous les matins pour faire le ménage des chambres, et à tous les repas pour servir les clients, sept jours sur sept, à part le dimanche soir pour notre souper en famille dans la petite maison ; tandis que Roméo, lui, peut prendre congé quand il veut, partir aussi souvent et aussi longtemps qu'il veut avec le char, puis tu lui paies son gaz en plus.

– Mais l'argent du commerce est dans le tiroir du haut de la commode qui est juste en arrière de toi. Les filles peuvent se servir autant qu'elles veulent pour aller manger leur *banana split* au restaurant le dimanche après-midi et les soirs d'été quand il fait noir assez tard. Tu parles comme si je les privais. Puis le compte qui est ouvert au magasin chez Renaud, qu'est-ce que t'en fais ? Quand elles ont besoin d'une nouvelle robe, elles ont juste à aller la chercher et je paie à la fin du mois sans poser de questions.

– C'est vrai. Mais Roméo a les mêmes avantages que les filles, en plus de tous les autres.

Le ton avait de nouveau monté. Maintenant, Gustave se frottait le crâne alors que Léonie gardait les mâchoires serrées et le visage fermé. Éva se dit alors que l'amour se manifestait parfois de bien curieuse façon.

Gustave s'était levé et était allé se poster debout devant la fenêtre qui donnait sur la rivière gelée. De longues minutes s'étaient écoulées sans que personne ose rouvrir le débat. Éva avait eu le temps de réciter une dizaine de chapelet. Puis Gustave s'était tourné vers les deux femmes. Son regard inquiet s'était d'abord posé sur Éva. Elle avait eu pitié de ce frère qui ne cherchait, au fond, qu'à combler ceux qu'il aimait, sans se rendre compte des injustices que pouvait provoquer sa trop grande naïveté.

Il était retourné s'asseoir devant Léonie et avait repris sa main.

– Pourtant, tu le sais bien que la dernière chose que je voudrais, c'est d'être injuste envers un de mes enfants.

– Je le sais. Mais c'est comme avec le reste du monde : il y en a avec qui on s'adonne mieux qu'avec d'autres. On est humain, Gustave. Moi aussi, je suis humaine. C'est pour ça qu'il faut faire attention. Pour essayer d'apprécier les qualités de chacun de nos enfants. Pour pas donner plus à un qu'à un autre.

Gustave avait tout simplement baissé la tête. La main de Léonie avait rougi dans l'étau que formait celle de son mari. Éva avait été émue de voir son frère si tendre et vulnérable, sa belle-sœur si sage et généreuse !

– Bon ! Léo, Éva, Noël s'en vient, l'avent est pas commencé, je vous offre un verre de vin.

Et il avait bondi sur ses pieds devant le regard étonné des deux femmes.

*

Ce soir, seule à veiller dans la « petite maison de la cour », elle est déjà nostalgique à l'idée de son départ le lendemain. Comme ils vont tous lui manquer ! Elle se lève pour aller vérifier une dernière fois la respiration des deux plus jeunes avant d'aller dormir.

En se soulevant de son lit pour éteindre la lampe, elle se promet d'essayer de revenir passer le prochain hiver à Beauceville, comme Gustave le lui a suggéré. Maintenant qu'elle a retrouvé le plaisir des longues conversations et des rires complices avec sa belle-sœur, des discussions parfois animées, et à tout le moins jamais monotones, avec son frère, Éva se demande comment ils ont pu passer autant d'années à ne se voir qu'exceptionnellement, à se contenter de lettres occasionnelles. Mais elle s'émerveille surtout d'avoir retrouvé dès les premiers instants la chaleur du contact qui les a toujours unis, comme si le temps et l'absence n'avaient eu aucune emprise sur la qualité de leurs rapports, comme s'ils avaient repris le plus simplement du monde une conversation entreprise la veille.

*

– « Œuf bouilli, pain séché, beurre, jus d'orange, pruneaux confits, café faible à la crème pour le déjeuner ; midi : soupe aux légumes, viande maigre rôtie sans sauce, légumes bouillis en abondance, pain séché et beurre, thé faible, desserts de fruits cuits et avec biscuits secs ; soir : riz crevé avec crème ou pâtes d'Italie[20] [...] » Tu parles d'un régime ! Puis c'est pas fini, il y en a encore au moins trois lignes. Es-tu si malade que ça ? questionne Laura, éberluée, en levant de grands yeux ronds vers sa cadette.

Éva ne peut s'empêcher de sourire devant l'inquiétude un peu naïve de sa sœur.

– Bien non ! J'ai passé des radiographies et tout va bien. J'ai seulement l'estomac fragile. Le docteur insiste pour que je surveille ce que je mange et que je continue de me reposer encore un peu.

– Tu devrais rester avec nous autres un bout de temps. Après quatre mois chez Gustave, tu verrais comme c'est tranquille une maison où il y a plus d'enfants. Tu finirais par te remettre complètement, puis ça serait pas long à part ça !

– Il n'y a personne pour me dorloter mieux que toi, ça, c'est certain. Mais Hélène est malade et elle a besoin d'aide.

– Écoute, Éva, si tu veux mon avis, Hélène est consomption. Il y a déjà bien assez de Nil et des enfants qui risquent d'attraper sa maladie, j'ai pas envie que toi en plus…

– Laura, c'est pas le moment de l'abandonner, tu le sais bien ! Nil me dit que, toi-même, tu passes ton temps chez eux pour donner un coup de main.

– Je vais leur faire à manger une fois de temps en temps, c'est vrai. Mais c'est pas comme de rester avec eux autres…

– Mais je vais faire attention, Laura ! Et si je suis là, elle va pouvoir se reposer. Puis tu sais comme moi que, si elle est vraiment consomption, c'est la seule manière qu'elle a de guérir.

– En tout cas je vais continuer à y aller au moins une fois par semaine pour te permettre de te reposer toi aussi. C'est pas compliqué pour nous autres : Samuel vient me mener le matin, puis il vient me chercher en fin de journée. Puis je t'avertis, ces journées-là, tu te reposes. Ça serait ben le boutte que t'attrapes ça toi aussi !

Éva sourit. Elle reconnaît bien là la générosité de sa sœur.

– Si tu y tiens, dit-elle.

– Mais je t'avertis, tu vas manger ce que je te fais ! Si tu penses que tu vas suivre ton régime ces journées-là, oublie ça, ma belle. Me vois-tu, moi, manger du pain sec, puis de la viande maigre pas de sauce ?

Et Laura laisse éclater son rire enveloppant, rassérénant.

*

– J'ai commencé à regarder mon courrier hier soir après avoir défait mes bagages. Je ne pensais pas en avoir autant.

– Ben oui ! s'exclame Laura. C'est pas croyable qu'il y ait autant de monde qui t'écrive. Puis ça vient de partout, à part ça : il y a des noms de places qu'on connaît même pas. Samuel en rapportait du bureau de poste quasiment tous les jours.

Éva réprime une grimace de déplaisir et enchaîne, après une imperceptible hésitation :

– C'est rendu qu'il y en a qui m'écrivent pour me demander d'envoyer des souhaits d'anniversaire à leur parenté, des vœux pour des fiançailles ; j'ai même des invitations pour aller faire des séjours chez de parfaits inconnus.

Laura hoche la tête, incrédule.

– Tu iras toujours bien pas rester chez des étrangers ? risque-t-elle, inquiète.

Éva la regarde en riant :

– Tu sais bien que non. Seulement, je suis surprise de voir la tournure que ça prend.

– Samuel a lu dans la gazette que, dans les vieux pays, le livre est traduit dans à peu près toutes les langues, que ça fait parler de nous autres et que ça pourrait même nous amener de la visite de l'autre bord.

Éva soupire, songeuse. Laura regarde par la fenêtre au moment où Samuel entre dans la cuisine.

– C'est-y-pas Mathias Rousseau qui vient de sortir du magasin, demande-t-elle à son mari occupé à se servir un verre d'eau.

– Vous avez vu juste. Il est venu acheter des bottes de « robeur » et des pilules pour le mal de tête. Je comprends qu'ils en aient besoin, là-bas, avec ce qu'il leur arrive.

– Justement, je voulais vous demander où ils en sont avec les réclamations, intervient timidement Éva, qui s'en veut une fois de plus de cet embarras insensé qui la paralyse chaque fois qu'elle doit s'adresser à son beau-frère.

– Les avis sont partagés, mais la plupart sont pas satisfaits des règlements sur les inondations, répond l'interpellé, après avoir lentement vidé son verre. Mathias Rousseau me racontait justement qu'il s'est fait répondre par le ministre de l'Agriculture, Joseph-Édouard Caron, que, s'il était pas content de l'offre qui lui avait été faite, il avait rien qu'à la refuser et à poursuivre la Compagnie Duke-Price. Il paraîtrait que le ministre se défend sur la décision des agronomes qui ont été envoyés l'été passé pour faire les évaluations, en disant qu'il peut pas aller à l'encontre de leur jugement[21].

– Poursuivre la Duke-Price… la belle affaire ! commente Éva à qui l'indignation a rendu son assurance.

– On sait ben que personne a les moyens d'aller jusque-là ! Et ça, la compagnie et le gouvernement le savent, renchérit Samuel.

– Si quelqu'un se risquait à le faire, il se ferait écraser dès le départ. Comme si on pouvait s'attaquer à des géants comme ça !

Laura jubile intérieurement. Pour une rare fois, sa sœur et son mari sont d'accord. Pourvu que ça dure !

– Mais est-ce que le comité qu'ils ont formé pour leur défense ne peut pas quelque chose pour eux ? demande encore Éva.

– Dernièrement, ils ont fait connaître leur position en faisant publier un article dans *Le Devoir.*

– Est-ce que ça a donné quelque chose ?

– Pensez-vous !... Deux jours plus tard, cent quarante-deux lots de la couronne ont été cédés à la Duke-Price. Astheure, leur dernier recours est de se tourner directement vers le premier ministre Taschereau.

– Qu'est-ce que vous pensez que ça peut donner ?

– Pas grand-chose, si vous voulez mon idée, pas grand-chose.

*

Nil et Samuel, totalement absorbés, écoutent Gustave raconter avec force gestes la débâcle du 19 mars et l'inondation qui s'est ensuivie. Même Hélène, enveloppée dans ses châles, semble respirer moins bruyamment et fixe son regard fiévreux sur son beau-frère, tandis que Laura interrompt la préparation du repas pour entendre l'exposé détaillé des dégâts causés par la rivière en furie. Au moment de décrire la montée de l'eau jusqu'au rez-de-chaussée de l'hôtel, Gustave se retrouve debout au milieu de la pièce, dépeignant de son mieux l'agitation qui régnait quand lui et ses quatre aînés, aidés des pensionnaires, ont tenté de sauver du courant destructeur, en les montant à l'étage, tous les objets qui pouvaient être transportés. Puis c'est avec horreur que ses auditeurs imaginent le pont de Notre-Dame-des-Pins emporté jusqu'à Beauceville le long de la Chaudière déchaînée.

Éva, elle aussi captivée par le récit de son frère, s'amuse surtout de son effervescence. « Quel raconteur il fait ! » songe-t-elle, souriant pour elle-même.

– Ici, qu'est-ce qui arrive avec les terres de la Pointe ?

– Vous avez dû entendre parler de la loi Mercier ? demande Samuel, toujours prêt à discuter politique.

– Ce que j'en ai compris, c'est que c'est supposé protéger les propriétaires, se hasarde à dire Gustave.

– Ça, c'est ce que le gouvernement essaie de faire accroire au monde. Mais dans les faits, c'est une autre histoire, commente Samuel d'un ton caustique.

Surpris de la réaction de son beau-frère, Gustave regarde Nil. Celui-ci hausse les sourcils et hoche la tête en signe d'approbation :

– Ce que Samuel veut dire, c'est que la loi permet l'expropriation des victimes du mouillage, en donnant leurs terres à la compagnie qui est responsable de toute l'affaire. Les propriétaires ont même pas le choix d'accepter ou de refuser.

Gustave est éberlué.

– Je peux pas croire…

– C'est certain qu'on peut pas comparer ça avec les inondations de la Beauce, continue Nil. C'est deux réalités bien différentes. Vous autres, c'est violent, ça fait beaucoup de ravages en peu de temps, puis, une fois que c'est passé, tout le monde s'entraide pour essayer de tout remettre sur pied jusqu'à la prochaine fois. Mais vous pouvez vous en prendre à personne, parce que c'est un phénomène de la nature. Icitte par contre, c'est provoqué par une compagnie qui a les moyens d'acheter n'importe qui au gouvernement et qui s'en prive pas. D'un côté, ils engagent du monde pour bûcher dans leurs chantiers, ils ont construit le plus gros moulin à papier au monde icitte à Kénogami, mais, de l'autre, ils détruisent les terres les plus riches de la région, ils obligent des cultivateurs à abandonner leurs biens et à tout recommencer.

– C'est complètement illégal de faire ce qu'ils font, et ils le savent, tranche Samuel. Seulement, pour se donner bonne conscience et pour mieux couvrir leurs manigances, le gouvernement a établi une commission spéciale pour fixer les montants des compensations. La plupart du temps, les prétendus experts évaluent l'ampleur des dommages à partir de la route, sans même mettre un pied sur le terrain. Puis bien entendu, dans toute cette affaire-là, c'est la compagnie qui a le dernier mot !

– Le plus choquant, c'est que la loi Mercier a été votée par seulement dix-neuf députés. Les cinquante-sept autres se sont abstenus, renchérit Nil.

Gustave grimace, incrédule.

– C'est rendu à un point tel que la santé des gens est menacée, dit calmement Éva du bout de la table où elle achève de mettre en purée une pleine casserole de pommes de terre.

Elle croise le regard légèrement agacé de Samuel et, juste après, celui, inquiet, de Gustave.

– L'eau est tellement souillée que, même de ce côté-ci de la rivière, on n'ose plus en boire autrement que bouillie, continue-t-elle aussi calmement qu'elle a commencé.

Gustave hoche la tête pendant qu'Hélène, toussotante, entrouvre la porte pour inviter ses trois aînés à rentrer.

– Il va falloir qu'il se passe quelque chose avant longtemps, ça peut plus durer comme ça, ajoute Samuel, reprenant discrètement et posément le contrôle de leur conversation d'hommes.

Laura, qui observait en silence, retire lentement les pâtés du four tout en bénissant le ciel. Son mari et sa sœur auraient-ils enfin appris à cohabiter ?

*

– Quel plaisir tu nous fais de nous rendre visite, Gustave, déclare Éva à son frère alors qu'ils se dirigent côte à côte vers la petite maison, une fois le souper terminé et les Bédard repartis.

– Je trouvais que d'attendre jusqu'à l'automne, c'était long sans bon sens. Ça fait que j'ai décidé de venir voir comment tu vas. Les lettres, c'est bien beau, mais c'est pas comme de se voir en personne !

Éva sourit en glissant la clé dans la serrure. Gustave s'immobilise sur le seuil.

– Bout de baptême ! J'avais oublié comment c'était petit, ici-dedans.

Il jette un regard circulaire autour de lui et ajoute :

– Mais c'est ben arrangé, par exemple.

Éva l'entraîne derrière le poêle à trois ponts :

– C'est ici qu'il dormait l'hiver. L'été, c'était au grenier.

Gustave, rêveur, caresse le vieux poêle, revivant leur arrivée à Péribonka, son père et lui, sur un chaland. Puis, émergeant de ses souvenirs :

– Comment ça va, les négociations avec les gens du gouvernement ?

– Je ne sais pas si on peut appeler ça des négociations… Enfin ! S'ils déclaraient la maison « site historique », je pourrais compter sur eux pour l'entretenir. Je n'aurais plus à me soucier de savoir si j'aurais assez de profit à la fin de l'été pour faire les rénovations, mais…

– Mais quoi ?

– Ils veulent toute la partie de la terre qui m'appartient, celle qui va jusqu'à la terre de Nil et que je lui laisse exploiter en plus de la sienne depuis la mort de papa.

– Y'en est pas question ! hurle Gustave, comme s'il plaidait la cause de la terre familiale directement devant les négociateurs gouvernementaux.

– T'énerve pas, tu sais bien que je ne laisserai jamais faire ça.

Gustave s'assied sur le banc où s'était assis Albert Roy un jour pas si lointain.

– Joualvert ! dit-il en se frottant le crâne.

– Et ils voudraient administrer à leur façon.

– Qu'est-ce que tu veux dire ?

– Il semble que parmi leurs conditions il y en ait une qui me concerne directement.

Elle soupire pendant que son frère fronce les sourcils.

– Beaucoup de touristes viennent aussi pour me voir, moi, alors qu'eux voudraient mettre l'accent uniquement sur Louis Hémon et sur l'endroit où il a vécu. En fait, je les dérange. Ils aimeraient bien me renvoyer à la maison et mettre quelqu'un d'autre à ma place.

Gustave se lève si brusquement qu'il chancelle un moment, vaguement étourdi.

– Ah ben, ça va faire, par exemple ! S'ils pensent qu'ils vont te traiter comme une vieille guenille qu'on peut jeter n'importe quand, après ce qu'ils t'ont fait, après ce que tu as fait !… Ils voudraient vous exproprier, toi et Nil… parce que c'est comme ça que ça va finir si on les laisse faire, tu sais ! Ce monde-là, ça te met de la pression, tu prends des risques, tu te pars en affaires, puis quand ils voient que ça marche, ils essaient de te voler ta place. Ben ça se passera pas de même, tu sauras ! Dis-moi qui c'est, je vais aller les rencontrer, moi, tes messieurs à cravate. Dis-moi qui c'est pour que je…

– Gustave, calme-toi !

Éva a élevé le ton. Il la regarde, surpris.

– Calme-toi, répète-t-elle, cette fois plus bas.

Elle le force à s'asseoir à nouveau et s'installe devant lui.

– Écoute, je ne suis plus une petite fille. J'ai appris à me défendre, tu sais.

Gustave reprend son souffle.

– Tu penses bien que je ne me laisserai pas faire comme ça, je ne suis plus aussi naïve que je l'ai déjà été…

– Heureusement !

Et il sourit à cette sœur qui a su garder son calme alors qu'il paniquait, cette sœur en pleine possession de ses moyens, qu'il sait prête à défendre le patrimoine familial envers et contre tous, prête à se battre pour défendre ses droits et ceux de la famille.

Elle lui rend son sourire.

– C'est clair que personne d'autre n'occupera la petite maison. Pas tant que je serai là. En fait, ce que je souhaite, c'est une association. Ils veulent un musée ; c'est parfait, parce que, moi aussi, c'est ce que je veux. Ils pourraient l'entretenir, pendant que je m'en occuperais. « Gardienne du musée Louis-Hémon »... tu trouves pas que ça sonne bien ?

Et elle rit, le regard espiègle. Gustave se laisse emporter par cette marée de tendresse et ils rient ensemble comme deux enfants que les tourments de la vie n'auraient pas encore atteints.

– Je suis tellement content que tu aies enfin décidé de foncer pour de bon, de prendre ta place, lui déclare-t-il sur le chemin du retour. Et crois-moi, ma petite sœur, tu as du talent. À part ça, je te regardais, avant le souper, quand tu t'es mêlée à notre conversation, Samuel en est resté la bouche ouverte.

– Je n'ai pas cherché à le provoquer, j'ai dit ce que j'avais envie de dire, c'est tout. C'est vrai qu'il a encore un peu de misère à s'habituer à ce que je me mêle des conversations des hommes, mais il s'y fait tranquillement.

– Ce qui me surprend le plus, Éva, c'est de voir à quel point tu as changé.

Gustave s'arrête sur le bord de la route, arrache un brin d'herbe, le porte à ses lèvres, regarde sa sœur droit dans les yeux et risque :

– Fut un temps où tu avais plutôt peur des hommes, pas vrai ?

Éva, fidèle à elle-même, rougit jusqu'à la racine des cheveux. Gustave mâchouille son brin d'herbe, se retenant bien de sourire.

– Vous avez toujours pensé ça, papa le premier.

Elle lui tourne le dos.

– Disons que je n'avais jamais appris comment me conduire avec les hommes.

Elle fait quelques pas et s'arrête de nouveau. Gustave la suit en silence, s'autorisant à peine à respirer.

– Pour les bonnes manières, pour l'éducation, les Ursulines, c'était parfait. Mais une fois que je me suis retrouvée dans la vraie vie, tu sais…

Gustave continue de se taire.

– Je vous observais, toi et Léonie, et je me demandais comment ça avait commencé, comment vous en étiez venus à être aussi à l'aise ensemble… Je ne savais pas ce qu'il fallait faire. Je n'ai jamais su.

Elle se tait à son tour. Ils ne bougent ni l'un ni l'autre. Cette fois, c'est lui qui voit passer dans son souvenir le grand chapeau brun à large bord, l'imperméable ocre.

– Si tu avais su… ça aurait changé pas mal de choses, pas vrai ?

Elle hésite, les yeux fermés, au bord du vertige, puis secoue la tête.

– Je ne sais pas. Peut-être. De toute façon, il est trop tard maintenant. Et l'enjeu n'est plus le même. Quand on est une vieille fille de quarante-deux ans, on ne se demande plus comment agir avec les hommes. On fait ce qu'on a à faire. Et quand on a quelque chose à dire, on le dit sans se poser de questions.

Elle se tourne et Gustave reçoit son sourire, comme un cadeau.

– En tout cas, si tu doutais encore que je puisse être vraiment décidée à continuer, sache que je viens de refuser une offre d'emploi comme portière et sacristine à l'Hôtel-Dieu Saint-Michel, à Roberval, ajoute-t-elle.

– Vraiment ?

– Vraiment. Un emploi tout ce qu'il y a de sécurisant, de rassurant, que j'aurais pu occuper sans m'inquiéter du lendemain, jusqu'à la fin de mes jours. C'est la supérieure, sœur Saint-Pierre, qui m'a écrit une belle lettre pleine de bons mots et de promesses[22].

Gustave garde le silence, étreint par l'émotion. Puis il lui tourne le dos à son tour :

– Tu sais, des fois, je me dis que Louis Hémon nous a rendu service en nous décrivant tels qu'on est. En tout cas, moi, c'est surtout ça que j'ai retenu de son livre : ça m'a permis de me rendre compte à quel point on avait peur de changer, peur de tout ce qui pourrait nous rendre différents des autres. Les intellectuels auraient voulu qu'il nous ait décrits tels qu'eux autres voulaient qu'on soit, comme ils voulaient que le monde nous perçoive, et ils ont essayé de faire dire ce qui faisait leur affaire au livre de M. Hémon. Mais c'est à ça qu'on ressemble, joualvert ! Il faut regarder les choses en face. Puis justement, il serait peut-être temps qu'on arrête d'avoir peur et qu'on force un peu notre destin. On n'est pas obligés de mourir pauvres ! On n'est pas obligés de rester au même point que quand on est venus au monde et se plaindre toute notre vie de ce qu'on n'a pas ! Dire qu'il y en a qui envient les Américains, bout d'baptême ! Il y en a même qui désertent aux États. Moi, je dis que c'est pas ça la solution. Il faut rester chez nous, se creuser les méninges un peu et bâtir quelque chose de nouveau. En tout cas, moi, jamais je me résignerai à être un esclave. Je vais me battre jusqu'à ma mort pour arriver à donner autre chose que du pain sec à mes enfants. Je vois pas pourquoi on pourrait pas réussir nous autres aussi. Il faut arrêter d'avoir des complexes et de brailler sur notre sort.

Il fait une pause, et lui fait face à nouveau :

– C'est pour ça que je suis fier de toi, Éva. Parce que t'as compris ça. Et que pour une femme, c'est pas courant.

– Il faut dire que j'ai eu de l'aide, avance-t-elle avec un sourire timide.

– Ouais. Mais à ce que je vois, il y a quelque chose que t'as pas encore appris, c'est d'accepter les compliments quand tu les mérites. Je t'ai peut-être brassée un peu fort à certains moments, mais reste que c'est toi qui as eu à prendre la décision finale. C'est toi qui as eu le courage de dire « oui » et qui vas avoir à vivre avec. Parce qu'il va y avoir des bouttes durs, ça c'est certain. Puis même si je le voulais, je pourrais pas être à côté de toi tout le temps. De toute manière, on est toujours tout seul dans les moments importants de la vie. Mais intelligente comme tu l'es, je suis certain que t'as pensé à tout ça, que t'as bien mesuré les conséquences de tes gestes. Puis c'est pour ça, Éva Bouchard, que tu mérites le respect et l'admiration.

Elle rougit un peu, mais se force à garder la tête droite, à soutenir le regard de son frère. Ensuite elle lui rend son sourire.

– Bon, d'accord, je le prends.

Et ils se remettent à marcher lentement vers la maison, où les attendent Nil et Hélène.

*

* *

– J'ai bien peur que les autorités religieuses ne me retirent avant longtemps la cure de Saint-Athanase, prédit l'abbé Philippe Chénard d'un ton résigné, en se tournant vers la plaine multicolore étalée à ses pieds.

– Mais pourquoi ? C'est toi qui as fondé cette paroisse et tu as encore beaucoup à y apporter, proteste Georges Bouchard.

Le prêtre hausse les épaules pendant que son compagnon le rejoint sur une plate-forme naturelle de la montagne, d'où on peut observer le fleuve s'étirant paresseusement dans toute sa splendeur et, à perte de vue, les Laurentides rejoignant l'horizon.

– Parce que la vie est ainsi faite. Et que ma santé commence à me jouer des tours. La responsabilité d'une nouvelle paroisse exige énormément d'énergie et j'ai bien peur de ne pas pouvoir assumer une telle tâche encore bien des années.

Il reprend sa marche en remuant bruyamment l'épais tapis de feuilles encore fraîches et humides qui se soulèvent à chaque pas en autant de bouquets aux innombrables dégradés de rouge, de brun, d'ocre et de pourpre.

– Mais je savais à quoi m'attendre en m'engageant dans la vie religieuse et j'aurais tort de me plaindre, conclut-il après une brève hésitation. On m'enverra sans doute assister quelqu'un d'autre ailleurs, dans une paroisse déjà développée, où je pourrai encore être utile. Mais parlons donc plutôt de toi. C'est une chance, quand on pense à tes nombreuses occupations, que nous nous retrouvions en même temps à ce cher Collège de Sainte-Anne-de-la-Pocatière, où nous avons tous les deux acquis une part importante de notre éducation. Tu m'as l'air en bonne santé…

Georges Bouchard soupire profondément.

– Je vais bien, répond-il d'une voix traînante qui n'a rien pour convaincre son interlocuteur.

– Les Cercles de fermières que tu as fondés se multiplient, d'après ce que j'ai lu dans *L'Action catholique*…

– Oui. Ils peuvent désormais se passer de moi. Et j'en suis très fier.

– Mais tu as l'air préoccupé, Georges. Qu'est-ce qui se passe ?

– Il s'agit d'une affaire à laquelle j'ai été mêlé l'an dernier au Lac-Saint-Jean. Une histoire d'inondations qui ont détruit des terrains cultivés et pratiquement jeté des familles complètes à la rue.

Il s'arrête, s'appuie d'une main à un érable et, offrant ses épaules courbées à la vue de son interlocuteur, explique :

– J'ai été appelé sur place, entre autres, pour évaluer la part de responsabilité de la compagnie accusée d'avoir causé les inondations.

– Et puis ?

– Je n'ai rien vu... ou pas voulu voir, je ne sais plus. Les rapports de la compagnie étaient tellement convaincants ! Mais il est devenu de plus en plus évident pour moi par la suite que tout ça avait été prémédité, prévu, planifié, que plusieurs membres de mon gouvernement étaient au courant de ces manœuvres douteuses et qu'ils avaient tout simplement fermé les yeux.

Georges Bouchard, dans un geste brusque, retire sa main de l'arbre et le frappe brusquement de son poing.

L'abbé Chénard a fermé les yeux, pincé les lèvres et est demeuré immobile derrière son ami pendant la dernière partie de son discours.

– L'argent, Philippe, tu n'as pas idée de ce que l'argent peut faire faire à des gens autrement honnêtes, des gens qui ont du cœur, des principes, qui élèvent leurs enfants dans la foi catholique, à qui tu donnerais le bon Dieu sans confession. As-tu une explication à ça, toi ? Ça me dégoûte, Philippe, ça me dégoûte.

– Peux-tu encore faire quelque chose pour ces gens-là ?

– Tu penses bien que, dès qu'ils ont compris que j'avais des doutes et que je désapprouvais, les autorités m'ont retiré l'affaire, même si mon rôle se limitait à faire des recommandations ! Cette année, ils ont envoyé quelqu'un d'autre sur les lieux pour clore le dossier.

Les deux hommes redescendent de la montagne en silence et se retrouvent bientôt à marcher lentement dans la cour du collège.

– Pour être franc, Philippe, je crois que j'aimerais mieux ne pas savoir comment ça va tourner.

– Ce n'est pas en jouant à l'autruche que tu vas aider ces pauvres gens.

– Je sais. D'autant plus que je me sens directement concerné. L'an dernier, ils avaient délégué Mlle Éva Bouchard, celle qui aurait servi de modèle à Louis Hémon, et qui est propriétaire de la maison où il a vécu lors de son passage au Lac-Saint-Jean… Eh bien ! Mlle Bouchard a réussi à me convaincre que les dommages étaient bel et bien occasionnés par le barrage. Évidemment, je me suis bien gardé de lui dire que je penchais de son côté : il me fallait quand même trouver des preuves. Je lui avais promis que je prendrais d'autres informations, que j'étudierais le dossier plus à fond. Mais quand j'ai commencé à fouiller le dossier et à émettre des doutes, on m'a tout de suite retiré l'affaire.

Il s'arrête de nouveau, fait face à l'abbé Chénard.

– Comment penses-tu que je me sens, maintenant ? Ou bien je trahis ces pauvres gens, ou bien je m'attaque à la main qui me nourrit et à une compagnie incroyablement fortunée contre laquelle même le gouvernement n'a aucun pouvoir. Qu'est-ce que tu crois que je peux faire contre eux ? Je ne sais même plus qui est avec qui dans cette histoire. Si jamais je m'avisais d'ouvrir la bouche, ils arriveraient de tous côtés pour me bâillonner et, crois-moi, le résultat serait le même pour les gens de là-bas. Je n'ai été qu'un simple instrument, je n'ai absolument aucun poids dans cette affaire.

– Que comptes-tu faire alors ?

– Je ne sais pas encore. Tout ça est encore trop récent. Je suis encore sous le choc. C'est trop tôt, je dois réfléchir.

*

– La consigne était pourtant claire : j'avais demandé au maître de poste d'acheminer tout mon courrier directement à Beauceville durant mon absence. D'après ce que je vois, Samuel s'est encore mêlé de ce qui ne le regarde pas, s'indigne Éva.

– Qu'est-ce qu'il a donné comme explication au téléphone ? demande Léonie à Gustave.

– D'après lui, étant donné que la plupart des lettres destinées à Éva sont adressées à « Maria Chapdelaine », le bureau de poste aurait mélangé le courrier de Maria Chapdelaine et celui de l'Hôtel Chapdelaine.

– Toi, Éva, lui as-tu parlé ?

– Non. J'étais bien trop fâchée. Parce que, vois-tu, je ne serais pas surprise que Samuel ait inventé quelque chose pour se faire remettre mes lettres.

– Comme quoi ? questionne naïvement sa belle-sœur.

– Il est bien capable d'avoir dit que je lui avais demandé de me les faire parvenir lui-même.

– Éva, c'est déjà assez pénible comme ça entre Samuel et toi, intervient Léonie, essaie de pas imaginer des affaires en plus, c'est peut-être même pas ça pantoute !

Éva soupire pendant que Gustave fait les cent pas dans la salle de séjour désertée par les clients à cette heure.

– Tu as raison, Léo. Il faut que je me calme. Mais quand j'ai vu le paquet en provenance de l'Hôtel Chapdelaine, le sang m'a fait trois tours.

– Remarque que je te comprends...

– Je vais écrire au bureau de poste de Péribonka et leur demander des explications.

– Ils peuvent pas s'être trompés pour tout ton courrier. Une ou deux lettres, je dis pas... mais toutes !... réfléchit Gustave en grattant son crâne lisse.

– Si j'apprends que c'est lui qui a demandé à se faire remettre mon courrier, je vais écrire à Me Léon-Mercier Gouin. En tant qu'avocat, il pourra sûrement être de bon conseil.

– Fais attention, Éva, frémit Léonie. Samuel est quand même ton beau-frère !

– Rassure-toi, Léo, j'ai seulement parlé de demander conseil, répond Éva un peu sèchement.

Léonie hausse un sourcil perplexe, mais n'ajoute rien. Quand un Bouchard a décidé quelque chose...

– Ma petite sœur sait soigner ses relations, s'amuse pour sa part Gustave.

– Je ne « soigne » pas mes relations, j'utilise celles que j'ai, c'est tout. Me Gouin m'a toujours respectée et appuyée dans mes démarches. Il a continué à me soutenir malgré le revirement et les nombreuses contradictions de Damase Potvin, et malgré l'acharnement de Jean-Charles Harvey et de plusieurs autres à me dénigrer.

– Bon, bon, fait Gustave, moqueur. Puis à part les lettres de tes admirateurs, as-tu reçu quelque chose d'important ?

– Celle-ci est de M. Georges Bouchard, répond Éva, l'air un peu las, en lui tendant une lettre.

– Qu'est-ce que c'est ? s'inquiète Léonie.

Gustave, l'air soucieux, s'assoit avant de commencer la lecture à haute voix :

Sainte-Anne-de-la-Pocatière, 9 novembre 1927

Mademoiselle,

Après une mission pénible et même périlleuse au Lac-Saint-Jean l'an dernier, j'en ai accepté une autre non moins pénible chez nous, c'est-à-dire l'expérience du patronage après le décès de M. Nérée Morin, que j'avais fait élire malade au printemps. Voilà la raison, sinon l'excuse de mon silence.

Mademoiselle, je peux vous dire en toute sincérité que si j'avais été appelé à continuer de m'occuper des dommages au Lac-Saint-Jean, j'y aurais mis la même sincérité, le même intérêt pour les cultivateurs au service desquels j'ai mis toute mon activité. L'expérience culturale de cette année m'aurait sans doute servi à agir avec encore plus de sûreté. Voilà pourquoi je vous disais l'an dernier que d'après le meilleur de ma conscience, je n'étais pas en mesure de conclure que les dommages aux récoltes étaient occasionnés par le barrage, et que la porte restait ouverte pour d'autres investigations. Si des dommages ont pu être constatés cette année, par le fait même ceux de l'an dernier devraient être admis. C'est toute l'explication que je puis vous donner dans le plus intime de ma conscience agronomique.

Votre bien sincère,
Georges Bouchard
Sainte-Anne-de-la-Pocatière[23]

Gustave remet la lettre à Éva.

– Tu avais pourtant l'air d'avoir confiance en cet homme !

– Et je veux encore croire qu'il était sincère. Mais je pense qu'il n'avait aucun pouvoir de décision. Ça, il me l'avait clairement fait comprendre : il pouvait tout au plus faire des recommandations.

Elle soupire et se masse le front avant de continuer :

– Tu sais, Gustave, j'ai fini par comprendre une ou deux choses : tant que les députés, les ministres, les premiers ministres, tous les décideurs cravatés dans leurs beaux bureaux bien éclairés, tant que tous ces beaux messieurs ne verront que de loin la misère des gens ordinaires, tant qu'ils ne seront pas personnellement soumis aux mêmes conditions de vie que le petit peuple, qu'ils ne seront pas lésés dans leurs droits comme les cultivateurs de la Pointe-Taillon l'ont été, tant qu'ils ne connaîtront pas la misère des ouvriers des villes qui travaillent toute leur vie pour des salaires de famine, que leurs enfants seront à l'abri, qu'ils pourront manger à leur faim et fréquenter les meilleures universités, tant qu'ils seront maintenus dans une classe à part et qu'ils seront assurés, en cas de besoin, de recevoir les meilleurs traitements, d'être soignés par les plus grands spécialistes dans les meilleurs hôpitaux, ils continueront de se raconter des histoires et de se faire croire qu'ils font des miracles rien qu'en rédigeant des lois. Mais ces lois-là, la plupart du temps, n'ont rien à voir avec les besoins réels des gens.

Éva s'arrête pour reprendre son souffle, la colère gravée sur son visage tendu. Gustave la regarde, étonné. Il ne la savait pas aussi cruellement consciente de la réalité politique.

– Et pendant ce temps-là, poursuit-elle en mordant bien dans chaque mot, on ne peut compter que sur nous-mêmes et il faut recommencer une nouvelle bataille à chaque coup du destin. Parce qu'en réalité on ne vaut pas plus que des fourmis pour tous ces administrateurs enfermés dans leur tour d'ivoire.

Elle regarde à tour de rôle son frère et sa belle-sœur de ses grands yeux las et conclut d'un ton résigné :

– De temps en temps, il y en a un qui daigne baisser les yeux vers nous. Mais la plupart du temps, ils continuent d'être beaucoup trop occupés à inventer des visions utopiques du monde pour s'attaquer à le refaire vraiment.

Gustave demeure immobile, le regard fixe. Léonie l'observe en silence. De temps à autre, on entend des bruits de verre ou des voix d'hommes provenant du bar où Roméo entretient la conversation avec des clients.

– Pour ça, il faudrait qu'ils descendent eux-mêmes sur le terrain, au lieu de déléguer des pantins à qui ils laissent aucun pouvoir de décision, affirme Gustave. Mais ils ont bien trop peur de se salir les pieds et les mains !

Éva ferme les yeux et se masse vigoureusement la nuque.

– Prendriez-vous du thé ? demande Léonie.

– De l'eau chaude seulement pour moi, merci, répond Éva avec un sourire reconnaissant.

– Eh bien, moi, je vais me chercher un coup de whisky de l'autre côté, déclare Gustave en se levant.

– Quand il va revenir, moi, je vais me coucher, dit Léonie.

– Demain, je vais t'aider à la cuisine pour que tu puisses te reposer un peu. Je trouve que tu travailles trop.

Léonie soupire.

– On s'habitue. Maintenant que j'ai retrouvé la santé, je me plains pas.

La conversation des deux femmes s'étire, lente et paisible, jusqu'au retour de Gustave qui a manifestement déjà vidé un premier verre. Léonie leur souhaite une bonne nuit.

– Est-ce que je t'ai parlé de mon projet ?

– Lequel ? demande Éva, un sourire au coin des lèvres. Tu en as toujours eu tellement, se moque-t-elle, en pointant du menton l'orgue qui trône, altier, à l'extrémité de la salle de séjour, ses imposants tuyaux alliant le plomb et l'étain traversant effrontément le plafond.

Gustave se lève, fait quelques pas en direction de l'orgue et annonce en se retournant :

– Je suis en voie d'acheter un deuxième hôtel.

– Quoi ? s'exclame Éva, totalement décontenancée. Mais... tu es fou !

– Moins que tu penses, ma petite sœur, lance-t-il d'un ton ferme, en bombant le torse. C'est une valeur sûre, cette bâtisse-là. Située juste en haut de la côte, à part ça. Avec l'Unité sanitaire, on a tellement d'ouvrage icitte que, des bouttes, on est obligés d'envoyer des clients chez nos compétiteurs.

– Oui, mais... mais pourquoi prendrais-tu des risques alors que tout va bien comme ça ?

– Tu viens de le dire tout à l'heure : on peut compter rien que sur nous-mêmes, lui rappelle-t-il en regagnant son siège.

– Ce n'est pas une raison pour être téméraire.

– Téméraire ?... Tiens, tiens ! Et tu penses pas qu'il a fallu que je sois un peu téméraire pour acheter l'Hôtel Beauceville ?

– C'est vrai, Gustave. Mais à ce moment-là, tu n'avais rien à perdre. Il faut savoir prendre des risques quand c'est nécessaire et se contenter de ce qu'on a quand ça va bien. Et vous avez déjà tout ce qu'il vous faut, ta famille et toi, il me semble.

– C'est pas comme ça qu'on atteint la prospérité.

– Ah bon ! Parce que tu veux devenir prospère ? s'indigne Éva. Et qu'est-ce que c'est pour toi, la prospérité ? Devenir tout-puissant pour pouvoir regarder les autres de haut ? Avoir le plaisir, en t'éveillant le matin, de te dire que tu es tellement riche que tu pourrais acheter ton voisin ? À moins que tu souhaites ressembler à tous ces présidents de grosses compagnies qui dictent leur conduite aux élus, comme on l'a vu à la Pointe-Taillon ?

– Là, tu vas trop loin, Éva Bouchard. C'est pas dans ma nature d'être de même, et tu le sais très bien. Puis il faudrait pas que tu oublies que les grosses compagnies dont tu parles, même si elles font des gaffes des fois, fournissent aussi du travail à des centaines, à des milliers de personnes dans certains cas, riposte Gustave sèchement.

Éva encaisse la réplique sans broncher.

– Le risque, en grossissant, se hasarde-t-elle à affirmer après un moment, c'est de perdre de vue ce qui se passe en bas. Qu'est-ce qui garantit que ça ne t'arrivera pas, à toi ? Je suis certaine que la plupart de ceux qui exploitent les autres aujourd'hui étaient bien intentionnés quand ils ont fait leur première acquisition, et probablement leur deuxième aussi. Mais l'argent, Gustave, ça change le monde, vois-tu ! Ça change les valeurs de place, que tu le veuilles ou non.

J'ai peur que tu essaies d'en avoir toujours de plus en plus, j'ai peur que tu changes !

Elle reprend péniblement son souffle pendant qu'il la regarde, ahuri.

– Et penses-tu vraiment, reprend-elle avant qu'il ait eu la chance de retrouver ses esprits, penses-tu vraiment que tu serais plus heureux, que vous seriez plus heureux ?

Gustave se lève, pose fermement son verre sur la table et fait face à sa sœur.

– Mon premier but, en achetant cet hôtel-là, c'est de remplacer ma femme à la cuisine pour qu'elle se repose enfin. On a tout ce qu'il nous faut, c'est vrai, mais, avec les profits du deuxième hôtel, je pourrais avoir plus d'employés et libérer Léo. Je voudrais qu'elle puisse se gâter un peu, elle aussi. À part les années où elle a été malade, elle a tout le temps travaillé pour deux. Penses-tu que je le sais pas ? Et les filles, pour le moment, me coûtent pas cher en salaire, mais elles seront pas toujours là. Il faut que je prévoie pour plus tard.

Éva baisse les yeux.

– Excuse-moi, Gustave. J'avais pas vu ça comme ça. J'ai juste eu peur. je voudrais tellement pas que tu changes ! Excuse-moi.

Gustave, l'air renfrogné, saisit son verre qu'il vide d'un trait avant de s'éloigner de quelques pas.

– Tu as raison, je suis d'accord avec toi : Léo devrait travailler moins, renchérit Éva, encore mal à l'aise.

Gustave se détend un peu.

– Et puis, j'enverrais Roméo travailler comme gérant au nouvel hôtel. Il se sentirait plus impliqué et ça le motiverait. Pendant ce temps-là, moi, je continuerais de m'occuper de l'Hôtel Beauceville.

Il la regarde, elle lui adresse un sourire timide.

– Comme tu vois, je resterais sur le plancher. Comme ça, t'aurais pas à t'inquiéter, ajoute-t-il, un reste d'amertume dans la voix.

Elle rougit.

– Gustave, je t'en prie, je suis allée trop loin, je le reconnais. Est-ce qu'on pourrait passer à autre chose ?

– J'ai déjà une cuisinière en vue, reprend-il en s'efforçant de retrouver un ton neutre : Pierre-Anne Grégoire, une jeune fille pleine d'allure. J'aimerais ça que Léo la forme le plus tôt possible pour qu'elle puisse se reposer l'été prochain. Puis il y a Yvonne Simoneau, la couturière qui a commencé il y a déjà une couple de mois. Une vraie perle ! J'espère seulement qu'on va la garder, parce que, vois-tu, ça me surprendrait pas qu'avant longtemps, ça fasse des noces avec Dominique Thibodeau, le garçon de Mme Veilleux.

Éva, qui essaie de comprendre, fronce les sourcils.

– Mme Veilleux m'avait parlé de son fils Dominique, mais je pensais que son nom était Veilleux. Elle avait donc déjà été mariée une première fois ?

– Non. Elle a eu Dominique avant de se marier. Elle lui a donné son nom de fille.

Éva sursaute.

– Oh ! échappe-t-elle.

– Éva Bouchard, arrive dans le monde ! Tu vas pas commencer à te faire des scrupules parce que Mme Veilleux a eu un enfant quand elle était fille ! À part ça, vous vous êtes toujours bien entendues. Viens surtout pas me dire que le fait de savoir ça va changer quelque chose, astheure !

– Euh... Bien sûr que non ! C'est juste la surprise. Je le sais bien que Mme Veilleux est une bonne personne. Elle a dû avoir ce qu'on appelle un « accident », c'est tout.

– Accident ou pas accident, c'est pas de nos affaires, joualvert !

– Tu as raison. J'ai encore des réflexes de « vieille fille » des fois...

Gustave hausse les épaules avant de poursuivre :

– La petite Simoneau va prendre en charge tous les travaux de couture pour la famille. Elle va faire des uniformes pour les filles qui servent aux tables ou qui font le ménage. Ça va faire plus professionnel, ça va être bon pour la business.

Éva approuve de la tête.

– Parlant de business, enchaîne Gustave, sais-tu quelle proposition on m'a faite ?

– Quoi donc ?

– Il y a un Indien, un dénommé Vincent, qui passe par icitte une couple de fois par année depuis qu'on est arrivés. Il m'a donné une idée : au printemps, je vais me construire un zoo miniature.

– Un zoo ?

– Oui madame. Un vrai zoo, avec un chevreuil, un paon, un héron, un hibou pour me débarrasser de la vermine, puis un ours. Probablement d'autres animaux aussi.

– Un ours ? Mais c'est dangereux !

– Pas si je l'adopte tout jeune et que je le dompte moi-même.

– Mon Dieu !... Mais tu les mettrais où, tous ces animaux-là ?

– Ils vont vivre dans des grandes cages que je vais disperser un peu partout sur le terrain. Il paraît qu'il y a un Américain du New Jersey qui fait ça, et que ça attire du monde sans bon sens. Ça a l'air que le monde vient même de New York et de la Pennsylvanie pour voir son zoo. Icitte, ça va sûrement m'amener du monde du Maine, du New Hampshire, du Vermont, peut-être bien même de Boston, en plus des visiteurs du Québec et des Maritimes.

Mais l'hiver, qu'est-ce que tu en ferais ?

– À part l'ours, ils vont rester dans le hangar. C'est juste assez chaud, puis il est à peu près vide, il sert juste de poulailler durant l'été. J'ai tout prévu. Chaque animal va avoir son coin, crains pas. Puis s'il y en a qui risquent de mal supporter l'hiver, je vais les redonner à Vincent.

– Il va les tuer ?

– Ça, c'est lui qui va décider. Il connaît les animaux mieux que personne.

Éva secoue la tête pour s'assurer qu'elle ne rêve pas.

– Tu en parles comme si c'était déjà fait. La patinoire l'hiver, l'équipe de balle l'été, quand il est question d'attirer la clientèle, il n'y a vraiment rien qui t'arrête, toi ! remarque-t-elle.

Gustave rit de bon cœur et revient enfin s'asseoir près de sa sœur.

– C'est de famille, les grandes ambitions, il faut croire, répond-il d'un ton ironique.

– Qu'est-ce que tu veux dire ?

– Léo m'a raconté... à propos de... Paraîtrait que tu veux écrire tes mémoires ?

– Ah ! ça ? répond Éva d'un air faussement désinvolte, en espérant qu'il ne percevra pas la rougeur de son front.

– Oui, ça. Il y a un éditeur qui t'a approchée ?

– Non, je n'en suis pas encore là. Une amie, Mlle Pineault, m'a fait cette suggestion-là dernièrement et j'ai commencé à jeter quelques idées sur papier. Mais pour le moment, c'est juste un projet.

– Un projet… j'espère bien que ça restera pas à l'état de projet ! C'est une joualvert de bonne idée, je me demande pourquoi j'ai pas pensé à ça moi-même ! Mais il est pas question que tu laisses passer ça, compris ? As-tu pensé ?… Les touristes viennent déjà de partout pour rencontrer Maria Chapdelaine, t'as du succès même sans faire de publicité. Je suis certain que ça se vendrait comme des petits pains chauds.

– Laisse-moi faire avec ça, veux-tu ? Je ne suis pas encore certaine d'avoir envie de m'embarquer dans ça. C'est une grosse affaire, tu sais. Et puis, j'ai déjà assez de problèmes comme ça à défendre la terre familiale…

Gustave ouvre la bouche pour parler.

– Laisse-moi faire, s'il te plaît, redit-elle avant même qu'il ait eu le temps d'émettre un son.

– Bon, comme tu veux. Mais penses-y bien. Donne-toi au moins la chance d'essayer.

– Je verrai. Maintenant, je vais dormir. J'ai promis à Léo de l'aider demain.

– Tu m'as pas demandé comment j'appellerais mon nouvel hôtel si jamais ça se concrétisait ?

Elle le regarde de biais en se levant.

– Tu ne peux toujours bien pas l'appeler l'Hôtel Chapdelaine, c'est déjà le nom de celui de Samuel.

– Non. Ce serait le Manoir Chapdelaine.

Le visage d'Éva demeure impassible pendant les quelques secondes où elle regarde son frère. Puis elle hausse les épaules et sort de la pièce.

– Bonne nuit, murmure-t-elle simplement.

1928

– Ma tante, vous devriez venir voir notre patinoire. Papa l'a encore agrandie cette année, annonce Simonne, en entrant dans la salle de lavage où Éva est occupée à repasser des draps.

– C'est de là que tu arrives, je pense, si je me fie à tes belles joues rouges.

Simonne rit de sa voix cristalline en portant les mains à ses joues.

– Tu me rappelles une amie, dit Éva, l'œil attendri.

– Ah ! oui ?... Qui donc ?

– Quelqu'un du temps où j'étais au couvent.

Elle dépose le drap plié sur la table. Simonne enlève un chandail de laine et s'empare du fer que sa tante a mis à chauffer sur le poêle.

– C'est ta journée de congé, ma fille. Tu devrais en profiter. Laisse-moi continuer le repassage.

– Reposez-vous, ma tante. De toute façon, papa aime pas que vous travailliez quand vous êtes ici. Il trouve que vous en faites assez comme ça à Péribonka.

– Ton père me gâte trop, c'est ça la vérité. C'est d'ailleurs une des raisons pour lesquelles j'aime tant passer mes hivers chez vous, tu t'en doutes.

– Bon, bien, profitez-en. À part ça, il reste rien que les taies d'oreillers. Assoyez-vous et parlez-moi donc du souvenir que vous venez d'avoir de quand vous étiez chez les sœurs.

– J'avais une amie qui s'appelait Yvonne. C'est d'ailleurs la seule amie que je me suis faite au couvent. C'était Noël et nous étions allées patiner. Il faisait un temps superbe, comme aujourd'hui, rêve Éva, les yeux tournés vers la fenêtre.

Simonne retient son souffle pour ne pas briser l'enchantement.

– Quand tu t'es mise à rire en mettant tes mains sur tes joues rougies par le froid, tu m'as fait penser à elle, conclut Éva en souriant.

Elle décroche lentement les serviettes suspendues à une des cordes qui traversent la pièce, pendant que Simonne continue de repasser soigneusement.

– Bon, et si on faisait une petite pause, toi et moi. Où est ton père ?

– Il est dans le hangar en train de préparer des cages pour ses animaux.

– Déjà ? Il ne les aura pas avant le printemps et on est seulement en janvier !

– Mais vous connaissez papa, quand il a un projet dans la tête, il pense rien qu'à ça.

– Ah là, je suis tout à fait d'accord.

– Allez donc le voir, ma tante, si ça vous le dit. Moi, j'arrive de dehors. Je vais continuer à repasser un peu, ça va me changer.

– Tu es vraiment une fille dépareillée, ma Simonne. Je vais juste sortir un peu prendre l'air. Je reviens te remplacer dans à peu près une demi-heure.

– Prenez votre temps.

*

– Moi qui croyais que tu te faisais geler tout rond ! Il fait chaud ici dedans.

Une épaisse buée enveloppe Éva au moment où elle pénètre dans le hangar. Elle s'empresse de refermer la porte.

– Je te l'avais dit que j'étais bien organisé. Il y a une boîte de bois derrière toi. Tire-la et assieds-toi dessus.

– Qu'est-ce que c'est que ça ? demande Éva en pointant une énorme caisse grillagée qui occupe tout un coin du hangar.

– Ça, c'est la cage pour mon ours. Il y a un gars qui me l'a dénichée pas trop loin des lignes. Je l'ai fait venir tout de suite avant que quelqu'un d'autre mette la main dessus.

– On dirait qu'elle est faite toute de travers…

– C'est parce qu'il y a une dépression d'un côté. Cette partie-là va être dans la terre et fermée par une trappe. L'automne, l'ours va pouvoir ouvrir la trappe et s'installer là pour hiberner quand il va être prêt.

Et Gustave continue de trier tranquillement quelques planches qui gisent à ses pieds. Il les amène une à une jusqu'à un grand établi sur lequel il les dispose par ordre selon leur longueur et leur état.

« Quelle folie ! » pense Éva. Mais il ne sert à rien de discuter avec son frère. Elle le connaît trop bien pour savoir qu'à ce point-ci personne ne le fera changer d'idée.

– Et ces planches-là, ça servira à quoi ?

– À faire une cage pour mon raton laveur.

– Et les autres animaux, tu vas les garder comment ?

– Pour le héron, ça va être facile. Il y a une dénivellation naturelle au fond du terrain, là où est le ruisseau qui mène à la rivière. C'est déjà plein de roseaux. Je vais faire une digue pour créer un marais artificiel, puis je vais m'arranger pour le fournir en poissons et en grenouilles. En autant que je le prenne tout jeune, il va s'habituer à nous autres et se sentir chez lui.

– Et le chevreuil ?

– Lui, il a besoin d'espace. Il va être en liberté à l'intérieur du zoo. Il va avoir la moitié du terrain pour courir. Les gens vont pouvoir le voir de près, le toucher même, s'il veut bien les laisser l'approcher. On va donner des pommes à quelques visiteurs à l'entrée, ils vont pouvoir l'attirer avec ça. Les chevreuils, ça ferait n'importe quoi pour des pommes.

– Mais... l'ours ? s'inquiète Éva.

– Il va être dans sa cage, on va le sortir rien que pour les spectacles.

– Les spectacles ? répète-t-elle, le regard rempli d'horreur.

– Ouais, répond distraitement Gustave en plaçant une planche devant son œil pour en évaluer la courbe. Je suis allé aux États pour voir comment ça se passe, justement. Mais là, je trouve que tu t'énerves pour rien, dit-il en rejetant la planche gauchie et en plantant son regard dans celui, anxieux, de sa sœur. Tu devrais pourtant me connaître assez pour savoir que j'ai pris des renseignements avant de m'embarquer dans cette affaire-là. Moi aussi, j'ai des enfants, joualvert ! Je fais pas ça pour mettre la vie du monde en danger, je fais ça pour les amuser. Fais-moi donc un peu confiance, bout d'baptême !

Éva baisse les yeux, navrée.

– À part ça, je vais l'avoir bébé, mon ours, puis ça va être une femelle, poursuit-il d'une voix qui se veut rassurante. L'Indien qui va me l'apporter dit qu'un bébé ours, c'est comme un enfant. Il va même nous aider à lui apprendre des tours. Celui que je suis allé voir aux États, il avait trois ans. Le propriétaire dit que c'est sa dernière année. Passé trois ans, il les fait tuer, puis il les remplace. Je vais faire la même chose.

– Et tu penses que ça va attirer des touristes ? demande Éva, à demi convaincue.

– Bien sûr ! On va avoir le seul zoo de la région, as-tu pensé ? annonce fièrement Gustave en se redressant.

Miniature, mais ça fait rien ! Quand tu as vu un chevreuil, un hibou ou un chat sauvage, tu les as tous vus. Ça sert à rien d'en garder dix !

Éva soupire. Son frère la surprendra toujours. Elle continue de regarder distraitement autour d'elle.

– Où est Léo ? demande-t-il.

– Elle se repose. Simonne m'a offert de me remplacer pour un bout de temps au repassage. Il va falloir que j'y retourne bientôt. Mais je voulais te dire quelque chose.

– Quoi donc ?

– J'ai reçu des nouvelles au sujet de mon courrier à Péribonka. Une lettre de Me Léon-Mercier Gouin : il a envoyé une mise en demeure à Samuel à la suite des démarches que j'avais faites pour que mon courrier soit pas livré chez lui[24].

– Bon, il est pas trop tôt. Samuel est un ben bon gars, mais, avec l'histoire du courrier, il est allé trop loin. Il était temps qu'on le mette au pas !

Éva ne répond pas. Gustave la regarde et devine ses pensées :

– Je suis certain que Laura va comprendre.

Éva baisse la tête.

– En tout cas, je la connais assez pour savoir qu'elle doit pas être d'accord avec son mari, ajoute-t-il d'un ton rassurant.

– Je veux bien croire, mais je ne peux pas m'empêcher d'être mal à l'aise. Avec cette mise en demeure, j'ai un peu l'impression d'avoir joué dans le dos de ma sœur.

Gustave laisse tomber la planche qu'il s'apprêtait à soulever et se redresse :

– Non, Éva. Quand tu as donné ton accord à Me Gouin, tu as eu raison. C'est inacceptable, ce que Samuel a fait. Il fallait qu'il sache qu'il peut pas te manipuler n'importe comment et qu'il doit te respecter. Toi, t'as rien fait de mal, oublie pas ça. C'est Samuel qui devrait avoir honte, pas toi. Et pas Laura, parce que je sais autant que toi qu'elle est pas responsable de ce qui est arrivé.

Il réfléchit un instant, pendant qu'Éva continue de fixer le sol devant elle.

– Elle va probablement être mal à l'aise un bout de temps, parce que Samuel est son mari, mais au fond d'elle-même, par exemple, je suis certain qu'elle doit t'approuver.

Éva lève enfin la tête :

– Je ne suis pas convaincue, Gustave. Samuel et moi avons eu plus que notre part de frictions. Ça a toujours énormément dérangé Laura. Elle m'avait demandé de laisser Samuel tranquille. Et je m'étais promis de ne plus faire de peine à ma sœur.

– C'est pas une raison pour le laisser faire n'importe quoi, joualvert ! Après toutte, bout d'baptême, c'est toujours ben rien qu'une mise en demeure ! Vous êtes pas encore rendus en cour !

Éva soupire.

– Puis inquiète-toi pas, ça ira pas plus loin. Parce qu'il a pas intérêt à ce que ça se sache, le beau-frère, enchaîne-t-il, ironique.

Éva se lève, silencieuse, et s'approche de la porte en soulevant le col de son manteau.

– À part ça, qu'est-ce qui te dit que Laura est au courant, hein ?... continue Gustave. Il s'est probablement pas vanté de ce qu'il a fait !

– Je n'avais pas pensé à ça, répond-elle en s'immobilisant un instant, songeuse.

– Bon ! ben, arrête de t'en faire, astheure. T'as rien à te reprocher de toute façon.

Gustave se penche pour ramasser une nouvelle planche.

– Je vais finir mon repassage, ajoute-t-elle simplement avant de refermer la porte.

*

Éva s'avance timidement sur la scène, sous les applaudissements fébriles des normaliennes et des sœurs de Jésus-Marie. Son cœur martèle si fortement sa poitrine qu'elle a peine à croire qu'elle puisse être la seule à l'entendre. Elle se répète ce que Gustave lui a recommandé de se rappeler au moment où le trac l'envahirait : que ce sont de toutes jeunes filles et que l'auditoire est gagné d'avance. De cela, elle ne doute pas un instant, après la publicité que lui a faite son rusé de frère, qui a organisé cette conférence avant même de lui en parler. Placée devant les faits, elle n'a eu d'autre choix que d'accepter l'invitation des religieuses : on l'attendait le vendredi suivant dans la grande salle de la nouvelle École normale de Beauceville.

– Tu aurais pu te passer de mentionner que j'avais déjà été au couvent, avait-elle reproché à son frère.

– Quand on veut vendre sa salade, toute vérité est bonne à dire, avait répliqué ce dernier, en se moquant des scrupules de sa sœur.

– Je ne t'ai pas demandé de vendre quoi que ce soit, avait-elle riposté.

– Fais-moi donc confiance ! De toute façon, il faudra bien que tu casses la glace un jour, lui avait-il objecté.

De la glace... c'est ce qu'elle sent le long de son échine en repérant dans l'assistance quelques parents d'élèves et, en première rangée, M. le curé, M. le maire et sa dame.

« Tu vas te faire parler, Gustave Bouchard », songe-t-elle pour se donner du courage et de l'allant. Et elle se retrouve, les jambes flageolantes, face au public muet, attentif, venu pour elle seule, tendu vers elle seule. Elle se sent pâlir, ses lèvres se mettent à trembler. Et si elle allait s'évanouir ?...

Elle distingue Gustave, Léonie, les jumelles et Simonne à travers l'écran de brume qui la sépare de la salle. Ses yeux se fixent comme à un aimant au crâne presque chauve de son frère, qui semble attirer à lui seul toutes les lumières. Elle s'en amuse une fraction de seconde, le temps d'un demi-sourire qui la détend juste assez pour la décider à foncer. Avant que ne lui revienne ce début de nausée qu'elle a ressenti par vagues depuis son entrée dans la salle.

– Monsieur le curé, mes sœurs, monsieur le maire, madame, mesdames et messieurs, chères normaliennes...

« Pourvu que je n'aie oublié personne ! » se dit-elle, tremblante, puis elle continue :

– Je dois d'abord vous remercier de l'accueil chaleureux que vous m'avez réservé. J'espère seulement être à la hauteur ; au fond, j'ai si peu de choses à dire ! Et je n'ai pas l'habitude des conférences, je dois l'avouer...

Elle se retient d'ajouter que c'est son frère qui l'a mise dans ce pétrin-là.

– J'ai connu M. Hémon du temps où il habitait chez ma sœur Laura et mon beau-frère M. Samuel Bédard en 1912, dans la maison voisine de la ferme familiale où je vivais alors avec mon père, mon frère Nil et ma jeune sœur Aline. M. Hémon est arrivé en juillet et est reparti en décembre, juste après Noël. Je m'en souviens précisément pour une raison toute simple : mon beau-frère, aidé de M. Hémon et d'autres hommes, venait de faire boucherie. Mon beau-frère avait suggéré à M. Hémon de remplacer sa vieille blague à tabac par une nouvelle qu'il pourrait se fabriquer lui-même à partir d'une vessie de porc. M. Hémon avait semblé trouver l'idée amusante et s'était donc soufflé une vessie de porc que j'avais été chargée d'ourler. Malheureusement, à cause de toute la cuisine à faire pour le réveillon, de la pratique des chants de Noël, et parce que je tenais comme chaque année à réciter mes mille *Ave* dans la journée du 24 décembre, je n'ai pas pu terminer la blague à tabac de M. Hémon avant Noël. Je devais la compléter dans les jours suivants, mais il a décidé de partir plus tôt que prévu quand il a su que mon frère Nil devait se rendre à Saint-Gédéon. C'était le 28 décembre et nous ne l'avons plus revu.

Éva fait une pause. La gorge sèche. Elle avale difficilement, humecte discrètement ses lèvres. Bon ! Où en est-elle ?... Ah oui ! la vessie de porc. Gustave, dont la tête dépasse toutes les autres, bouge un peu.

– C'est mon frère ici présent, M. Gustave Bouchard, qui a finalement hérité de cette vessie de porc que j'ai transformée, une couple d'années plus tard, en un double étui destiné à protéger son monocle et sa montre, commente-t-elle, heureuse de l'effet produit par sa déclaration.

Toutes les têtes se tournent évidemment vers Gustave qui, pris au dépourvu, sourit gauchement. « Enfin, un petit répit pour moi », songe Éva, à qui cette pensée insuffle un regain d'énergie.

– Mais le séjour de M. Hémon à Péribonka a été entrecoupé de quelques périodes d'absence. À l'automne, il est allé travailler sur un chantier, comme assistant des arpenteurs et des ingénieurs qui étaient chargés de trouver le meilleur passage pour prolonger le chemin de fer jusqu'à Saint-Félicien. En dehors de ça, il a travaillé pour mon beau-frère à la construction d'une grange et il a effectué divers travaux sur la ferme.

Éva se racle la gorge et s'humecte une fois de plus les lèvres. Gustave, qui ne perd de vue aucun de ses gestes, devine son inconfort. Il tourne son regard vers l'arrière de la salle, se lève et se dirige tout droit vers une religieuse assise au dernier rang. Éva, du haut de sa tribune, rougit imperceptiblement de l'audace de son frère. Souhaitant retenir l'attention sur elle-même, elle continue :

– M. Hémon écrivait presque chaque jour. Quand il faisait beau, il s'assoyait sous un bouleau près de la rivière. Plusieurs personnes l'ont vu écrire à cet endroit. Comme de raison, il s'est vite aperçu que, chez nous, les moustiques sont plutôt voraces, commente-t-elle en souriant. Il avait donc pris l'habitude de nouer un foulard autour de sa tête et chassait les insectes en agitant une branche autour de lui. S'il pleuvait ou s'il faisait froid, par contre, il s'installait sur le coin de la table de la cuisine. Il faut dire que la maison de ma sœur n'était pas très grande et que, le jour, tout le monde vivait plus ou moins dans la même pièce. Ma sœur et mon beau-frère ont toujours cru qu'il faisait sa correspondance, car il recevait souvent des lettres, des journaux, des revues et même des colis de France. Mais rien ne laissait deviner qu'il puisse prendre des notes en vue d'écrire un livre. Même quand il sortait un crayon et un petit calepin de sa poche pour y noter quelques mots. Les gens le trouvaient un peu étrange, mais personne ne se doutait de rien.

Remue-ménage au fond de la salle, où Gustave et un autre homme s'amènent en portant une petite table recouverte d'une longue nappe blanche, qu'ils placent devant Éva. La religieuse qui les accompagne s'excuse de cette interruption, ajuste la nappe et y dépose en souriant une carafe et un verre, pendant que Gustave cherche une chaise pour installer sa sœur derrière la table. La mère supérieure, assise au premier rang, se lève et s'avance à son tour. Tout en versant de l'eau dans le verre, elle s'excuse à son tour de cet « oubli disgracieux » et prie Éva de leur pardonner leur négligence. D'un sourire rassurant, Éva la remercie et avale une longue gorgée avant de poursuivre :

– Je pourrais continuer en vous racontant ce que je sais sur M. Hémon à mesure que ça me vient à l'esprit, tout ce que m'en a dit ma sœur, mais je risquerais de vous ennuyer. C'est pourquoi je vous invite, si vous avez des questions, à me les poser. J'y répondrai de mon mieux.

– M. Hémon était-il un bon catholique ? risque la mère supérieure après quelques secondes d'hésitation.

Éva prend une autre gorgée d'eau pour se donner une contenance. Que répondre à cette question devant de jeunes normaliennes entourées de religieuses et du curé de la paroisse ? Qu'elle ne l'a jamais vu communier ? Qu'il allait à la messe davantage pour observer les gens depuis l'arrière de l'église que pour participer à la célébration ? C'est pourtant l'impression qu'elle a eue, chaque dimanche matin où elle l'a aperçu. Mais on ne peut pas dire ces choses-là. Pas en cet endroit en tout cas.

– Le samedi soir, la plupart du temps, il allait loger à l'hôtel du village. Alors le dimanche matin, il s'assoyait généralement dans le banc de M. et Mme Fournier, les propriétaires de l'hôtel. Comme leur banc était situé à l'arrière de l'église, nous n'avions pas toujours l'occasion de le voir.

Éva reprend son souffle. Et une autre gorgée d'eau.

– Que saviez-vous de lui ? fait une voix d'homme dont Éva n'arrive pas à repérer l'origine.

– Pas grand-chose, répond-elle, ne sachant trop où diriger son regard. Ma sœur a toujours dit qu'il était expert dans l'art de faire parler les autres, mais également dans celui de détourner la conversation si quelqu'un s'avisait de le questionner. Les quelques fois où il est venu manger chez nous, je ne me rappelle pas l'avoir entendu parler de lui-même. Il s'intéressait beaucoup à la colonisation. Et comme mon père en connaissait long sur le sujet, M. Hémon semblait apprécier sa compagnie.

– Quand il est parti, est-ce qu'il vous a dit où il avait l'intention d'aller ? risque timidement une étudiante.

– Il avait été très vague à ce sujet. Il avait déjà parlé d'aller vers l'Ouest, mais nous n'en savions pas plus.

Un homme se lève derrière la salle, cahier et crayon en main, et demande avec la voix posée d'un orateur d'expérience :

– Auriez-vous quelques anecdotes à nous raconter ?

– Des anecdotes... réfléchit Éva.

– J'ai ouï dire que vous deviez publier vos mémoires. N'y aurait-il pas quelque récit inédit dont vous daigneriez nous faire l'honneur ? continue-t-il avec un sourire engageant.

Éva aperçoit Gustave qui tourne un visage satisfait vers l'inconnu et comprend que son frère est l'auteur de cette indiscrétion.

– Vous savez, des anecdotes... hésite-t-elle encore.

La salle est muette. L'homme, visiblement un journaliste, s'est rassis. Éva respire difficilement et pense à Laura qui semble tellement s'amuser chaque fois qu'elle raconte des anecdotes concernant M. Hémon. Elle envie l'aisance de sa sœur.

– M. Hémon n'était pas très habile de ses mains et plutôt distrait. Par contre, même s'il devait recommencer le même ouvrage, il ne s'impatientait jamais. Il disait : « Faire ça ou autre chose, peu importe ! » Mais quand il était en congé, il ne fallait pas le déranger. Un samedi après-midi, mon beau-frère était absent et M. Hémon était sur l'écore. Tout à coup, ma sœur Laura s'est rendu compte que les vaches avaient traversé la clôture et piétinaient le grain. Elle a demandé à M. Hémon de les ramener dans leur enclos. Il lui a répondu bien doucement : « Madame, je ne cours pas les jours de travail, je ne courrai pas le samedi après-midi. »

– Comment était-il physiquement ? questionne M. le maire.

– Il était de grandeur moyenne, mince mais assez musclé. Ses yeux étaient bleus, son teint, clair et ses cheveux, presque blonds. Il portait une petite moustache et fumait la pipe. Il lui manquait deux dents. Il a raconté à mon beau-frère qu'il les avait perdues en jouant quand il était petit et avait toujours négligé de les faire remplacer, ce qui lui causait un léger problème d'élocution. Je l'ai souvent vu avec un chapeau de feutre marron et un foulard noué très serré autour du cou.

– Comment était-il perçu à Péribonka ? demande le journaliste en se levant, cette fois les sourcils légèrement froncés.

Éva se rappelle l'étranger qu'elle avait aperçu pour la première fois en sortant de l'église, ce dimanche de juillet 1912, et la description inquiétante que lui en avait d'abord faite Laura.

– Vous savez, quand il est arrivé, avec un baluchon pour tout bagage, nous étions tous un peu méfiants. Après tout, nous ne savions rien de lui et il était prêt à faire n'importe quoi pour presque rien. Mais ma sœur, qui le logeait et le nourrissait, s'est vite habituée à lui. Elle n'avait que de bons mots à son égard. Il était propre, discret et poli. De plus, il s'est très vite attaché à ses deux petits garçons. Il leur faisait faire des exercices militaires et leur rapportait des bonbons ou du chocolat tous les dimanches en revenant du village. Il s'amusait à réciter une formule magique pour faire croire au plus jeune que les friandises sortaient du puits, l'été, ou du grenier, plus tard quand il faisait froid. Mais au village, les gens qui le connaissaient moins ont continué de se méfier. Ils n'étaient pas rassurés de le voir s'installer devant l'église à la sortie de la messe le dimanche pour les observer. Évidemment, maintenant, nous savons ce qu'il faisait là, mais, à l'époque, nous l'ignorions, et son attitude pouvait paraître étrange. Il y en a qui croyaient qu'il était… disons, un peu « dérangé ». Il était différent et, comme tous ceux qui sont différents, il faisait un peu peur.

– Vous, personnellement, mademoiselle Bouchard, avez-vous eu peur de M. Hémon ?

Elle attendait cette question. Avant même d'avoir terminé la phrase précédente, Éva était certaine que quelqu'un la lui poserait. Elle respire sans arriver à remplir tout à fait ses poumons.

– Au début, comme tout le monde, oui, avoue-t-elle en baissant les yeux. Mais ma sœur m'a vite rassurée à son sujet. Mon père aussi, car il aimait bien parler avec lui. D'ailleurs, quand M. Hémon venait à la maison et qu'ils discutaient ensemble des heures durant, je me rendais bien compte que ses propos étaient ceux d'un homme intelligent et instruit.

– M. Damase Potvin a prétendu que vous avez servi de modèle à Louis Hémon. Selon lui, plusieurs personnages de *Maria Chapdelaine* ont également emprunté soit un prénom, soit un trait de caractère de certains individus de votre entourage. Quels sont vos commentaires à ce sujet ? continue le journaliste, qui semble s'être attribué le droit de poser toutes les questions.

– Je crois que M. Hémon nous a observés, qu'il a puisé chez nous plusieurs idées, plusieurs traits de caractère, comme vous le dites, qui lui ont servi à créer la plupart de ses personnages. Et je suppose qu'il en a également puisé ailleurs. Mais comme il a décidé de situer l'action de *Maria Chapdelaine* dans notre région, il fallait bien qu'il apprenne nos coutumes et qu'il observe nos gens, afin de rendre l'histoire aussi réaliste que possible. Alors, pour répondre à votre question, oui, je reconnais certains faits, certaines manières de s'exprimer, certaines paroles même. Mais de là à savoir où finit la réalité et où commence la fiction, seul M. Hémon aurait pu vous le dire. Seulement il n'est pas là pour le faire.

Éva se tait et le silence tombe, lourd, sur l'assistance. Elle est plutôt fière d'elle-même. Gustave s'agite sur sa chaise. Il est resté sur son appétit. En tant que frère d'Éva Bouchard, il ne peut se permettre de poser la question qui lui brûle les lèvres. Il se tourne vers le journaliste. Ce dernier lit une supplique dans ses yeux et regarde de nouveau cette femme frêle qui attend calmement à l'avant. Puis un éclair lui traverse l'esprit. Il se lève lentement, ancre ses deux pieds solidement au plancher, regarde l'oratrice droit dans les yeux et demande d'une voix ferme :

– Mademoiselle Bouchard, êtes-vous Maria Chapdelaine ?

Ébranlée, Éva pâlit. Elle ne s'attendait pas à ce que la question lui soit posée aussi directement. Elle prend une longue inspiration. Cette fois, l'air pénètre au plus profond de ses poumons. Elle ferme les yeux un instant, le temps de contrer un léger vertige.

– M. Damase Potvin d'abord, et bien d'autres par la suite ont décrété dès 1918 que j'étais Maria Chapdelaine. Moi, je n'ai rien demandé. Une dizaine d'années après la publication du roman, j'ai commencé à répondre à l'appel de centaines et même de milliers d'admirateurs de Louis Hémon, qui voulaient voir de leurs yeux, toucher, visiter les moindres recoins de la petite maison où il avait vécu lors de son passage. À ce moment-là, plusieurs personnes, M. Potvin en tête, m'ont dénigrée et accusée de supercherie.

Éva marque une pause. Tous les yeux sont rivés sur elle. Elle braque courageusement les siens dans ceux du journaliste inconnu.

– J'ai restauré la petite maison, j'ai mis toute mon énergie au cours des dernières années à lui redonner l'aspect qu'elle avait en 1912 ; je me suis battue pour conserver ce patrimoine familial, comme mon cœur me le dictait et comme m'en suppliaient les nombreux touristes que j'y ai reçus ; j'ai répondu une à une à toutes les lettres adressées à Maria Chapdelaine. Si je ne l'avais pas fait, qui l'aurait fait, croyez-vous ?

Elle sourit imperceptiblement :

– Mon nom est Éva Bouchard. Pourtant, quand il est question de demander des subventions pour la région, on vient me voir pour que je fasse des interventions auprès des autorités. On m'a même déjà demandé d'écrire au premier ministre et d'aller le rencontrer. Dans ces moments-là, on n'est pas loin de m'appeler Maria Chapdelaine. En dehors de ça, tout ce que je veux, c'est gagner ma vie, tout simplement. Tout en respectant l'atmosphère du lieu de « pèlerinage », si je peux emprunter l'expression de certains touristes. Et je peux vous affirmer que, malgré quelques jaloux qui crient à l'imposture, j'ai l'appui de nombreuses personnes influentes, et je suis bien décidée à continuer. Maintenant, si certains croient que c'est un crime que d'ajouter le nom de Maria Chapdelaine, entre des parenthèses, au bas du mien quand les visiteurs m'en font la demande, ils sont évidemment libres de le penser. Mais moi, j'ai cessé de m'arrêter à ce genre de mesquinerie.

– Bravo ! lance une voix familière.

Et Gustave est aussitôt debout, applaudissant de toutes ses forces, regardant autour de lui pour inciter les autres auditeurs à l'imiter.

– Bravo ! répète-t-il avec la même fougue, un sourire engageant sur son visage rayonnant.

L'homme qui l'avait accompagné pour trouver une table se lève à son tour. De même font la dame à ses côtés, M. le maire et M. le curé. Puis c'est l'assistance au grand complet qui ovationne la conférencière. Éva pousse lentement sa chaise, espérant que ses jambes la soutiendront, se concentre pour tâcher de réduire la cadence irrégulière de son cœur. Elle s'est lancée dans son plaidoyer sans en mesurer les conséquences. Elle n'avait pas imaginé que la réaction du public puisse être aussi vive. Où qu'elle regarde, elle ne voit que des visages souriants, épanouis, elle ne ressent que sympathie et bienveillance. Les lèvres tremblantes, elle sourit comme elle peut, s'incline légèrement pour remercier l'assistance qui continue d'applaudir en ignorant son besoin de plus en plus pressant de donner du répit à ses jambes dangereusement chancelantes.

Puis la mère supérieure s'avance, au grand soulagement d'Éva qui en profite pour s'asseoir enfin, en même temps que le public. Une fois terminés les remerciements d'usage, quelques personnes s'approchent de la tribune, livre à la main, et lui demandent d'autographier leur propre exemplaire de *Maria Chapdelaine*. D'autres se regroupent en petits cercles et glissent parfois un regard furtif dans sa direction tout en attendant leur tour. Pendant qu'une religieuse et quelques étudiantes entourent Léonie et ses trois filles aînées, Gustave, le regard fier, se fraie un chemin jusqu'au journaliste, occupé à ranger ses notes dans son sac.

*

10 avril 1928

Mademoiselle Éva Bouchard
Hôtel Beauceville

Chère Mademoiselle,

J'apprends entre les branches que vous avez l'intention de publier prochainement vos mémoires. Serait-il indiscret de vous demander si vous avez conclu des arrangements pour la publication de cet ouvrage ? Comme vous le savez, j'ai toujours porté beaucoup d'intérêt au roman de Louis Hémon ainsi qu'au pays et aux personnages qu'il a décrits. Vos projets de mémoires m'intéressent beaucoup d'autant plus que mon frère Paul est président de la Maison Louis Carrier et Compagnie, dont les belles éditions vous sont sans doute connues. Par conséquent, si la nouvelle qu'on m'a donnée est bien fondée, et si, comme je l'espère, vous n'avez conclu aucun arrangement pour la publication de vos mémoires, je vous serais très reconnaissant si vous vouliez bien me donner de plus amples détails sur cette affaire, et ne pas conclure d'arrangement pour la publication de votre ouvrage avant que la Maison Carrier vous ait soumis une offre qui sera, vous pouvez en être assurée, très intéressante pour vous. Avec l'espoir que cette nouvelle affaire nous permettra de continuer les excellentes relations que nous avons toujours eues ensemble, je vous prie de me croire,

Bien sincèrement,

Léon Mercier-Gouin[25]

*

Montréal, 12 mai 1928

Mademoiselle Éva Bouchard
Péribonka

Chère Mademoiselle Bouchard,

Je reçois à l'instant votre lettre du 8 mai. Je suis enchanté d'apprendre que vous acceptez notre invitation. Il est bien entendu que notre Maison assumera tous les frais de votre voyage. Nous allons nous occuper immédiatement d'acheter vos billets et nous vous les ferons parvenir vers le milieu de la semaine prochaine avec l'argent nécessaire pour couvrir vos autres frais de voyage. Nous nous occuperons également de vous retenir une chambre au Château Frontenac. Nous vous donnerons tous les détails nécessaires alors que nous vous ferons parvenir votre billet la semaine prochaine. En attendant le plaisir de vous voir, je vous prie de me croire,

Bien sincèrement

À vous,

Paul Gouin[26]

*

De sa chambre du quatorzième étage, sise à l'angle sud-est de la tour centrale du château Frontenac, avec sa tourelle et ses cinq fenêtres donnant à tour de rôle sur le sud-ouest jusqu'au nord-est, Éva observe le mouvement lent des promeneurs. En bas, deux amoureux tendrement enlacés longent la Terrasse Dufferin jusqu'à un banc où ils finissent par s'asseoir, face au fleuve sombre dans lequel se reflètent les lumières de Québec et celles de Lévis, en face. Elle appuie son front sur la vitre fraîche, ferme les yeux et essaie de retrouver son calme. Puis elle referme délicatement le rideau avant de se laisser tomber mollement sur son lit. Pendant un moment, elle prend conscience d'être seule dans cette chambre trop grande, avec son plafond trop haut qui accroît son sentiment d'isolement. Elle passe une main sur son front moite. Non, elle ne publiera pas ses mémoires. Pas cette fois-ci en tout cas. Pas aux conditions de ces messieurs. Car c'est bien de ses propres mémoires qu'il a été question, c'est bien dans sa propre mémoire qu'elle devrait puiser son inspiration ! Du moins c'est ce qu'elle avait compris en acceptant de venir les rencontrer. Chose certaine, ce n'était pas pour les laisser déformer ses propres souvenirs par leur vision mercantile de vendeurs de livres. Pas question d'enjoliver la vérité, d'arrondir les angles, comme ils le lui ont suggéré ! En un mot, pas question de laisser planer le moindre doute au sujet d'une possible idylle entre M. Hémon et elle-même.

Dans la chambre adjacente, les bruits de pas ont cessé. Mlle Géraldine Fournier, cette charmante vieille demoiselle qui lui a été désignée d'office comme guide-accompagnatrice, semble s'être endormie. Éva se lève, se dirige vers la salle de bain, retire sa robe noire et commence lentement, mécaniquement, à faire sa toilette. Demain, elle descendra prendre le petit-déjeuner avec Mlle Fournier et se pliera encore une fois de bonne grâce aux inévitables conversations de salon dans lesquelles l'entraînera sa mondaine accompagnatrice. Puis elle retournera chez elle, à son petit commerce de livres et de cartes postales, à sa correspondance, aux visiteurs qui ont commencé à se présenter avec un mois d'avance cette année, à ce qui, désormais, est devenu son quotidien. Elle continuera d'utiliser le nom d'Éva Bouchard pour venir en aide dans la mesure du possible aux victimes des inondations de la Pointe-Taillon, ou pour obtenir des dons pour l'Ouvroir de Vauvert dont elle est désormais secrétaire.

Éva s'arrête devant la glace, s'approche pour mieux examiner les rides au coin de ses yeux, les nombreux fils blancs qui sillonnent son épaisse chevelure brune. Elle pose ses doigts sur ses pommettes saillantes et les laisse descendre le long de ses joues qu'a définitivement, irrémédiablement creusées le passage des ans. Des larmes embrouillent sa vue. Dorénavant, elle ne pourra plus passer ses hivers chez Gustave avec l'insouciance des années précédentes. Nil aura de plus en plus besoin d'elle à la maison, avec Hélène qui dépérit à vue d'œil, et ce sixième enfant qui s'annonce malgré la maladie. Elle frappe le lavabo de son poing et, une main sur son visage défait, vacille jusqu'à la bergère qui fait face au lit, s'y assoit pesamment et laisse exploser toute la rage qui fermente en elle. Rage devant leur impuissance à eux tous. Devant la détresse de Nil qui voit sa femme s'affaiblir jour après jour, et l'infortune des enfants qui seront probablement privés de leur mère avant même d'avoir été en mesure de goûter son amour et sa douceur. Pourquoi donc cet autre enfant, alors qu'Hélène a démontré les premiers symptômes de ce qui ressemblait déjà étrangement à la tuberculose dès après la naissance de Gérard le jour de Noël de 1925 ? Quelle autorité médicale M. le curé s'est-il adjugée quand il a fait miroiter à Nil l'espoir d'un possible miracle avec la venue d'un autre bébé ? Et comment son frère a-t-il pu être assez naïf pour y croire ?

Du flot brûlant de ses larmes émerge un puissant sentiment de solidarité avec toutes ces femmes, connues et inconnues, dont le destin est soumis à des hommes au cerveau engorgé de vanité et d'insolente prétention, qui s'arrogent jusqu'au droit de décider de leur vie.

Elle reste un long moment immobile, la tête renversée, le visage en feu. Elle voit passer sous ses paupières closes le regard triste de Laura, sa sœur bien-aimée. Ce regard plus ou moins fuyant depuis qu'Éva est rentrée de Beauceville, ce regard traqué de femme qui désapprouve son mari tout en se défendant bien de le trahir. Elles n'ont fait allusion ni à l'histoire du courrier détourné, ni à la mise en demeure, mais Éva a tout de suite compris que sa sœur était au courant, contrairement à ce que Gustave avait suggéré. Et le malaise de Laura s'est visiblement intensifié depuis que ce cher Damase Potvin est revenu rôder dans les parages. Samuel a d'ailleurs commencé à raconter à ses clients que c'est Laura et non Éva que personnifie Maria Chapdelaine, qu'en plus d'avoir servi de modèle pour la mère Chapdelaine sa femme l'a inspiré pour le personnage de Maria : « Ben voyons ! M. Hémon est allé ramasser des bleuets avec ma femme et les petits. De qui pensez-vous qu'il parle quand il raconte que François Paradis est allé aux bleuets avec Maria ? »

Éva se redresse, secoue la tête, retourne à la tourelle où, de la fenêtre axée vers l'est, elle reconnaît le couple d'amoureux qui s'éloigne lentement vers les Remparts, pendant qu'un navire s'apprête à accoster silencieusement à la gare maritime, plus loin, à l'Anse-au-Foulon. Le spectacle est fascinant, vu des hauteurs du Château. Elle observe la manœuvre jusqu'à ce que le bateau ait disparu derrière le cap. Puis elle retourne à la salle de bain et finit lentement de se préparer pour la nuit. Demain soir, elle sera de nouveau chez elle, elle retrouvera sa réalité. Dans le train, elle aura tout le loisir de réfléchir à la suggestion de Gustave d'investir une partie de l'argent de leur père dans la construction d'un grand chalet où elle pourrait accueillir des groupes de visiteurs, leur servir des repas, et éventuellement avoir un comptoir de souvenirs. Un endroit coquet où elle se sentirait vraiment chez elle, avec de l'espace pour recevoir les gens et prendre le temps de parler avec eux. « L'idée est audacieuse, songe-t-elle en s'enfilant sous les couvertures, mais elle mérite qu'on s'y arrête. Demain. »

*

– Comment va Hélène ? demande Éva en apercevant Nil à sa descente de train.

– Fatiguée. Elle tousse toujours autant. Et elle s'inquiète pour le bébé. Pourvu qu'il soit pas malade en venant au monde !

Éva voudrait pouvoir prononcer des mots qui rassurent, mais n'en trouve aucun. Elle se tait. Ils montent dans la voiture.

– Elle pourra pas allaiter cet enfant-là, c'est trop dangereux, déclare Nil, en secouant les rênes pour donner le signal du départ. Je lui ai parlé d'aller se faire examiner à l'Hôpital Laval, à Québec, mais elle veut pas en entendre parler. C'est comme si elle avait perdu espoir.

Éva pense avec effroi à ce qui s'en vient et se demande comment ils vont pouvoir s'organiser. Elle en est à remettre en question le projet du chalet, quand Nil annonce :

– Sa sœur va venir travailler à la maison, le temps qu'il faudra.

Il regarde Éva.

– Avant que tu commences à te mettre des idées dans la tête, je tiens à te dire qu'il est pas question que tu changes tes projets, Éva Bouchard.

– Mais je ne veux pas te laisser tomber, Nil. J'aurais l'impression de vous abandonner, d'être tout à fait égoïste.

– Je te défends de penser comme ça. Tu me laisses pas tomber : c'est pas comme si je pouvais pas avoir d'aide, la sœur d'Hélène va être là. Puis t'as trop investi dans cette affaire-là. Tu peux plus reculer, astheure. À part ça, tu sais aussi bien que moi que t'aurais pas la santé pour commencer à t'occuper d'une famille de six enfants du jour au lendemain.

Il fait claquer le fouet sur le flanc du cheval.

– De toute manière, c'est temporaire. Hélène va aller se faire soigner, puis elle va revenir, ajoute-t-il sans conviction.

Éva a l'impression que tout son sang se retire de son visage. Elle glorifie le ciel que son frère ne la regarde pas à cet instant-là. Elle cherche en vain des mots d'encouragement.

– Bien sûr, ment-elle finalement, d'une voix éteinte.

Mais ni l'un ni l'autre n'y croient vraiment.

– Le lac est bien haut ! commente-t-elle après un lourd silence, trop heureuse d'avoir enfin trouvé un autre sujet de conversation.

– Les rues de Roberval sont inondées. L'hôpital et l'école des frères risquent d'être inondés à tout moment. Même chez nous, ça commence à monter pas mal. Le coteau d'Élie Bergeron est rempli d'eau.

– Mais il faut qu'il se passe quelque chose ! s'inquiète Éva.

– Il paraîtrait qu'il y a des délégués du gouvernement qui sont venus dans la région ces derniers jours pour discuter avec les dirigeants de la compagnie. Mais si tu veux mon avis, on n'est pas près de voir la fin de cette histoire-là. Quand il y a de la grosse argent en jeu, les petits colons avec leurs petites terres, ça pèse pas ben fort dans la balance.

*

L'arrosoir à la main, Éva se redresse lentement au son d'un moteur de voiture. Quand il ne s'agit pas de groupes organisés qui l'ont prévenue à l'avance de leur arrivée, les clients lui arrivent généralement du village, à la recherche de la petite maison. Souvent, comme aujourd'hui, ils la surprennent en train d'arroser les quelques fleurs qu'elle a semées en bordure de la route, en face de la maison de Nil, en attendant de le faire devant le Foyer Maria-Chapdelaine, l'été prochain.

– Êtes-vous mademoiselle Éva Bouchard ? demandent les touristes.

– C'est bien moi, fait-elle aimablement.

– Croyez-vous qu'il soit possible de visiter la maison où a vécu Louis Hémon ?

– Bien sûr. C'est juste là, un peu plus loin. Allez-y, je vous rejoins.

La plupart du temps, les étrangers ravis l'invitent à monter à bord de leur véhicule. Infailliblement, Éva les remercie d'un sourire et leur répond qu'elle s'y rendra à pied. Puis, elle essuie ses mains tachées de terre sur son tablier, qu'elle dépose ensuite sur le petit perron près de la porte, annonce son départ à Nil ou à la jeune sœur d'Hélène et s'en va retrouver les visiteurs fébriles.

Elle reconnaît cette fois la voiture rouge vin de son beau-frère. Samuel n'a pourtant pas l'habitude de lui amener des clients. À moins que Laura n'ait décidé de venir lui rendre visite en cette superbe journée du début de juin... Mais la question ne se pose pas longtemps. Le véhicule passe sans s'arrêter et sans que Samuel ait le moindre regard pour sa belle-sœur, qui se tient pourtant à peine à quelques pieds de la route. D'ailleurs, la passagère n'est pas Laura. Outrée, Éva dépose son arrosoir et entre se verser un verre d'eau.

Par la fenêtre, elle voit la voiture de Samuel stationnée devant la petite maison, alors que les deux silhouettes se dirigent vers le hangar. Éva devine tout de suite que c'est par là qu'ils entreront. Les deux constructions communiquent par l'arrière et Samuel a probablement toujours gardé une clé du hangar. Furieuse, elle sort précipitamment et s'élance vers la petite maison, bien décidée à lui dire sa façon de penser. Mais elle s'arrête en bordure de la route. Que dira-t-elle devant cette personne à qui, visiblement, Samuel a décidé d'offrir une visite guidée, dont il a délibérément exclu sa belle-sœur ?... Elle est consciente que sa colère peut lui faire dire des énormités. Ne risque-t-elle pas de se rendre ridicule devant l'étrangère ?... Et quelle importance a donc cette femme pour que Samuel passe outre aux règles les plus élémentaires du savoir-vivre ?

Elle brûle de curiosité. « Laura est seule à la maison, pense-t-elle, elle saura bien de qui il s'agit. » Éva rentre en courant, s'approche du téléphone, saisit le combiné et demande la communication. Pendant que la téléphoniste lui répond d'une voix ennuyée, elle se demande si c'est une bonne idée d'appeler sa sœur. Elle s'était pourtant promis de ne plus lui laisser sentir son animosité envers Samuel. Et voici que, soupçonneuse, elle cherche à enquêter sur le mobile qui pousse ce dernier à agir comme il le fait.

– Vous êtes en ligne. Parlez.

– Allô !

Éva entend la voix lointaine de sa sœur, comme si elle provenait de l'autre extrémité d'un interminable tunnel. Et bien qu'elle soit consciente de devoir manifester sa présence, son esprit confus n'arrive pas à discerner ce qu'il convient de dire.

– Allô ? s'impatiente Laura.

– Allô, Laura, c'est Éva.

– Éva ? T'as donc ben une drôle de voix ! Qu'est-ce qui se passe ? Pourquoi tu répondais pas ?

– Je... je t'entendais mal, ment-elle.

– Puis là, m'entends-tu mieux ?

– Oui, oui, ça va, dit Éva, à qui cet intermède a permis de reprendre une partie de ses esprits.

– Bon. Qu'est-ce que tu voulais ?

– Ah !... prendre de tes nouvelles, bafouille-t-elle cette fois.

– Ben voyons donc ! Tu vas pas me dire que tu téléphones juste pour ça !

– ...

– Éva, qu'est-ce qu'il y a ?

– Heu... sais-tu qu'Hélène va probablement entrer au sanatorium ?

– Ben sûr que je le sais, c't'affaire ! Tu parles d'une question ! Éva, es-tu sûre que ça va ?

– Oui, oui.

– Tu m'inquiètes ! As-tu eu de la visite aujourd'hui ?

– Non. Vous autres ?

Et voilà ! Laura vient de lui fournir l'occasion de poser la question qui lui brûlait les lèvres.

– Il y a une femme qui est arrivée ce matin, une Française. Elle dit qu'elle va rester au moins une couple de jours. Samuel est justement allé lui faire visiter la petite maison. Tu les as pas vus ?

– Heu !... oui, j'ai vu passer le char de Samuel.

– Ben c'est ça. Elle dit qu'elle veut se « recueillir » sur les lieux où son compatriote a vécu. Puis Samuel a dit qu'il passerait par le hangar si jamais t'étais pas là, qu'il voulait pas te déranger, que t'en as déjà plein les bras avec Hélène et les petits. Il a dit qu'il allait s'occuper d'elle, surtout qu'elle avait l'air de vouloir prendre son temps...

– Ah ! C'est qui, cette femme-là ?

– C'est une journaliste française qui est venue enseigner à Montréal pour un bout de temps. Elle s'appelle Marie Le Franc. Je te dis qu'elle en pose des questions !

– Ah !

– La connais-tu ?

– Heu... Je sais pas... Je rencontre tellement de gens... Vient un temps où les noms, tu sais...

– Bon ! Ben si c'est toutte ce que t'avais à dire, je vais retourner à mon ordinaire, moi.

– C'est ça. Bonjour, Laura.

– Bonjour, là.

Éva se rend à la fenêtre. La voiture est toujours garée devant la maison. Elle se demande ce que son beau-frère peut bien manigancer pour agir de la sorte. Et qu'aurait-il fait si elle avait été à la petite maison au lieu d'être chez Nil en train d'arroser tranquillement les géraniums ?

Samuel sort le premier, suivi de la dame. Ils s'arrêtent quelques minutes pour parler avant de monter dans la voiture. Et reprennent la route qui mène au village. Marie Le Franc jette un regard distrait vers la maison de Nil, tandis que Samuel file droit devant, comme s'il ne connaissait cet endroit ni d'Ève ni d'Adam.

Pas plus tard que ce soir, elle demandera à Nil de changer la serrure du hangar. Samuel n'aura certainement pas une deuxième chance.

*

Éva ressent un profond sentiment de fierté depuis qu'elle s'est décidée à investir dans la construction du futur Foyer Maria-Chapdelaine, dont Gustave lui a donné l'idée. « Autonomie » est le mot qui lui vient à l'esprit chaque fois que cet étrange et agréable frisson lui parcourt l'échine, compensant l'inquiétude toujours présente de l'échec. Quoi qu'il en soit, les plans sont faits, corrigés, acceptés ; la structure est déjà en place. Joseph Boivin lui a promis de livrer la nouvelle construction pour la fin de juillet. Les touristes qui la questionnent sur la vocation du nouveau bâtiment la félicitent unanimement de son initiative.

Son neveu Thomas-Louis, en visite chez ses parents adoptifs Laura et Samuel, n'a également que des mots d'encouragement pour l'entreprise de sa tante.

– J'aurais une faveur à te demander, mon Titon, avance-t-elle, en s'accrochant à son bras robuste sur le chemin qui les ramène à la ferme familiale.

Les sourcils froncés, Thomas-Louis fixe Éva d'un air sévère, réprimant toutefois difficilement un sourire.

– Ma tante, vous ne trouvez pas que je suis un peu grand maintenant pour que vous m'appeliez encore « Titon » ?...

– Bah ! Qu'est-ce que ça peut faire ? On est juste tous les deux. Est-ce que, par hasard, quelqu'un aurait pu m'entendre ? badine-t-elle en regardant tout autour.

Thomas-Louis hoche la tête, amusé. Décidément, sa tante est incorrigible.

– Qu'est-ce que vous avez donc à me demander ?

– Le 10 juillet, j'aurai la visite d'un groupe de personnes de l'Action sociale ltée, l'éditeur de *L'Action catholique.* J'ai besoin de quelqu'un pour leur souhaiter la bienvenue, pour faire un petit discours.

Thomas-Louis s'est arrêté devant la maison de Nil. Il regarde Éva d'un air à la fois moqueur et méfiant.

– Ah ! Quelque chose de très simple, ça va de soi, poursuit cette dernière, comme si elle n'avait rien remarqué. M. le curé m'a bien offert ses services, mais j'ai pensé qu'un beau jeune homme distingué qui poursuit des études brillantes ferait plus d'effet. D'ailleurs, mes invités seraient sûrement impressionnés de rencontrer celui que M. Hémon a bercé tant de fois devant la fenêtre pour l'endormir.

– Ma tante !

Éva se tait et considère le grand jeune homme.

– Quoi donc, mon Titon ? demande-t-elle, feignant la surprise.

– Je vous dis que vous avez le tour, déclare-t-il en éclatant de rire.

– Comme ça, tu acceptes ?

– Hé là ! Je n'ai rien dit de tel. D'abord, il va falloir que je consulte mon carnet de rendez-vous.

– Ah bon ! Tu es donc déjà tellement occupé ?

– Passablement, oui, répond-il, en entraînant Éva dans le sentier qui conduit à la maison. Surtout que j'ai promis à Roland de m'occuper de ses affaires en son absence.

– C'est vrai. J'ai écrit une longue lettre à ton frère dans laquelle je m'excuse de ne pas pouvoir assister à son mariage à Roberval. Mais le 5 juillet, comme je lui expliquais, c'est absolument impensable pour moi de quitter Péribonka. J'attends une délégation en provenance de Montréal.

– Je comprends.

– Mais je l'ai félicité pour son choix. Quelle jeune fille charmante que cette Jeannette Lalancette ! Sa distinction m'a frappée dès que je l'ai vue. Elle lui fera sûrement une bonne compagne.

– Est-ce que Roland vous a dit où ils vont en voyage de noces ?

– Oui, à l'Hôtel Beauceville. Et je trouve que c'est une excellente idée. Gustave et Léonie seront sûrement heureux de les recevoir. Léonie commence à être un peu lourde avec cet enfant qui s'annonce pour octobre, mais Roméo et les filles se feront un plaisir de rendre le séjour de ton frère agréable.

– Alors dès mon retour à Roberval, je vérifie mon horaire et je vous envoie un petit mot.

– C'est entendu. Mais j'apprécierais vraiment beaucoup que tu sois là le 10, tu sais.

*

Le 4 juillet naît Roger Bouchard, fils de Nil. Le Dr Rochette craint que la mère ne passe pas la nuit. Pourtant, le lendemain, à l'aube, Hélène réclame son bébé. Complètement effondré, Nil lui apprend que le docteur a ordonné l'isolement, dans l'intérêt même du petit et des autres enfants. Seuls les adultes sont autorisés à entrer dans sa chambre, à condition toutefois de prendre d'infinies précautions. Aussitôt qu'elle sera remise de ses couches, elle devra partir pour le sanatorium.

En apprenant la nouvelle, Hélène refoule ses larmes et s'enferme dans un mutisme obstiné, dont elle ne sort qu'au bout de trois semaines pour demander son transfert au sanatorium dès que possible.

– Tant qu'à pas voir mes enfants, aussi bien m'en aller tout de suite ! J'ai décidé de me faire soigner. Et plus vite je partirai, plus vite je reviendrai ! gémit-elle d'une voix étouffée.

Mais le docteur laisse peu d'espoir à Nil.

– Dans l'état où est la mère, c'est encore heureux qu'on ait réussi à réchapper le bébé, vous savez. Elle est vraiment mal en point. Si elle n'avait pas été en famille, on l'aurait sûrement transférée bien avant, c'est certain, mais c'était trop risqué. J'espère seulement qu'il n'est pas trop tard maintenant, soupire-t-il. Une fois arrivée à Québec, elle va être entre les mains des meilleurs spécialistes. On ne sait jamais, il est toujours permis de croire aux miracles…

– Et l'enfant ?

– Même s'il a l'air en santé, comme je vous l'avais dit, je ne peux rien affirmer tant qu'il n'aura pas passé de radiographie ou de radioscopie. Mais comme il faut le transporter à Québec, attendez à l'automne, c'est plus prudent. D'ici là, assurez-vous que toutes les personnes qui s'occupent du petit prennent les précautions que j'ai recommandées.

Du jour de l'accouchement jusqu'au départ d'Hélène, une fois les derniers clients partis et la petite maison abandonnée au calme et à la fraîcheur de la nuit, Éva s'assoit silencieusement dans la chaise berçante installée près du lit de la malade, évitant soigneusement de la faire grincer ; pour lutter contre le sommeil, elle égrène trois fois de suite le vieux chapelet de son père, récitant avec toute la ferveur possible son rosaire quotidien.

*

Roberval, 4 juillet 1928

Ma chère Éva, je vous prie de m'excuser si je ne puis accepter votre invitation d'aller faire un discours à Péribonka. D'abord, je ne serai pas libre ce jour-là, ensuite je ne veux pas ôter à votre bon curé l'occasion de faire valoir ses dons oratoires. Adressez-vous donc à lui, il ne pourra refuser cette faveur à sa bien-aimée paroissienne Maria Chapdelaine. Un petit conseil en passant : remerciez vous-même en quelques mots : deux ou trois petites phrases bien dites vaudront mieux qu'un long discours. On est très indulgent pour les dames. Votre tout dévoué en Notre-Seigneur,

Thomas-Louis Marcoux[27]

*
*   *

C'est un homme au visage émacié qui accueille Éva à la gare à son retour de Québec. Elle se force à sourire pour ne pas lui montrer son inquiétude.

– Comment ça s'est passé, tes deux conférences à Sillery ?

– Très bien, merci, Nil. Encore mieux que ce que j'avais espéré.

– Tant mieux, fait-il distraitement en s'emparant de ses bagages.

Elle s'installe à côté de lui en silence. Elle n'a pas prévu ce malaise qui bloque dans sa gorge les mots réconfortants qu'elle a cru pouvoir trouver.

– Je suis allée au sanatorium voir Hélène...

– Et puis ? demande-t-il nerveusement, suspendu à ses lèvres.

– Elle est encore faible, bien sûr, mais elle est calme.

Calme : à la fois vérité et mensonge, se reproche-t-elle. Mais peut-elle avouer à son frère que, sous une apparente sérénité, elle a eu l'intuition que sa belle-sœur cachait son abdication, son refus de se battre davantage ?

– Calme ? répète Nil, sceptique.

– Les enfants lui manquent.

En vérité, Éva a deviné qu'Hélène se sent coupable de ne pas être là pour eux, a l'impression de les avoir abandonnés et n'arrive pas à se le pardonner.

– As-tu pu parler à son médecin ?

– Non. À une garde-malade seulement.

– Qu'est-ce qu'elle a dit ?

– Bien, tu sais... les gardes-malades ne sont pas autorisées à donner de diagnostic. Celle-là m'a répété ce qu'on savait déjà, qu'il fallait du temps, beaucoup de temps. Elle dit qu'Hélène se force à manger un peu à chaque repas même si elle n'a pas beaucoup d'appétit, qu'elle ne se plaint jamais, qu'elle se laisse soigner...

Éva voudrait pouvoir dire autre chose, mais ne trouve pas. De toute façon, il n'y a rien à ajouter. À côté d'elle, Nil serre les mâchoires. Il essaie de se convaincre que tout n'est pas perdu, il veut y croire absolument.

– As-tu pu voir Gustave ? demande-t-il après un profond soupir.

– Non, mais il a envoyé Roméo m'annoncer que Léonie avait eu un autre garçon.

– Ah !

Nil n'a manifestement pas entendu la réponse. Il n'est déjà plus là, elle doit le sortir de sa léthargie.

– Quelles sont les dernières nouvelles des résidants de Pointe-Taillon ?

Elle le voit secouer légèrement la tête.

– L'école et la fromagerie sont fermées, la route qui mène à l'église est abîmée par les inondations et, aux dires de certains, l'eau est toujours dangereuse. C'est sûr que ceux qui restent vont finir par être obligés de laisser leurs terres, mais il y en a qui refusent de bouger tant que la compagnie reconnaîtra pas ses torts. D'après moi, c'est une cause perdue d'avance.

– Quel gâchis !

Ils roulent un moment en silence. Puis, émergeant de sa torpeur, Nil finit par demander :

– Comme ça, Léonie a eu son bébé ?...

*

Parmi la dizaine de lettres qui l'attendent à son retour, Éva ouvre d'abord la seule dont l'adresse a été dactylographiée. Comme elle le croyait, il s'agit d'une invitation :

> Société historique de Montréal,
> Siège social Bibliothèque Saint-Sulpice
>
> Montréal, le 16 octobre 1928
>
> Mademoiselle Éva Bouchard
> Péribonka
>
> Mademoiselle,
>
> Après les deux Conférences que vous avez prononcées à Sillery sur le célèbre roman de Louis Hémon : *Maria Chapdelaine*, et qui

ont été si fort appréciées, un grand nombre de personnes de Montréal ont exprimé l'espoir de vous entendre à leur tour. Les admirateurs du sympathique écrivain ne sont pas moins nombreux dans notre ville que dans votre région et ils seraient extrêmement heureux de faire plus ample connaissance avec celle qui lui a servi de modèle pour la si noble et si délicate figure de Maria Chapdelaine. La Société historique de Montréal a pris sur elle de faire les démarches nécessaires pour leur préparer cette véritable [illisible]. Chargé par elle de vous demander si vous consentiriez, moyennant un cachet de 100 $ pour couvrir vos frais de déplacement, à donner une Conférence sur Louis Hémon dans une séance publique qui aura lieu sous ses auspices au plus tard au milieu de novembre prochain dans la salle de la Bibliothèque Saint-Sulpice de Montréal, nous pouvons vous assurer un auditoire vraiment choisi dont l'admiration aussi courtoise que discrète ne vous causera aucun ennui. Dans l'espoir d'une réponse favorable, j'ai l'honneur d'être, Mademoiselle, votre bien dévoué,

Aégidius Fauteux, président[28]

Une autre conférence… Contrairement à Québec où Éva s'est toujours sentie chez elle, Montréal lui semble lointain, étranger. Et quoi qu'en dise ce M. Fauteux, le public sera sûrement plus exigeant que les groupes d'étudiantes auxquels elle a eu affaire jusqu'ici ! Pourtant, avec la récente construction du Foyer Maria-Chapdelaine, un cachet de 100 $ serait plus que bienvenu.

Éva n'arrive pas à trancher la question. Elle est effrayée. D'un autre côté, elle se dit qu'elle commence à prendre de l'expérience, ce qui n'est pas à négliger. Et puis, il faudrait bien qu'elle soit conséquente avec ses choix, maintenant qu'elle a décidé de se consacrer à son petit « musée ». C'est ainsi qu'elle nomme, pour elle-même, la petite maison où a vécu Louis Hémon, et qu'elle a décidé de faire revivre pour le bénéfice des nombreux admirateurs de l'écrivain. Et ils sont nombreux, elle s'en rend compte tous les jours à l'arrivée du courrier. D'ailleurs, n'a-t-elle pas aperçu, à travers la pile, une lettre en provenance d'Afrique ?...

Elle décide de remettre sa décision à plus tard et d'ouvrir cette autre enveloppe.

Kala Tanganika, White Sisters, Tanganika Territory, Africa, 30 octobre 1928

Ma bien chère Éva,

N'est-ce pas jusqu'au fond de la brousse africaine que Maria Chapdelaine est mémorable. En lisant le petit roman, je ne vous aurais pas reconnue si les journaux ne m'avaient mise sur la piste. Vous vous demandez qui je suis ? En effet, c'est intrigant : vous rappelez-vous Yvonne Vallin de Lévis en 1916 ? Nous étions bonnes amies. Alors et franchement, du fin fond, non pas de l'Asie, mais de l'Afrique, je ne peux résister à la tentation de venir offrir mes Félicitations à Maria Chapdelaine, que j'ai lue avec tant de plaisir. J'apprends que vous donnez des Conférences actuellement ; vous n'êtes plus la petite timide à la cueillette des bleuets. J'ai pensé à vous bien souvent, chère Éva : quel côté a-t-elle pris ? Qu'est-elle devenue ? Et voilà qu'aujourd'hui je vous retrouve, vous connaissant encore bien davantage.

Savoir ce que moi-même j'ai fait depuis tant d'années vous intéressera peut-être : après être restée deux ans à notre maison-mère, j'allai passer à Mengallet et aux Attafs, et de là, pris la route des Grands Lacs en 1921. Mon bon papa venait me rencontrer à Marseille où nous passâmes deux jours bien heureux ensemble. Mais me voilà aujourd'hui sur les bords du Lac Tanganika, au milieu d'une population Boule Noire, mais bien sympathique. Tour à tour, il m'a fallu être institutrice, infirmière, artiste au besoin, confectionneuse, dactylographe, etc. Dorénavant, le rôle d'institutrice me sera attribué puisque le Gouvernement exige maintenant des institutrices diplômées et s'intéresse beaucoup à l'éducation des enfants. Sœur Léonie, ma sœur aînée, après 18 années passées en Ouganda, est maintenant de retour au pays. Après avoir passé deux ans à Lévis, être allée plusieurs fois à la maison, elle vient d'être nommée pour la Fondation à Ottawa. Si jamais vous voyagez de ce côté, allez donc la voir. Mon frère Rosaire, que vous avez connu, a fini par se marier ; il est maintenant heureux papa d'une petite fille de deux ans et demeure à Québec.

Je vous quitte, bien chère Éva, je ne suis pas changée et saurais encore bien rire avec vous à l'occasion. Laissez-moi vous faire la commission du Révérend Père Thomas, supérieur ici selon Second Pierre L'Hermite, que le roman de Louis Hémon a tellement intéressé jusqu'à l'avoir relu quatre ou cinq fois. Ça veut dire qu'il vous connaît par cœur ; il refusait presque de croire que vous existiez réellement. Au revoir donc. Laissez-moi vous embrasser et vous dire que je compte bien sur un petit signe de vie de votre part.

Votre bien affectueuse

Sœur Edmond-Joseph
Adresse : The White Sisters,
via Suez, Dar es Salaam Kigoma, Kala,
Tanganika Territory, Africa[29]

De vieux souvenirs ramènent Éva plus de douze années en arrière, au temps où son avenir lui apparaissait comme un brouillard imprécis, avant même qu'elle ne connaisse l'existence de *Maria Chapdelaine.* Si on lui avait dit à ce moment-là qu'elle en viendrait à parcourir la province pour donner des conférences et qu'elle serait propriétaire d'une maison abritant une salle à manger pour accueillir les visiteurs et dignitaires de toutes provenances, elle n'aurait jamais pu le croire. Pourtant, elle s'est peu à peu transformée en une sorte de guide touristique, de conservatrice de musée. Gérer du personnel, répondre quotidiennement à une volumineuse correspondance est devenu, sinon une routine, du moins l'essentiel de ses occupations.

Éva relit la lettre rédigée à la hâte sur du papier ligné. Un vague malaise vient la troubler. Ainsi donc, Yvonne Vallin, cette compagne attentive qui l'avait supportée dans les difficiles moments de sa vie au couvent, la confondait elle aussi avec Maria. De la même manière que des centaines d'étrangers qui n'avaient jamais côtoyé Éva Bouchard. Elle constate que les rumeurs originellement colportées par le journaliste Damase Potvin sont bien tenaces ! En fait, elles semblent avoir survécu jusque-là aux démentis formels de leur auteur, tout comme à ses récentes accusations d'imposture à l'endroit d'Éva.

Damase Potvin ! Elle a parfois l'impression que cet homme viendra la hanter jusque dans sa tombe. Elle se lève, fait quelques pas et s'arrête devant une table de la salle à manger du Foyer Maria-Chapdelaine, déserté à cette période de l'année. Hume avec un certain plaisir l'odeur fraîche du bois encore neuf, tout en essayant de penser à autre chose. Puis continue cette dernière tournée avant la fermeture définitive pour l'hiver. Ce soir, elle devra rappeler à Nil de venir préparer les conduites d'eau pour la période du gel.

De retour à sa table de travail, elle range tous ses papiers, sa plume et son encrier dans une petite boîte. Elle lira les dernières lettres ce soir à la maison, à tête reposée. Pour le moment, elle n'arrive pas à se concentrer sur autre chose que sur ce Damase Potvin, dont elle avait naïvement osé croire qu'il cesserait avec le temps de l'obséder. Mais voilà que la moindre réminiscence d'un passé qu'elle avait cru enfoui lui ramène, intactes, son aversion et sa rancune. À plus forte raison quand elle se met à penser qu'il assistera probablement à la conférence qu'elle donnera à Montréal le mois prochain. Elle fait une courte pause puis, sans plus hésiter, s'assoit de nouveau, tire de la boîte son papier à lettres et sa plume et, d'une main ferme, écrit à l'adresse du journaliste :

Monsieur Potvin,

J'ai découvert récemment que vous avez ajouté un nouveau mot à votre vocabulaire. Quand vous parlez de moi, désormais, contrairement à il y a dix ans, c'est d'« imposture » que vous parlez…

Mais pouvez-vous m'expliquer où est l'imposture, monsieur Potvin ? Est-ce le fait de donner une conférence à l'occasion, d'avoir fait construire ce Foyer Maria-Chapdelaine où je peux accueillir, le temps de prendre le thé et parfois un repas avec eux, les groupes de visiteurs qui ont pris la peine de se déplacer de Québec, de Montréal, de partout en province, des États-Unis et de plus en plus souvent d'Europe ? Est-ce cela que vous nommez « imposture », monsieur Potvin ? Est-ce le fait que j'ajoute à l'occasion, après ma signature, un timide « Maria Chapdelaine » modestement retenu entre des parenthèses ? Ou ne serait-ce pas plutôt que l'héroïne que vous vous êtes vanté d'avoir identifiée en 1918 n'est pas restée la muette brebis que vous auriez voulu qu'elle demeure ? Qu'après s'être dérobée à vos assauts répétés et vous avoir par le fait même privé de détails que vous auriez aimés percutants, elle s'est graduellement prise en mains, se révélant une femme d'affaires avertie et de plus en plus déterminée ? Que reste-t-il donc comme exutoire à votre frustration, sinon de me traiter de profiteuse, d'exploiteuse, alors qu'en réalité je ne fais qu'essayer de gagner ma vie ? Et vous alors, que faisiez-vous il y a dix ans, malgré mon refus clairement exprimé d'endosser le personnage, quand vous prononciez des conférences un peu partout en clamant que vous aviez découvert la véritable Maria, en élevant au rang d'idole nationale, contre sa volonté, celle que vous dénigrez aujourd'hui ? Que faisiez-vous alors, sinon gagner votre vie à mes dépens ? Et où étiez-vous l'été dernier quand on a pillé le monument de Louis Hémon, que j'avais moi-même nettoyé et orné ? Où vous cachiez-vous pour échapper à vos responsabilités ?... Bien sûr, il n'est pas aussi glorieux de s'user les genoux à désherber et à fleurir le terrain autour d'une stèle abandonnée que de prononcer des discours ronflants devant un auditoire sélectionné de dignitaires ! Mais cette stèle, monsieur Potvin, c'est vous qui l'avez voulue, qui avez accepté les hommages pour l'avoir fait ériger. Maintenant que la parade est passée, auriez-vous oublié ?

La lettre à la main, elle s'adosse pour la relire quand la sonnerie du téléphone la fait sursauter. C'est en jetant un coup d'œil aux dernières lignes qu'elle se rend jusqu'à l'appareil.

– Allô ?
– Éva ?
– Oui, c'est moi. Qui est à l'appareil ?
– C'est Gustave.
La voix est si faible, si rauque qu'elle a peine à le reconnaître.
– Gustave ?
– Oui.
– Mais qu'est-ce qu'il y a ?
– Le bébé… Le bébé est mort.
La phrase tombe comme une condamnation, la voix de Gustave s'éteint.
– Ah mon Dieu !
– Hier. C'est arrivé hier. On sait pas pourquoi.
– Et Léonie ?
– C'est pour ça que je t'appelle… Elle m'inquiète tellement ! Depuis que c'est arrivé, elle a pas dit un mot. Elle pleure pas, mais elle reste couchée tout le temps en fixant le plafond, elle dort pas, je l'ai jamais vue de même. Tu peux pas savoir à quel point je suis inquiet !
Éva devine plus qu'elle n'entend le dernier mot, étouffé dans un sanglot.
– Gustave…
– …
– Gustave, veux-tu que je vienne ?
– Pourrais-tu ?… J'osais pas te le demander…
– Mais voyons ! Bien sûr que je peux.
Elle consulte brièvement l'horloge.
– Écoute, ma valise est pas encore défaite. Je demande à Nil de venir me conduire à la gare et je suis là demain matin.
– Éva, je pense vraiment qu'elle a besoin de toi. Moi, je suis pas bon dans ces affaires-là. J'ai pas le tour.
– Peux-tu envoyer Roméo me chercher au train ?

– Ben oui ! Merci Éva.

– À demain matin.

En raccrochant, elle constate qu'elle a chiffonné la lettre qu'elle avait écrite à l'intention de Damase Potvin. Elle contemple un instant la boule de papier et la jette en passant dans la corbeille à papier près du bureau. Elle a une mission nettement plus urgente à accomplir.

*

– Madame Bouchard, vous devriez rester couchée.

– Je suis pas malade, proteste Léonie un peu vivement, en s'asseyant dans la berceuse placée depuis toujours près de la fenêtre.

Et elle songe que dans toutes les maisons il y a, comme ça, une berceuse près de la fenêtre. Elle regarde dehors. De la petite maison, on voit l'arrière de l'hôtel. Gustave, Roméo et les filles doivent déjà s'activer à cette heure. Pourtant, tout a l'air si calme. Tout est trop calme. Comme elle en dedans. Calme et triste à pleurer.

Mais elle ne pleure pas. Elle ne s'est pas encore autorisée à ressentir la douleur, elle l'a laissée à l'extérieur d'elle-même. Comme si elle craignait d'y sombrer tout entière. Car elle se souvient trop bien de cet intolérable vertige éprouvé des années auparavant, qui vous aspire comme un trou géant, béant, qui vous fait basculer dans le vide. Elle ferme les yeux et repense avec un frisson à ce sentiment d'anéantissement total… et revoit sa petite fille toute pâle dans sa robe blanche… Marie-Rose, petit bouquet de fraîcheur qui s'était fané avant l'heure. Marie-Rose qu'elle avait cueillie elle-même dans son petit lit tout blanc pour la déposer, telle une gerbe coupée, sur le grand lit improvisé au milieu du salon, afin que tous puissent la contempler une dernière fois. Une dernière fois… sa petite Marie-Rose dans sa robe blanche, les mains jointes sur la poitrine.

Elle avait pu résister jusque-là, retenir à grands coups de courage les larmes qui voulaient forcer leur chemin. Mais il n'avait fallu qu'un instant d'inattention pour que Jeannette, qui tenait alors à peine sur ses jambes, grimpe sur le lit et tente de délier les petits doigts de sa sœur, déjà raidis par le froid. Léonie l'avait surprise en se retournant et avait hurlé d'effroi, ressentant au plus profond de sa chair cette intrusion comme un sacrilège. Puis elle était revenue à elle-même et avait constaté dans le regard affolé de sa fillette la démesure de sa propre réaction. Elle avait pris Jeannette dans ses bras et avait cherché à la rassurer, mais la petite était restée figée de frayeur. Alors Léonie avait enfin laissé monter le flot comprimé de ses larmes, priant le ciel que Jeannette ne soit pas traumatisée par son geste. Et elles s'étaient bercées toutes les deux un long moment en pleurant au pied du lit où gisait Marie-Rose. Plus tard, une fois Jeannette endormie, Léonie avait continué de pleurer, comme une rivière déborde à la crue printanière. Sans pouvoir s'arrêter.

Il y a deux jours, on est venu chercher le corps de son dernier-né, un petit garçon frêle, fauché en moins de quelques heures par une étrange maladie. Tout s'était pourtant si bien passé, l'accouchement comme les relevailles. Mais depuis Marie-Rose, Léonie sait que rien n'est jamais acquis et que chaque jour qui passe est un jour de grâce. On a emporté son fils sans qu'elle crie, sans qu'elle pleure. Elle se retrouve encore, aussi cruellement que la première fois, au bord de ce gouffre immense qui menace une fois de plus de l'engloutir. Elle se sent complètement désarticulée, comme une poupée dont les ficelles se seraient soudain cassées.

– Maman…

Léonie émerge de sa léthargie et tourne la tête. René s'approche et se colle à elle, enserrant tant bien que mal les jambes de sa mère de ses bras. Elle caresse la petite tête abandonnée sur ses genoux. Autour de la table, Annette et Yvon finissent sagement d'avaler leur déjeuner, pendant que Mme Veilleux commence à desservir discrètement. Léonie soupire et se reproche d'être là, présence qui confine ses enfants au silence. Elle songe à retourner dans sa chambre quand Mme Veilleux déclare :

– Les enfants, ce matin, il fait beau, on sort ! Je vous amène passer la journée chez ma nièce.

Elle saisit René par la main, lui enfile sa veste de laine et son chapeau, pendant qu'Annette et Yvon se regardent, surpris.

– Je suis certaine que vous allez bien vous adonner avec ses enfants. J'ai préparé un pique-nique, ils vont venir dîner avec nous autres sur le bord de la rivière, annonce-t-elle joyeusement.

Annette regarde sa mère, vaguement inquiète. Léonie lui fait un signe de la main pour indiquer qu'elle donne son accord.

– Votre mère va pouvoir se reposer, on revient rien que pour le souper, ajoute Mme Veilleux, en s'emparant d'un immense panier qu'elle avait rangé au fond de la cuisine. Venez, ma nièce nous attend.

Léonie détourne la tête pour ne pas les voir s'éloigner, pour maintenir cette distance émotive qui lui garantit un certain calme, bien relatif et bien fragile, elle le sait, mais qui l'aide néanmoins à conserver la tête froide, l'empêchant de suffoquer complètement. Mme Veilleux a compris qu'elle avait besoin d'être seule et a fait ce qu'il fallait. Léonie sait qu'il serait temps maintenant de laisser sortir la peine et la colère qui grondent en elle depuis deux jours déjà. Elle sait qu'il serait temps de laisser exploser sa douleur une fois pour toutes, afin de pouvoir reprendre sa vie où elle l'avait laissée, ou du moins trouver le courage de faire semblant. Mais pour une raison qu'elle est trop lasse pour chercher à comprendre, elle n'y arrive pas. Elle se lève lentement et se dirige d'un pas traînant vers sa chambre et reste debout près de son lit, constatant son incapacité à rétablir le lien entre sa tête et son cœur. Derrière elle, une porte se referme. Elle tourne un regard indifférent vers la cuisine... Éva dépose son chapeau et ses gants sur la table et vient vers elle en tendant les bras. Les jambes de Léonie vacillent, sa vue se brouille, elle a l'impression de perdre l'équilibre. Éva la retient juste avant qu'elle ne s'effondre, que la douleur sourde qui raidissait chacun de ses membres se transforme en un torrent chaud et bienfaisant, libérateur. Elle se laisse border avec confiance, s'abandonne à la main qui caresse ses cheveux décoiffés, qui lave son visage dévasté.

– Pleure, ma Léo, pleure, lui glisse une voix douce.

Léonie n'est plus qu'une blessure cuisante que seule une longue marée déferlante pourra soulager. Éva restera le temps qu'il faudra. Elle continuera de murmurer des paroles apaisantes jusqu'à l'épuisement des larmes, jusqu'à ce que la tension cède la place à la langueur qui mène au sommeil. Même si elle sait qu'une journée, c'est bien peu pour pleurer la perte d'un enfant, que Léonie portera en elle ce petit garçon chaque instant de chaque jour, toute sa vie, comme elle le fait encore pour sa petite Marie-Rose, morte il y a près de vingt ans déjà. Mais elle sait aussi que, peu à peu, elle réapprendra à sourire à ceux qui sont encore là et redonnera à chacun sa place.

*

Après avoir regardé dormir sa femme pendant près d'une heure, une fois le rythme de la maison enfin apaisé,

Gustave rejoint Éva qui arpente lentement le terrain derrière l'hôtel.

– Qu'est-ce que j'aurais fait si t'étais pas venue ? demande-t-il à sa sœur.

– Je n'ai pourtant rien fait de bien spécial.

– Peut-être, mais moi, j'arrivais à rien. Il y a des choses qui se passent entre femmes et qui sont étrangères aux hommes.

Éva repense au regard de Mme Veilleux quand elle est rentrée avec les enfants. Elle a d'abord tendu l'oreille et, voyant la porte de la chambre fermée, elle a compris que Léonie était enfin parvenue à vider le trop-plein de sa peine et que les jours qui suivraient seraient déjà moins pénibles. Elle a simplement souri à Éva, elles se sont comprises. Éva sait que Gustave se sent impuissant devant le chagrin de Léonie et décide de parler d'autre chose.

– Comment vont les affaires ? demande-t-elle simplement.

Heureux de changer de sujet, Gustave s'emballe.

– Très, très bien. Depuis que je commandite une équipe de hockey en plus d'une équipe de baseball, j'ai trouvé le moyen d'attirer la clientèle locale : où est-ce que tu penses qu'ils vont prendre un verre, les joueurs, après une partie ? demande-t-il fièrement.

– Et le zoo, ça va comme prévu ?

– Numéro un ! Les touristes en reviennent pas de voir l'ourse boire son Coke assise sur sa petite plate-forme. Jeannette est assez folle de cette bête-là qu'elle veut même pas laisser les autres s'en occuper.

– Et le Manoir Chapdelaine ?

– … Bien, répond-il.

Mais Éva a perçu la seconde d'hésitation.

– Seulement… bien ?…

– Qu'est-ce que tu veux dire ? demande Gustave, sur la défensive.

Éva choisit ses mots :

– Est-ce que Roméo se débrouille bien en gérant d'hôtel ?

Elle l'a piqué au vif.

– C'est sûr que mon Méo a pas encore tout à fait fini sa vie de jeunesse, répond-il dans un rire forcé, mais là, il a commencé à sortir avec une bonne petite fille, Marie-Ange Mathieu, ça va se replacer. Les affaires, ça s'apprend, tu sais !

Éva pense que cette Marie-Ange a beau être une bonne petite fille, rien ne garantit qu'elle va transformer Roméo en homme d'affaires si le goût n'y est pas. Mais elle garde pour elle sa réflexion.

– Et toi ? Comment vont tes affaires ? lui demande-t-il avant qu'elle ait eu le temps d'ajouter quoi que ce soit.

– Je viens de recevoir une invitation pour aller donner une conférence à Montréal dans un mois.

– Viens pas me dire que tu vas refuser, bout d'baptême !

– Je n'ai pas pris de décision. Ça me paraît être une grosse affaire. J'avoue que ça me fait un peu peur.

– Tu vas pas me recommencer ça, Éva Bouchard ?

Elle soupire.

– Pas au point où tu en es, ajoute-t-il, t'as pas le droit de laisser tomber une aussi bonne occasion, comprends-tu ?

– Je n'ai pas encore dit que je refusais, sourit-elle timidement.

– Tu devrais même pas hésiter. Quand je pense… Montréal !…

– Je sais que je devrais accepter, finit-elle par admettre en montant sur la galerie de la « maison de la cour ».

– Bon, ben qu'est-ce que t'attends ?

– Je sais que je devrais, parce que, chaque fois que je cède à l'angoisse et que je renonce à une chose, j'ai encore plus peur après, quand une autre occasion se présente. D'une fois à l'autre, je finis par avoir l'impression que je suis de moins en moins capable.

Gustave demeure immobile, n'osant pas l'interrompre.

– Par contre, enchaîne-t-elle, quand je fais face à mes craintes, quand je fonce malgré mes appréhensions, j'en ressors plus forte et ça me rend plus sûre de moi.

Elle regarde Gustave qui n'a toujours pas bougé.

– Depuis que j'ai découvert ça, je me suis promis de ne plus laisser la peur me dominer.

Gustave sourit, ému.

– Comme ça, c'est oui ?

Les yeux mi-clos, elle hésite un moment avant de hocher la tête affirmativement.

– Je peux te dire que je suis fier de toi, ma petite sœur.

– Et je compte bien profiter de ce voyage-là pour voir M. Victor Morin, un ancien président de la Société Saint-Jean-Baptiste.

– Ouais ! Tu frayes pas avec n'importe qui ! se moqua-t-il.

Éva sourit.

– Ça me donnerait aussi l'occasion de rencontrer Mlle Ernestine Pineault, avec qui je corresponds déjà depuis une couple d'années. Elle connaît bien M. Morin.

– Si je comprends bien, ce M. Morin pourrait faire quelque chose pour toi ?

– C'est lui qui a eu l'idée de faire installer une plaque commémorative sur la maison natale de Louis Hémon, à Brest, en France, en 1925. C'est un notaire, un homme de théâtre et un historien. Mlle Pineault dit qu'il pourrait me conseiller en ce qui concerne la terre familiale et le développement d'un musée, éventuellement.

– Pourquoi tu resterais pas avec nous autres jusqu'à ton voyage ?

– C'est gentil de m'inviter, Gustave, mais il faut que je retourne à Péribonka, disons… dans quelques jours, le temps que Léo se remette sur pieds.

– C'est toi qui sais ce que t'as à faire ! concède-t-il.

– Les petits ont besoin de moi. Et il y a Nil qui m'inquiète aussi. Si tu le voyais… il s'en fait tellement pour Hélène qu'il dépérit à vue d'œil.

Gustave laisse échapper un long soupir :

– Ouais, j'imagine que ça doit être terrible de savoir que sa femme se meurt à petit feu, et de la voir toute seule, si loin !

– Il va la voir à Québec quand il peut, mais avec la terre, c'est difficile pour lui de laisser.

– Et les enfants ?

– J'ai dû insister auprès des religieuses. L'orphelinat de Chicoutimi était plein. Finalement, elles ont accepté de prendre Rita et René, les deux plus vieux. Et encore, la supérieure a dit : « Jusqu'à ce que leur mère revienne ! »

– Ça risque d'être long, commente Gustave d'un air entendu.

– Par contre, elle nous a offert de prendre une jeune orpheline de quinze ans, Mathilde, pour s'occuper des petits et de la maison. Heureusement, parce que la sœur d'Hélène est repartie pour se marier. On savait d'ailleurs depuis le début qu'elle ne resterait pas.

– Et la jeune, elle est là depuis longtemps ?

– Une couple de mois. C'est grâce à elle si j'ai pu venir, tu sais.

– Elle est fiable, au moins ?

– J'ai été agréablement surprise. La pauvre petite, elle n'avait aucun intérêt pour l'école. Par contre elle aime beaucoup les enfants et c'est une femme d'intérieur hors pair. Mais elle a encore besoin d'être dirigée, c'est pour ça que je ne peux pas rester trop longtemps. D'autant plus qu'à la fin de novembre je repars encore…

*

– Ils parlent de toi dans le journal, annonce Nil en rentrant du village.

Éva pousse le bac de légumes et s'empare du quotidien ; son frère l'aide à trouver l'article avant de sortir pour se rendre à l'étable.

SOIRÉE EN L'HONNEUR DE LOUIS HÉMON
LE PUBLIC DE MONTRÉAL AURA DONC
L'OCCASION DE VOIR EN MLLE ÉVA BOUCHARD
L'AUTHENTIQUE HÉROÏNE DU ROMAN
« MARIA CHAPDELAINE »

Celle qui fut le témoin de l'existence quotidienne du célèbre écrivain si tragiquement emporté prononcera une causerie, en la salle Saint-Sulpice, le jeudi 29 novembre prochain.

Pensée patriotique et pieuse tâche. (Écrit spécialement pour « La Presse » par Aégidius Fauteux, président de la Société Historique de Montréal.)

Le célèbre roman de Louis Hémon, « Maria Chapdelaine », a été un des événements littéraires de ces dernières années et, quoi qu'en aient pu dire quelques-uns, il ne saura jamais être indifférent aux Canadiens. Certains esprits de chez nous ont paru s'alarmer un moment de l'extrême popularité de l'ouvrage dans la crainte qu'il ne nous fît connaître à l'univers sous un jour un peu défavorable, mais ils n'ont pas assez réfléchi que l'écrivain n'a jamais voulu prendre qu'un aspect particulier de la vie canadienne et qu'il a été ainsi partout compris. Tel qu'il est, le roman de Louis Hémon reste un magnifique hommage aux qualités fondamentales de notre race, et ce sera à jamais notre honneur de l'avoir inspiré. Le succès prodigieux qu'il a rencontré, l'intérêt immense qu'il a soulevé ne s'expliqueraient pas si le million de lecteurs qu'il a enchantés ne s'était pas vraiment senti en présence d'une peinture vraie, d'une réalité puissamment traduite. Loin d'en vouloir à Louis Hémon nous devons au contraire lui être reconnaissants. Au moyen de la touchante idylle de Maria Chapdelaine, où court un souffle de sympathie si profonde, il a révélé au grand soleil de l'art la vie si courageuse et si fière du défricheur canadien et il l'a imposée au respect comme à l'admiration du monde entier. Nous avons donc toutes les raisons d'aimer Louis Hémon et de nous intéresser, non pas uniquement à son œuvre, mais à toute son existence. Bien qu'il ne nous appartienne pas par la naissance, c'est chez nous qu'il a vécu la meilleure part de sa vie intellectuelle, c'est chez nous qu'il a peiné et c'est chez nous qu'il est mort.

SOIRÉE PATRIOTIQUE

Telle est la pensée qui a conduit la Société Historique de Montréal à organiser une soirée en l'honneur de l'auteur de « Maria Chapdelaine ». On sait que c'est cette société qui a été choisie par le Comité du monument à Louis Hémon pour être la continuatrice de son œuvre et en quelque façon son exécutrice testamentaire. C'est elle qui dispense la très belle médaille Louis-Hémon qui est offerte chaque année comme prix de littérature aux élèves des écoles primaires de notre ville. Notre patrimoine se confond avec notre patrimoine historique et la Société Historique de Montréal reste dans son rôle en s'employant à garder toujours vivace dans le cœur de notre jeunesse le souvenir de l'auteur de « Maria Chapdelaine ». La soirée du 29 novembre prochain n'a pas pour objet de célébrer le roman de Louis Hémon et encore moins de le faire connaître. Il n'y a pour ainsi dire personne au Canada français à qui il ne soit déjà familier. Ce que l'on s'est proposé, c'est de jeter un peu de lumière, non pas sur l'œuvre elle-même qui en est inondée, mais sur son auteur qui est encore environné de beaucoup de mystère. Tous tant que nous sommes, nous nous résignons difficilement à séparer la personnalité d'un grand écrivain du produit de sa pensée. Nous voulons tout connaître de lui, comment il a vécu, quelles étaient ses habitudes journalières, dans quelle atmosphère son existence s'est déroulée ; nous sommes particulièrement curieux de savoir quelles passions l'ont agité, qui il a aimé et par qui il a souffert. Toute grande œuvre en effet n'est que l'extériorisation d'une personnalité, la transposition d'une âme, et nous n'arrivons jamais à en comprendre toute la signification profonde tant que nous n'avons pas découvert dans quel humus vivant elle plonge ses racines, de quelle individualité particulière elle est l'aboutissement.

GLOIRE SOUDAINE ET FULGURANTE

C'est ainsi que nous nous trouvons en face de Louis Hémon depuis qu'une gloire soudaine et fulgurante l'a placé d'un seul coup au pinacle de notre littérature. Nous admirons son œuvre, nous en goûtons voluptueusement le charme, nous la lisons enfin et nous la relisons avec une émotion qui ne faiblit jamais. Mais ce n'est pas encore assez. À mesure que nous nous attachons davantage à Maria Chapdelaine, cette figure d'une simplicité antique qui a déjà pris place au panthéon des arts à côté d'une Mireille, d'une Évangéline ou d'une Eugénie Grandet, notre sympathie s'étend au génial créateur qui l'a engendrée dans son cerveau et peut-être même l'a pétrie avec le sang de son cœur. Combien de fois, penchés avec insistance sur quelques-unes des pages les plus émouvantes du délicieux poème, n'avons-nous pas cherché à en soulever le voile pour y découvrir le vrai visage de l'incomparable artiste qui l'avait ouvré ? Mille questions se posaient alors à la fois dans notre esprit. Par quelles voies mystérieuses Louis Hémon a-t-il été conduit, peut-être sans s'y attendre, de sa lointaine Bretagne jusqu'à nos bords brumeux ? Comment expliquer que son génie y soit resté si longtemps environné du plus épais silence, et que, jusqu'à ce qu'un accident stupide en eût à jamais éteint la flamme, il n'a été en rien un instant soupçonné ? Dans quel atelier secret a-t-il sculpté la statue merveilleuse dont il ne devait jamais voir lui-même l'éclatante apothéose ? Sur quels visages a-t-il promené ses yeux, dans quelles mains a-t-il posé les siennes, sous quel toit a-t-il dormi ?

Voilà autant de points d'interrogation auxquels il n'a encore été qu'imparfaitement répondu et qui continuent de nous laisser en suspens. Pour satisfaire enfin cette curiosité éminemment légitime qui n'est autre chose que la soif de l'esprit, un désir de pénétrer encore plus avant dans l'intimité d'une belle œuvre, pour faire revivre à nos yeux Louis Hémon tel que nous aurions aimé le connaître, dans sa vie de tous les jours, avec ses traits particuliers, avec ses habitudes, avec ses gestes, il a semblé à la Société Historique de Montréal qu'elle ne pouvait mieux s'adresser qu'à Maria Chapdelaine elle-même, et elle a en ce moment le très vif plaisir d'annoncer, par l'organe de son président, que Maria Chapdelaine, dans la vie réelle, Mlle Éva Bouchard, a gracieusement accepté cette pieuse tâche.

TÉMOIN DES TRAVAUX DE HÉMON

Mlle Éva Bouchard a eu le rare avantage de connaître de près Louis Hémon ; pendant assez longtemps elle a vécu avec lui sous le même toit, elle a assisté à ses travaux, elle a été le témoin de son existence quotidienne. Dans la maison des Bédard elle était à proprement parler la seule qui fût douée d'instruction et si, dans ce milieu si honnête mais si fruste qu'il se proposait de nous peindre, l'artiste étudiait tous les visages à la fois avec une curiosité également sympathique, il n'y a pas à douter qu'il ait été particulièrement intéressé par la modeste mais distinguée petite fille de son hôte et que, dans le besoin de sociabilité que tout homme éprouve, il se soit entretenu de préférence avec elle. Petite fleur providentiellement transplantée du jardin de Sillery dans la rude clairière de Péribonka, Mlle Bouchard était encore une fois la seule qui fût à quelque proximité de l'intelligence de Louis Hémon et qui pût jusqu'à un certain point le sauver de l'isolement complet de l'esprit. Pas plus que les autres qui ont croisé le mystérieux écrivain sur les routes canadiennes, elle n'a pénétré son secret qui était trop bien gardé, mais de plus près que les autres, elle l'a longuement côtoyé. Lorsque parfois elle surprenait une flamme dans l'œil soudainement inspiré de son étrange compagnon, elle n'entrevoyait sans doute pas que cette vague lueur se développerait un jour en un flamboyant incendie dont elle serait elle-même le centre glorieux ; mais elle ne pouvait pas ne pas sentir au moins obscurément que cette même lueur s'allumait à quelque rare foyer, et aujourd'hui, par le rappel de mille souvenirs, par la reconstitution de mille petits incidents qui paraissaient d'abord n'avoir aucun sens précis mais que les événements ont depuis éclairés, elle est en mesure mieux que personne de repérer les diverses étapes parcourues par Louis Hémon vers l'achèvement de son immortel chef-d'œuvre.

LA VÉRITABLE INSPIRATRICE

Mieux que personne surtout, elle est en mesure de restituer au roman de Maria Chapdelaine sa part précise de réalité. Non seulement, ce qui est fait définitivement et incontestablement acquis à l'histoire littéraire, elle a elle-même fourni au prestigieux artiste tous les traits principaux qui distinguent sa délicieuse héroïne, mais elle a été la commensale, l'amie ou même la parente de chacun des divers personnages qui évoluent autour de Maria Chapdelaine, et, dans chacun de leur cas, elle sait et elle peut dire où s'arrête la vérité du portrait et où commence l'idéale fantaisie du peintre. Et c'est précisément ce que nous attendons de Mlle Bouchard le 29 novembre prochain.

Nous devons à la vérité de dire que Mlle Bouchard ne s'est rendue qu'après beaucoup d'hésitation à la pressante invitation de la Société Historique de Montréal. Ce sera la première fois en effet qu'elle affrontera un véritable public. Au cours de l'été dernier, elle a bien donné à Sillery deux causeries sur Louis Hémon – causeries qui ont été vivement goûtées – mais elle ne parlait alors que dans l'ombre d'un discret couvent, devant un auditoire très restreint d'étudiantes de l'Ontario, et ce n'était dans sa pensée qu'une concession affectueuse à la chère maison qui avait abrité sa studieuse enfance. Ennemie de la publicité, n'ayant jamais recherché l'éclat qui s'est fait malgré elle autour de son nom, elle ne se sentait pas d'inclination pour jouer officiellement le rôle d'une conférencière et moins encore pour faire du public d'une grande ville le confident de ses intimes souvenirs. Nous n'avons pu faire tomber son hésitation qu'en lui faisant observer que lorsqu'on a l'immense bonheur d'être Maria Chapdelaine, l'on ne s'appartient pas absolument. Louis Hémon, par la magie de son art et aussi par la sympathie de son affection, l'a pour ainsi dire revêtue d'une gloire impérissable avec l'héroïne qu'elle incarne, et il n'est que juste qu'elle le paie de retour. Noblesse oblige ! Mlle Bouchard, qui est en tous points digne de Maria Chapdelaine, ne pouvait pas être insensible à cette loi de l'honneur, et elle s'est finalement rendue avec grâce à l'appel des innombrables admirateurs de Louis Hémon.

Nous n'avons aucun doute que la salle Saint-Sulpice débordera d'auditeurs le 29 novembre au soir. Personne ne voudra manquer ce régal aussi inusité que savoureux : une conférence sur Maria Chapdelaine par Maria Chapdelaine.

Aégidius Fauteux
Président de la Société Historique de Montréal

N.B. - Les billets seront en vente dès aujourd'hui chez Edmond Archambault, rue Sainte-Catherine. Prix : $1.50 et $1.00[30]

Éva repousse le journal d'un geste nerveux. Ce M. Fauteux s'est offert le plaisir d'une envolée épistolaire, sans se préoccuper le moins du monde de la position dans laquelle il la met. Les coudes sur la table, elle appuie son front sur ses mains glacées. Il lui avait pourtant semblé être un parfait gentilhomme, apparemment soucieux de respecter son rythme et sa personnalité. Il était habilement parvenu à la rassurer, à lui donner confiance, au point qu'elle appréhendait de moins en moins sa conférence à la salle Saint-Sulpice.

Et voilà qu'elle apprend de sa plume, en même temps que des milliers de lecteurs, qu'elle les entretiendra des « passions » qui ont agité M. Hémon, qu'elle révélera à son auditoire « qui il a aimé et par qui il a souffert », en plus de découvrir – c'est curieux, elle l'avait oublié ! – qu'elle était « la petite fille » de l'hôte de Louis Hémon, et qu'« elle a vécu avec lui sous le même toit ». M. Fauteux se permet non seulement de créer des attentes précises chez un auditoire avide de sensations fortes, dont il encourage la curiosité en la nommant finement « soif de l'esprit », mais il expose son invitée à une tension dont elle se passerait volontiers. Car Dieu fasse que Laura ne tombe pas sur cet article où M. Fauteux va jusqu'à prétendre qu'Éva était « la seule qui fût à quelque proximité de l'intelligence de Louis Hémon et qui pût jusqu'à un certain point le sauver de l'isolement complet de l'esprit » ! Elle frissonne à l'idée du remous que pourra créer Samuel à la lecture de cet article. Il ne manquera certainement pas l'occasion de la qualifier de traître par le fait de sa participation à cette conférence.

Que peut-elle faire ?... Avec des gestes lents, elle s'approche du poêle et se verse une tasse d'eau chaude. Sa propre réaction la surprend, elle qui aurait, il n'y a pas si longtemps encore, vertement clamé son indignation et évacué sa colère à grand renfort de gestes impétueux.

D'où lui vient donc ce calme olympien dont elle est la première étonnée ? Est-ce de la sagesse ? Ou… serait-elle en train de capituler devant l'ennemi ? Pourtant non, car elle a bien l'intention de remettre les pendules à l'heure avant la fameuse conférence. Quoi qu'il en soit, elle a conscience d'exercer un certain contrôle sur ses réactions. Tout compte fait, elle opte pour la sagesse. « À quarante-trois ans, il était temps ! » lui dirait Gustave. Et elle sourit à cette idée.

Des pleurs d'enfant la conduisent vers la fenêtre. Louis, Fernand et Gérard s'amusent à rouler des boules de neige, vestige de la première tempête de l'hiver. Mais le petit Gérard, qui tient à peine sur ses jambes, n'arrive pas à faire bouger la sienne. Louis, du haut de ses cinq ans, court lui prêter main-forte. Les pleurs cessent aussitôt.

– C'est-y correct ?

– Oui, tout va bien, Mathilde.

Éva a un sourire de gratitude envers la jeune fille qui se berce en reprisant près du poêle. Comment arriverait-elle, sans son aide, à assumer son rôle de mère de soutien ? Comment pourrait-elle s'absenter si elle ne pouvait compter sur cette présence chaude et rassurante ? Mathilde, pour sa part, se montre reconnaissante d'avoir enfin trouvé une famille et semble ravie de pouvoir faire la preuve de ses talents de cuisinière et de maîtresse de maison. En outre, elle s'occupe des quatre plus jeunes enfants de Nil comme s'ils étaient les siens. Le petit Roger, qui venait d'avoir deux mois à son arrivée, profite particulièrement de sa tendresse. Éva pourra donc partir en toute quiétude pour Montréal, elle sait que ses neveux et nièce ne manqueront de rien.

Roger vient de se réveiller et réclame des soins. Mathilde, délaissant son bas à demi reprisé, se dirige d'un pas ferme vers la chambre où s'agite le bébé. Éva regarde le quotidien demeuré ouvert sur la table. Elle devra relire cet article pour bien se préparer à répondre aux questions des nombreux curieux qui ne manqueront pas d'être séduits par la prose de ce M. Fauteux.

Elle dépose sa tasse vide, replie soigneusement le journal et le range au-dessus d'une armoire. Pour l'instant, elle a mieux à faire : un bonhomme de neige à fabriquer avec ses neveux.

*

Éva est impressionnée par l'accueil chaleureux qui lui est réservé à son arrivée au 62 de l'avenue Rosemont, où l'a conduite le représentant de la Société historique de Montréal à sa sortie du train. Mme Thibaudeau, son hôtesse, est une dame aimable et souriante. Éva se sent à l'aise dès le premier abord.

– Je suis si peu habituée aux honneurs, dit-elle en découvrant, enthousiasmée, la confortable chambre qui lui est assignée.

– Mais ce n'est rien, voyons ! Et ne vous en faites pas pour demain, tout ira bien. Vous n'avez qu'à vous laisser guider : je ne vous laisserai pas d'une semelle.

Éva lui sourit, reconnaissante.

– En attendant, prenez le temps de ranger vos vêtements, de vous rafraîchir et même de faire une petite sieste si vous en sentez le besoin.

Éva, qui n'aspire qu'à se glisser sous les couvertures le plus tôt possible, est soulagée de constater que Mme Thibaudeau a deviné sa fatigue.

– Quand vous descendrez, nous prendrons le thé. J'aurai d'ailleurs une belle surprise pour vous.

– Une surprise ?…

– Oui. Mais pour le moment, pensez seulement à vous reposer, sourit l'hôtesse. Et si vous avez besoin de quoi que ce soit, n'hésitez surtout pas à le demander. À tout à l'heure !

Éva remercie une dernière fois avant que la dame referme la porte derrière elle.

Une fois lavée et changée, elle s'étend sur le lit moelleux et confortable. Mais tous ces bruits étrangers, toutes ces odeurs nouvelles, toutes les appréhensions qu'elle nourrit encore au sujet de la conférence du lendemain l'empêchent de vraiment se détendre. Au bout de deux heures, elle décide de descendre, ne pouvant qu'espérer aller au lit tôt ce soir-là.

En arrivant au bas de l'escalier, elle entend une voix inconnue expliquer à Mme Thibaudeau qu'elle compte bien « convaincre Mlle Bouchard de prolonger son séjour ». En entrant dans la pièce, elle reconnaît immédiatement cette femme dont elle a si souvent regardé la photo au cours des deux années où elles ont correspondu. Ernestine Pineault lève vers elle un regard d'enfant émerveillée.

– Mademoiselle Bouchard, enfin !

Et elle se lève promptement en lui tendant les deux mains.

– Mademoiselle Pineault, je ne m'attendais vraiment pas à vous voir aujourd'hui !

– Je ne pouvais pas tenir plus longtemps en vous sachant à Montréal. Depuis le temps que je souhaite votre visite ! Madame Thibaudeau a été assez bonne pour m'inviter... Il faut dire que je lui ai un peu forcé la main, ajoute-t-elle en riant.

La spontanéité de sa correspondante plaît aussitôt à Éva.

– Comment s'est passé votre voyage ? Pas trop fatiguée, j'espère ?

– Tout s'est bien passé, mais je suis quand même un peu fatiguée.

– Avez-vous réussi à vous reposer un peu au moins ? demande Mme Thibaudeau.

Éva hésite un peu.

– Le lit est très confortable, dit-elle finalement. Mais cette conférence, ça me semble vraiment une grosse affaire ! Toute cette publicité…

– Je suis certaine que vous vous en tirerez très bien. Et j'étais justement à dire à madame Thibaudeau que j'avais l'intention de vous garder à Montréal le plus longtemps possible. Il m'a fallu attendre assez longtemps pour vous y faire venir…

– Je ne sais pas si je peux…

– Quand vous connaîtrez le programme que je nous ai préparé, vous comprendrez que vous n'avez pas le droit de partir avant les fêtes, continue Mlle Pineault.

Et elle ponctue sa phrase d'un rire cristallin.

– D'ailleurs, le calendrier de visites guidées par Mlle Pineault ne comprend pas les nombreuses invitations que j'ai reçues depuis qu'il est connu que vous venez à Montréal et que vous logerez chez moi, ajoute Mme Thibaudeau.

Éva est prise d'une vague nausée.

– Vous aviez prévu un voyage d'une couple de semaines, mais je crois bien qu'il vous faudra sérieusement reconsidérer la longueur de votre séjour, poursuit l'hôtesse.

Lisant l'inquiétude sur les traits d'Éva, elle enchaîne :

– Mais prenons une seule chose à la fois. Nous reparlerons de tout cela. Pour le moment, nous devons nous concentrer sur la journée de demain. En avant-midi, un journaliste et un photographe de *La Presse* viendront vous rencontrer et vous poser quelques questions.

– Ici ? s'exclame Éva, interloquée.

– Bien sûr. N'est-ce pas plus accommodant que d'avoir à sortir pour les rencontrer ? Et ne vous en faites pas, je les connais bien. J'ai d'ailleurs insisté pour qu'ils ne se présentent pas avant dix heures : la journée sera bien remplie et il faut que vous ayez le temps de récupérer de votre voyage.

Éva prend la tasse de thé que lui tend la domestique.

– Crème et sucre, mademoiselle ?

– Non, merci.

– Je disais donc... que notre journée sera passablement occupée : en après-midi, nous assisterons à un concert avec Mlle Pineault, puis je vous ramènerai afin que vous puissiez vous reposer et vous concentrer sur votre conférence. Au fait, de quelle couleur est votre robe ?

– Noire. Je porte toujours du noir.

– Vous avez bien raison, reprend Mme Thibaudeau après un bref sourire, Maria Chapdelaine se doit certainement de projeter une image sobre et modeste.

Éva a envie d'expliquer qu'elle ne cherche aucunement à projeter quelque image que ce soit et que le fait qu'elle ne porte que du noir n'a rien à voir avec Maria Chapdelaine. Mais elle est si fatiguée qu'elle renonce à se justifier. Elle préfère laisser les deux dames supposer ce qu'elles veulent plutôt que de prolonger indûment la discussion. Elle n'aspire qu'à une chose : se retirer dans sa chambre au plus tôt et dormir.

*

Le journaliste et le photographe, comme l'avait prédit Mme Thibaudeau, sont polis et respectueux, ce qui met Éva en confiance et lui redonne une certaine assurance. L'entrevue se déroule somme toute assez bien. Elle parle du roman, qu'elle considère comme une peinture assez fidèle à la réalité, de la crainte des gens de la région, qui redoutaient, du moins au début, que Louis Hémon se soit moqué d'eux, mais aussi de leur fierté lorsque, après avoir lu le roman, ils avaient compris que la réalité était tout autre. Elle profite de la tribune qui lui est offerte pour suggérer l'idée d'une route qui soit plus accessible aux touristes autour du lac, et pour parler des problèmes d'inondation qui achèvent de détruire une partie des terres de la région.

Par contre, pendant le concert de l'après-midi, elle est de plus en plus consciente de l'imminence de sa conférence. Plutôt distraite, elle est soulagée d'entendre son hôtesse annoncer, dès la fin du récital, qu'elles vont rentrer.

*

– J'avais très hâte de vous rencontrer, mademoiselle Le Franc, dit un Damase Potvin enjôleur, en se penchant pour baiser la main de la journaliste française.

– Je suis tellement curieuse de voir comment cette demoiselle Bouchard s'en sortira, que je n'aurais voulu manquer cette conférence pour rien au monde, surtout après ce que vous m'avez écrit à son sujet.

– Je suis honoré que vous ayez accepté mon invitation. Et j'espère que le restaurant que j'ai choisi vous plaira. On y sert une excellente cuisine française.

– Vous vous en faites trop pour moi, monsieur Potvin. Vous semblez oublier que, depuis que je suis arrivée au Canada, j'ai eu le temps de m'habituer à la cuisine locale.

– C'est vrai. D'ailleurs, n'avez-vous pas traversé le pays en entier ?

– Absolument, mon cher monsieur. Avant cette longue « excursion », si je puis m'exprimer ainsi, je dois avouer que ma connaissance de votre beau pays se limitait à la ville de Montréal, en particulier au secteur qui entoure l'Université McGill où je donne mes cours de français et où j'ai trouvé logis. C'est un séjour d'une semaine dans les Laurentides avec des collègues qui m'a convaincue de prendre la route.

– Avez-vous vu les Laurentides à l'automne ?

– Oui, j'ai eu cette chance. Mais où que l'on s'y trouve, votre pays est tout simplement magnifique. Gran-di-o-se ! dit-elle avec emphase, en détachant chaque syllabe. Ces immensités, ce silence ! Sans parler de cette luminosité que je n'ai rencontrée nulle part ailleurs. Je ne suis pas encore arrivée à trouver les mots appropriés pour décrire mon émerveillement, mais, croyez-moi, j'ai bien l'intention de publier un livre sur le Canada dès mon retour en France. D'ici là, vous pourrez en lire des extraits dans les *Nouvelles littéraires* de janvier prochain.

– Sous votre plume, chère madame, je suis persuadé que notre Canada apparaîtra encore plus irrésistible à vos compatriotes.

– Pour bien en parler, je me devais de connaître votre hiver. Pas seulement celui de la ville, mais celui de la campagne profonde. Je souhaitais voir les rivières gelées décrites par Hémon, entendre le vent siffler entre les grands sapins…

– J'imagine que vous avez dû vous rendre au Lac-Saint-Jean, lance le Saguenayen d'origine.

Marie Le Franc s'immobilise un instant, considérant le plus sérieusement du monde son vis-à-vis, puis, d'un air frondeur, déclare :

– Vous auriez voulu m'en empêcher, mon cher monsieur, que vous n'y seriez pas arrivé ! Vous n'avez encore aucune idée de la détermination de Marie Le Franc.

– Eh bien tant mieux ! approuve Damase Potvin dans un large sourire, en ouvrant la porte du restaurant pour laisser entrer son invitée. C'est d'une personne comme vous que nous avons besoin pour remettre l'impertinente Éva Bouchard à sa place ce soir.

– Je compte sur vous pour me parler d'elle d'ici la conférence, répond la dame, abandonnant son manteau au valet.

– Comptez sur moi. Je suis trop heureux d'avoir trouvé quelqu'un qui pense comme moi, quelqu'un d'honnête qui tienne autant que moi à rétablir la vérité, proclame son confrère, flatteur.

En passant devant un présentoir à journaux, la journaliste ralentit le pas et se tourne vers son collègue :

– J'imagine que vous avez lu la nouvelle au sujet de l'affaire LeFebvre-Grasset ?

– Bien sûr. Le juge Philippe Demers a finalement rendu son jugement : LeFebvre devra payer la somme de 726,20 $ avec les intérêts et les frais divers.

– Cela devrait mettre un terme à cette saga judiciaire autour de la publication de *Maria Chapdelaine*.

– Espérons-le, commente Damase Potvin, en tirant galamment le siège de son invitée.

– Mais revenons donc à l'autre « Maria Chapdelaine », celle dont vous avez dénoncé l'imposture, continue la journaliste en s'assoyant. J'aimerais que vous me donniez plus de détails sur cette demoiselle Bouchard.

– Mais avant, dites-moi : ne l'avez-vous pas rencontrée lors de votre visite à Péribonka ?

– Je m'y suis rendue au printemps. Comme vous me l'aviez conseillé, j'ai logé à l'hôtel de M. Samuel Bédard. J'ai rencontré sa charmante épouse. Cela m'a suffi. Après ce que vous m'en aviez dit, je n'avais aucune envie de rendre visite à cette fausse Maria Chapdelaine. Et croyez-moi, ce n'est pas M. Bédard qui m'y a encouragée !

Damase Potvin sourit d'un air entendu.

– Très bien, dit-il, rassuré. Alors comme je vous l'expliquais dans ma correspondance, au début de cette histoire, ayant malheureusement été mal informé, j'ai fait l'erreur d'identifier Éva Bouchard à Maria Chapdelaine. Sa première réaction a d'ailleurs été de nier : naturellement, mes déclarations l'humiliaient, puisqu'elle l'avait toujours considéré comme un idiot ! Elle est même allée jusqu'à se réfugier dans un couvent, risque-t-il en baissant les yeux, conscient de maquiller la vérité et de bousculer la chronologie des événements à son avantage.

Convaincue d'avoir entendu de la bouche de Laura Bouchard que sa sœur avait fait un séjour chez les religieuses bien avant la sortie du livre, la journaliste crispe légèrement les mâchoires, mais choisit de ne rien dire.

– Évidemment, la tentation était grande pour Mlle Bouchard de profiter de ma méprise du début. Ce qu'elle n'a pas manqué de faire, dès qu'elle a compris ce qu'elle pourrait éventuellement en tirer, ajoute Damase Potvin en retrouvant peu à peu son assurance.

Puis il se racle la gorge et s'humecte les lèvres avant de poursuivre sur un ton qu'il souhaite percutant :

– De plus, j'ai découvert que cette chère demoiselle n'avait rencontré Hémon qu'une seule fois. Il faut que cette comédie cesse au plus tôt !

De plus en plus perplexe, Marie Le Franc refoule un sourire amusé.

– Vous, une étrangère dont elle ignore jusqu'à l'existence, continue-t-il d'une voix roucoulante, réussiriez sûrement à l'ébranler par deux ou trois bonnes questions posées à des moments stratégiques.

Marie Le Franc plonge son regard dans la carte du menu pour éviter d'avoir à commenter cette requête. Elle n'a tout de même pas l'intention de se laisser dicter ses questions par ce M. Potvin. Elle ne s'est d'ailleurs jamais expliqué comment ce journaliste-romancier avait pu répandre une telle rumeur avant d'en avoir vérifié les sources. Comment il avait pu semer à tous vents une nouvelle si contraire à l'éthique journalistique et littéraire. C'est vraiment faire injure au talent d'un auteur, c'est méconnaître les lois de la littérature que de prêter une identité aussi précise à un personnage de roman. Il a fallu qu'il ait bien soif d'honneur et de reconnaissance pour abuser ainsi de la confiance des lecteurs, pour créer de toutes pièces une héroïne qu'ils aduleraient à défaut d'être en mesure d'apprécier à sa juste valeur le talent d'un auteur.

Par contre, le portrait que Samuel Bédard a brossé de sa belle-sœur n'est certes pas pour lui rendre sympathique la petite institutrice de Péribonka. Elle se promet de ne rien laisser passer lors de la période de questions, après la conférence de ce soir. Pour le moment, ce Damase Potvin lui apparaît donc comme le parfait allié, celui qui se fera un plaisir de lui fournir toutes les munitions dont elle pourrait avoir besoin.

– Pouvez-vous m'expliquer comment M. Fauteux, le président de la Société historique, a pu affirmer dans *La Presse* d'hier qu'Éva Bouchard avait habité sous le même toit que Louis Hémon ?

Damase Potvin lisse sa moustache du bout de l'index. Une mise au point s'impose.

– Évidemment, je tiens à préciser qu'après la malheureuse erreur que j'ai faite au début, bien d'autres journalistes se sont emparés du sujet, et se sont d'ailleurs fait un plaisir d'en rajouter. J'ai eu beau me rétracter, il n'y avait rien à faire. La légende était née et je ne la contrôlais plus. Pour en revenir à votre question, comme vous êtes en mesure de le constater, Mlle Bouchard n'a jamais tenté sérieusement de contredire les allégations mensongères véhiculées sur son compte. Si M. Fauteux a affirmé, en toute bonne foi, je n'en doute pas, qu'elle a habité sous le même toit qu'Hémon, j'imagine, ajoute-t-il en pesant bien ses mots, qu'elle a dû éviter soigneusement de le contredire. D'ailleurs, elle signe désormais tous ses écrits du nom de Maria Chapdelaine. Il me semble que ce geste, à lui seul, est suffisamment éloquent, commente-t-il, tout en surveillant du coin de l'œil la réaction de sa consœur.

– Évidemment ! réplique cette dernière, les sourcils froncés.

– En fait, elle ajoute le nom de « Maria Chapdelaine » sous le sien, corrige aussitôt Damase Potvin, surpris de sa propre audace. Mais ça revient au même, finalement, conclut-il dans un rire nerveux.

La journaliste avale son commentaire en même temps que la bouchée qu'elle vient de porter à ses lèvres.

« Cet homme essaierait de m'influencer qu'il ne s'y prendrait pas autrement », songe-t-elle. Et elle fait subtilement dévier la conversation, bien déterminée à ne s'entretenir que de faits divers jusqu'à la fin du repas.

*

En arrivant à la salle Saint-Sulpice, Éva essaie de se convaincre qu'elle n'a qu'à laisser venir les événements sans essayer de prévoir les réponses qu'elle pourrait donner à des questions hypothétiques. Par contre, elle tient à discuter avec M. Fauteux avant la conférence, pour lui demander de faire certaines mises au point lors de sa présentation : elle souhaiterait qu'il précise, entre autres, qu'elle a fait ses études à Roberval plutôt qu'à Sillery, qu'elle n'a pas vécu sous le même toit que Louis Hémon ; qu'il démente en fait toutes les faussetés diffusées par *La Presse* du 16 novembre, d'autant plus qu'elles risquent de créer des attentes chez l'auditoire. Elle considère que ce n'est pas à elle de rétablir les faits, ces erreurs ayant été publiées sans son consentement.

Lorsqu'elle aborde le sujet, M. Fauteux admet du bout des lèvres que les journalistes qui l'ont renseigné ont pu en effet laisser glisser « quelques erreurs sans conséquences », comme le fait qu'elle ait été présentée comme étant la petite-fille de

Samuel Bédard, par exemple. Il rit et lui suggère à voix basse de passer outre à ces « petits détails sans importance », et surtout d'éviter de les démentir publiquement afin de se conserver « l'estime et l'amitié si précieuses de leurs auteurs ». Puis il s'excuse et la laisse, bouillante de colère, entre les mains de Mme Thibaudeau qui tente de la calmer de son mieux :

– Vous avez bien préparé votre conférence, tenez-vous en à ce que vous aviez prévu et tout ira pour le mieux, croyez-moi, la rassure cette dernière en replaçant le petit col de dentelle de son invitée.

Éva voudrait avoir l'audace de quitter la salle, tout en sachant très bien qu'elle n'en fera rien. Cela risquerait d'ailleurs d'envenimer les choses, laissant aux journalistes le champ libre pour colporter n'importe quoi à son sujet. Des coulisses, elle entend M. Fauteux faire son éloge, expliquant tout au plus que Mlle Bouchard, contrairement à ce qui avait été écrit, n'a pas vécu sous le même toit que Louis Hémon, mais invitant néanmoins l'auditoire à applaudir « l'authentique Maria Chapdelaine ».

Mme Thibaudeau sourit à Éva en lui pressant le bras. Celle-ci s'avance, droite, les traits figés. De son siège de la deuxième rangée, Mlle Pineault lui fait des signes d'encouragement. Avant même qu'Éva ouvre la bouche, les applaudissements s'intensifient. Puis elle remercie un peu froidement M. Fauteux des éloges qu'il lui a adressés, mettant toutefois le public en garde contre une possible déception. Et entreprend finalement de dérouler, sans grand enthousiasme, le texte qu'elle connaît désormais par cœur. L'assistance est on ne peut plus attentive, elle reprend graduellement de l'assurance. À sa grande surprise, elle parvient avec une surprenante facilité au bout de son exposé, que suit une longue ovation. La foule est visiblement enchantée, Éva sourit timidement. Pour clore l'assemblée, le juge Fabre-

Surveyer la remercie et lui remet une médaille frappée à l'effigie de Louis Hémon. Elle commence à se détendre et entrevoit enfin avec soulagement le moment de se retirer, quand une nuée de journalistes se met à bourdonner autour d'elle, lui laissant à peine le loisir de respirer.

Appliquée à répondre à chacune des questions, elle ne remarque pas tout de suite cette femme, un peu en retrait du groupe, qui la scrute d'un œil sévère. Un malaise diffus s'installe pourtant en elle dès qu'elle l'aperçoit, faisant bondir son cœur agité et se dérober ses jambes chancelantes : elle a déjà vu cette personne quelque part ! Puis l'évidence s'impose, il s'agit de Marie Le Franc, cette journaliste française que Samuel avait soigneusement évité de lui faire rencontrer lors de son passage à Péribonka. Pendant ce temps, la femme, les yeux fixés sur elle comme un aimant, s'avance et demande avec autorité, d'une voix aiguë comme son regard :

– Est-ce qu'il écrivait, le soir, dans sa chambre[31] ?

Éva revoit le petit espace derrière le poêle à trois ponts, où on avait glissé un lit trop court et trop étroit le long du mur. Puis elle songe à la luxueuse maison de Mme Thibaudeau, son hôtesse. Comment expliquer à des gens qui possèdent sans doute des résidences aussi spacieuses et confortables, que l'auteur qu'ils adulent a dormi sur un grabat dans l'unique pièce de la maison de sa sœur, séparé par un simple rideau de ce qui aurait pu ailleurs s'appeler la « chambre des maîtres » ?

Elle en est encore à se demander quoi répondre pour ne pas choquer son auditoire lorsqu'une deuxième question, encore incisive, surgit de l'agitation générale :

– Est-ce qu'on voyait de la lumière par la fenêtre donnant sur la rivière coulant, dites-vous, à une couple de cent pieds de là[32] ? demande encore la voix de la femme.

Ce n'est plus une entrevue, c'est un interrogatoire. Elle n'a pas encore formulé la première réponse que d'autres questions fusent. Éva se sent traquée. Levant les yeux, elle croit reconnaître le sourire satisfait de Damase Potvin au fond de la salle enfumée. Elle sent alors ses jambes fléchir et sa vue se brouiller. Elle pâlit.

– Vous rappelez-vous le jour de Noël de cette année-là[33] ? questionne encore la même voix haut perchée, harcelante, obsédante.

Éva cherche du regard le visage de son vieil ennemi pour s'assurer qu'elle n'a pas rêvé, mais l'homme a disparu dans la foule qui s'enfile vers la sortie. Une bouffée de chaleur lui monte au visage. Elle s'agrippe solidement au lutrin.

– Non… je ne sais plus… je n'ai pas fait attention à M. Hémon… Nous avons dû prendre le dîner ensemble… Il y avait un six-pâtes[34]…

C'est à ce moment précis que Mme Thibaudeau fait un signe à M. Fauteux et qu'il intervient pour faire cesser l'entrevue :

– Je crois que Mlle Bouchard a dit tout ce qu'elle avait à dire dans sa conférence. Laissons-la se reposer maintenant.

Et il lui tend un bras auquel elle s'accroche comme à une bouée, tout en essayant de présenter malgré tout une image souriante à la meute qui s'écarte sur son passage.

Percevant sa nervosité, Mme Thibaudeau et sa fille l'ont amplement félicitée et rassurée, dans la voiture qui les ramenait. Pourtant, une fatigue extrême l'a forcée à se retirer dans sa chambre dès son retour à la résidence de son hôtesse, un frisson l'a obligée à se glisser aussitôt sous les épaisses couvertures. Étendue sur le lit duveteux, Éva garde les yeux fermés pour mieux revoir les images qui se bousculent encore dans son esprit en ébullition. Elle essaie de se concentrer sur sa conférence, sur les visages captivés des auditeurs, sur le sourire encourageant de Mlle Pineault, mais ce sont plutôt le regard méprisant de cette femme, sa voix de fausset, et le sourire insolent de Damase Potvin qui la hantent, jusqu'à ce qu'un sentiment d'anéantissement total la fasse glisser doucement dans le sommeil et vienne enfin les effacer de sa conscience.

*

– Bonjour, mademoiselle Bouchard. Avez-vous bien dormi ? s'informe l'hôtesse avec un sourire, en apercevant Éva au pied de l'escalier.

– Bonjour, madame Thibaudeau, j'ai dormi comme un bébé. Vous me voyez même plutôt mal à l'aise d'être restée si longtemps au lit…

– Ne vous excusez surtout pas, c'était tout naturel après la journée que vous avez passée hier.

– N'empêche… quand j'ai entendu sonner dix heures, je n'en croyais pas mes oreilles. Je ne me souviens pas d'avoir dormi aussi tard.

– Prenez donc place à la table de la salle à manger, au lieu de vous faire des reproches, dit en riant la dame. Prendrez-vous un verre de jus d'orange ou désirez-vous tout de suite un thé ?

– Oh ! s'exclame Éva, reconnaissante de tant d'attentions. J'accepterais volontiers un verre de jus. Je vous remercie. Je prendrai peut-être un thé par la suite, si ça ne vous complique pas trop la vie.

Mme Thibaudeau chasse les objections d'un geste de la main :

– Je vais donner la commande à ma cuisinière et je vous rejoins avec ma fille. Pendant que vous prendrez votre déjeuner, nous vous lirons quelques extraits de *La Presse.* On vous y a réservé un espace considérable, vous savez.

Éva contemple la table garnie comme pour un banquet, avec ses grappes de raisins, l'assiette de cristal remplie de tranches de fruits frais, le plateau de fromages fins, le panier d'osier dont la garniture de coton fleuri laisse filtrer des odeurs irrésistibles de pain, de muffins et de croissants bien chauds.

Mme Thibaudeau s'est préparé une assiette contenant quelques fruits et un petit gâteau pour accompagner son invitée. Elle se verse une tasse de café brûlant pendant que sa fille surgit de la bibliothèque en arborant un large sourire :

– Bonjour, mademoiselle Bouchard. Comment allez-vous ce matin ?

– Bonjour, mademoiselle. Je serais bien mal venue de me plaindre après une aussi longue nuit et devant une table aussi invitante.

– Eh bien, permettez-moi d'en rajouter un peu en vous lisant *La Presse* de ce matin. L'article doit bien couvrir en tout et partout l'équivalent d'une page complète, vous vous rendez compte ?

– Je crois, ma chérie, l'interrompt sa mère, que quelques extraits seraient suffisants. Mlle Bouchard vient à peine de se lever, et je crains qu'il ne soit pas de mise de lui imposer une aussi longue lecture. Elle pourra elle-même en prendre connaissance à sa convenance, plus tard au cours de la journée.

– Ce n'était pas mon intention d'ennuyer notre invitée, mère. Je ne voulais lui lire que les passages les plus intéressants, répond la jeune femme, avec un soupçon d'impatience contenue.

– Alors soit ! Nous t'écoutons, annonce Mme Thibaudeau en adressant un sourire à Éva.

– « *Avec une grande simplicité qui n'était pas le moindre charme de sa causerie, Mlle Éva Bouchard a vivement intéressé un auditoire nombreux et sympathique*[35]. » N'est-ce pas un bon début ? commente la lectrice enthousiaste. Dans cette première partie, on fait également l'éloge de vos « *explications claires et minutieuses*[36] ». Mais écoutez bien ceci : « *Dans cette salle toute blanche, toute simple de la bibliothèque Saint-Sulpice, en cette atmosphère si favorable à l'attention de l'esprit, Mlle Éva Bouchard, la "Maria Chapdelaine" de Péribonka, au sourire et aux yeux noirs si doux sous sa couronne de cheveux grisonnants, a parlé hier soir de "l'étranger" qui vint un jour, obscurément, se louer sur la ferme de Samuel Bédard, et dont le nom aujourd'hui, comme le dit si bien M. Aégidius Fauteux, a grandi au point d'être connu du monde entier. Pénétrée de la vertu attendrissante de son sujet, au point de ne paraître que très peu impressionnée par un auditoire non seulement choisi mais habituellement exigeant, Mlle Bouchard, dans sa robe noire au col de dentelle, fut d'une simplicité admirable et parla avec un naturel profondément éloquent. Son expression facile et juste convenait si bien à une causerie sur le roman de Louis Hémon, aux pages si dénuées de toute "littérature" artificielle, aux situations à peine romanesques, juste suffisamment pour paraître davantage près de la vie*[37]. »

– Je trouve que c'est un excellent article, commente Mme Thibaudeau. Qu'en pensez-vous, mademoiselle Bouchard ?

Le visage pâle, les traits tendus, Éva n'a pas avalé une bouchée depuis le début de la lecture. Pour la première fois depuis longtemps, elle sent son estomac se nouer. Pourtant, elle est d'accord avec Mme Thibaudeau pour reconnaître que, jusqu'à maintenant, l'article s'avère des plus élogieux. Pourquoi redoute-t-elle toujours qu'une critique positive en cache une autre qui la démolira l'instant d'après ? Elle revoit le regard insolent de la journaliste française dont les questions insidieuses l'ont déstabilisée à la fin de la conférence. Des questions qui auraient obligé Éva à apporter certaines précisions, mais qui, déferlant les unes après les autres, ne lui en laissaient pas le temps, insinuant plutôt, à son grand désarroi, le doute dans l'esprit des auditeurs encore présents. Comme si cette Marie Le Franc s'était donné la mission de prouver au public qu'Éva ne méritait pas les honneurs qu'on lui faisait, et s'était appliquée à détruire tout ce qui s'était dit ce soir-là.

– Qui a écrit cet article ? demande Éva, inquiète.

– Il n'est pas signé, répond Mme Thibaudeau. C'est fréquent, vous savez, ajoute-t-elle pour rassurer Éva.

Puis elle sourit et touche la main d'Éva, qui gît mollement sur la nappe blanche :

– Je me doute de ce qui vous préoccupe, ma pauvre demoiselle. Mais, croyez-moi, vous vous en faites pour rien. Cette demoiselle Le Franc a eu beau s'acharner sur vous hier, ce n'était pas tant vous-même qu'elle visait que le peuple canadien en entier qui, selon elle, ne reconnaît pas le talent de son compatriote à son juste mérite. Vous n'étiez que l'instrument dont elle s'est servie pour passer son message.

Mme Thibaudeau saisit la cafetière et remplit sa tasse.

– Mais de quel message parlez-vous donc, mère ? questionne sa fille.

Visiblement embarrassée, la dame boit d'abord une longue gorgée avant d'expliquer, d'une voix grave et lente :

– Selon moi, vois-tu, Mlle Le Franc n'est pas d'accord avec le fait que certains personnages du roman soient identifiés à des personnes réelles, énonce-t-elle en regardant sa fille. Elle n'y croit pas et refuse absolument d'endosser cette idée.

Et, se tournant vers Éva, elle ajoute :

– Mais vous n'avez rien à vous reprocher, mademoiselle Bouchard, car vous n'avez jamais cherché à vous mettre en évidence dans cette affaire. Au contraire, ce sont les autres qui vous ont propulsée là où vous êtes maintenant. Et encore, vous racontez avec une telle humilité que personne ne peut vous accuser de quoi que ce soit.

Puis, s'adressant de nouveau à sa fille :

– Peux-tu lire le passage où est résumé le discours d'introduction de M. Fauteux ?

– Oui, le voici : « *Il y a un peu plus de quinze ans, dit-il, un étranger abordait en ce pays, n'ayant personne pour lui tendre la main, pénétrant obscurément chez un peuple nouveau. Trois ans il resta mêlé à nous, puis une mort atroce l'emporta avant qu'il eût connu l'accueil fait au livre où il exaltait les qualités de notre race, par l'étude directe de types de colons défricheurs. Cet étranger, c'était Louis Hémon. Son nom a soudain grandi au point d'emplir le monde entier. Pour susciter cette œuvre, il n'a fallu qu'une étincelle ; ce fut vous, Mademoiselle, ce fut "Maria Chapdelaine*[38] ". »

– À peu de détails près, voilà comment, depuis la publication du roman, on vous a désignée comme étant Maria Chapdelaine, déclare Mme Thibaudeau, interrompant ainsi la lecture. Depuis que le livre est sorti pour la première fois en 1916, je m'intéresse à cette affaire, j'ai lu tout ce qui s'est écrit sur le sujet, je peux imaginer comme on a dû vous harceler pour en venir à faire de vous une héroïne contre votre volonté. Je sais aussi avec quelle fougue vous avez, pendant des années, refusé de vous prêter au jeu des journalistes. Hier, vous avez raconté des faits réels, tels qu'ils ont été vécus par votre sœur et votre beau-frère, particulièrement. Vous avez mentionné certaines ressemblances entre quelques personnages du livre et des gens de votre milieu, sans jamais insister toutefois. Des faits, rien que des faits. Voilà ce dont vous nous avez fait part. Vous n'avez pour ainsi dire pas parlé de vous-même. Et en devançant la plupart des questions des journalistes, vous avez pu en éviter l'avalanche à la fin de la causerie.

– Je n'ai malheureusement pas réussi à les éviter toutes, dit simplement Éva dans un sourire teinté d'amertume.

– Évidemment. Mais vous aurez toujours des détracteurs, mademoiselle Bouchard. Quoi que vous fassiez, et à plus forte raison si vous exercez un métier public, vous serez critiquée. Je ne dis pas que c'est facile, mais je pense que vous n'aurez pas d'autre choix que de l'accepter. Sinon, ça vous coupera l'appétit, comme ce matin, et vous privera d'un tas de petits plaisirs, poursuit-elle, souriant à son tour en poussant le plateau de fromages vers Éva.

Éva sourit, cette fois de gratitude envers cette femme qui sait si bien trouver les mots qu'il faut pour la remettre d'aplomb. Puis elle tend la main vers le panier d'osier, entrouvre la jolie garniture de coton et choisit un croissant encore tiède.

*

Morin et Morin, 57 rue Saint-Jacques ouest, Montréal

5 décembre 1928

Mademoiselle Éva Bouchard
Montréal

Chère Mademoiselle,

Il me fait plaisir que vous ayez accepté de venir rencontrer les membres du Conseil de la Société historique, chez moi, samedi soir, en compagnie de Madame et Mademoiselle Thibaudeau. C'est une soirée sans cérémonie à laquelle n'assisteront que les membres du Conseil et leurs femmes pour causer des œuvres qui nous intéressent. Veuillez agréer, chère demoiselle, l'assurance de mes sentiments dévoués.

Victor Morin
3585, rue Saint-Urbain[39]

1929

Éva n'en croit pas ses yeux : un billet de cent dollars accompagne la lettre de Mme Félix Hémon. Le montant est de loin supérieur à ce qu'elle aurait jamais osé espérer. Conseillée par son hôtesse et par Mlle Pineault, encouragée par les gens rencontrés lors de la soirée chez M. Victor Morin à la fin de son séjour, elle a fini par écrire à la mère de l'auteur pour lui raconter comment elle avait pris en charge, pour la deuxième année consécutive, l'entretien du monument à Louis Hémon. Elle a toutefois décidé de taire les actes de vandalisme répétés qui l'avaient finalement forcée à abandonner et à laisser les mauvaises herbes ainsi que les débris de toutes sortes souiller le monument de son fils. En outre, Éva a fait parvenir à la vieille dame plusieurs copies d'articles de journaux, dont celui paru dans *Les Nouvelles littéraires* du 5 janvier, dans lequel Marie Le Franc déversait avec vigueur sa hargne et son amertume. C'était sans contredit à Éva que la journaliste s'en prenait. Mme Hémon, malgré son grand âge, a su trouver des paroles apaisantes : « [...] *il ne faut pas accorder trop d'importance aux coups de griffes des écrivains qui n'hésitent jamais entre une petite méchanceté et une jolie phrase ou un trait d'esprit. Et cet esprit français est actuellement porté à la moquerie et à la critique. Nous avons eu aussi nos soucis à souffrir d'articles méchants ou absurdes au sujet de "Maria Chapdelaine", dont le succès a fait beaucoup de jaloux. Ne sachant pas ce que je* *vous dois pour avoir bien voulu faire nettoyer et orner un peu le monument de mon cher enfant, je mets dans cette lettre un billet de 100$, vous priant de me dire ce que je pourrais vous redevoir encore, afin que je m'en acquitte au plus tôt*[40] ».

Alors s'amorce entre Mme Hémon et Éva une correspondance assidue qui se traduit au cours des mois suivants par d'autres dons d'importance variable, expédiés occasionnellement par la vieille dame, ce qui laisse parfois Éva dans l'embarras, malgré le besoin certain qu'elle a de cet argent.

– Je me sens impuissante à remercier Mme Hémon comme il se doit, confie-t-elle à Gustave lors de sa visite à Péribonka à la fin de l'été. Je lui raconte ce qui se passe ici, je lui parle de mes projets et des progrès apportés aux installations grâce à ses dons, mais ça me rend mal à l'aise. Au début, je ne savais pas trop comment lui témoigner ma reconnaissance. J'ai commencé par faire l'éloge de son fils. Et il m'a semblé qu'elle appréciait beaucoup que je lui parle de son « cher enfant » comme elle l'appelle. Elle n'arrête pas de me remercier de « travailler à immortaliser » sa mémoire. Alors j'ai continué maladroitement, en pensant que je contribuais peut-être à apporter une certaine consolation à une pauvre vieille dame malade. Mais je suis consciente que je finis par me répéter et je me demande comment réorienter nos échanges sans qu'elle se sente abandonnée. Cette pauvre dame me semble bien seule malgré la présence de sa fille et de sa petite-fille. Pourtant je n'arrive pas à me défaire de cette impression désagréable qu'elle me fait la charité.

– Bout d'baptême, Éva ! s'exclame Gustave, en se levant brusquement pour se rendre à la fenêtre qui donne sur la maison de Nil, en face. Pense à tous les travaux que tu as fait faire cet été : tu as posé de la tapisserie neuve sur les murs de la petite maison, tu as fait réparer les meubles. Ici, au Foyer, tu as ajouté des rideaux aux fenêtres…

– Mais je n'ai pas pu continuer à faire entretenir le monument. Au début de l'été, il était propre, j'avais fait faucher l'herbe autour et planté des fleurs, mais j'ai renoncé à continuer et j'ai laissé les mauvaises herbes l'envahir depuis que des jeunesses du coin ont décidé de saccager systématiquement mon travail.

– Des têtes folles qui respectent rien, joualvert ! Tu vas toujours ben pas t'en laisser imposer par eux autres et te sentir coupable en plus ! Si encore c'était pour toi que tu prenais cet argent-là ! Mais non, t'as toujours les mêmes vieilles robes sur le dos ! lance-t-il d'un ton provocateur, en se tournant pour la regarder droit dans les yeux.

Piquée au vif, Éva se lève à son tour et marche jusqu'à la fenêtre la plus éloignée de son frère.

– Qu'est-ce que tu as contre mes robes ? Je n'ai pas d'argent à dépenser pour ça. J'ai toujours fait ma couture moi-même et ce n'est pas à quarante-quatre ans que je vais commencer à jouer les coquettes.

– Je te parle pas de jouer les coquettes, je te dis juste que tu pourrais changer de modèle et de couleur de temps en temps. Ce que je dis, c'est pour ton bien. Quand on est en affaires, il faut penser à soigner un peu son apparence.

Elle hausse les épaules et le ramène à l'ordre :

– Je te fais remarquer que tu as fait dévier la conversation.

– C'est vrai. Excuse-moi.

Il revient s'asseoir et réfléchit un moment.

– Tu disais que tu étais mal à l'aise parce que Mme Hémon t'envoyait de l'argent. Premièrement, je pense qu'elle est loin d'être dans la misère. Et je suis convaincu que tu lui apportes un certain réconfort en lui parlant de son fils. Mais en plus, je suis persuadé que ça doit lui faire du bien de penser qu'elle contribue à « immortaliser » le souvenir de son enfant en te faisant parvenir de l'argent de temps en temps. Si un de mes enfants avait fait quelque chose d'important, je serais le premier à vouloir que le monde se souvienne de lui, et rien ne me paraîtrait trop cher pour ça. En tant que père de famille, je peux comprendre ça. Tu peux me croire, Mme Hémon se sent pas obligée de t'expédier cet argent-là. Au contraire, elle est sûrement heureuse de savoir qu'ici, au Canada, quelqu'un s'occupe de garder la mémoire de son fils vivante. Ça fait que... arrête de te morfondre. Maintenant, j'imagine qu'il est toujours temps pour toi d'orienter votre correspondance autrement si tu penses que c'est mieux. Mais d'un autre côté, je suis mal placé pour te conseiller là-dessus, parce qu'en ce qui concerne l'écriture, ce serait plutôt toi l'experte.

– Experte, c'est un bien grand mot, commente Éva en s'assoyant.

– En tout cas, si tu l'étais pas, tu risques de le devenir si tu continues à répondre à toutes les lettres que tu reçois comme tu le fais déjà depuis quelques années. Sans compter toutes les demandes de subvention que tu as rédigées, tous les remerciements que tu as adressés, les cartes de vœux...

– C'est vrai que je passe une bonne partie de mon temps à faire de la correspondance. Je ne peux pas concevoir de ne pas répondre à ceux qui prennent la peine de m'écrire, de ne pas remercier ceux qui ont eu la gentillesse de m'inviter et de m'accueillir, que ce soit pour une conférence, une visite ou n'importe quelle autre occasion.

– Tu es un modèle de perfection, ma petite sœur, se moque Gustave. Dommage qu'il y ait pas un gars intéressant qui s'en soit rendu compte avant ! Ils savent pas ce qu'ils ont perdu.

– Arrête donc de dire des niaiseries, Gustave Bouchard.

*

AU LAC-SAINT-JEAN
L'OASIS DU NORD DE QUÉBEC

Un voyage intéressant en compagnie de Sir Henry Thornton.

Dans une tournée d'inspection comme celle que viennent de faire au Lac-Saint-Jean Sir Henry Thornton et les autres directeurs et officiers de la Québec-Saguenay-Chibougamau, la question ferroviaire, d'abord et avant tout, occupait les voyageurs. Mais aucun être humain normal ne passe trois jours et trois nuits entières à parler, penser et rêver locomotives, rails, dormants et « pouvoirs d'eau ». Les hommes d'affaires les plus remarquables sont le plus souvent de bons vivants qui savent mêler l'utile à l'agréable. C'est ainsi que, au passage du village de Péribonka, les noms de Maria Chapdelaine, d'Edwige Légaré, de François Paradis, de Lorenzo Surprenant et d'Eutrope Gagnon montèrent instinctivement dans toutes les mémoires.

On eût voulu s'arrêter devant le monument de Louis Hémon pour accorder une pensée pieuse à celui qui donna au monde le plus beau et le plus sympathique roman que l'on ait écrit sur le rôle de la race française en Amérique. Hélas ! il est bien misérable et bien abandonné, le monument de Louis Hémon. Des débris s'accumulent autour de sa pierre triste et de ses inscriptions, et pas une main de femme n'est venue faire pousser au bas de son nom la rose rouge du souvenir ou la marguerite de la fidélité. Oublié, méprisé peut-être, l'engagé des Bédard qui eut presque du génie et qui sema sur toute cette race de défricheurs un parfum de gloire et de poésie.

Pourtant, non loin de la stèle commémorative vit une femme que les gens de la région se plaisent à désigner sous le nom de l'héroïne du célèbre roman. Au Foyer Maria-Chapdelaine, elle vend des cartes postales et des bonbons, et aux touristes qui s'arrêtent chez elle pour satisfaire leur curiosité, elle distribue son portrait avec l'autographe suivant : « Éva Bouchard (Maria Chapdelaine) ». C'est le cœur serré que nous assistons à cette sorte de profanation. Maria ne fut pas une biographie individuelle, mais une personnalité collective et un merveilleux symbole. « Ce symbole, disait M. Dalbis dans son "Bouclier Canadien-Français", est au cœur du tableau qu'il éclaire, il est au centre de l'action qu'il anime. Personne n'existe en dehors de cette fille silencieuse et le paysage lui-même ne se laisse admirer que par les images qu'il donne dans son âme. Maria Chapdelaine n'est pas autre chose qu'un drame moral dont le théâtre est l'âme d'une jeune fille canadienne-française. La grande lumière de l'amour qui l'eût poussée vers son destin une fois éteinte, cette jeune fille doit choisir entre la vie facile des villes ou la vie de labeur dans un pays austère. Dans le premier cas, elle se déracine, cesse et compromet l'œuvre des ancêtres, dans le second elle continuera l'œuvre de sa race, et, fidèle aux traditions des aïeux, elle obéira "au commandement inexprimé qui s'est formé dans leurs cœurs"... Cette fille déshéritée entre toutes est le vivant symbole de la fidélité à l'âme canadienne-française, fidélité au culte, fidélité à la langue, fidélité au pays vierge, lentement défriché, "où une race ancienne a retrouvé son adolescence" ».

Voilà comment il faut interpréter le personnage de la fiction. Qu'on ne dépoétise pas la Maria du rêve et de l'idéal en l'identifiant à un commerce quelconque. Il est temps, je crois, de rétablir les faits pour sauvegarder le charme indéfinissable d'une œuvre d'art. C'est pourquoi je cite encore M. Dalbis, qui écrit : « Pour les gens du Lac-Saint-Jean, Éva Bouchard a sans aucun doute servi de modèle à Maria Chapdelaine. C'est d'ailleurs par ce nouveau nom que maintenant on la désigne et c'est de ce surnom qu'elle-même signe quelquefois sa correspondance. Cependant, il suffit de connaître un peu ce que fut la vie d'Éva Bouchard pour saisir toute la dissemblance qu'il y a entre elle et Maria Chapdelaine. Il faut savoir aussi quelle âme était la sienne pour comprendre son influence probable sur Louis Hémon et sur son œuvre. Sa vie fut très différente de celle de Maria Chapdelaine. Ce n'était point une fille quelconque des bois ni une fille des rangs. Elle avait passé cinq ans au couvent des Ursulines de Roberval et fut institutrice pendant plusieurs années ».

Éva Bouchard ne ressemblait donc à Maria Chapdelaine ni physiquement, ni par l'éducation. Il faut admettre pourtant que cette fille de bons paysans connut Louis Hémon et conversa avec lui plus d'une fois. Elle put probablement fournir à l'écrivain plus d'un document précieux sur les coutumes, les mœurs et les légendes des colons. Aussi a-t-elle le droit, croyons-nous, d'écrire, au-dessous de son vrai nom, ces simples mots : « En souvenir de Maria Chapdelaine ».

Ces réflexions, je ne suis pas le seul à les faire. M. Damase Potvin, qui fut l'un des premiers Canadiens à découvrir Louis Hémon et qui arrive d'un voyage dans la région, m'en a fait part à moi-même sur le quai de la gare de Dolbeau. Un autre personnage, qui faisait partie de la tournée Thornton, m'a déclaré également qu'il préférait cent fois garder à l'héroïne de Péribonka son anonymat et sa poésie. « Quand nous lisons le roman de Maria, disait-il, nous nous formons de cette jeune fille une image que nous croyons vraie et qui s'incruste en nous avec tout son charme. Nous n'aimons pas voir cette image sacrée confrontée avec la réalité, car nous éprouvons, dans cette vision trop matérielle, un désenchantement qui nous fait mal ».

J.-Charles Harvey[41]

Éva reste immobile devant le journal ouvert devant elle, oscillant entre la consternation et la colère. Elle ramène son châle autour de ses épaules pour conserver le peu de chaleur qu'il reste de cette fin d'après-midi ensoleillé de l'été des Indiens.

Se battre. Se défendre. Se justifier. En finira-t-elle donc jamais ? Aujourd'hui, elle se sent lasse. Elle laisserait bien tout tomber. Elle se lève comme un automate et se dirige vers la porte du Foyer qu'elle ouvre toute grande. Avale une grande bouffée d'air frais, revient à sa table de travail. Relit la « lettre ouverte » de Jean-Charles Harvey. Ouvre le registre des visites. Y retrouve les noms des hommes qui accompagnaient le journaliste ce jour-là. Qui étaient venus comparer cette femme déterminée avec l'image qu'ils s'étaient faite de la timide Maria. Lui, le journaliste, n'avait pas daigné entrer.

Éva range le registre et referme le journal. Elle devra se donner du temps pour bien préparer sa réponse. L'écrire aujourd'hui serait prématuré. D'ailleurs, elle ne s'en sent pas l'énergie. Demain peut-être.

De la fenêtre, elle voit passer Léon Rousseau, ancien maire de la Pointe, ce père de neuf enfants désormais réduit à l'indigence. Elle se dit que M. Harvey a sans doute omis de parler à ses invités de l'expropriation forcée que subissent les agriculteurs de l'autre rive. Il n'a certainement pas expliqué à ces dignes hommes d'affaires comment, à la Pointe-Taillon, on en était arrivés à ce que 108 des 138 lots soient vendus à la Duke-Price ou encore abandonnés, et que les quelques terrains encore occupés subiront probablement le même sort que les autres dans un proche avenir. Il n'a sûrement pas mentionné non plus qu'il ne reste que 11 familles sur 52 sur la péninsule, que les enfants doivent franchir une distance de trois milles sur des routes boueuses à tout moment menacées d'éboulis pour se rendre à l'école, que la fromagerie et le moulin à scie ont dû fermer leurs portes, que l'eau est imbuvable, qu'une maison et un chemin public ont déjà été emportés par les eaux et que le service régulier de traversier reliant la Pointe à Péribonka n'existe plus. M. Harvey a probablement « oublié » de parler de ces choses. Mais s'il voulait faire connaître la région à ses invités et à ses lecteurs, il fallait aussi parler de cela, d'abord de cela, parce que « cela » est le quotidien de centaines de cultivateurs qui voient s'écrouler sous leurs yeux le travail de toute une vie au nom de la sacro-sainte industrialisation. Par contre, M. Harvey a cru de bon ton de s'insurger par la voie des journaux contre ce qu'il considère comme une profanation de l'œuvre de Louis Hémon, s'amusant à déplacer des virgules pour pouvoir mieux clamer son indignation devant le travail accompli par Éva au cours des dernières années. Mais lui comme bien d'autres, qu'ont-ils fait de tangible pour perpétuer à Péribonka la mémoire de l'auteur ? Pourquoi Jean-Charles Harvey, qui cite Damase Potvin uniquement quand ça le sert, devient-il muet devant l'inaction de son cher confrère, quand il parle de l'abandon du monument dont ce dernier devrait être tenu le premier responsable ?

Et puisque ces messieurs de la bonne société, qui se targuent de connaître ce qui convient ou non, semblent vouloir faire le procès d'Éva Bouchard, pourquoi ne disent-ils rien des années de harcèlement qu'elle a dû subir avant d'en arriver là où elle est maintenant ? Se sont-ils seulement préoccupés de ses sentiments, alors qu'ils spéculaient bêtement et à qui mieux mieux sur la possibilité qu'elle ait ou non servi de modèle à Louis Hémon ?

Éva sait fort bien qu'il ne sert à rien d'engager des débats épistolaires avec des journalistes qui se contentent d'idées préconçues. De toute façon, la tendance étant ce qu'elle est, quelqu'un qui cherche à se faire du capital politique serait bien mal venu de sympathiser avec une personne qu'il est à la mode de considérer comme une usurpatrice et une profiteuse. Mais elle sait que, tôt ou tard, elle répondra à l'attaque de ce M. Harvey, ne serait-ce que pour soigner sa propre estime d'elle-même.

Elle jette un dernier coup d'œil à la salle à manger vide, au petit bureau bien rangé et sort, la tête haute, portant le journal sous son bras. Dans la maison d'en face, des enfants sans mère ont besoin de ses soins et de son affection, un homme fatigué a besoin de réconfort. Ça, c'est la réalité ; ça, c'est la vie.

*

LETTRE OUVERTE
À M. JEAN-CHARLES HARVEY, JOURNALISTE

Monsieur,

Il suffit de jeter les yeux sur l'article paru dans le « Soleil » du 25 septembre dernier intitulé : « Au Lac-Saint-Jean : L'Oasis du nord de Québec » pour comprendre que votre plume avant de se mettre en route pour Péribonka avait fait ample provision de fiel.

C'est pourquoi, avant, bien avant que d'apercevoir le Mausolée à Louis Hémon, vous avez vu avec indignation et mépris, tâchant sans doute de communiquer ces nobles sentiments à vos compagnons de route, oui, vous avez vu là-bas, à la ligne de Honfleur, sur la terre des Bouchard, en face de la maison paternelle, un petit chalet entouré de verdure et de plantes fleuries portant au-dessus de la porte d'entrée l'inscription « Foyer Maria-Chapdelaine », et vous avez répété en écho : « Ô profanation ! ô sacrilège ! »

Mais vous n'avez pas vu, là-bas, à côté, dans ces champs que Louis Hémon aida à défricher, ces flaques d'eau miroitant au soleil à travers le foin et le grain chétif. Vous n'avez pas vu les moissonneurs et les moissonneuses embourbés, tâchant au prix d'efforts inouïs, de ramasser la maigre récolte de ces champs détrempés. Vous n'avez pas vu les figures soucieuses, les yeux inquiets et rougis, les serrements de dents de ces victimes de l'industrie. Vous n'avez pas vu la misère entrée à leurs foyers, parce qu'il a fallu diminuer le troupeau qui ne trouvait plus sa subsistance ; qu'il a fallu acheter depuis quatre ans et les semences et les engrais que la terre ne donne plus ; qu'il a fallu trouver du foin, l'aller faire à quatre, cinq et quelquefois dix milles de la ferme, pour pouvoir nourrir durant le long hiver ce qui reste du troupeau. Vous n'avez pas vu cette autre rive, muette, dépouillée des coquettes maisons et dépendances de ferme qui l'égayaient avant l'exhaussement des eaux du Lac-Saint-Jean et de la rivière Péribonka. Non, vous n'avez pas vu ces choses criant l'injustice parce que vous ne vouliez pas les voir, et que vous ne vouliez pas les faire voir à ceux que vous guidiez à travers notre région.

Votre programme était fait, votre itinéraire tracé, il fallait à tout prix trouver un objet qui détournât les regards de ce triste tableau.

Vous avez vu, au village de Péribonka, un mausolée misérablement abandonné, disparaissant presque sous l'encombrement des matériaux qui l'entourent. Et plus, vous avez senti que pareil délabrement ne pouvait venir seulement de la négligence ou de l'oubli mais que l'outrage était là, bien sournoisement toléré, permis, encouragé même, et vous avez sursauté d'indignation. – Soit, vous n'êtes pas le seul. Ce mouvement de colère, né sans doute de plus de honte que de pitié, refoula la pensée pieuse que vous veniez déposer au pied de cette humble stèle et fit place à l'injustice.

C'est vers une femme que vous vous tournez, c'est sur elle que vous levez le poing. C'est plus haut à trois milles que vous savez trouver votre victime. Elle est toujours là, au même endroit où il y a un quart de siècle elle vint avec sa famille dans cette région presque inaccessible, alors que seuls les plus courageux pouvaient tenir. Elle était là avant Louis Hémon, elle est encore là, après lui, elle qui enseigna le petit catéchisme aux enfants d'hier, défricheurs d'aujourd'hui, celle qui reste là pour aider son frère, soutenir son courage ébranlé, ses forces affaiblies par le surcroît de peines et de travail imposé par la dure épreuve qu'il subit depuis quatre longues années, celle qui, impuissante à empêcher les outrages faits au mausolée érigé au village, eut la témérité, de ses petites économies, d'édifier sur la terre paternelle un autre monument où elle a liberté de parole et liberté d'action ; où elle peut semer des fleurs et placer haut les noms et de l'écrivain et de ses héros. C'est pour ces crimes que vous voulez donner sa confusion en spectacle à vos visiteurs de marque ? Un homme sérieux se serait demandé si ce mausolée n'avait pas été confié à des personnes indignes, si on ne l'avait pas placé précisément dans la gueule du loup ? La vraie réponse que M. Damase Potvin aurait pu vous donner aurait dérangé le programme.

S'il vous est arrivé de faire en passant l'aumône d'une prière au malheureux écrivain, vous avez pu poser vos genoux sur un cadre de bois couvert de terre grasse, placé là, un beau jour de l'autre printemps, précisément par la femme que vous accusez.

Les rires narquois des passants, les sarcasmes répétés par des bambins trop jeunes pour comprendre l'injustice de leurs paroles, n'arrêtèrent pas cette femme dans son travail. Elle continua de bêcher, de sarcler, d'ameublir le terrain. Elle soigna et le rosier et le lilas à demi étouffés, à demi morts de coups. Elle mit dans la terre du carré des graines de fleurs, releva la clôture, attacha la barrière. Et sans attendre de paiement ni de remerciements, elle se retira parce que personne ne lui avait demandé ce travail. Malheureusement, passèrent derrière elle quelques personnes, appréciant sans doute autrement qu'elle l'œuvre de Louis Hémon, qui défirent ce qu'elle avait fait. Ici comme partout ailleurs, nous avons des êtres pour qui le culte des morts et l'esthétique ne comptent guère. Il y a toujours quelques malappris ici comme à Québec et partout ailleurs.

Vous avez continué votre route… Devant l'humble chalet, les automobiles s'arrêtent, mais personne ne descend. Votre rire narquois se fait déjà entendre quand quelques-uns de ces messieurs, peu habitués à si peu de courtoisie, honorèrent d'une visite le modeste Foyer Maria-Chapdelaine. Au registre on lit : George Courthope, Gertrude Proctor,

W. T. A. Proctor, H. Thornton, Henry W. Thornton, W. Thornton, Adélard Deslauriers, Henry Bray, J.-A. Mozarin. Pour cette condescendance, prévenus qu'ils étaient, je prie ces distingués personnages d'agréer l'hommage de ma vive admiration et de ma profonde gratitude.

Vous, vous êtes resté embusqué dans votre superbe char. – Passez ! oui, passez ! le Foyer Maria-Chapdelaine n'est pas ouvert aux gens de votre espèce. Il est ouvert aux âmes sensibles, aux esprits désireux de se renseigner sur place, qui pardonneront à une fille de colon de savoir lire et écrire, qui pardonneront le hâle de sa figure, les gerçures de ses mains ; qui pardonneront sa ténacité et sa fidélité, qui pardonneront à un Louis Hémon d'être venu à Péribonka chercher l'essence de son œuvre admirable. Face à la maison paternelle, le modeste chalet a devant lui tout le tableau. Pas n'est besoin de paroles ; les visiteurs sympathiques qui s'y arrêtent, de quelque langue qu'ils soient, peuvent lire d'eux-mêmes. Ils peuvent voir clairement le drame poignant qui s'y est joué et dont Louis Hémon n'a pu donner que la première partie. Que n'eût-il pas dit de ces héros d'aujourd'hui, dignes fils de ceux d'hier, à la mine courbée, aux regards éteints. Vrais mausolées vivants lâchement outragés et abandonnés tout comme le mausolée de leur chantre et qui préfèrent tomber où on les a frappés que d'aller grossir le nombre des déserteurs du sol ou des mercenaires d'usines. Et pour ces héros des héros, vous n'avez pas eu une parole d'encouragement, pas un regard de pitié.

Non, vous ne pouviez pas voir ce que vit Louis Hémon. Vous ne pouviez pas sentir ce qu'il a senti, ni écrire ce qu'il a écrit, puisque dépourvu de tout sentiment d'égoïsme, il était venu pour voir, pour admirer, pour alimenter sa plume à nos sources pures, tandis que vous, vous êtes venu pour déverser le trop-plein de fiel de la vôtre. C'est pourquoi l'œuvre de Louis Hémon s'élève, plane et émeut tandis que d'autres œuvres s'affaissent de leur propre poids.

Qu'une Marie Le Franc qui ne voit qu'avec ses doigts et ne sent qu'avec les lèvres, fatiguée de griffonner sans succès, avide de gloriole, fasse voix discordante, cela s'explique. Mais qu'un fils du Saguenay, descendant des défricheurs, presque un frère, piétine ainsi ceux qu'il devrait admirer, c'est lâche, c'est révoltant. Et c'est cette confrontation des vrais fils du sol avec ces déserteurs dénaturés qui fait mal.

Éva Bouchard[42]

1930

Fébrile, Ernestine Pineault veut absolument toucher à tous les objets de la maison où Louis Hémon a vécu ; elle s'émerveille de chaque endroit où il a pu poser ses pas ou son regard. Éva, émue par l'enthousiasme de sa correspondante, ressent toutefois un certain malaise devant son arrivée inopinée. Depuis quelque temps, les lettres d'Ernestine laissaient deviner son impatience d'être invitée à Péribonka et Éva essayait d'imaginer de quelle façon elle pourrait rendre agréable le séjour de son amie. Ayant elle-même bénéficié d'un accueil empressé à Montréal près de deux années plus tôt, elle aurait voulu proposer des activités susceptibles d'intéresser cette exubérante citadine, mais l'idée de sa visite lui apparaissait comme un casse-tête insoluble. Il y avait en outre la question du logement. Laura aurait été l'hôtesse tout indiquée, n'eût été Samuel. Mais il n'était bien sûr pas question pour elle d'offrir à son beau-frère le plaisir de lui « rendre ce service ». En fait, elle avait beau retourner le problème dans tous les sens, elle avait l'impression que rien de ce qu'elle avait à offrir ne serait à la hauteur.

– C'est toujours un problème pour moi de recevoir des gens, s'excuse-t-elle maladroitement. Comme je vis chez mon frère et que notre demeure est plus que modeste, je n'ai pas d'endroit convenable…

– Mais ce n'est pas grave, voyons ! Si j'avais souhaité que vous m'offriez le gîte, je me serais annoncée. Seulement, je n'ai pas pu m'empêcher de céder à la tentation : quand mon beau-frère m'a dit qu'il y avait une place disponible dans son automobile, laissez-moi vous dire que je n'ai pas hésité une minute. Ne vous en faites pas, de toute façon, il était prévu que nous retournions à Roberval aujourd'hui même, chez des parents. Le principal, c'était de vous revoir et de visiter ces lieux bénis que je me suis déjà trop longtemps contentée d'imaginer.

– J'espère que vous n'êtes pas trop déçue.

– Oh, mais non, bien au contraire, c'est si émouvant d'être ici ! Mais vous, ma chère, vous m'avez l'air un peu fatiguée, fait Ernestine en prenant les mains d'Éva.

– Eh bien, la maladie de ma belle-sœur, les enfants, le Foyer, vous savez…

– Et ce prétentieux Jean-Charles Harvey qui se mêle de vous juger du haut de sa position sociale, je sais, je sais. Mais vous lui avez admirablement répondu, c'était exquis.

– Merci, répond Éva, que les paroles de son amie rassurent un peu. Mais venez donc que je vous fasse visiter le Foyer.

– Vous savez ce qu'il vous faudrait ?

D'un geste, Éva invite Ernestine à prendre place près d'une fenêtre qui donne sur la rivière.

– Quelques chalets, continue cette dernière. De simples chalets pour loger les gens.

Éva aspire une grande bouffée d'air, horrifiée par l'ampleur d'un tel projet.

– Plusieurs visiteurs ne seraient que de passage et ne resteraient qu'une nuit. Mais pour d'autres, cela pourrait devenir une destination de vacances.

– Vous… vous croyez ? bafouille Éva, stupéfaite.

– Prenez moi, par exemple. Je serais plus qu'heureuse de m'installer dans un endroit comme celui-ci, au bord d'une rivière paisible, loin de l'agitation de la ville pour quelques jours.

– Vraiment ?... s'exclame Éva, encore sceptique.

– Mais qu'est-ce que vous croyez, ma chère ? Que nous, citadins, ne pouvons pas apprécier le calme de la campagne et la fraîcheur de l'air encore pur ? Au contraire, nous en avons le plus grand besoin pour retrouver les vraies valeurs de temps à autre. Je serais la première à goûter le silence de longues journées à ne rien faire d'autre que marcher et me reposer, la vraie vie, quoi !

Éva est suspendue aux lèvres de son invitée, buvant chacune de ses paroles. Ernestine lui sourit.

– Vous possédez un site magnifique dont vous devez être fière, Éva. Et ne sous-estimez pas le goût des gens de la ville pour la campagne. Vous avez déjà le Foyer et la maison où a vécu Hémon... vous ajoutez quelques chalets pour accommoder les visiteurs et voici un endroit parfait pour un voyageur à la recherche de dépaysement.

– Votre idée est intéressante, mais j'ai déjà de la misère à trouver l'argent pour faire des réparations de plus en plus urgentes à la petite maison.

– N'hésitez pas à solliciter le gouvernement. Ils ont habituellement des fonds pour ce genre de projet.

– Mais par les temps qui courent, avec la récession économique, vous ne trouvez pas que c'est inapproprié de demander de l'argent alors que des familles crèvent de faim ?

– Vous n'obtiendrez rien si vous n'essayez pas. Le pire qui peut arriver, c'est qu'on refuse. Et si c'était le cas, je suis certaine que vous trouveriez le moyen de vous en sortir autrement. N'oubliez pas que ces chalets attireraient une nouvelle clientèle et que c'est elle qui pourrait financer vos réparations.

– Vous voulez dire... construire les chalets avant de faire les autres réaménagements ?

– Pourquoi pas ?… Il ne faut pas avoir peur de regarder les choses sous un nouvel angle. Il suffit parfois d'un peu d'imagination. N'ayez pas peur de foncer, Éva, conclut Ernestine, en posant sa main sur le bras de sa protégée.

1931

Même si elle ne se fait plus d'illusions sur l'issue de sa lutte contre la tuberculose, Hélène sourit en pensant qu'elle a au moins gagné son avant-dernière bataille. Elle a besoin de se le répéter pour tenir le coup encore un peu, le temps de revoir ses petits une dernière fois. Elle a tant insisté pour quitter le sanatorium, malgré les réticences des médecins qui étaient convaincus qu'elle ne pourrait pas supporter le voyage de Québec à Péribonka ! Mais ils ne pouvaient plus rien pour elle de toute façon, leur a-t-elle servi en guise d'ultime argument. Ils l'ont finalement laissée partir, avec une liste de recommandations à faire renoncer les plus courageux d'entre les braves, et elle a demandé à Nil de l'accompagner, la reconnaissance se lisant pour la première fois depuis des mois sur son visage exsangue. Ne lui restait plus qu'à ordonner à son pauvre cœur usé de tenir le coup jusqu'à ce qu'elle soit enfin rentrée chez elle.

Et la voilà dans sa chambre, épuisée, mais presque heureuse. Fière de cette dernière victoire qui lui permettra de mourir entourée de ses enfants. Même si elle sait à l'avance qu'il ne lui sera pas possible de les embrasser et qu'elle devra se contenter de les regarder de loin, pour éviter de leur transmettre l'horrible mal qui gruge ses poumons depuis tant d'années.

Mais quand, en ouvrant les yeux, elle aperçoit sa Rita, déjà grande, pleurant tout bas, appuyée contre le chambranle,

Hélène n'arrive pas à contenir son émotion. Elle essaie de sourire, mais c'est à travers ses propres larmes qu'elle voit son unique fille lui promettre malgré tout d'être courageuse. Elle peut déjà imaginer la femme que deviendra cette belle jeune fille, et devine qu'en tant qu'aînée elle portera le poids d'une responsabilité bien lourde pour ses jeunes épaules. Elle la laisse s'éloigner avec la sensation qu'on lui arrache une partie de son âme, déjà. La tombée du rideau est déjà amorcée et elle le sait.

C'est ensuite son boute-en-train, René, bien grand pour ses dix ans, qui se présente à l'entrée de la chambre. Il a tellement grandi qu'elle le reconnaît à peine. Mais le pauvre enfant est visiblement atterré devant le spectacle de la mort imminente ; Éva doit l'éloigner au plus vite pour tenter de le consoler. Hélène remet alors en question sa décision d'être venue mourir chez elle, se demande alors si elle a bien fait d'imposer cette scène à ces êtres encore si vulnérables.

Mais bientôt, elle s'attendrit devant la colère impuissante de Louis, qui exige qu'on apporte à manger à sa mère afin qu'elle retrouve au plus vite ses couleurs et ses belles joues rondes. Quelle touchante naïveté ! Éva aura fort à faire pour faire comprendre la réalité à ces pauvres enfants et les amener à l'accepter.

Puis elle ne peut retenir ses sanglots en constatant que Fernand et Gérard, encore si petits, n'arrivent pas à associer le visage décharné de cette femme avec le vague souvenir qu'ils ont conservé de leur mère. Elle les laisse vite retourner à leurs jeux, à leur innocence encore préservée.

Plus que tout autre, c'est le petit Roger qu'elle veut revoir. Pour se rassurer d'abord : elle a porté cet enfant alors que vivait déjà en elle le bacille de la ravageuse maladie. Elle voudrait tant serrer dans ses bras cet être fragile qui lui a été littéralement arraché à la naissance. Elle peut cependant le voir courir et l'entendre rire dans cette maison où elle lui a donné la vie trois ans plus tôt. Faible, à bout de forces, elle sourit un instant en essayant de se convaincre que son sacrifice n'a pas été inutile.

Elle plonge presque aussitôt dans un demi-coma dont elle n'émerge qu'avec peine, quelques heures plus tard, le temps de faire ses adieux à son mari par une simple pression de la main et de demander à Éva, dans une supplique muette, de veiller à ce que ses enfants ne manquent de rien. Celle-ci a tout juste le temps de lui répondre d'un signe de la tête, les yeux baignés de larmes, qu'une toux violente s'empare du pauvre corps brisé d'Hélène, laissant son oreiller maculé de sang. Et elle se laisse enfin aspirer par ce grand trou noir qu'elle a frôlé plus d'une fois depuis quelque temps. Elle s'y laisse glisser, délivrée, heureuse d'avoir pu revoir ses petits, d'avoir enfin fini de souffrir. Hélène Tremblay s'éteint le 16 juillet 1931, à l'âge de trente-six ans.

*

Ils sont tous revenus à la maison après la cérémonie pour soutenir Nil dans son épreuve. Personne ne parle. Aucun ne trouve les paroles qu'il faudrait dire, peut-être… Mais que pourraient bien y changer des mots ? Leur présence n'est-elle pas le meilleur des témoignages ?… Ils fixent le plancher. Rita, René et Louis sont assis, immobiles, l'air grave. Une maison vide ne serait pas plus silencieuse.

Éva songe que Mathilde ramènera sans doute les plus jeunes sous peu. Elle se lève la première et offre du thé.

Roland et Thomas-Louis se consultent du regard.

– On va y aller, nous autres, annonce Roland. Venez-vous, mon oncle ? demande-t-il à Samuel.

Celui-ci se lève en soupirant. François Tremblay, le frère d'Hélène, sort soudain de sa léthargie :

– Excusez-moi, monsieur Bédard, mais avec tout ça, je vous ai pas demandé de nouvelles de votre femme...

La gorge d'Éva se serre à la pensée de sa sœur. Laura ne semble pas trouver la force nécessaire pour lutter contre le mal, celui-là même qui vient de mener Hélène en terre.

– Elle a des hauts et des bas, répond Samuel à François. Ça dépend du temps qu'il fait. Si seulement on peut avoir une belle fin d'été ! En attendant, on essaie de garder espoir...

Éva envie Samuel de pouvoir se nourrir encore d'illusions. Mais en se tournant vers son beau-frère, elle remarque à quel point il semble fatigué et éprouve un élan de sympathie envers lui. Au même moment, Thomas-Louis vient l'embrasser.

– Faites attention à vous, ma tante.

– Oui, mon Thomas. Dis à Laura que je vais aller la voir cette semaine.

En sortant, Thomas-Louis songe que, pour la première fois, Éva ne l'a pas appelé « Titon » et s'en inquiète un peu.

*

Même si elle avait l'impression que ses forces risquaient de l'abandonner à tout moment, Éva a tenu le coup. Elle avait décidé de demeurer avec son frère jusqu'à ce qu'il monte à sa chambre. Mais maintenant que la maison est silencieuse, que tout est rangé, elle se laisse tomber sur son lit sans même prendre la peine de se dévêtir. À bout de forces. Les yeux fermés, elle se remémore les événements de la journée. Et entrevoit tout ce qu'il lui reste à faire. C'est le vertige. Le léger martèlement qu'elle a perçu plus tôt à la tempe gauche s'accentue. D'instinct, elle exerce une pression sur la veine palpitante. Prend plusieurs longues respirations. Relâche doucement la pression. La douleur est toujours là. Elle se tourne et pose la tempe endolorie sur l'oreiller. Le mal s'estompe légèrement.

Elle essaie de se concentrer sur des choses agréables. Elle se rappelle que l'an dernier, à la même période, elle se préparait à se rendre au Manoir Richelieu, invitée de la Canada Steamship Lines, pour participer à une exposition d'artisanat à La Malbaie. Elle avait pourtant hésité avant d'accepter cette invitation, mais les arguments de M. J.-M. Bates, le surintendant, étaient venus à bout de ses réserves. Dire que ses craintes injustifiées avaient failli lui faire manquer cet agréable voyage ! Se débarrasserait-elle jamais de ce vieux réflexe qui la paralyse encore à l'occasion en faisant resurgir sa crainte de l'inconnu ?

Il arrive même que la perspective d'un séjour à Beauceville la fasse hésiter. Dieu sait pourtant à quel point elle apprécie la compagnie de Gustave et de sa famille ! L'hiver dernier a passé si vite avec eux. Si elle avait pu, elle serait même restée pour le mariage de Roméo et de sa Marie-Ange. Mais le 20 mai, la saison touristique était sur le point de commencer, et il était déjà question de ramener Hélène à Péribonka.

Hélène… Éva s'en veut d'avoir laissé dériver ses pensées, alors que sa belle-sœur vient tout juste d'être enterrée. Les prochains mois la tiendront occupée à essayer de placer les enfants, maintenant officiellement orphelins de mère. Elle sait d'avance que ce ne sera pas facile : les orphelinats sont bondés. Pourtant, Hélène, comme Nil, a toujours tenu à ce que leurs enfants aient la meilleure éducation possible. Il faudra y voir, utiliser ses relations s'il le faut. Et pourquoi pas ! Pourvu que ses requêtes aient plus de poids cette fois-ci que celles qu'elle avait adressées au gouvernement quelques années plus tôt, dans une ultime tentative pour sauver Pointe-Taillon, songe-t-elle en cherchant une position plus confortable. La douleur à la tempe s'intensifie de plus belle. Derrière ses paupières closes, Éva voit défiler un à un les visages défaits, résignés, des membres du comité de défense. Une fois de plus, l'appât du gain des grosses compagnies et la toute-puissance de l'argent avaient réussi à museler le gouvernement, malgré la résistance des quelques braves qui avaient osé clamer leur indignation.

Pour chasser la colère, désormais bien inutile, qui la gagne à ce souvenir, Éva décide de réciter un chapelet, ce qui lui servira, espère-t-elle, de somnifère. Quelques minutes plus tard, incapable de se concentrer, elle descend se préparer une tasse de lait chaud. Arrivée au pied de l'escalier, elle distingue la silhouette de son frère, assis dans la pénombre. Il semble bien que lui non plus n'arrive pas à dormir. Elle prépare plutôt deux tasses de lait sucré. Quand le soleil pointe à l'horizon, ils discutent encore du sort réservé aux enfants.

*

Orphelinat de l'Immaculée,
Chicoutimi, 14 décembre 1931
Mademoiselle Éva Bouchard

Mademoiselle,

J'accuse réception de votre lettre du 4 courant à laquelle j'aurais voulu répondre plus tôt, veuillez m'en excuser. Il me sera possible de recevoir les petits enfants que vous êtes désireuse de placer sous la protection de l'Immaculée, dans la Maison qui lui est dédiée, mais ce ne sera que dans la semaine après le 1er janvier. Après mes regrets de ne pouvoir vous obliger plus tôt, je vous prie, Mademoiselle, d'agréer mes religieuses salutations.

Sœur Marie de Saint-Jean-Baptiste, supérieure[43]

1932

Éva surprend Nil à écraser une larme à la sortie de l'orphelinat de l'Immaculée de Chicoutimi, où il vient d'« abandonner » ses quatre aînés aux bons soins de sœur Marie-de-Saint-Jean-Baptiste. « Abandonner »... le mot résonne dans sa tête, telle une accusation de trahison, sordide et implacable. Il a beau se répéter que c'était le seul moyen d'offrir à ses enfants l'éducation qu'il souhaitait pour eux, il n'arrive pas à se défaire de cette impression d'avoir provoqué un gâchis en disloquant ainsi sa famille : Rita, René, Louis et Fernand ont été laissés aux soins d'étrangères, si expérimentées et si dévouées puissent-elles être, et bientôt les deux plus jeunes, Gérard et Roger, seront « placés » dans une autre institution, seuls parmi des inconnus.

– Ils sont entre bonnes mains, souffle Éva à son frère, d'une voix qui se veut rassurante.

Mais ses pensées se tournent aussitôt vers Laura, dont l'état de santé devient désormais sa principale préoccupation. Laura, qui vient d'être admise à l'Hôtel-Dieu de Roberval au détour même de la nouvelle année, et dont les poumons n'arrivent plus à absorber l'air dont elle aurait besoin pour retenir cette vie qui lui fait faux bond.

Laura... son sourire toujours accueillant, son regard pétillant ; le rire de Laura, rond et chaleureux...

– Le train part dans une heure, déclare Nil, dans une louable tentative pour retrouver un peu de vitalité.

Éva lève un regard absent vers lui et monte dans le taxi. Ses pensées sont ailleurs. Elle entend encore la voix de Samuel lui annoncer au téléphone, la veille, la terrible nouvelle :

– Le docteur dit qu'on n'a plus de temps à perdre. Je l'emmène tout de suite parce que le ciel annonce rien de bon, que j'ai peur qu'il fasse tempête demain et qu'on reste coincés ici pendant des jours ou des semaines. Laura a besoin de soins avant ça. Je voulais juste vous prévenir.

– Elle est si mal que ça ? s'est affolée Éva.

Un silence. Puis :

– Ces derniers jours, vous savez, elle en a beaucoup reperdu.

– Pourtant, à Noël, elle semblait assez bien…

– Vous connaissez Laura… Elle s'était reposée avant que vous veniez la voir, elle voulait paraître à son meilleur. Elle savait que Nil et vous deviez partir pour Chicoutimi ces jours-ci avec les enfants. Elle voulait que vous partiez l'esprit tranquille.

Éva secoue la tête, incapable de réprimer une grimace de douleur : comment a-t-elle pu ne pas s'apercevoir que Laura en était à ce stade avancé de sa maladie ? Elle aurait dû porter attention à son souffle court, comprendre à sa toux creuse pourtant familière, la même qui avait emporté Hélène quelques mois plus tôt, que la vie était en train de lui faire défaut ; elle aurait dû deviner la détresse dans ses yeux, malgré les paroles d'encouragement aux enfants qui partaient pour l'orphelinat, le sourire réconfortant à Nil…

La voiture s'arrête et Éva suit son frère sans se poser de questions. La vue brouillée par les larmes, elle se laisse entraîner jusqu'à la salle d'attente de la gare et ils s'assoient en silence, chacun hermétiquement enfermé dans ses pensées. Puis au moment où le train entre en gare, elle annonce d'une voix brisée mais ferme :

– Je vais te laisser continuer tout seul jusqu'à Péribonka, Nil. Mathilde peut très bien s'occuper des petits sans moi pendant quelque temps. Je descends à Roberval.

*

Sœur Saint-Pierre serre les mains d'Éva avec une sympathie évidente.

– Bien sûr, ma fille, que nous vous logerons à l'Hôtel-Dieu. Vous savez bien que vous avez toujours votre place chez nous. Et vous pourrez y demeurer aussi longtemps que ce sera nécessaire.

« Jusqu'à la mort de Laura », pense Éva, le cœur serré.

– Comment va ma sœur ?

– Pour le moment, elle est stable. Votre beau-frère a fait ce qu'il fallait en nous l'amenant. Ici, elle sera assurée des meilleurs soins en plus du dévouement de nos religieuses infirmières. Et votre présence l'aidera à surmonter cette épreuve. Mais il vous faudra être extrêmement prudente. Je vais demander à une des soignantes de vous enseigner les précautions à prendre pour éviter la contamination.

– A-t-elle encore des chances de s'en sortir ? demande Éva d'un ton hésitant.

– Dieu seul connaît l'avenir. Souvenez-vous de l'enseignement que vous avec reçu à notre École normale : nous devons Lui faire confiance en toute sérénité. Notre-Seigneur n'a-t-il pas dit Lui-même : « Que Votre Volonté soit faite » ?

Éva contracte les mâchoires.

– Mais vous, ma sœur, qu'est-ce que vous en pensez ?

– Oh ! moi, vous savez, je m'en remets à Notre-Seigneur.

– Ma sœur ! l'interrompt Éva, un soupçon d'impatience dans la voix. Avec votre expérience, vous devez tout de même avoir une opinion…

Ébranlée par la détermination de l'ancienne normalienne, sœur Saint-Pierre a un imperceptible mouvement de recul :

– Je crois que ce que nous pouvons faire de mieux pour elle, dans l'état où elle est, est de prier, répond finalement la vieille religieuse en baissant les yeux.

La réponse ne surprend pas Éva. C'est de l'entendre, aussi claire, aussi définitive, qui la fait chanceler. Ici, bien sûr, on n'en est plus à une mort près, mais cette fois, il s'agit de sa sœur. Comment concevoir l'absence de celle qui représente toute la douceur, toute la chaleur du monde ? Éva a froid tout à coup. Elle suit la religieuse dans l'étroit couloir qui mène à la salle où elle imagine déjà une bonne dizaine de lits anonymes alignés en deux rangées bien sages. Une fois devant la porte, sœur Saint-Pierre s'arrête et pose une main sur son bras :

– Votre sœur a besoin de tout votre courage.

Laura repose, petite et vulnérable, au creux d'un lit étroit, juste à l'entrée de la salle. Éva comprend que, cette fois, c'est elle qui devient la grande sœur, c'est d'elle qu'on attend la tendresse réconfortante, les encouragements. Elle ferme les yeux un instant, redresse les épaules. Et fonce en silence, la tête vide, le cœur en miettes.

Pendant quelques brèves secondes, les yeux de Laura s'illuminent. Mais le voile retombe vite sur son regard chargé de douleur. Puis elle tend une main blanche, presque squelettique, qu'Éva n'arrive pas à reconnaître. Cette femme aux joues creusées par la maladie, décharnée, est-elle vraiment la sœur corpulente et rieuse qui allait et venait encore avec une énergie peu commune il y a à peine quelques mois ?… Éva se revoit dans les bras de son aînée après la mort de leur mère, quand elle y blottissait ses gros chagrins de petite fille. « Je vais m'occuper de toi », lui avait alors promis Laura qui, déjà, prenait les rênes de la famille en mains. Elle avait toujours été là dans les moments difficiles, elle avait toujours prêté l'épaule à sa cadette. Ni le temps, ni l'éloignement, ni les inévitables désaccords n'avaient altéré leur indéfectible amitié.

Après quelques minutes, Laura ouvre des yeux fiévreux et réussit à murmurer dans un pauvre sourire :

– Comment ça va ?

Comme si c'était à elle de poser cette question ! Pour toute réponse, Éva pose une main sur le front chaud, en espérant que sa sœur ne distinguera pas les larmes qui lui brouillent la vue. Elle s'empare d'un linge suspendu à la tête du lit, le plonge dans la cuvette laissée tout près à cet effet et éponge le visage moite. Laura essaie encore de parler, mais une quinte de toux soulève sa poitrine en feu. Une religieuse accourt, la soulève et porte rapidement la compresse devant la bouche de la malade. Éva, impuissante, presque affolée, se demande ce qu'elle pourrait faire pour alléger cette horrible souffrance

La crise est passée. L'infirmière replie discrètement le linge souillé de sang, le met à l'abri des regards, humecte une nouvelle compresse qu'elle pose à la tête du lit après avoir lavé le visage blanc, et repart sur la pointe des pieds, emportant dans la serviette contaminée un autre vestige de la vie de Laura.

La malade est retombée mollement sur l'oreiller, épuisée, vidée d'un peu plus de son sang, d'un peu plus de sa vie. Elle garde les yeux fermés, le temps de rassembler les quelques forces qu'il lui reste. Éva l'observe en silence. La prochaine fois, ce sera elle qui soutiendra sa sœur, qui dissimulera la serviette tachée de sang, qui la lavera. Mais peut-on cacher son état à Laura ? Ce serait faire injure à son intelligence que de le croire. Le goût du sang, le goût de la mort, elle l'a dans la bouche depuis des mois. Cette femme qui a tenu sa famille à bout de bras dès la mort de leur mère, abandonnant l'école pour travailler de l'aube jusqu'au crépuscule, lavant, repassant, réparant les vêtements, trouvant toujours le moyen d'apaiser l'appétit débridé des hommes qui rentraient des champs, tout en s'assurant du bien-être d'Aline, leur sœur handicapée ; cette femme qui avait toujours quelque douceur pour Éva ou pour Gustave lorsque ceux-ci obtenaient de s'absenter du pensionnat pour un jour ou pour une heure, quand ce n'était pas elle qui allait leur porter son merveilleux sucre à la crème, sur du temps emprunté, sachant chaque fois qu'elle hypothéquait ainsi ses rares moments de repos quotidien ; cette femme lucide et fière ne peut qu'être consciente de sa condition. Elle sait parfaitement que son « règne » s'achève ici, maintenant, dans quelques semaines, dans quelques jours. Inéluctablement.

Il apparaît évident à Éva qu'elle doit à sa sœur de l'accompagner jusqu'à la fin, de la soutenir dans sa souffrance, de la laver, de soigner ses plaies de lit, de caresser ses cheveux, de la bercer à son tour. Et ce, aussi longtemps qu'il le faudra. Elle ne pourrait jamais se pardonner d'agir autrement. Ce soir, elle téléphonera à Mathilde pour lui demander de préparer ses affaires personnelles. Samuel les lui apportera lors d'un prochain voyage. Sa place est ici, et elle fera ce qu'elle a à faire.

*

Éva profite du fait que Laura s'est endormie paisiblement pour aller marcher un peu dans la neige fondante de ce printemps hâtif. Après deux mois au chevet de sa sœur, malgré la fatigue omniprésente, elle est étonnée de se découvrir chaque matin une nouvelle réserve de forces, en même temps que le courage de poursuivre la mission qu'elle s'est donnée. Une journée à la fois ! Chaque aurore la ramène dans la salle où gît sa sœur, lui offrant le pénible spectacle d'une souffrance de plus en plus vive. Chaque jour, un linge lui couvrant le nez et la bouche, elle veille la malade, lui humecte les lèvres, essaie de la nourrir tant bien que mal. Et chaque soir, elle se demande combien de temps cette agonie va se prolonger. Elle prie. Pas avec la même conviction qu'autrefois, elle le constate avec regret, mais elle prie de son mieux. Pour que sa sœur ne souffre pas trop malgré tout, pas trop longtemps surtout. Laura est devenue presque méconnaissable. Même Samuel, lors de ses visites hebdomadaires, reste parfois figé sur le pas de la porte en apercevant sa femme aussi amaigrie et affaiblie. Éva en est venue à souhaiter secrètement que tout cela se termine au plus tôt, que prenne fin cette longue descente aux enfers tout aussi inutile que pénible. Mais on ne parle pas de ces choses-là.

Pour le moment, elle respire à pleins poumons l'odeur si particulière du printemps qui s'annonce déjà. Elle contemple les jeunes peupliers à peine sortis de leur torpeur hivernale et arrive difficilement à imaginer que bientôt apparaîtra sur leurs branches le vert timide des premiers bourgeons. Soudain une jeune religieuse s'avance vers elle :

– Mademoiselle Bouchard, vous feriez bien de venir, votre sœur ne va pas bien.

Quand Éva arrive dans la chambre, la toux s'est calmée. Mais sœur Saint-Pierre lui confie qu'elle ne croit pas que le cœur tienne le coup.

Pendant plusieurs heures, Éva, assise sur le bord du lit, parle doucement à Laura, caresse les cheveux de cette sœur aimée qui semble maintenant sur le point de la quitter pour de bon. Pendant plusieurs heures au cours desquelles elle perd la notion du temps, elle se prépare à ce départ, prie un peu avec les deux religieuses qui veillent derrière en égrenant leur chapelet, lave le visage émacié au teint blafard.

Laura respire à peine. Éva croit un instant qu'elle partira ainsi, sans bruit, comme on quitte une pièce sur la pointe des pieds. Puis, au moment où ses propres paupières commencent à devenir lourdes, elle aperçoit le regard terne de sa sœur posé sur elle.

Laura ouvre la bouche, mais la force lui manque pour parler. Éva lui sourit, lui dit de se reposer et s'empare de la main molle posée sur le drap blanc. Autrefois potelée, la petite main se perd désormais dans la sienne. On pourrait y lire le circuit du sang qui bientôt s'arrêtera de couler dans ce corps devenu trop pénible à porter. Éva fixe son regard sur les poignets où bat faiblement le pouls. Un poignet d'enfant qu'un mouvement sec pourrait facilement briser. Une larme coule sur sa joue.

– Pleure pas.

Éva lève les yeux. Laura trouve encore le moyen de la consoler. Comment peut-elle être encore la plus forte ?... Éva a une fois de plus l'impression d'être la petite fille de Laura. Et s'en veut de sa faiblesse. Essuyant sa joue humide, elle se redresse et soulève doucement sa sœur pour replacer son oreiller.

– Je m'en vais, chuchote Laura d'une voix à peine audible, avant d'être secouée par une violente quinte de toux.

– Chut ! ordonne doucement Éva, en épongeant le visage de sa sœur.

– Tu pourras... retourner à la maison.

– Je ne te quitterai pas.

Laura tente un sourire qui ressemble davantage à une grimace.

– Mais moi... je m'en vais.

Éva passe une main tremblante sur le front moite.

– Prie pour moi, continue Laura.

Éva saisit le chapelet sur la table de chevet et le dépose dans la main déjà froide de sa sœur.

– Toi aussi, ma Laurette, prie pour moi.
– Tu sais bien que… je te laisserai jamais tomber.
– Je sais, répond Éva, en essuyant une larme qui lui pique la joue.

Laura ferme les yeux. Les prières des religieuses se font plus pressantes à mesure que la respiration de la malade devient plus saccadée. Éva sait que c'est la fin. Que sa sœur est déjà partie pour elle. Elle accompagne les prières des sœurs pendant un moment, ensuite se retire dans ses souvenirs, tout en gardant dans la sienne la main de Laura. Ce qu'il reste de Laura.

La mort la prend en douceur. Sa poitrine se soulève péniblement à deux reprises, puis tout son corps se détend enfin. Éva reste assise sans bouger, retenant toujours la main glacée, observant le visage blanc que la souffrance a quitté. Elle se lève et dépose un baiser sur le front froid. Avant de sortir discrètement.

Elle a souvent pensé à ce moment. Elle s'est demandé comment elle pourrait surmonter la douleur de cette perte. Pourtant, dans le silence de sa chambre, elle se sent étonnamment calme et paisible, sereine même, entretenant l'intime conviction que Laura est encore à ses côtés, là, dans la nuit qui s'apprête à tourner au jour. Elle se dirige vers la sortie de secours, la seule par où elle peut s'échapper à cette heure sans éveiller l'attention des religieuses. Elle a besoin de goûter cette nuit de printemps, de se retrouver seule avec elle-même et cette présence chaleureuse qu'elle perçoit tout près d'elle. Elle vient de passer près de quatre mois auprès de sa sœur : non, Laura ne peut certainement pas la quitter aussi facilement.

*
*   *

Heureusement qu'il y a eu l'été, avec ses vagues de touristes, tous plus curieux les uns que les autres, pour la sortir de sa léthargie, de cette espèce d'indolence dans laquelle elle s'était laissée glisser à son retour de Roberval. Mais maintenant qu'elle voit venir l'automne, Éva craint de retomber dans cette torpeur qui s'apparente si bien à la saison. Elle voudrait réagir, éviter à tout prix de se replier sur elle-même. Rendre visite à Gustave leur ferait du bien à tous les deux, son frère ayant grand besoin de se faire remonter le moral. Car malgré tous ses efforts pour attirer les touristes, la Crise est sur le point d'avoir raison de lui. Une fois de plus, il se retrouve au bord du gouffre, devant l'immensité du vide. Et Éva sait très bien que c'est le genre de situation qu'il ne peut pas supporter. Quand il a commencé à lui faire part de ses problèmes, au printemps, elle a bien essayé de se faire encourageante, mais s'étant elle-même à peine remise de la mort de Laura, elle n'a trouvé ni l'énergie ni les mots. D'ailleurs, que peut-on dire devant la fatalité ?... N'eût été le Manoir Chapdelaine, Gustave aurait peut-être eu des chances de s'en sortir. Mais il avait trop investi dans ce deuxième établissement. Son ambition aura causé la dévastation d'un empire qu'il est maintenant réduit à regarder s'écrouler dans le désarroi le plus total. Éva devine que s'il est encore à Beauceville, c'est qu'il espère inconsciemment un miracle et qu'il retarde le moment d'avouer à sa famille ce qu'il considère comme inavouable. Dans sa dernière lettre, il révélait se sentir de plus en plus dépassé par la situation.

« Il devrait essayer de vendre au plus tôt », se dit-elle, en classant des papiers sur son bureau. Soudain, en voulant déposer dans un tiroir les lettres auxquelles elle a déjà répondu, un billet attire son attention. Il s'agit d'une invitation du ministère de l'Agriculture qu'elle avait reçue l'année précédente et qu'elle avait dû refuser. Elle s'adosse au mur, la lettre entre les mains. Et s'ils avaient encore quelque chose pour elle cette année… Elle pourrait joindre l'utile à l'agréable : une tournée des expositions artisanales du comté de L'Islet lui donnerait l'occasion de faire un saut à Beauceville avant de se diriger vers Ottawa pour la conférence prévue en octobre. Ainsi elle se tiendrait occupée jusqu'aux premières neiges. Mais surtout, elle irait constater sur place la situation de son frère et tenter une fois de plus de le soutenir.

Sans se donner la chance de changer d'idée, elle s'assoit à son bureau et tire vers elle son papier à lettres. En souhaitant qu'il ne soit pas trop tard.

*

Ministère de l'Agriculture, 8 septembre 1932

Mademoiselle Éva Bouchard

Mademoiselle,

Comme dernier renseignement au sujet de votre voyage dans L'Islet, vous voudrez bien vous rendre à Saint-Jean-Port-Joli, à l'hôtel de Gaspé mercredi soir le 14 : et le lendemain le 15 au matin, M. Potvin, agronome, vous prendra là et vous conduira à Sainte-Perpétue. Notez bien : l'hôtel de Gaspé. Croyez-moi,

Votre bien dévouée,

Anne-Marie Vaillancourt
section d'Économie domestique[44]

*

Roméo prend une longue inspiration en entrant dans la gare du Palais. C'est ce premier contact qu'il préfère entre tous, celui du mélange singulier d'odeurs de bois vieilli et d'humidité, alliées à celles des vêtements et des valises exhalant des effluves de naphtaline. Il se revoit explorant en cachette le grenier de sa grand-mère lors de lointains séjours à Saint-François-de-Sales. Puis c'est la vue du bois verni, partout autour de lui, qui le remue : le bois jauni par le temps, par les vapeurs et fumées de toutes provenances, le bois gravé, sculpté pouce par pouce, minutieusement, amoureusement, comme dans une église.

Il avance lentement, se laissant griser par l'atmosphère du lieu, suivant du regard un passager pressé, observant un flâneur au manteau élimé, affalé sur un banc du même bois ambré : un habitué des lieux sans doute, un de ces hommes qui ont plus ou moins élu domicile dans cette vieille gare de Québec à défaut de logis, un de ces exclus officieusement tolérés dans un lieu public parce que la société n'a rien de mieux à leur offrir.

Roméo consulte sa montre : il a tout son temps, le train d'Éva n'entrera en gare que dans une vingtaine de minutes. Il est d'ailleurs délibérément parti tôt de Beauceville pour profiter à son aise de cette immense salle des pas perdus qu'il affectionne particulièrement. Il s'assoit sur un banc et se laisse aussitôt envahir par la musique. Pas celle, distordue, que crache une radio mal ajustée, mais celle qui se joue au-delà de toute prétention harmonique, celle des paroles entremêlées, des rires étouffés, des éclats de voix échappés au hasard ; celle, haut perchée, des vendeurs de journaux ; les voix déchirées par l'imminence d'un départ, les bruits des pas se mêlant à celui d'un banc qu'on déplace brusquement, au sifflet du train qui annonce une arrivée, au chuintement diabolique de la locomotive prévenant du danger. Roméo ferme les yeux pour mieux entendre. Et c'est à *Toccata et fugue en ré mineur* de Bach qu'il pense, à cette pièce grandiose que ses doigts et tout son corps se tendent pour jouer ; il lui semble que, dans cette immense enceinte, dans cette cathédrale géante où la vie se joue en arrivées et en départs continus, de grandes orgues donneraient leur pleine mesure, et il arriverait à la jouer comme jamais encore il ne l'a fait ; cette musique intemporelle prendrait tout son sens, emplissant l'espace de ses cascades de notes entrecroisées, tantôt aériennes, tantôt lourdes comme une menace.

– Tu as l'air bien songeur, mon Méo…

– Ma tante Éva ! Excusez-moi, j'étais complètement ailleurs.

– J'ai bien vu ça, commente Éva, moqueuse, je t'ai cherché sur le quai.

– Mais votre train devait arriver seulement à trois heures et quart, proteste Roméo, en fouillant nerveusement dans sa poche à la recherche de sa montre. Et il est… ah ! mon Dieu, quatre heures moins vingt, constate-t-il, honteux.

– Nous avons eu du retard, dit Éva en riant pour le rassurer. Nous venons à peine d'arriver.

– Excusez-moi, ma tante, j'avais perdu la notion du temps.

– Ce n'est pas grave, puisque tu es là.

– Voulez-vous un thé ou quelque chose d'autre avant de partir pour Beauceville ?

– Volontiers.

Et il tend le bras à sa tante, l'entraînant vers une petite table, côté est. Pendant qu'ils sirotent, lui un café trop faible et elle un thé trop fort, Éva s'enquiert de la santé de la famille.

– Tout le monde va bien, mais c'est plus comme avant. Papa est inquiet, même s'il essaie de le cacher. Et maman le fait pas voir, mais je sais qu'elle se tracasse aussi. Jeannette a ouvert un salon de coiffure à Montmagny, Gertrude et Simonne tarderont pas à partir aussi, papa est au désespoir. Quand il s'agit de ses enfants, il voudrait tout contrôler, vous le connaissez…

Éva sent pointer l'ombre d'un reproche dans cette dernière phrase. Elle préfère ne pas relever le commentaire.

– Comment vont Marie-Ange et le petit Roger ?

Le sourire réapparaît sur le visage de Roméo.

– Ils vont bien. Le petit court partout, je vous dis qu'il tient sa mère occupée ! Mais Marie-Ange a le tour avec lui, ajoute-t-il, de l'émotion dans la voix.

– Elle porte bien son nom, ta Marie-Ange, d'après ce que j'ai pu voir.

Roméo approuve en souriant.

– Comme ça, les affaires ne sont pas très bonnes ? reprend Éva.

Le jeune homme dépose sa tasse lentement et, sans lever les yeux, déclare :

– Papa va être obligé de faire cession de ses biens.

Éva est parcourue d'un frisson. Elle ne croyait pas que la situation s'était dégradée à ce point.

– Le problème, poursuit Roméo, c'est qu'il refuse de l'admettre. Il espère encore que les choses vont s'arranger. Mais maintenant qu'il est sur le point de tout perdre, si on se laisse faire, il va tous nous entraîner avec lui.

Le ton a monté. Aux tables voisines, quelques curieux ont visiblement tendu l'oreille. Éva n'a pas le temps d'intervenir.

– Les jumelles vont s'en sortir mieux que moi, avec leur cours de coiffure. De toute façon, ce sont des filles et elles vont sûrement se trouver un mari avant longtemps.

Éva se déplace sur sa chaise en se mordant les lèvres.

– Mais moi, j'ai une femme et un enfant. Qu'est-ce que je suis supposé faire là-dedans ? Regarder sombrer le bateau et couler avec ?

C'est un regard traqué qu'il lève vers Éva. Elle se penche légèrement au-dessus de la table. Elle doit trouver les bons mots pour contrer la révolte tardive de ce fils qui a toujours été le préféré de son père, et qui se sent coupable aujourd'hui de penser différemment de lui.

– Je le sais bien qu'il a toujours fait pour le mieux, enchaîne-t-il d'un ton plus modéré. Il a tellement travaillé pour réussir à rentabiliser l'Hôtel Beauceville et le Manoir Chapdelaine ! Le Manoir, il l'a acheté pour que j'aie du travail, je devrais me trouver chanceux ! lance-t-il ironiquement.

Il passe encore la main sur un front précocement dégarni. « Le même geste que son père », songe Éva. Aux tables voisines, les curieux sont retournés soit à leurs conversations, soit à leurs rêveries.

– Mais papa a toujours été convaincu de savoir ce qu'il me fallait.

Éva se tend tout entière pour entendre la suite de cette révélation.

– Il m'a d'abord fait suivre des cours de piano en me faisant croire que j'étais un prodige. J'ai essayé de pas le décevoir, mais, au fond, je me suis jamais senti à la hauteur.

L'émotion transpire maintenant dans la voix de Roméo :

– Puis quand il a vu que j'aimais mieux l'orgue, il a fait défoncer le plafond de la salle à manger pour que j'aie mon Casavant. Je vous jure, ma tante, que ça met de la pression sur quelqu'un, ça !

Pendant un instant, il la regarde droit dans les yeux. Éva peut sentir toute la douleur et la colère contenues dans la voix de son neveu.

– Puis il a acheté le Manoir et il me l'a confié.

Silence. Roméo a recommencé à fixer sa tasse vide. Il respire péniblement.

– Je l'ai toujours admiré pour son sens des affaires. Ce qu'il est arrivé à faire avec l'Hôtel Beauceville, le zoo, la patinoire, le terrain de baseball, tout ça, c'est extraordinaire ! Moi, je le regardais faire et je me sentais tellement… petit à côté de lui. J'ai toujours su que j'arriverais jamais à être aussi bon que papa. J'ai pas les mêmes ambitions ni les mêmes goûts que lui. Maman l'a compris, elle, mais lui, il a jamais voulu l'admettre. Il a continué d'agir avec moi comme si j'étais sa seule relève possible. Ça me mettait toujours un peu plus de pression et j'avais toujours un peu plus peur de le décevoir.

Éva cherche en vain quelque chose à ajouter. Elle va prononcer quelque parole banale quand Roméo jette :

– J'ai pas été le prodige qu'il rêvait d'avoir engendré, je suis pas un bon homme d'affaires, et maintenant, je risque de le décevoir encore.

Éva se raidit, en alerte.

– Pourquoi tu dis ça, Roméo ?

– Parce que pendant qu'il s'entête à essayer de redresser sa situation malgré la Crise, moi, je regarde ce que je pourrais faire pour m'en sortir autrement. Je veux m'acheter une maison de chambres en ville, m'ouvrir un salon de barbier et donner des cours d'orgue pour boucler les fins de mois.

Éva retient sa respiration :

– Tu veux quitter le Manoir ?

Roméo secoue la tête.

– J'ai attendu autant que j'ai pu, en espérant qu'il déciderait lui-même de fermer. Mais là, j'ai plus le choix, lance-t-il, l'air affligé.

– Il n'est pas au courant de ta démarche ?

– Non. Et je me demande comment il va prendre ça…

Éva ne dit rien. Elle essaie d'imaginer la réaction de son frère à l'annonce du départ de Roméo.

– Pourtant, continue ce dernier, j'aimerais tellement ça, une fois, pouvoir faire quelque chose par moi-même, quelque chose que j'aurais décidé tout seul, sans qu'il me dise comment faire et ce que je devrais penser ! Je voudrais qu'il puisse être fier de moi parce que j'aurais pris une initiative, qu'il comprenne enfin que je suis différent de lui, que je suis un homme, plus un enfant !

Encore une fois, le discours a attiré l'attention des voisins de table. Mais ils sont tous les deux devenus hermétiques à ce qui se passe autour.

– On dirait que papa a besoin de se sentir indispensable tout le temps. Le problème, c'est que j'ai fini par croire que j'étais incapable de faire quelque chose tout seul. J'ai besoin de me détacher de lui, de prendre mes distances, de me prouver que je peux y arriver sans lui.

Éva secoue la tête. Elle commence à y voir plus clair. Et pense que Roméo a raison, tout en sachant très bien que Gustave est animé des meilleures intentions du monde. Comme c'est compliqué parfois !

– Mais tu es marié et père de famille, Roméo. Tu as le droit et le devoir d'assurer la sécurité des tiens. Ton père ne peut pas te reprocher d'être prévoyant.

– J'imagine qu'il va finir par comprendre, mais c'est de lui annoncer ça, ma tante, qui me fait peur. Vous le connaissez…

– Mais je pense quand même que tu dois lui expliquer ton point de vue, qu'il faut que tu aies ce courage-là. C'est le premier pas à franchir, le plus difficile, mais après, ça ira mieux. Ton père t'aime, souviens-toi de ça. Et c'est un homme intelligent : il va accepter ta décision.

Roméo soupire profondément. Éva pose une main sur celle de son neveu.

– Et au cas où tu aurais la moindre crainte à ce sujet, sache que je ne dirai rien à ton père de notre conversation.

Elle l'observe encore un moment, immobile et songeur, et fait le geste de se lever. Roméo s'empresse aussitôt derrière elle pour tirer sa chaise. Il est redevenu un jeune homme galant, en apparence sûr de lui. « Que de profondes et secrètes douleurs se cachent derrière les gestes et les sourires contraints de tous les jours ! » pense-t-elle.

*

– Ton frère ne va pas très bien, dit simplement Léonie, presque à voix basse, en déposant une tasse de thé devant sa belle-sœur, avant de retourner à son comptoir de cuisine.

Éva a remarqué, dès son arrivée à l'hôtel la veille, la mine effondrée de Gustave, et ce, malgré de louables efforts pour paraître enjoué.

– Mais toi, Léo ? Toi, dans tout ça ?

Léonie se fige sur place, puis se tourne vers Éva. Ce n'est pas souvent qu'elle s'arrête, surtout ces derniers temps où le nombre d'employés a diminué et où le mot d'ordre est de renflouer le commerce à tout prix. Le répit auquel elle a eu droit après la naissance de Claude, son dernier-né, aura été de bien courte durée, la Crise l'obligeant à reprendre en main les rênes de la cuisine après quelques semaines. Ce n'est pas souvent non plus qu'on lui demande ce qu'elle ressent, qu'elle-même prend le temps de se le demander, prise qu'elle est entre la déprime de son mari et les exigences des plus jeunes qui ne comprennent pas pourquoi, après les années fastes, on parle désormais de privations.

– Viens prendre un thé avec moi. Tu peux bien t'asseoir quelques minutes, ça ne changera rien et tu le sais, insiste Éva.

Léonie se ressaisit, se verse une tasse de thé et vient s'asseoir près d'Éva en soupirant.

– Tu me parles toujours de Gustave, Léo. Mais toi, comment vas-tu ?

Léonie détourne le regard, un reste de pudeur dans ses yeux tristes.

– Léo, on se connaît depuis trop longtemps, toi et moi, pour que tu ne me fasses pas confiance. J'ai une idée assez précise de ce que vous vivez, même si j'en ignore les détails. Je sais que mon frère le prend très mal. Je connais Gustave, je devine facilement qu'il considère cette affaire comme un échec personnel, même s'il n'est pour rien dans la Crise mondiale. Je sais aussi que, chaque fois que quelque chose de semblable est arrivé, tu as toujours été là pour le soutenir, même quand tu étais presque à l'agonie. Souviens-toi de ta longue maladie après la naissance de Simonne, Léo : tu étais quand même la plus forte.

Léonie ferme les yeux, passe une main nerveuse sur son front.

– Tu peux continuer de faire semblant d'être invulnérable auprès de mon frère si tu veux, mais avec moi ce n'est pas nécessaire, je sais très bien que ce que tu vis est très difficile.

Puis Éva se tait.

Léonie lève lentement les yeux et contemple le vide un long moment avant de déclarer :

– Cette fois, je sais pas si je vais y arriver, Éva. Gustave est plus déprimé que toutes les autres fois réunies. Je sais pas si je vais avoir assez de force pour deux.

Elle cache son visage dans ses mains.

– Je suis tellement fatiguée !

Et un long soupir soulève ses épaules courbées, alourdies par tant de souffrances ramassées au cours des ans : les siennes et celles de tous les autres.

– En avez-vous parlé ? Avez-vous prévu une alternative ?

– Quel choix veux-tu qu'on ait quand il reste plus rien ? Au cours des derniers mois, on s'est endettés plus qu'on pouvait se le permettre. On est en train de tout perdre, Éva. Il va falloir faire cession de nos biens. Et plus on attend, plus ça s'aggrave.

– Tu souhaiterais que vous partiez maintenant ?

Léonie hoche la tête :

– Je suis prête depuis longtemps, mais Gustave hésite encore. Il voudrait trouver une solution pour les filles, pour Roméo et sa famille. Comme de raison, il se sent responsable de tout le monde !

– Mais si j'ai bien compris, Jeannette est déjà à Montmagny…

– Oui, soupire Léonie. Puis Gertrude et Simonne se sont presque trouvé du travail aussi.

Éva se lève.

– C'est normal, vos filles ont vingt et vingt-trois ans, tout de même ! lance-t-elle, en repoussant sa chaise d'un mouvement impatient.

Elle marche jusqu'à la fenêtre derrière sa belle-sœur.

– Mais tu connais mon mari : il voudrait trouver une idée pour garder tout son monde autour de lui.

Garder son monde autour de lui, mais à quel prix ? Éva se retient d'ajouter que son frère devrait laisser un peu plus de corde à ses enfants et leur faire davantage confiance. Elle se contente pourtant de hausser les épaules, s'approche de sa belle-sœur et lui tapote amicalement l'épaule avant de quitter la pièce.

*

– Tu viendras pas me dire comment gérer mes affaires, Éva Bouchard !

– Rends-toi donc à l'évidence, Gustave. Tu es plus intelligent que ça, il me semble ! Tu n'as jamais permis que tes enfants prennent la moindre décision sans t'en parler, sans que tu y mettes ton nez. Mais te rends-tu compte que tu as déjà quatre adultes ? Que Roméo, les jumelles et Simonne sont parfaitement capables de prendre leur vie en main ? Si seulement tu leur demandais leur opinion, peut-être que tu aurais des surprises. Mais j'imagine que tu préfères ne pas savoir ce qu'ils pensent, ajoute-t-elle, ironique.

– Qu'est-ce que tu veux dire ?

– Qu'ils peuvent avoir envie de faire autre chose que ce que tu as voulu pour eux, qu'ils ont leurs propres idées et que ça te dérange de penser qu'elles sont probablement différentes des tiennes. À force de vouloir leur épargner des erreurs, de vouloir tout contrôler, tu les empêches de devenir des adultes à part entière. Tu les obliges à rester suspendus à ta volonté pour la moindre décision. Contrairement à ce que tu crois, Gustave Bouchard, tu ne leur rends pas service en agissant ainsi, au contraire ! Et pendant ce temps-là, l'arche de Noé est en train de couler et tu les entraînes tous avec toi. Tu n'as pas le droit de leur faire ça.

Elle a presque hurlé la fin de son plaidoyer. Les jointures de ses doigts qui s'agrippaient au dossier de la chaise devant elle sont devenues blanches. Gustave, pâle comme un mort, est resté immobile, le regard fixe. Il entend, telle une condamnation, son cœur lui marteler sévèrement la poitrine. Mais sa raison se rebiffe : d'après Éva, ses propres enfants risqueraient de devenir en quelque sorte ses victimes ! Pourtant, toute sa vie, il a pris ses décisions en fonction d'eux, afin de les protéger. C'est ridicule. Ridicule et injuste. Il se cambre : il va démontrer à sa sœur qu'elle a tort, il va la faire taire, exiger des excuses. Il tourne vers elle un regard furieux.

Elle le savait : un Bouchard n'accepte pas de se faire dire ce qu'il a à faire. Elle le voit se gonfler d'indignation, comme une tempête se soulève, implacablement. Oh ! une colère de Bouchard, faite d'orgueil et d'entêtement : il va s'emporter, comme elle-même vient de le faire, il va argumenter, répéter qu'il a raison, qu'il est le seul à savoir ce qui est bon pour sa famille, la réduire en miettes. Elle attend le verdict, vaincue d'avance, décidée à laisser exploser l'orage. Elle baisse les yeux, prête à tout entendre.

Il a suffi d'une fraction de seconde pour qu'il perçoive le regard résigné de sa sœur et comprenne qu'elle a déjà renoncé à poursuivre le débat. Un inconfortable sentiment de victoire l'envahit, freinant d'un seul coup son élan. En outre il est fatigué, n'est plus sûr de rien et n'a pas envie de discuter.

– Tu voudrais que j'abandonne mes enfants, parvient-il à articuler d'un ton plus ou moins convaincu, dans un ultime effort pour sauver la face.

Pour toute réponse, elle nie d'un simple mouvement de la tête, et ferme les yeux, partageant intérieurement sa défaite.

– J'abandonnerai pas mes enfants, m'entends-tu ? J'abandonnerai pas mes enfants.

Elle ouvre les yeux juste à temps pour voir le regard mouillé de son frère au moment où il lui tourne le dos.

– Bien sûr que non, fait-elle.

Puis elle quitte la pièce. C'est lui qui est en miettes.

*

UNE TOURNÉE DE MARIA CHAPDELAINE

Mlle Éva Bouchard est de retour à Péribonka après avoir visité plusieurs paroisses de la rive sud du St-Laurent.

CAUSERIE À OTTAWA

Péribonka, D.N. – Mlle Éva Bouchard, Maria Chapdelaine, est arrivée samedi d'une promenade de six semaines. Mlle E. Bouchard, sur l'invitation du Service de l'Économie Domestique de Québec, s'était d'abord rendue juger les travaux domestiques aux expositions paroissiales de Ste-Perpétue, St-Pamphile, St-Adalbert, St-Marcel et St-Cyrille de l'Islet. Elle dit avoir été émerveillée de l'organisation agricole de ce comté où tous les ans les cultivateurs sont favorisés d'expositions paroissiales ou régionales, source d'émulation et de bénéfices appréciables pour les intéressés.

Une grosse part du succès rapporté à toutes ces expositions est certainement due à l'infatigable agronome de ce district, M. Bruno Potvin.

Mlle Bouchard se rendit ensuite à Montmagny, à Beauceville chez son frère, M. Gustave Bouchard, propriétaire de l'hôtel Beauceville, où elle passa huit jours.

Elle alla ensuite à Ottawa, où elle était attendue pour une causerie sur Louis Hémon le 4 octobre au soir. Il serait trop long de donner tous les noms des personnages d'élite qui composaient l'auditoire aussi nombreux que distingué qui remplissait la vaste salle du Couvent de la rue Rideau ce soir-là. [...]

M. Ernest Bilodeau, bibliothécaire au Parlement, présenta la conférencière en termes fins et délicats. Le R. P. Marcotte remercia en termes élogieux, invitant Mlle Bouchard à continuer ce genre de causerie : « Vous faites, dit-il, plus que de nous intéresser, j'irai jusqu'à dire que vous faites une sorte d'apostolat ».

Pour se rendre aux invitations charmantes des Dames, Mlle Bouchard dut prolonger son séjour dans la Capitale, qu'elle visita en tous sens. Elle nous revient emportant le meilleur souvenir de sa première visite à Ottawa[45].

*

Éva range dans son enveloppe le mince feuillet dont elle connaît déjà par cœur le contenu. Sa rencontre avec le ministre de l'Agriculture ne lui aura valu qu'une réponse froide et impersonnelle se résumant à une demi-page :

Québec, le 10 décembre 1932
Ministère de l'Agriculture, Province de Québec

Mademoiselle Éva Bouchard
Péribonka

Mademoiselle,

J'ai reçu votre lettre du 10 novembre. Il nous a été impossible jusqu'à maintenant de donner suite à la demande que vous nous faisiez lors de votre passage à Québec. Il nous fera plaisir autant qu'à vos récents visiteurs de voir réinstaller et entretenir la ferme où vécut pendant quelque temps Louis Hémon. Vous admettrez cependant que le temps est un peu difficile pour lancer une souscription en faveur d'une œuvre de ce genre. Je comprends l'importance pour notre province de garder vivace le souvenir de ceux qui ont pu contribuer à exalter et faire aimer la terre canadienne ; mais chacun est sollicité tous les jours pour le soutien de l'œuvre primordiale : procurer le pain quotidien à une partie de la population de chez nous. Ne craindriez-vous pas de risquer le succès de votre entreprise en lançant votre souscription dans une époque comme celle-ci ? Une fois lancée, j'y souscrirai de bon cœur dans la mesure de mes très faibles ressources.

Avec l'assurance de mes meilleurs sentiments,
je vous prie de me croire

Votre tout dévoué,
Adélard Godbout[46]

Elle s'y attendait. Aucune aide ne viendra du côté du gouvernement. Mais comme le disait Ernestine, elle aura au moins tenté sa chance. Cependant, le problème demeure entier : le site a tellement besoin d'être réaménagé ! Depuis des années, elle se contente de parer au plus urgent et il serait grand temps d'entreprendre des réparations majeures. Il lui faut se rendre à l'évidence : elle ne doit plus compter que sur elle-même.

En attendant le printemps, sa correspondance la tiendra occupée. Trouver d'autres groupes de visiteurs potentiels, organiser des activités qui leur conviennent et coordonner le tout de façon que rien ne manque constitue chaque fois un tour de force. Elle aurait bien aimé passer un autre hiver en compagnie de Gustave et sa famille, mais il n'en n'est pas question cette année, son frère ayant finalement dû faire cession de ses biens et ayant quitté Beauceville peu après le dernier voyage d'Éva. Depuis Sainte-Marie de Beauce où il s'est installé avec Léonie, Annette, Yvon, René et Claude, il s'habitue comme il peut à vivre séparé de ses aînés : « *Roméo se débrouille assez bien avec sa maison de chambres, son salon de barbier et ses cours d'orgue. Gertrude et Simonne ont trouvé du travail juste avant qu'on ferme l'hôtel et ont décidé de rester chez Roméo* », lui écrit-il, résigné. Elle apprend également que Jeannette fréquente un jeune homme de Montmagny et que des noces sont à prévoir. Mais pour l'instant, lui-même est sans emploi. « *J'essaie de me convaincre qu'étant donné qu'on n'a jamais manqué de rien, ça doit vouloir dire que c'est écrit dans mon destin que je vais toujours m'en sortir* », écrit-il également. Mais Éva devine que la situation est plus difficile que son frère veut bien le laisser paraître. Il lui fait d'ailleurs une proposition qui la laisse perplexe : « *L'autre nuit, je ne dormais pas et je jonglais à tout ça : nous autres ici, Léo et moi, avec les quatre jeunes, puis toi de ton bord, je me demandais s'il n'y aurait pas moyen qu'on s'allie d'une manière quelconque. Je sais bien que ce n'est pas simple avec la distance, mais je me posais la question à tout hasard. Je te laisse réfléchir là-dessus de ton côté. Peut-être que mon idée n'a tout simplement pas de sens, je ne sais pas. Peut-être que je suis trop fatigué ou trop vieux, peut-être que j'essaie encore de me raconter des histoires ou tout ça à la fois, mais dans la situation où je me trouve, je pense que toutes les possibilités valent la peine d'être étudiées.* »

1933

L'été s'était pourtant bien déroulé. Éva avait obtenu des religieuses que les enfants de Nil viennent passer trois semaines à la maison au cours de l'été, ce qui n'était généralement pas admis dans les orphelinats. Mais tant qu'à avoir subi pendant des années les inconvénients rattachés au nom d'Éva Bouchard, pourquoi ne pas en saisir pour une fois les avantages ? s'était-elle dit. Et les religieuses avaient fini par acquiescer à sa demande. Les enfants avaient retrouvé leurs jeux, courant joyeusement entre l'étable et la maison, s'ébattant dans le foin fraîchement coupé, se réjouissant des sauterelles, des grenouilles et des papillons qui partageaient leur univers. Rita, quant à elle, prenait son rôle d'aînée très au sérieux, d'autant plus que Mathilde avait quitté la famille au moment où les deux plus jeunes étaient entrés à l'orphelinat. Du haut de ses treize ans, elle surveillait ses petits frères, organisait des jeux qui les tenaient occupés, pendant qu'Éva accueillait les touristes. En retrouvant ses enfants, Nil avait retrouvé le sourire.

Mais l'heure du départ avait sonné trop vite et c'est le cœur gros que la famille avait dû se séparer à nouveau. Gérard, par contre, était resté à la maison : sa mauvaise mine et sa toux persistante inquiétaient trop Éva pour qu'elle accepte de le laisser partir. Le troisième jour, la fièvre était devenue si forte que Nil s'était installé près du lit de son fils pour dormir. Éva avait fermé le Foyer pour s'occuper du malade aux heures où Nil était aux champs. Elle avait annulé tous ses rendez-vous pour veiller sur Gérard, le laver, le faire boire et même le nourrir à l'aide d'une poire.

*

Nil ouvre les yeux dès qu'Éva pousse la porte de la chambre où il a passé la nuit à demi allongé sur une chaise, près du lit où repose Gérard. Elle s'approche et pose une main sur le front de l'enfant malade.

– Quelle sorte de nuit a-t-il passée ?

– Moins agitée que celle d'hier. J'ai réussi à dormir un peu.

Éva regarde les traits tirés de son frère.

– Tu ne pourras pas continuer comme ça longtemps, Nil. Sois réaliste.

Pour toute réponse, Nil se contente de ramasser sa couverture.

– Je m'en vais faire le train, annonce-t-il en sortant de la chambre.

Éva s'assoit près du lit où le petit Gérard respire bruyamment. Pourvu qu'il ne soit pas atteint comme sa mère ! Nil accepte déjà difficilement d'avoir dû les laisser à l'orphelinat, s'il fallait qu'il perde un de ses enfants, il ne s'en remettrait pas.

Ce matin-là, pourtant, Gérard ouvre des yeux fatigués, mais étonnamment curieux.

– Bonjour, Gérard, comment ça va ce matin ?

Sans répondre, l'enfant tourne son visage amaigri vers la fenêtre.

– Il fait beau soleil aujourd'hui. Aimerais-tu que j'ouvre les rideaux ?

– Oui, chuchote une petite voix.

Éva le soulève doucement, lave le petit visage blanc, humecte les lèvres desséchées, lui sourit.

– Eh bien, prépare-toi. Tu n'as pas vu le soleil depuis longtemps, son éclat pourrait bien te surprendre un peu.

Mais Gérard, courageux, cille à peine. Éva se demande si les larmes qui coulent de ses yeux sont dues au choc de la lumière sur sa rétine ou au plaisir de voir la vie jaillir à pleins carreaux et se glisser de nouveau jusqu'à lui à grand renfort de rayons chauds et bienfaisants.

Puis, le visage toujours orienté vers la fenêtre, il ferme les yeux lentement et demeure immobile, petite masse sombre dans le grand lit blanc. Éva pâlit : bref instant de panique. Elle touche le front moite. L'enfant la regarde et lui fournit la réponse qui fait taire toutes ses inquiétudes, efface toutes ses nuits d'angoisse :

– J'ai faim.

Éva a un petit rire nerveux, osant à peine croire au miracle qui vient de s'opérer devant elle. À son tour elle regarde la fenêtre. Des larmes de gratitude coulent le long de ses joues. Elle pense à sa sœur Laura, à sa belle-sœur Hélène pendant qu'elle caresse les cheveux de Gérard. Elle a hâte d'annoncer la bonne nouvelle à Nil.

– Qu'est-ce que tu aimerais manger, mon ange ?

– De la soupane.

Elle rit encore. Bien sûr qu'elle lui en fera, de la soupane d'avoine, bien épaisse et bien sucrée, comme il l'aime.

C'est au souper, après l'avoir d'abord rassuré, qu'elle parle à Nil des deux lettres récemment reçues de l'orphelinat, dans lesquelles les religieuses s'enquièrent de l'état de santé de Gérard, mais où elles l'informent également que plusieurs orphelins sont en attente d'une place. Éva a bien essayé de les faire patienter, mais elle ne pouvait évidemment leur garantir la date du retour de leur pensionnaire. Maintenant, elle craint qu'elles aient décidé d'offrir la place vacante à un autre enfant. Elle leur écrira dès aujourd'hui pour leur annoncer que tout danger est écarté et que Gérard devrait retrouver ses frères et sa sœur bientôt.

*

Péribonka, samedi 25 septembre 1933

Mlle Rita Bouchard
Orphelinat de l'Immaculée
Chicoutimi

Chère petite,

Si les nouvelles se font rares, c'est que nous sommes dans un temps de gros travail : récoltes de grain, de patates, etc. Papa doit aller vous voir tous à la première occasion la semaine prochaine tout probablement. Gérard va beaucoup mieux. Peut-être papa l'amènera-t-il avec lui pour reprendre la place si elle est toujours libre, vu que nous n'avons pas de classe ici.

Bons baisers de tous à tous,
Tante Éva[47]

*

Éva referme la dernière lettre de Gustave. À part l'annonce du mariage de Jeannette le 23 octobre, il écrit peu de choses, mais il est facile de deviner que son frère est déprimé. Il semble bien cette fois que Léonie n'a pas réussi à le rassurer suffisamment, à lui transmettre l'énergie qui l'incite à foncer droit devant comme il l'a déjà fait tant de fois. Mais Éva comprend que Léonie puisse être fatiguée de ces éternels recommencements, de tant de rêves démolis et d'espoirs déçus. Chacun d'eux se retrouve donc triste et seul sur son île, incapable de soutenir l'autre, occupé à sauver sa propre embarcation du déluge.

Déjà presque un an qu'ils ont quitté l'hôtel et Gustave rapporte n'avoir encore rien trouvé. Mais que cherche-t-il ? De cela il ne dit rien. Une image s'impose à Éva : son frère se berçant passivement devant une fenêtre, dans l'attente d'un événement dont il ignore la nature, et ne trouvant pas la force de réagir. Elle voudrait faire quelque chose, mais quoi ?... L'année précédente, il lui a soumis l'idée qu'ils pourraient tous les deux unir leurs forces, sans même avoir d'idée précise de ce à quoi cela pourrait ressembler. À distance, comment peut-on imaginer une quelconque alliance ? Elle caresse longuement la lettre, perdue dans ses pensées.

Après une heure de réflexion, elle se lève, enfile une veste de laine et part rejoindre Nil à l'étable pour lui soumettre son idée. S'il est d'accord avec son plan, elle ira au mariage de Jeannette et en profitera pour présenter son projet à Gustave. Cette fois, c'est lui qui a besoin d'elle et elle fera tout ce qu'elle peut pour l'aider à s'en sortir.

1934

– Annette, peux-tu prendre ton petit frère des bras de ta mère pour le faire descendre du train ?

L'enfant, fatigué du long voyage dans un wagon mal chauffé, pleurniche et lance des coups de pied à droite et à gauche. Elle-même fourbue et frissonnante, Annette affiche une mine de condamnée mais n'en saisit pas moins avec douceur le jeune Claude que lui tend Léonie. Cette dernière prend la main de René tandis que Gustave, aidé par Yvon, s'affaire à rassembler les bagages.

– Comment va la famille Bouchard ? entendent-ils, ayant à peine mis pied sur le quai.

Maigre, les traits tirés, Nil s'avance joyeusement vers les arrivants. Gustave a un mouvement de tendresse envers ce frère dont le sourire généreux l'oblige à revoir sa propre situation sous un autre angle : lui, au moins, a encore sa femme, et ses plus jeunes enfants sont avec lui.

Les deux hommes se retrouvent dans une chaleureuse poignée de main. Leurs regards qui se croisent les exemptent de toute parole. Bientôt, les genoux couverts de peaux de fourrure et les pieds posés sur des briques chaudes, tout le monde est en route vers la ferme, où les attend une besogne qui leur fera oublier la fin de l'hiver et occupera sans peine tout le printemps qui suivra.

*

– Beau temps, mauvais temps, il faut avoir fini les chalets avant que l'équipe de tournage arrive, laisse tomber Gustave en regardant par la fenêtre givrée.

– D'après ce que j'en sais, ça devrait pas tarder, annonce Nil : le producteur est déjà venu à Péribonka plusieurs fois, « en reconnaissance » comme ils disent. Et il doit revenir bientôt avec quelques-uns des acteurs pour tourner des scènes d'hiver.

– Déjà ? s'étonne Gustave.

– Mais le gros du tournage doit se faire vers le mois de juillet.

– Ouais… en tout cas, nous autres on commence demain matin. Et si c'est pas les acteurs qu'on loge, ce sera les touristes. Puis ça, il y en aura toujours. Je te le dis, Éva, avant longtemps, t'auras pas assez de trois chalets, ça va t'en prendre le double.

Éva regarde d'un œil amusé son frère s'enflammer et faire des projets. Elle se réjouit de son enthousiasme retrouvé.

– L'été prochain, ma petite sœur, tu vas avoir tellement de monde que tu vas avoir besoin d'aide rien que pour accueillir les clients, continue-t-il. Mais on va être là pour t'aider. Léo va prendre la maison en charge. Comme ça, t'auras pas à te préoccuper des repas puis du ménage. Nil va continuer à s'occuper de la ferme, et moi, je vais t'aider à gérer tout ça. Compte sur moi, la clientèle, ça me connaît !

– Et moi ? questionne une jeune voix pleine de reproches.

Annette est assise au pied de l'escalier. Depuis le départ de Sainte-Marie, elle s'est efforcée d'être gentille, de faire des efforts, comme le lui avait demandé sa mère. Mais là, elle en a assez : elle a l'impression qu'on l'a oubliée dans toute cette histoire. Bien sûr, elle est contente que son père ait trouvé quelque chose à faire. C'est certainement mieux que de le voir se bercer toute la journée près de la fenêtre dans leur logement de Sainte-Marie à se ronger les sangs. Sa mère aussi semble soulagée et, probablement, très heureuse de retrouver son amie Éva. Quant aux petits, Annette comprend qu'il puisse être amusant pour eux de changer de décor, d'avoir de nouveaux espaces à découvrir. Mais elle... Quelqu'un a-t-il seulement pensé à elle ? Il semble bien que non. Sinon, elle ne serait pas ici à s'ennuyer et à déprimer devant l'éventualité de rester à Péribonka pendant des mois. De toute façon, elle ne fait que ça, s'ennuyer, depuis qu'ils ont quitté l'hôtel : à Sainte-Marie, où elle n'a pas de véritable amie, et maintenant ici où elle ne connaît personne.

– Toi, ma fille, tu vas t'occuper de Claude pour que ta mère puisse se reposer un peu, annonce Gustave sur le ton de quelqu'un qui n'a pas de temps à perdre en discussions inutiles.

Mais Annette n'est pas du genre à se taire pour faire plaisir aux grandes personnes, surtout quand celles-ci ne comprennent rien aux besoins d'une jeune fille de quatorze ans :

– Je veux m'en aller d'ici ; je veux aller rester chez Roméo.

– Bon, c'est assez ! s'emporte Gustave.

– Je vais t'apprendre à faire la cuisine, suggère Léonie dans une tentative pour calmer sa fille.

Annette ouvre de grands yeux gourmands. Les desserts ! Elle est déjà prête à remettre ses projets de départ en question :

– Je pourrais faire des gâteaux avec du crémage épais, des tartes...

– Ce serait plus utile si tu apprenais à faire des ragoûts et des pâtés, glisse doucement Éva, espérant aider ainsi Gustave et Léonie, déjà fatigués du voyage. De toute façon, le dessert, ça devrait être réservé pour le dimanche.

Cette fois, c'en est trop. Annette ne peut supporter l'intervention de sa tante, surtout qu'elle essaie de lui enlever le seul plaisir qu'il lui reste : les desserts. Elle jette un regard mauvais à Éva, se lève brusquement et monte bruyamment à sa chambre, se promettant bien de trouver un moyen de repartir au plus tôt, avec ou sans leur consentement.

– Je crois que j'aurais mieux fait de me taire, se reproche Éva.

– T'en fais pas, Annette va se calmer, la rassure Léonie.

Quant à Gustave, toujours debout près de la fenêtre, il est déjà reparti dans ses rêves de construire un nouvel empire dont, cette fois, Éva sera la reine.

*

Éva défait un pli sur le couvre-lit de chenille blanche et recule pour avoir une vue d'ensemble. Fière du résultat, elle songe que le soir même, elle écrira à Ernestine pour lui annoncer qu'elle a finalement suivi son conseil, que les chalets sont prêts à recevoir les premiers clients, et pour l'inviter à venir passer quelques jours pendant le tournage de *Maria Chapdelaine*. Elle a attendu la fin des travaux pour l'informer, heureuse de surprendre celle qui la soutient depuis tant d'années à travers une correspondance généreuse et assidue. Gustave la rejoint dans le troisième chalet au moment où elle s'affaire devant la fenêtre.

– Ça y est ! Maintenant que tout est prêt, tu vas pouvoir les louer. Comment tu trouves ça ? demande-t-il en s'étirant pour corriger l'angle du tuyau coudé qui court du poêle jusqu'au mur arrière.

– Ça va être parfait une fois que j'aurai fini d'ajuster les rideaux, répond-elle, une épingle entre les dents.

– Ça tombe juste à point : le photographe vient cet après-midi. Oublie pas de mettre ta plus belle robe et de te faire coiffer par Léo : ta photo va circuler partout dans la province et même en dehors.

– Ça m'énerve, tout ça. Et puis, c'est des chalets qu'on veut faire la promotion, pas d'Éva Bouchard !

– Mais le nom de Maria Chapdelaine va aider à faire louer les chalets.

Éva s'apprête à protester puis se ravise ; ça ne sert à rien de s'engager dans ce genre de discussion avec Gustave, elle l'a déjà fait en vain maintes et maintes fois.

Celui-ci ouvre la porte pour laisser sortir sa sœur. Un courant d'air chaud annonce déjà une magnifique journée d'été. Éva avance d'un pas assuré dans le sentier bordé de fleurs quand Gustave risque, après s'être raclé la gorge :

– Et s'il est débrouillard comme je pense, ce J. E. Chabot devrait être bon pour obtenir la permission de prendre quelques photos de toi avec les comédiens.

Éva s'arrête subitement. Elle sent son propre cœur lui flageller les côtes.

– Qu'est-ce que tu me dis là, Gustave Bouchard ?

Puis elle se tourne vers son frère, immobilisé à son tour derrière elle.

– Écoute, je m'attendais à ce que tu réagisses comme ça. Mais question de promotion, je m'y connais, affirme-t-il d'une voix malgré tout mal assurée.

Éva retient un soupir impatient. Depuis son arrivée en janvier, elle a ménagé Gustave autant qu'elle a pu. Elle l'a laissé prendre tout l'espace dont elle savait qu'il avait besoin pour rebâtir sa confiance en lui-même, toutes les initiatives qu'elle a jugées importantes pour lui. Tant que cela ne la concernait pas de trop près. Tant que ses interventions se limitaient à décider de la dimension des chalets, de leur emplacement par rapport à la route ou au Foyer. Tant qu'il ne s'ingérait pas dans sa vie personnelle, ça pouvait aller. Mais voilà qu'elle n'a plus d'autre choix que de le remettre gentiment à sa place. Elle s'efforce de garder son calme :

– Gustave, tu aurais dû m'en parler avant.

– Tu aurais refusé, je te connais. Écoute, Éva, j'essaie juste de t'aider. Tu vas me dire que je suis venu icitte pour te bâtir des chalets, puis que notre entente s'arrête là et je le sais. Si j'avais pas été en train de me morfondre à Sainte-Marie depuis un an, tu aurais pu engager des ouvriers et te débrouiller sans moi. Tu as voulu m'aider à sortir de cette espèce de coma dans lequel je m'étais laissé glisser et je t'en suis reconnaissant. Je sais aussi qu'il t'a fallu beaucoup de courage pour en arriver là où tu es. Je connais pas bien des femmes qui auraient mené leur affaire comme tu l'as fait. Mais en matière de publicité, par exemple, tu es encore trop timide. On dirait que t'as peur de déranger le monde. Pourtant, c'est ça qu'il faut faire : il faut qu'on leur dise où aller et quoi aller voir, qu'on leur fasse sentir ce qu'ils vont manquer s'ils vont pas aux bons endroits. Tu peux me dire que je suis pas un exemple, mais mon commerce a quand même été prospère pendant un bon bout de temps avant que la Crise commence. Et pendant l'année où je suis resté chez nous à jongler, j'ai compris certaines choses : entre autres, que tu arriveras jamais à joindre les deux bouts si tu fonces pas plus que ça, si tu vas pas chercher les clients. Tu peux pas rester là à les attendre en espérant qu'ils pensent tout seuls : « Tiens, si on allait au Lac-Saint-Jean cette année… Si on allait voir Éva Bouchard, ça lui ferait plaisir… » Il faut que tu arrêtes de compter rien que sur le roman de Louis Hémon. C'est une entreprise que tu as là. Et je suis désolé de détruire tes illusions, mais en affaires, c'est la loi du plus fort. Mis à part quelques inconditionnels de Louis Hémon et de *Maria Chapdelaine*, les gens qui ont un voyage à faire dans l'année viendront pas nécessairement au Lac-Saint-Jean, à moins que quelque chose de précis les y attire. Il faut qu'ils sachent que tu as des chalets disponibles, une salle à manger. J'orienterais même la publicité sur le fait qu'un séjour dans un de tes chalets leur donne droit à une visite gratuite de la maison où Hémon a vécu. Tiens, c'est bon, ça ! jubile Gustave, fier de sa découverte. Ils vont aller là où la publicité leur recommande d'aller. C'est de plus en plus comme ça que ça marche, puis t'as pas le choix de t'adapter.

Éva est interloquée. Elle ne s'attendait pas à une telle sortie de la part de son frère. Il vient de lui donner en quelques phrases un cours complet sur la publicité. Si ce n'était qu'elle lui en veut quand même un peu d'avoir fait ces démarches pour elle sans qu'elle le sache, elle serait tentée de lui dire qu'elle le trouve convaincant.

– Et viens pas me dire que j'aurais dû te parler des photos avec les comédiens avant, enchaîne-t-il, d'un ton sans appel, devançant toute objection de sa part. Tu sais très bien que t'aurais même pas voulu en entendre parler. Ça fait que j'ai pris les devants, j'avais pas le choix.

Et il s'arrête, essoufflé par cette longue plaidoirie.

– Mais, Gustave, des comédiens professionnels, je ne connais pas ce monde-là, moi, qu'est-ce que je vais pouvoir leur dire ?

– Ben voyons donc, Éva ! Tu as reçu des ministres, des évêques, des diplomates, des gens des plus hautes sphères de la société, et tu as trouvé quoi leur dire. Tu les as reçus avec tous les honneurs qui leur étaient dus. Mais c'étaient d'abord des touristes et tu les as reçus en touristes. Ces gens-là, les comédiens, sont pas autrement que les autres. Oublie pas que la jeune Madeleine Renaud joue justement le rôle de Maria Chapdelaine dans le film. Elle va probablement être impressionnée de rencontrer la vraie Maria.

– Recommence pas, veux-tu ?

– N'empêche… Invite-les à venir visiter tes nouveaux chalets. Les délégués français qui sont venus aux fêtes canadiennes de Jacques Cartier, ils avaient jamais vu ça, des chalets en bois rond. Ce monsieur Fortunat Strowski qui est professeur à l'Université de Paris, rappelle-toi à quel point il était impressionné par l'odeur de bon pin frais des chalets. Ben tes comédiens, c'est la même chose. Parle-leur comme à des touristes, c'est tout, conclut Gustave en ouvrant la porte du Foyer à sa sœur.

– C'est tout ? répète Éva en haussant les épaules. Tu en as une façon de simplifier les choses, toi ! grogne-t-elle en entrant dans la pièce principale.

– Avec toi, on n'a pas le choix de simplifier, parce que justement tu compliques tout !

Et Gustave referme la porte en riant, dévale l'escalier extérieur, se dérobant par la même occasion aux protestations de sa cadette.

*

– Comme ça, monsieur Chabot, vous êtes de Roberval ? interroge Gustave.

– Je suis établi à Roberval depuis quelques années, mais j'ai étudié la photographie chez Livernois à Québec, répond le professionnel d'une voix lente, tout en installant minutieusement son appareil. Êtes-vous prête, mademoiselle Bouchard ? continue-t-il, manifestement peu intéressé à bavarder pendant l'exercice de ses fonctions.

Éva, qui a horreur de se faire prendre en photo, se crispe nerveusement. Elle sait d'avance qu'elle se trouvera l'air fatigué, déprimé, et à coup sûr vieilli. Chaque fois qu'elle se retrouve devant l'œil indiscret, elle se sent un peu ridicule et ne sait pas quelle attitude adopter. Chose certaine, elle n'arrive jamais à « avoir l'air naturel », comme le lui dictent habituellement les photographes. Peut-on vraiment s'efforcer d'« avoir l'air naturel » ? La logique de ces hommes qui se cachent derrière les boîtes noires la dépasse.

– Je suis prête, répond-elle, tout en pensant qu'elle ne l'a jamais si peu été.

En fait, il faudrait qu'il prenne la photo sans la prévenir. Il faudrait qu'elle arrive à penser à autre chose. Voilà, c'est ça ! Mais comment y arriver quand on doit fixer un objectif qu'on ne peut qu'imaginer, au bout d'un appareil qui se trouve à ressembler à un homme sans tête, et quand des regards curieux – celui de Gustave dans ce cas précis – guettent le moindre de vos mouvements ? Elle a envie de dire à Gustave de s'en aller, de la laisser seule avec le photographe. Elle se sentirait probablement plus à l'aise seule avec l'inconnu. Mais il n'est plus question de parler, le mécanisme peut se déclencher n'importe quand. Et c'est évidemment au moment où elle serre les dents de frustration que ça se produit. Ça y est, elle aura l'air sévère ! Éva est au désespoir : ne peut-on pas revenir en arrière, effacer l'impression sur le négatif, relever la commissure des lèvres, dessiner un sourire, quoi ?

– Très bien, mademoiselle, on en refait une autre maintenant.

Bon ! Au moins, elle a une deuxième chance : cette fois, on va s'y prendre autrement.

– Gustave, tu m'intimides. C'est énervant de se faire examiner comme ça.

– Bon, bon, j'ai compris, je m'en vais. Si tu as besoin, je suis de l'autre côté.

Et il sort, l'air un peu vexé. Mais Éva sait que ce n'est qu'une façade, une façon pour son frère de sauver la face. Elle sourit intérieurement en pensant combien il est facile de lire en lui.

Quoi qu'il en soit, rien ne peut lui faire oublier la présence du photographe et elle est toujours aussi nerveuse.

– Cette fois, mademoiselle Bouchard, vous allez regarder ailleurs.

Et il lui indique sur un mur une photo datant de plusieurs années, la montrant à l'âge radieux de vingt-cinq ans. Son père avait tenu à faire venir un photographe professionnel à la maison chaque fois que l'une de ses filles avait franchi ce cap. Il disait en les taquinant : « Si jamais vous restez sur le carreau, un jour, les hommes vont se mordre les pouces en voyant les perles qu'ils ont laissées leur échapper. » Laura avait emporté sa photo en se mariant avec Samuel mais celle d'Éva avait jauni lentement sur un mur de la cuisine, dans la maison paternelle, jusqu'à ce qu'elle fasse construire le Foyer Maria-Chapdelaine. C'est alors qu'elle l'avait prise, avec quelques images pieuses, pour orner les murs de son nouveau bureau, refusant de s'interroger sur les motifs qui l'avaient poussée à choisir cette photo plutôt qu'une autre.

– Concentrez-vous sur ce portrait, sur ce qu'il représente pour vous. Ne pensez qu'à ça, ordonne le photographe.

Maintenant qu'elle est réduite à fixer cette image, ses souvenirs se précisent. Le photographe d'alors avait déclaré que le thème serait l'Angélus, cette heure pieuse où, trois fois par jour, l'on s'arrêtait pour prier. Debout devant la croix noire fixée au mur blanc, on lui avait commandé de regarder la fenêtre et de se recueillir en une attitude de prière. Mais son esprit l'avait entraînée bien ailleurs. Elle en était venue à oublier la présence du photographe, autant que celle de son père qui se berçait tout doucement à l'autre bout de la cuisine. Une douce chaleur était d'abord montée à ses joues. Puis une onde lente et diffuse, ayant étrangement pris sa source au plus profond d'elle-même, l'avait traversée tout entière, la laissant pantelante, le cœur battant et les jambes flageolantes, pour revenir se loger quelque part dans son ventre palpitant. C'est Albert qu'elle avait alors imaginé, ses grandes mains rudes aux mouvements lents et précis, les muscles mobiles de ses bras, ceux de son torse qui, au moindre mouvement, se dessinaient sous la chemise de flanelle, la démarche assurée qui faisait s'entrouvrir les pans du long imperméable, quand il s'éloignait pour aller travailler, abrité sous son grand chapeau brun. À cette époque, chaque matin elle le voyait s'éloigner ainsi par la fenêtre de la petite école. Chaque matin elle rêvait que c'était vers elle qu'il reviendrait à la fin du jour, transi de froid ou couvert de sueur selon la saison. Pourtant, quand il revenait, à chaque fin de journée, de son pas un peu plus lent, qu'il levait la tête dans l'espoir de l'apercevoir là d'où il savait qu'elle l'avait regardé partir le matin, elle prenait bien soin de se retirer derrière le petit rideau de coton blanc, de se dérober à son regard.

Il n'était pas du genre à insister, il tenait trop à sa liberté, et elle aussi sans doute. Alors il attendait – il était patient – que la belle brune se décide à affronter son regard. Et le jour où cela aurait pu se produire, à la Pointe-Taillon, où il avait cru que tout était encore possible, elle avait détourné les yeux.

Qu'aurait donc été sa vie sans cette farouche indépendance qui lui a toujours dicté sa conduite ? Elle l'ignore, mais ne peut nier qu'elle a attendu cet homme toute sa vie, qu'elle n'a attendu que lui. Dire qu'elle le trouvait trop beau pour elle, qu'elle s'était mis en tête qu'un homme comme lui ne pourrait jamais s'intéresser sérieusement à elle ! Elle regarde la photo jaunie sur le mur et doit reconnaître qu'elle était pourtant très belle à l'époque. Une ombre voile son regard : son orgueil lui aura valu une longue vie de solitude.

– C'est ça ! Bravo ! J'ai la photo qu'il me fallait. C'est terminé pour aujourd'hui. Je ne sais pas à quoi vous pensiez, mademoiselle, mais le résultat était parfait. Vous étiez loin, on dirait.

Éva regarde le photographe et rougit à l'idée qu'il ait pu deviner son trouble. « Oui, j'étais loin, très loin », a-t-elle envie de répondre. Et elle ouvre la porte à Gustave.

– Comment ç'a été ? interroge celui-ci en entrant.

Pour toute réponse, elle se contente de lui céder le passage et de pointer le photographe du menton.

– Très bien, très bien. On devrait avoir au moins une excellente photo, répond celui-ci.

– Bon. Et on vous rejoint comme prévu au quai demain vers deux heures, monsieur Chabot ?

– C'est ça, monsieur Bouchard. Tous les comédiens seront là et j'ai obtenu la permission de prendre une photo avec mademoiselle votre sœur pendant leur pause.

– Croyez-vous que ce soit vraiment nécessaire ? demande Éva d'un air las.

– La publicité, Éva, la publicité ! Laisse-moi faire, veux-tu ?

Elle hausse les épaules et se retire vers la fenêtre pendant que Gustave poursuit la discussion avec le photographe. Son frère peut bien organiser sa publicité comme il l'entend après tout. Au fond, elle ne déteste pas l'idée de se reposer sur quelqu'un pour une fois. Elle oriente son regard vers la rivière et s'y perd aussitôt.

*

– Et puis, raconte, comment ça s'est passé ? questionne Léonie, curieuse.

– Je suis épuisée, répond Éva en se laissant tomber sur la première chaise à sa portée.

– Maman, j'ai vu Jean-Pierre Aumont. Il était à quelques pieds de moi, s'exclame Annette, encore agitée.

– Maman, je vais être dans le film ! s'écrie René qui entre en courant. Je vais être dans le film, le monsieur l'a dit à papa.

– Mon Dieu, parlez pas touttes en même temps, donnez-moi une chance de comprendre, s'inquiète Léonie. Gustave, veux-tu bien me dire ce qui se passe ?

– Ça a bien été. M. Chabot a pris des photos d'Éva avec les principaux comédiens, puis j'ai réussi à parler avec M. Julien Duvivier, le metteur en scène : ça se peut qu'il ait besoin de petits gars de l'âge de René pour une scène sur la rivière.

– Je vais être dans le film, maman ! répète René, tout excité.

– C'est pas encore certain, mon homme, c'est pas encore certain.

– Quel âge il a, Jean-Pierre Aumont, ma tante ?

– Vingt-deux ans, à ce qu'on dit, répond distraitement Éva à Annette.

– Qui était sur les photos avec toi ? demande Léonie à sa belle-sœur.

– Madeleine Renaud, celle qui joue le rôle de Maria, Jean Gabin, celui qui personnifie François Paradis, Jean-Pierre Aumont...

– Jean-Pierre Aumont, c'est Lorenzo Surprenant, l'interrompt Annette, un large sourire sur son visage illuminé.

Éva et Léonie la regardent, muettes d'étonnement.

– On ne coupe pas la parole comme ça à sa tante, gronde Gustave.

Annette se croise les bras et fait la moue.

– Il y avait aussi Alexandre Rignault, qui joue le rôle d'Eutrope Gagnon...

– ...qui, lui, représente Eutrope Gaudreault, ton ancien prétendant dans la vraie vie, suggère Léonie en riant.

– Si tu y tiens, rougit Éva, embarrassée.

*

Le rêve persiste un moment après le départ des artistes. Dans ce petit village paisible où, pour la plupart, la réussite dépend de la dernière récolte de pommes de terre et où chaque matin se veut à l'image du précédent, on est peu habitué aux grands éclats. Pendant quelques semaines, on reparle des trucs du tournage, des rayons de soleil détournés vers les visages des comédiens grâce à d'immenses panneaux métalliques, de la fanfare venue de la ville pour la fête inventée dont nul n'a pourtant trouvé la trace dans le livre de Hémon ; quelques-uns se scandalisent de la danse populaire organisée dans la cour de l'église, un affront aux bonnes mœurs, un mauvais exemple pour la jeunesse, alors que d'autres se réjouissent de cette brèche dans leur routine, de la fantaisie que cette « visite » a apportée dans leur vie.

Chez Nil, Annette continue de rêver au beau Jean-Pierre Aumont. René raconte pour sa part avec force détails à tous ses nouveaux amis la merveilleuse aventure qui le fera passer à la postérité, une scène de quelques secondes où on aperçoit de loin deux enfants assis sur une roche plate au bord de la rivière.

Pendant ce temps, Éva, supervisée par Gustave, fait l'apprentissage de ses nouvelles fonctions d'hôtelière. Si elle reproche à son frère son enthousiasme un peu trop débordant dans sa façon de faire la promotion des chalets de la « véritable Maria Chapdelaine », lui, par contre, juge la moralité de sa sœur beaucoup trop rigide, en particulier lorsque de jeunes couples un tant soit peu démonstratifs cherchent asile pour une nuit.

– Êtes-vous mariés ? demande-t-elle un jour le plus sérieusement du monde à un jeune homme éblouissant de bonheur, pendant que sa dulcinée l'attend en feuilletant un livret de cartes postales près de la fenêtre.

Un coup de coude dans les côtes signifie brusquement et clairement à Éva de se taire, pendant que Gustave, le regard affolé, reprend le contrôle de la situation :

– Ma sœur veut dire que... vous... vous... formez un beau couple, on pourrait croire que vous êtes des nouveaux mariés...

Visiblement mal à l'aise, le jeune homme rit à son tour. Éva rougit.

– Veux-tu ben me dire ce qui t'a pris de leur demander ça, Éva Bouchard ? demande Gustave une fois les jeunes gens sortis. Qu'est-ce que tu espères ? Contrôler la moralité de tes clients ? Voyons donc ! Tu as voyagé un peu pourtant, tu dois en avoir vu d'autres ! On est plus en 1900, le monde a changé, tu sauras.

Gustave arpente nerveusement la pièce tandis qu'Éva, la tête basse, s'affaire à ranger des papiers. Puis il pivote sur lui-même, s'approche lentement et s'immobilise auprès de sa sœur. Celle-ci lève un regard tourmenté et murmure d'une voix contrite :

– Je sais que tu as raison et que je devrais me mêler de mes affaires. Mais... j'ai de la misère à m'habituer.

Gustave la regarde avec tendresse :

– Je sais. Il va pourtant falloir que tu y arrives si tu veux te faire un nom comme hôtelière. Je serai pas tout le temps là pour sauver la face, ajoute-t-il, dans un rire qu'il veut léger.

Elle le regarde, soudainement inquiète. Elle sait depuis le début que son frère et sa famille devront repartir une fois que ses services ne seront plus requis à Péribonka. Elle a pourtant un réflexe de panique intérieure. Finalement, elle avait autant besoin de lui qu'il avait besoin d'elle. Que fera-t-elle sans Gustave ? Comment pourra-t-elle se passer de ce frère aux idées un peu extravagantes qui arrive chaque fois à la convaincre de se lancer dans une nouvelle aventure ? Comment pourra-t-elle continuer sans sa présence quotidienne ? Elle le voit déplacer inutilement des articles sur le comptoir d'accueil et le devine préoccupé malgré ses gestes faussement décontractés ; comment s'en tirera-t-il lui-même, une fois de retour en Beauce, loin de toute cette action qui lui a soutenu le moral au cours des derniers mois, loin de leurs discussions orageuses et de leurs réconciliations tout aussi stimulantes que spontanées ?

– D'ailleurs, si tu penses pouvoir t'arranger…

Elle l'interroge du regard.

– Il faut que j'aille reprendre possession de mon loyer à Sainte-Marie, le locataire s'en va, continue Gustave. Puis pour tout dire, Roméo m'a écrit qu'il y aurait un hôtel à vendre à East-Broughton. Une bâtisse qui est fermée depuis une dizaine d'années. D'après lui, il y aurait quelque chose de pas mal à faire avec ça.

Éva sourit en acquiesçant d'un geste de la tête. Elle doit à tout prix cacher l'inquiétude que soulève en elle cette déclaration.

– Et puis tu comprends, Léonie a hâte d'aller à Montmagny voir Maurice, le bébé de Jeannette.

– Bien sûr.

1935

Montréal. Le taxi ralentit en empruntant la rue Saint-Denis. D'instinct, Éva se raidit. Ce qu'elle voit n'est pas pour la rassurer.

– C'est le cinéma là-bas, murmure Mme Campbell d'une voix inquiète, confirmant à Éva ce qu'elle redoutait.

Le désordre qu'elle aperçoit provient bel et bien du cinéma où elle et son hôtesse se dirigent. Une foule débridée se bouscule devant l'entrée, on peut entendre la rumeur à plus de cinq cents pieds. Pendant qu'Éva se demande comment elles pourront se sortir de cette impasse, Mme Campbell et le chauffeur, par un échange monosyllabique, s'entendent sur la marche à suivre. La voiture s'engage dans une rue transversale pour s'arrêter presque aussitôt devant une petite porte anonyme, loin des éclairages scintillants de la ville, à l'abri des assauts de la foule en furie.

– Suivez-moi, ordonne Mme Campbell.

Éva obéit sans poser de questions, trop heureuse d'avoir échappé à la démence populaire. Après avoir enjambé avec peine un monticule de neige qui bloque à demi la porte, les deux femmes s'engouffrent dans un étroit couloir sombre et humide où le moindre bruit se transforme en un son caverneux qu'on croirait provenir d'outre-tombe. Éva frissonne au contact de la pierre glaciale des murs. Il semble qu'une éternité s'écoule avant qu'on perçoive enfin des voix humaines, qu'on commence à imaginer un retour possible à la civilisation, à la délivrance. Le couloir débouche sur une salle de cinéma où deux hommes discutent, côté jardin, l'un donnant nerveusement des ordres brefs, le second approuvant ou commentant calmement les directives. Les deux femmes se regardent, à peine rassurées, tout en secouant instinctivement leurs vêtements. Éva tremble encore de peur.

– Vous êtes toute blanche, mademoiselle Bouchard. Vous n'allez pas vous évanouir, n'est-ce pas ?

Au moment où Mme Campbell invite Éva à s'asseoir dans un des fauteuils, un des deux hommes accourt vers elles.

– Madame Campbell ! Nous étions très inquiets pour vous. La foule est en délire. Ils veulent tous assister à la première canadienne de *Maria Chapdelaine*. C'est à croire que ces gens ne sont pas civilisés. Mais par où diable êtes-vous entrées ? demande-t-il en lui baisant la main d'un geste élégant.

– Bonjour monsieur Poliquin. Vous oubliez que j'ai pris des leçons de théâtre ici autrefois, je connaissais la porte de secours. Heureusement d'ailleurs qu'elle n'était pas verrouillée ! Vous nous voyez, toutes les deux, coincées dehors en plein milieu de janvier ?

– Mon Dieu, par quel miracle cette porte s'est-elle trouvée ouverte ? Je l'ignore. Mais votre invitée semble un peu fatiguée, il me semble… mademoiselle Bouchard, n'est-ce pas ?

– C'est mademoiselle Bouchard en effet, répond Mme Campbell en se déplaçant pour laisser la voie libre à son interlocuteur.

Celui-ci s'incline devant Éva, encore un peu hébétée par les derniers événements.

– Jules Poliquin. C'est moi qui suis en charge de la soirée, mademoiselle. Je suis sincèrement désolé de ce qui vous est arrivé, et je vous prie d'accepter mes plates excuses. Victor, apporte de l'eau à mademoiselle, ordonne-t-il vivement. Évidemment, j'aurais voulu vous éviter tout ça, chère demoiselle, ainsi qu'à madame Campbell, mais que peut-on faire pour calmer une foule hystérique qui réclame de voir un film qu'elle attend depuis si longtemps ?… Malgré le succès qu'a connu le roman, nous n'aurions jamais cru que la première du film provoquerait une telle frénésie.

Victor revient, le dos très droit, apportant deux verres d'eau sur un plateau. Il s'arrête d'abord devant Mme Campbell, s'incline poliment pendant qu'elle saisit le premier verre en le remerciant d'un sourire. Puis il se penche vers Éva et lui tend le deuxième verre.

– Mademoiselle… murmure-t-il en baissant les yeux.

Éva est fascinée par les longues mains et par l'élégance du geste. Quelque chose dans la démarche de cet homme, dans le port de tête, dans la voix également, posée, veloutée, lui rappelle Albert et la rassure. Le calme lui revient peu à peu.

– Et maintenant, Victor, allez me verrouiller cette porte avant que les émeutiers n'aient l'idée de l'emprunter eux aussi. Mesdames, ajoute-t-il en se tournant vers Éva et son hôtesse, je vous saurais gré de prendre place à mes côtés, ici, à l'avant. Les autres invités ne tarderont pas à se joindre à nous. Grâce aux forces de l'ordre, nous avons réussi à les faire entrer en toute sécurité. Ils attendent dans une autre salle et nous rejoindront d'un instant à l'autre.

De petits groupes d'hommes et de femmes en habits de soirée, des couples pour la plupart, commencent en effet à entrer et à se regrouper, dirigés par les placiers, dans les meilleurs sièges. Quelques hommes galants viennent d'abord saluer l'invitée d'honneur et son accompagnatrice, sous l'œil approbateur de M. Poliquin, avant de rejoindre promptement leur compagne. On peut presque palper l'inquiétude à travers le bourdonnement qui monte de la salle trop silencieuse. Tout à coup, on entend un bruit de bois qui craque. Le visage du préposé se contracte. Il se redresse et court vers l'arrière en même temps que s'échappent ici et là de petits cris étouffés entrecoupés de paroles rassurantes. Puis la salle est envahie par la même foule qui se bousculait aux portes quelques minutes plus tôt, une foule qui a eu raison du service d'ordre et qui s'empare à qui mieux mieux des premiers sièges disponibles. Un autre bruit sec : Éva se tourne juste à temps pour voir céder la rampe d'un balcon. Un homme évite la chute de justesse, s'agrippe à une colonne à la dernière seconde. Elle se retourne, horrifiée, et ferme les yeux. Elle essaie de se faire toute petite au fond de son siège. Mme Campbell lui chuchote quelque chose qu'elle ne comprend pas. Elle ne comprend plus rien, en fait : ni comment elle s'est retrouvée là, parmi ces barbares qui semblent prêts à tout pour obtenir un siège, ni pourquoi le film *Maria Chapdelaine* provoque ainsi une quasi-émeute. Elle voudrait se voir n'importe où plutôt qu'à cet endroit, entourée d'inconnus, si attentionnés soient-ils envers elle. Elle s'isole mentalement du mieux qu'elle peut, dans une tentative désespérée pour se dérober à sa propre peur, pense avec reconnaissance à ceux qu'elle aime.

– Ça va, c'est fini, mademoiselle Bouchard.

Éva ouvre les yeux. Mme Campbell est tournée vers elle, un sourire rassurant sur les lèvres. Le tumulte s'est arrêté. Seule une longue rumeur continue de planer au-dessus de leurs têtes, tel le bourdonnement d'une ruchée d'abeilles. Combien de temps s'est écoulé depuis qu'elle s'est refermée sur elle-même pour tenter de se soustraire à cette offensive barbare ? Elle ne saurait le dire. Elle tourne la tête lentement. Tous les sièges sont occupés, et les quelques personnes qui n'ont pas réussi à se placer retournent sur leurs pas, tranquillement escortées par des agents qui cherchent à tout prix à éviter une nouvelle escalade de folie destructrice. Mais les retardataires s'en retournent, dociles, soudainement redevenus les paisibles citoyens qu'ils n'ont jamais vraiment cessé d'être. Ils avaient simplement voulu se donner l'illusion de faire partie, pour une fois, d'une certaine élite, en côtoyant ceux qui font la manchette, en étant les premiers à assister à un événement qui les faisait rêver depuis maintenant au-delà de quinze ans ; ils avaient voulu voir de leurs yeux sur grand écran celle qui personnifie le modèle canadien-français, celle qui est devenue le symbole, tel que dépeint par Louis Hémon, d'« une race qui ne sait pas mourir [48] ».

Deux hommes emportent la rampe brisée pendant qu'un autre achève de la remplacer, mesure temporaire évidemment, par un énorme cordon de sécurité. Le calme est revenu.

Avec une trentaine de minutes de retard sur l'horaire, les lumières s'éteignent une à une, et le bruit du projecteur envahit la salle devenue parfaitement silencieuse. Quelqu'un tousse. Le générique défile lentement : Jean Gabin, Madeleine Renaud, Jean-Louis Aumont, tous ces noms célèbres qui prêteront bientôt leur visage à François Paradis, à Maria Chapdelaine, à Lorenzo Surprenant... On entend une chorale d'hommes entonner l'*Ô Canada*, l'émotion étreint les poitrines. Une voisine d'Éva essuie une larme. À la suite de Louis Hémon, le cinéma est venu jusqu'ici pour glorifier le Canada français.

*

Retranchée derrière le verre de vin dans lequel elle a à peine trempé les lèvres, Éva répond poliment aux salutations, aux sourires. Comment a-t-elle trouvé le film ?... C'est sûrement un journaliste, celui-là. Veut-il vraiment savoir comment elle a trouvé le film ? Le sait-elle d'ailleurs clairement en ce moment ? Tout ce qu'elle ressent est un immense malaise. Mais que répondre à ce chroniqueur suspendu à ses lèvres qui s'empressera de publier ses commentaires et interprétera même ses silences et ses hésitations dans le journal du lendemain ? Qu'elle n'a pas reconnu la Maria Chapdelaine du roman ? Que l'accent français ne sied pas au dialogue ? Que les bleuets ne se cueillent pas dans les champs de marguerites ? Qu'elle a trouvé plutôt déplacé qu'Eutrope Gagnon fasse sa demande en mariage près du lit de mort de la mère Chapdelaine, alors que Louis Hémon avait présenté la scène tout autrement ? Elle a beau avoir droit à ses opinions, on se fera un plaisir de les lui reprocher si jamais elle fait un faux pas. Depuis le début, malgré la détermination dont elle a fait preuve, malgré l'expérience qu'elle a acquise, lui est toujours restée une certaine crainte de ne pas être à la hauteur, qui se traduit par une extrême réserve lors de ses rencontres avec la presse. L'opinion publique, elle ne l'ignore pas, continue d'être partagée : il y a, d'une part, ceux qui lui vouent admiration et reconnaissance au regard de la mission qu'elle s'est donnée, et de l'autre, ceux qui la considèrent encore comme un imposteur. Elle n'a certes pas envie de revivre les angoisses qu'elle a connues lors de la publication du livre.

– Je n'ai pas la compétence pour juger d'un film, et je n'ai pas l'intention de le commenter, répond-elle prudemment. Comme la plupart des amateurs, je suppose, je dois d'abord prendre un peu de recul avant de me faire ma propre idée. D'ailleurs, les critiques sont beaucoup mieux placés que moi pour donner leur appréciation.

– Que pensez-vous alors de l'émeute qu'a soulevée la première de *Maria Chapdelaine* ?

Décidément, il est tenace, celui-là !

– Compte tenu de la situation, je trouve que la police a très bien fait son travail.

Puis Éva dépose son verre encore plein sur le plateau du garçon qui passe près d'elle et se tourne posément vers Mme Campbell qui la gratifie d'un sourire complice.

*

À Québec, à Chicoutimi, à Roberval, elle est de toutes les premières. À chaque endroit, on espère recevoir ses commentaires, mais chaque fois elle demeure prudente. À Péribonka, encore plus qu'ailleurs, les opinions sont partagées : les gens sont certes fiers que le film ait ravivé l'intérêt des touristes pour leur village, mais demeurent insatisfaits de l'image projetée d'eux-mêmes sur le grand écran. Certains vont même jusqu'à rejeter le blâme sur Éva. Malgré l'intervention de ses proches, elle renonce à se défendre de quelque façon que ce soit.

– Nul n'est prophète en son pays, tout le monde le sait. Moi, je m'occupe de mon commerce. Cet été promet d'ailleurs d'être un bon été. Je corresponds présentement avec le Service des voyageurs du Canadien National et si tout se déroule comme prévu, je devrais recevoir plus de touristes que jamais auparavant. Qu'il y en ait un petit nombre qui ne comprenne pas, ce n'est pas très grave. De toute façon, il y en aura toujours. Et qu'est-ce que tu veux que je fasse ?

– Il me semble que tu pourrais essayer de leur faire comprendre que t'as rien à voir avec ça, lui reproche Nil. Les gens t'accablent de tous les péchés du monde et tu te laisses faire.

– Premièrement, tu exagères : c'est une minorité. Et j'ai appris que ça ne sert à rien de remuer ces choses-là. Ceux qui ont à comprendre comprennent. Pour ce qui est des autres, tant pis, je n'y peux rien.

– Les gens t'en veulent comme si tu étais responsable des erreurs qu'il y a dans le film et tu dis rien.

– Les gens ont besoin d'avoir quelqu'un à qui s'en prendre, et dans ce cas-là, c'est moi. La plupart de ceux qui réagissent comme ça n'ont même pas lu le livre. Ils jugent donc Maria Chapdelaine d'après ce qu'ils ont vu dans le film. Et comme ils n'aiment pas ce qu'ils ont vu, ils se tournent vers moi. Parce que je suis à leur portée, parce que ça leur permet de se défouler, parce qu'ils m'identifient à Maria, c'est tout.

– Ton indifférence m'inquiète : tu vieillis, Éva.

– Peut-être que je vieillis, comme tu dis, mais ça ne veut pas dire que je suis indifférente. Moi, j'appellerais plutôt ça de la sagesse.

Nil la regarde, étonné.

– Et… tu ne trouves pas qu'il était à peu près temps que ça arrive ? demande-t-elle en riant, l'œil moqueur.

Nil sourit et n'ajoute rien. « Décidément, ma sœur a changé », songe-t-il.

*

Le Sénat, Canada

Ottawa, le 24 septembre 1935

Mademoiselle Éva Bouchard
Sainte-Monique du Lac-Saint-Jean, Péribonka

Mademoiselle,

Nous avons bien reçu, ma femme et moi, les jolies cartes que vous avez eu l'amabilité de nous adresser et qui nous rappellent la visite que nous avons faite l'an dernier à votre Foyer dont nous avons d'ailleurs gardé le meilleur souvenir. Ma femme regrette de n'avoir pu vous rejoindre au cours de votre promenade à Ottawa. Vous savez aussi que ma femme n'est pas remise de la maladie qui l'a tenue plus de deux ans alitée et qui l'oblige encore à des traitements qui prennent souvent le plus clair de ses journées.

Ernest Bilodeau m'a transmis votre lettre du 14. Il s'intéresse au projet que le Ministère de France a formé de voir instituer au Canada une Société des Amis de Maria Chapdelaine, et c'est après avoir discuté de ce projet avec quelques amis que M. Bilodeau vous a écrit pour apprendre en premier lieu qui est actuellement propriétaire de la maison que Louis Hémon a habitée à la Péribonka. Le Ministère de France m'a demandé de voir comment pourrait s'organiser cette Société et je m'y suis employé autant que mes occupations plus urgentes et moins intéressantes me permettent de m'y employer. M. Brugère tient à réunir dans cette Société les personnages les plus marquants du pays, et j'ai déjà commencé à m'apercevoir que les plus gros personnages sont ceux qui répondent le moins diligemment aux lettres. C'est ainsi, par exemple, que j'attends depuis dix jours une réponse du Cardinal Villeneuve, dont le Ministère de France m'a poussé à solliciter le patronage. Dans quelle mesure ces personnages répondront-ils à votre invitation de se constituer en une Société des Amis de Maria Chapdelaine, et quels seront au juste les objets que la Société, une fois formée, arrêtera, je ne saurais vraiment vous le dire. Dans l'esprit de M. Brugère, la Société se donnera comme premier objet de transporter de Chapleau à Péribonka, avec la permission de la famille Hémon et l'autorisation des autorités religieuses, les restes de Louis Hémon. Ensuite, elle inventera des moyens de nourrir la mémoire de l'auteur et de répandre son œuvre.

Nous avons aussi songé à conserver et à restaurer la petite maison où Hémon a vécu et où il a préparé son roman de Maria Chapdelaine. Mais voici l'objection que soulève dès l'abord cet objet particulier de conserver cette maison et éventuellement de la convertir en un musée qui pourrait réunir les souvenirs de Louis Hémon et aussi des livres, images et objets évoquant l'existence des pionniers et défricheurs de la Péribonka : afin d'inspirer confiance aux souscripteurs de notre Société, j'ai demandé à M. Beaudry-Leman, le président de la Banque Canadienne Nationale (Montréal), de bien vouloir assumer, au moins provisoirement, les fonctions de trésorier de notre Société. M. Leman m'a répondu qu'il ne pourrait assumer ces fonctions que si la propriété de Péribonka, que la Société pourrait acquérir pour la restaurer ou la convertir en Musée, est cédée au Gouvernement de Québec, ou (ce qui revient au même), à la Commission des Monuments historiques, de façon à assurer que ses acquéreurs ne la vendent pas plus tard à d'autres personnes qui seraient libres de se désintéresser des objets qui ont motivé l'acquisition que notre Société en aura dû faire, et de façon surtout à assurer son entretien permanent par une personne civile ou Organisation qui ne meure pas. M. Leman a raison de ne pas prêter son nom à l'obtention de souscriptions pour acheter une propriété sans avoir l'assurance que cette propriété sera permanemment [*sic*] affectée aux objets pour la réalisation desquels les souscriptions auront été versées. Vous voyez donc, Mademoiselle, qu'avant de s'arrêter au projet particulier de restaurer cette maison de Péribonka, de la convertir en musée et surtout de la maintenir et entretenir, la Société doit s'enquérir si elle peut en faire l'acquisition, et si le Gouvernement de Québec, la Commission des Monuments historiques ou une autre institution « qui ne meurt pas » veut bien en accepter la cession que notre Société pourra éventuellement lui en faire en s'engageant à maintenir et entretenir en permanence cette propriété comme Monument historique ou comme musée. Vous voyez aussi que de nombreuses questions devront être réglées avant que notre Société – si toutefois elle arrive à se constituer – se donne cet objet particulier qui concerne la propriété de cette petite maison. C'est en prévision de toutes ces questions que M. Bilodeau vous a demandé en premier lieu : « Qui en est actuellement le propriétaire ? » Je comprends que cette petite maison et la terre qui l'entoure vous sont échues en partage et que vous en êtes actuellement la propriétaire et que vous seule pouvez ainsi en disposer. Votre lettre à M. Bilodeau nous donne aussi à entendre que vous ne désirez pas vous en départir, et je comprends que vous tenez à ce que reste à vous cette maison qui pour vous contient sans doute beaucoup de souvenirs et vers laquelle le livre de Louis Hémon dirige les touristes. Mais pourrez-vous l'entretenir et la garder indéfiniment, et ne seriez-vous pas plus rassurée de la céder à une institution « qui ne meurt pas », et qui s'engagerait à l'entretenir et à la conserver en bon état. Je serais de vous que je n'hésiterais pas à la céder à une pareille Société, à condition que cette propriété ne soit jamais détournée de sa propre destinée, qui est d'honorer la mémoire de Louis Hémon et d'honorer l'existence de Maria Chapdelaine et de sa famille de défricheurs. Sans compter que, en contractant cet engagement, la Société s'engagerait par le fait même à se pourvoir d'un gardien pour veiller à la conservation de cette Maison, que ce gardien devra être rétribué, et qu'il est tout probable que ce gardien ne sera personne d'autre que vous-même.

Notez bien que je n'ai aucune espèce de qualité ou d'autorité pour vous exposer ces vues, qui sont mes vues personnelles. La Société, lorsqu'elle sera formée, décidera ce qu'elle jugera à propos de décider. Mais il va de soi que si vous désirez demeurer propriétaire de cette maison de Péribonka, la Société devra renoncer à cet objet particulier d'acquérir cette maison pour la restaurer, la convertir en musée, l'aménager et enfin la remettre au Gouvernement ou à la Commission des Monuments historiques, puisque ce n'est qu'à cette condition, comme je vous l'ai dit, que notre trésorier consentira à recevoir des souscriptions pour acheter une maison qui devra répondre en permanence aux objets que la Société se sera donnés. Je crois devoir vous donner ces précisions à la suite du mot que M. Bilodeau vous a déjà touché de la question, et vous vous rendrez sans doute compte qu'une Société bien organisée ne peut agir autrement. Si la Société réussit à se constituer, et s'ils s'arrêtent à cet objet particulier qui concerne la maison qui est aujourd'hui votre propriété, vous aurez eu le loisir de calculer les avantages et les inconvénients que vous voyez à la cession que vous pourrez en faire, et c'est bien pour vous permettre d'y réfléchir que je me suis permis de vous indiquer les conditions dans lesquelles notre Société (et je suis toujours obligé d'ajouter « si elle se constitue ») devra envisager la question. Je dois aussi vous répéter que le sentiment dont je vous fais part est mon sentiment personnel, car il ne saurait être question pour moi de préjuger aucune des questions réservées à la décision de la Société. J'espère au moins que vous vous rendrez compte de l'esprit dans lequel j'ai cru devoir vous mettre au courant des intentions des premiers organisateurs d'un groupement à quoi nous tâchons de donner une forme officielle.

Cordialement à vous,

Louvigny de Montigny[49]

– Il aurait pu ménager son encre ! As-tu vu la longueur de sa lettre ? Dès le début j'ai deviné à quoi il voulait en venir, laisse tomber Éva après avoir fait la lecture à Nil.

– Qu'est-ce que tu veux dire ?

– C'est clair qu'il est du côté de ceux qui veulent que je cède la maison…

– Moi, ce que je comprends d'abord, c'est qu'il t'explique les intentions de la future Société des Amis de Maria Chapdelaine, si jamais elle est formée.

– Mais s'il n'est pas de leur côté, c'est comme rien ! Tu ne le trouves pas un peu insistant, toi ?

– Écoute, Éva, c'est pas impossible qu'il leur serve de contact, mais il faut bien que quelqu'un le fasse ! Et si c'est pas maintenant, ça sera plus tard, mais un jour ou l'autre, tu pourrais bien plus être capable de gérer ça toute seule et sentir le besoin d'avoir de l'aide. Lui, il te rapporte le point de vue de la future Société et il t'informe de ce qu'elle est prête à faire pour toi en échange.

– Mais il n'arrête pas de répéter que ce sont ses vues personnelles, que si je décidais de céder la petite maison, rien ne garantirait que la Société ne la céderait pas aussitôt au gouvernement ou que je serais la gardienne d'un musée éventuel.

– Mais si jamais tu… décidais de céder, tu pourrais exiger de mettre certaines conditions dans le contrat…

– Tu es bien naïf de croire que je sortirais gagnante d'une lutte contre le gouvernement. As-tu vu comment ça s'est terminé avec les habitants de la Pointe-Taillon ? Ils ont tout perdu. Ce sont les gros bonnets, ceux qui détiennent l'argent et le pouvoir, qui ont eu le dernier mot. Comment veux-tu que je me batte, toute seule, contre cette grosse machine-là ?

– En tout cas, je te trouve pas mal sévère envers M. de Montigny. Tu interprètes ses intentions, mais pour le moment, il fait juste t'informer.

– Mais regarde aussi l'autre message qu'il m'envoie : si je ne cède pas la petite maison, je n'aurai jamais d'aide financière. Moi, je trouve que ça ressemble pas mal plus à du chantage qu'à de la simple information.

– Il peut pas comprendre l'attachement que tu portes à cette maison-là, tout le travail que tu as fait depuis dix ans ;

lui, il voit simplement que tu es toute seule avec ça sur les épaules et il pense probablement que ça te soulagerait de savoir qu'un organisme peut prendre ça en main.

Éva réfléchit en silence, puis déclare lentement, d'une voix grave :

– Depuis dix ans, j'ai repoussé mon orgueil jusqu'à solliciter des gens et des organismes, j'ai enduré les sarcasmes des bien-pensants, j'ai voyagé, j'ai donné des conférences, je me suis fait un devoir de répondre à chacune des lettres que les gens m'écrivaient. Puis j'ai fait construire le Foyer, cinq chalets dont deux nouveaux cette année, j'ai fait entretenir l'extérieur et l'intérieur des bâtisses, j'ai engagé des gens pour le service aux tables, pour la cuisine ; j'ai fait travailler du monde de par ici en plus de vendre les travaux de nos Fermières. Et il n'y a pas seulement les gens de Péribonka qui en ont profité : tous les hôtels, tous les commerces du Lac-Saint-Jean ont récolté la manne que les touristes ont laissée en passant. Je n'ai peut-être pas la formation ni les manières des conservateurs des grands musées, mais j'ai acquis une expérience solide.

Éva prend une longue inspiration. Nil l'écoute avec une attention respectueuse.

– Depuis quelques années, le tourisme n'arrête pas d'augmenter. D'accord, je vieillis et je n'ai plus la même résistance qu'avant. Mais ce n'est pas une raison pour abandonner maintenant. Ce serait trop facile pour eux de ramasser le fruit de toutes ces années de travail, et crois-moi, ils ne tarderaient pas à s'en attribuer tout le mérite.

Éva se lève et regarde son frère droit dans les yeux :

– Je garderai la petite maison. Aussi longtemps que je le pourrai. J'investirai encore, selon mes moyens, je continuerai à en faire la promotion. La Société des Amis de Maria Chapdelaine pourrait d'ailleurs exister sans avoir à solliciter des fonds pour le musée. Si son but est vraiment d'honorer le souvenir de Louis Hémon, nous pourrions même le faire ensemble s'ils veulent bien s'associer avec moi.

Elle lève la tête et se tourne vers la fenêtre :

– Ils vont apprendre à respecter Éva Bouchard !

*

« Ils arrivent », dit Éva pour elle-même en entendant le traîneau qui ramène Nil et trois de ses enfants : Rita, l'aînée, ainsi que Gérard et Roger, les deux plus jeunes. L'orphelinat avait demandé aux familles de reprendre les enfants qui n'avaient pas encore été terrassés par la grippe, espérant ainsi éviter une épidémie. René, Louis et Fernand devaient tous les trois garder le lit, comme plusieurs autres. Le couvent avait été séparé en deux sections : une pour ceux qui étaient déjà contaminés et une pour ceux qui ne l'étaient pas ; les religieuses qui n'étaient pas elles-mêmes malades étaient au bord de l'épuisement. En ce début de décembre, on avait arrêté les cours, les enseignantes s'étaient improvisées infirmières et on avait fait appel aux familles. On avait encore fraîche en mémoire la grippe espagnole, on ne voulait à aucun prix voir l'histoire se répéter.

– Je vais vous aider, ma tante, dit Rita en aidant le petit Roger à se débarrasser de ses lourds vêtements d'hiver.

– Je compte sur toi, ma grande, confirme Éva dans un sourire à sa nièce, qui doit avoir seize ans dans quelques jours. Comment vont les trois autres ?

– J'ai même pas pu les voir, répond Nil en laissant tomber un énorme sac. Comme si ça pouvait sauter sur moi, leur propre père ! ajoute-t-il avec rage.

Éva hausse les épaules et tâte le front des deux plus jeunes en espérant qu'ils ne transportent pas le microbe.

– Vous devez avoir faim ?

Les sourires des petits la rassurent sur leur état de santé. Ils la suivent jusqu'au poêle où elle découvre un grand chaudron de soupe brûlante.

– Lavez-vous les mains, et je vous sers la meilleure soupe aux légumes que vous aurez jamais mangée, dit-elle joyeusement.

Nil continue de grogner, assis près de la fenêtre.

– Tu sais très bien que les microbes ne font pas ce genre de sélection, tranche-t-elle en réponse à son commentaire. Tu ne serais pas plus avancé si tu avais attrapé leur grippe et que tu l'avais amenée jusqu'ici.

– Mais j'aurais quand même aimé les voir une minute. Je me serais même pas approché, j'aurais juste voulu voir comment ils étaient.

Éva comprend la peine de son frère et choisit de ne rien ajouter.

– Viens plutôt manger pendant que la soupe est bien chaude.

*

– Ça y est ! Je peux aller les chercher. Les sœurs ont décidé de pas recommencer les cours avant les fêtes et donnent congé aux enfants pour que tout le monde se repose et finisse de se soigner.

Nil saute pratiquement de joie en raccrochant le combiné. René, Louis et Fernand sont hors de danger et ils vont tous passer Noël en famille. Il est si heureux que sa bonne humeur se communique aussitôt. Rita serre sa tante dans ses bras tandis que Gérard et Roger courent dans tous les sens. Pour une fois, personne ne trouve rien à redire à l'exubérance des petits.

– Je pars tout de suite.

– Comme ça ? s'étonne Éva. As-tu fini ton ouvrage ?

– Heu… il reste à rentrer le lait. J'y vais.

Nil se hâte de prendre les deux bidons de lait restés sur la galerie et les dépose dans la petite pièce aménagée en laiterie, annexée à la maison.

– Ça gèle, du lait, ma tante ? demande Gérard.

– Oui, si on le laisse au froid.

– Ça veut dire que l'été, on peut pas le laisser dehors parce qu'il fait trop chaud, et que l'hiver, on peut pas non plus parce qu'il fait trop froid ? questionne le jeune garçon.

– C'est ça, mon homme.

– Mais dans la glacière, dans la maison, ça gèle pas ?

– Tu es curieux, mon gars ! constate Nil avec fierté pendant qu'il enfile ses vêtements chauds en prévision du long trajet qu'il aura à parcourir.

– Voulez-vous que j'aille avec vous, papa ? demande Rita.

– C'est pas nécessaire. René, Louis et Fernand sont assez grands pour s'occuper d'eux-mêmes. Aide plutôt ta tante. Ça va lui faire pas mal de besogne quand tout le monde va être là.

Éva sourit. Tous sont si fébriles. Il y a longtemps qu'elle ne les a pas vus aussi heureux. Puis elle se rappelle la question de Gérard au sujet de la glacière. Il ne faut surtout jamais ignorer les questions des enfants. Elle pense un peu distraitement à la réponse qu'elle lui fera, pendant qu'elle cherche la bouteille dont elle se sert habituellement pour rouler la pâte. Elle était pourtant certaine de l'avoir déposée juste là…

– Rita, aurais-tu vu mon rouleau à pâte ?

– J'ai vu Roger qui jouait avec tantôt.

Éva cherche Roger du regard.

– Roger ?…

Rita monte à l'étage.

– Roger ?… Roger ?…

– Votre bouteille est en dessous de la chaise, ma tante, à côté de la porte de la laiterie, annonce Gérard.

La porte de la laiterie est entrouverte. Nil, ses bottes à la main, se raidit sur sa chaise. Il est certain de l'avoir refermée tout à l'heure. Mais pourquoi Roger n'a-t-il pas répondu quand on l'appelait ? Son inquiétude est presque palpable.

Au même moment, Rita redescend en faisant un geste d'impuissance. Elle se dirige tout droit vers la porte de la laiterie. Éva, qui pressent un malheur, la retient par les épaules pour l'empêcher d'entrer et la repousse doucement mais fermement vers la cuisine. Personne ne dit un mot. Éva s'avance sous les regards tendus. Curieusement, elle a l'impression que son esprit s'est détaché de son corps, qu'elle assiste au spectacle sans en faire vraiment partie. Elle se voit pousser la porte de la laiterie…

Il a sans doute voulu voir si le lait était gelé… L'enfant a grimpé sur le petit banc qu'on laisse habituellement près de la porte, l'été, pour étendre le linge sur la corde. Il a grimpé pour voir le lait. Il a glissé. Il a dû se débattre, mais tout le monde était si énervé que personne ne l'a entendu. Comme dans un mauvais rêve, Éva soulève l'enfant par les jambes comme s'il ne pesait que quelques onces. Elle le secoue un peu, l'étend par terre. Nil l'a rejointe en geignant de douleur. Rita pousse un cri d'horreur. Éva parvient, d'une voix étouffée, à lui demander de s'occuper de Gérard. Nil sanglote, il jure, il secoue l'enfant. Mais l'enfant ne bouge pas. Il est tout froid, comme le lait qui a envahi ses poumons. Ses lèvres sont bleues. Éva le retourne et lui frappe le dos. Il est si petit, si léger ! Elle va le casser, c'est certain. Elle frappe doucement, puis plus fort, et encore plus fort. Il ne réagit pas. Nil s'est laissé glisser sur le sol, près d'elle et tient maintenant la tête de l'enfant. Il ne bougera plus, ils le savent maintenant tous les deux. Ils pleurent ensemble en silence sur l'enfant curieux qui a voulu savoir à quel point le lait était froid. Sur l'orphelin qui est allé retrouver sa mère, qu'il n'avait pas eu le temps de connaître.

1936

« Je garderai la petite maison. Aussi longtemps que je le pourrai », avait-elle dit à Nil. Mais le peut-elle vraiment encore ? Et si oui, pour combien de temps ?

Nil ne se remet pas de la mort de son dernier-né. C'est comme si Hélène l'avait quitté une deuxième fois. Il a perdu l'appétit, maigrit à vue d'œil. Mais surtout, il a cette toux de plus en plus persistante et ce teint qu'Éva connaît trop bien pour ne pas s'inquiéter. Elle fait venir le médecin malgré les objections de son frère. La maladie n'en est qu'à ses débuts mais risque de progresser dangereusement si elle n'est pas traitée.

Le sanatorium. Cela correspond à une condamnation à mort dans l'esprit de Nil, qui a vu sa femme y entrer pour n'en ressortir qu'avec un reste de vie. Il affirme que le travail est pour lui le meilleur remède. Éva a beau lui opposer tous les arguments, il ne veut même pas l'entendre.

– Donne-toi au moins une chance, Nil, tu as encore cinq enfants : fais-le pour eux.

– Le travail a jamais tué personne. L'hôpital, oui, par contre. Regarde ce qui est arrivé à Hélène et à Laura.

– Dans leur cas, il était déjà trop tard. Mais pas pour toi, sauf si tu t'obstines à continuer au même rythme. Il te faut du repos, Nil. Et c'est à ça que servent les sanatoriums.

– Comme si j'avais le temps de me reposer ! Qui est-ce qui ferait l'ouvrage de la ferme, hein, peux-tu me dire ça, toi ?

– Qui est-ce qui va le faire quand tu seras plus là ?… parce que c'est ça qui va arriver si tu continues comme ça, le sais-tu au moins ? lui crie Éva d'une voix brisée.

– Tu te prends pour un docteur, peut-être ? hurle-t-il.

*

D'une discussion stérile à une autre, rien ne change si ce n'est que la toux de Nil se fait de plus en plus accablante. Il continue malgré tout de nier l'évidence. En désespoir de cause, Éva appelle Gustave à la rescousse, même si elle sait fort bien que pour lui, les choses ne sont pas au mieux. L'hôtel qu'il a finalement acheté à East-Broughton s'est avéré beaucoup moins rentable qu'il l'avait espéré. La Crise frappe durement, et la famille arrive à peine à joindre les deux bouts. Comme d'habitude, Gustave remet tout en question, en commençant par lui-même.

Mais le frère et la sœur réunis n'arrivent pas davantage à faire entendre raison à Nil, dont la résistance a pourtant diminué considérablement.

– Est-ce qu'il se couche toujours à cette heure-là ? demande Gustave après l'avoir vu monter à sa chambre d'un pas traînant.

– Tous les soirs à sept heures au plus tard. C'est son heure.

– Il pourra pas tenir ben longtemps comme ça. Puis toi non plus, ma petite sœur. T'as perdu du poids et t'es presque aussi blanche que lui.

– Je sais. Mais je ne suis pas malade.

– Peut-être pas, mais arrange-toi pas pour attraper la tuberculose toi aussi ! Je m'inquiète pour toi, moi !

– Je prends toutes les précautions qu'il faut. Je passe tous ses vêtements à l'eau bouillante, je fais la même chose avec sa vaisselle et je me lave les mains vingt fois par jour.

– Mais tout ça, ça te donne de l'ouvrage sans bon sens. Il faudrait vraiment qu'il se décide à se faire soigner !

– Je le sais bien, Gustave, mais tu as vu comment il s'entête ?

– Qu'est-ce que tu vas faire quand les enfants vont revenir pour les vacances ?

– Pas question qu'ils viennent attraper la tuberculose ici ! De toute façon, ajoute-t-elle d'un air désolé, crois-tu vraiment qu'il pourra tenir le coup jusque-là ?

Gustave passe une main tremblante sur son front.

– Je m'attends au pire, reprend Éva. Il aurait fallu qu'il se décide à se faire soigner bien avant aujourd'hui. J'ai parlé au docteur avant-hier. Il dit que Nil fait tout pour aggraver sa maladie, et qu'avant longtemps, il aura perdu toutes ses forces et devra prendre le lit.

– Maudite tête de Bouchard ! rage Gustave en frappant la table de son poing. Puis il se lève et arpente la cuisine à quelques reprises avant de revenir s'asseoir.

– Puis toi ?... La maison ?... demande-t-il après un moment.

– Je pense que dans les conditions actuelles, je n'ai plus tellement le choix. Si ça continue comme ça, je serai bientôt seule à prendre les décisions concernant les enfants, à faire toutes les démarches, à m'occuper de tout. Et puis, c'est vrai que la maladie de Nil m'a épuisée, soupire-t-elle.

– Qu'est-ce que tu vas faire ?

– Céder la maison. Elle a besoin de réparations et j'avais prévu la rapprocher de la route.

Gustave la regarde tristement.

– M. de Montigny est déjà au courant de ma décision. Je lui ai remis ma proposition. Il s'occupe de faire les démarches légales pour moi. Un comité est déjà formé. Il me restera seulement à signer, une fois que j'aurai fini de vérifier les documents. J'aimerais d'ailleurs que tu les lises aussi et que tu me donnes ton avis.

– Ça, c'est sûr. Si seulement je pouvais venir t'aider comme la dernière fois pour les chalets… mais avec l'hôtel qui marche déjà plus ou moins, je peux pas me permettre de laisser East-Broughton. Joualvert que la vie est mal faite des fois !

– Je ne te demanderais jamais ça, Gustave. Je connais ta situation. En fait, je suis en meilleure position que toi, je ne peux quand même pas te demander de tout laisser pour venir t'installer ici ! Tes enfants sont par là-bas, ta vie est ailleurs. Il faut que je me débrouille. Et dans les circonstances, je crois vraiment que j'ai pris la bonne décision.

Son regard se perd soudain dans le vague et s'embue.

– Seulement, c'est quand même difficile de renoncer à tout ça après y avoir mis tant d'énergie. J'y croyais, moi, à ce rêve-là, j'étais fière de penser que moi, Éva Bouchard, une « vieille fille », supposée membre inutile de la société, j'arriverais à transformer cette petite maison-là en musée, que je pourrais faire autre chose que d'enseigner, que mon travail contribuerait éventuellement à faire en sorte que plus de gens découvrent le Lac-Saint-Jean et Péribonka… J'ai cru que je pourrais m'en tirer toute seule.

Elle s'essuie les yeux. Un long silence. Puis elle regarde Gustave :

– Tu te rappelles comment je souhaitais devenir missionnaire ? demande-t-elle en souriant à travers ses larmes. Eh bien, je pense que j'avais vraiment une âme de missionnaire au fond. Ça n'a pas marché chez les sœurs et j'ai eu quelques années difficiles avec l'histoire de Maria Chapdelaine, parce que je refusais d'être dérangée dans ma petite vie tranquille. Mais j'ai finalement décidé de récupérer ce qui semblait être mon destin et je l'ai transformé en défi. Il faut croire qu'il me fallait absolument une mission de toute façon ! Je n'ai jamais osé parler de ça à personne, mais je me disais que ce serait bien si une femme seule réussissait à prouver qu'elle est capable de réussir, de gérer une entreprise comme celle-là par ses propres moyens. J'ai eu terriblement peur, Gustave, mais tu as fini par me convaincre que je pouvais y arriver, et j'ai fini par y croire vraiment.

Pendant un long moment, ni l'un ni l'autre n'arrive à ajouter une parole. Ils restent ainsi, chacun de son côté de la table, jusqu'à ce que Gustave, visiblement ému, déclare :

– Mais tu l'as fait, Éva. T'as réussi. Même si tu dois céder la petite maison, t'as quand même réussi. C'est grâce à toi que Péribonka est devenu un lieu touristique recherché par des gens qui viennent de partout dans le monde.

Éva balaie cet argument d'un geste de la main :

– Ne sois pas ridicule. C'est quand même le nom de Louis Hémon qui attire les touristes.

– Je suis d'accord que c'est à cause de Louis Hémon qu'ils ont eu envie de venir au début, mais penses-tu que si t'avais pas fait construire le Foyer puis les cinq chalets pour accueillir le monde, ils seraient venus en délégation pour la Fête du Canada en 1934 ? Penses-tu qu'y avait pas d'autres destinations pas mal plus prestigieuses ailleurs, avec des hôtels luxueux et des grandes réceptions ? Dans les années qui ont suivi la publication du roman, les journalistes sont passés pour voir ce qu'il y avait à voir. Mais après que Potvin a fait installer son monument, il s'est plus rien passé. La preuve ? Même le monument avait été abandonné ! Jusqu'à ce que tu reviennes au village et que tu prennes les choses en main, que tu commences à répondre, une par une, à toutes les lettres du monde ordinaire qui avait continué à t'écrire, puis que tu mettes un petit carton sur la porte de la petite maison. Écoute-moi bien, Éva Bouchard : si t'avais pas fait tout ce que t'as fait, personne serait revenu à Péribonka. Et le Lac-Saint-Jean serait sûrement pas devenu en quelques années un des premiers endroits que les étrangers qui viennent au pays veulent visiter. T'as réussi quelque chose d'important, t'as surtout pas à rougir de quoi que ce soit. Ça fait que tu peux te permettre d'exiger un contrat qui te respecte. Puis j'espère que tu vas le faire. Parce que tous ces beaux messieurs qui vont se péter les bretelles dans quelques années en parlant de « leur musée », ils te doivent le respect. Puis ils ont avantage à s'en souvenir, sinon ils vont avoir affaire à Gustave Bouchard !

1937

– Ma tante, arrêtez donc de vous inquiéter. J'ai dix-sept ans, je suis plus une enfant.

– Ce n'est pas ton âge qui m'inquiète, Rita, c'est l'état de santé de ton père !

– Le docteur a dit qu'étant donné qu'il a pas le choix de garder le lit, il devrait prendre un peu de mieux au cours des prochains jours.

– Il n'a pas le choix, non ! répète Éva, amère. « Si seulement il nous avait écoutés quand il était encore temps, il aurait encore des choix à faire à l'heure qu'il est ! » songe-t-elle, n'osant formuler sa pensée à voix haute devant la pauvre Rita qui croit encore à la guérison de son père.

– Je vais bien m'occuper de lui, je vais lui cuisiner toutes sortes de bonnes choses, comme j'ai appris chez les sœurs ; et avant longtemps, il va pouvoir sortir prendre l'air. Vous allez voir, quand vous allez revenir, il va avoir repris des forces.

– Dieu t'entende, ma belle enfant ! Mais surtout, ne t'approche jamais et lave-toi les mains chaque fois que tu sortiras de sa chambre.

– Ma tante, ça doit faire au moins vingt fois que vous me répétez ça.

– Bien sûr. Excuse-moi, Rita. Mais je me sens coupable de faire ce voyage-là quand ton père aurait tellement besoin de moi.

– Dites-vous que je serai pas toute seule. Mme Bérubé va rester ici tout le temps que vous allez être partie. C'est elle qui va le faire manger, l'aider à faire sa toilette, changer ses draps et faire le lavage. Moi je vais me contenter de cuisiner et de lui faire la lecture. Puis arrêtez donc de vous inquiéter, il sera pas plus malade parce que vous serez pas là, voyons donc ! En plus, M. Joseph Boivin et ses deux garçons, Ange-Émile et Georges-Arthur, vont s'occuper de la ferme. Ça fait qu'il va toujours y avoir quelqu'un pour nous aider, Mme Bérubé et moi, si jamais on avait des problèmes. Mais ça arrivera pas. Finissez de faire votre valise, puis pensez plus à ça, commande-t-elle en s'apprêtant à quitter la chambre de sa tante.

– En parlant d'Ange-Émile, justement, je ne veux pas que tu le voies autrement qu'en présence de Mme Bérubé, tu m'entends ?

– Non, ma tante. Ça aussi, vous me l'avez dit au moins une douzaine de fois. Craignez rien, je sais comment me conduire, réplique Rita un peu sèchement en fermant la porte.

Éva se laisse choir sur le lit. Ce voyage ne lui dit rien qui vaille. Elle a longtemps hésité avant d'accepter, mais a fini par se laisser convaincre : ambassadrice du Canada français à l'Exposition de Paris ! Elle ferme les yeux, vaguement étourdie.

– Moi, une ambassadrice ? Vous voulez rire ! avait-elle riposté à ce haut fonctionnaire qui était venu lui livrer en personne la missive du premier ministre.

– Mademoiselle Bouchard, notre proposition est tout ce qu'il y a de plus sérieux. Qui, mieux que vous, pourrait représenter le Canada français lors de cette exposition qui accueillera pas moins de quarante-deux nations ? Aux yeux des Français, vous symbolisez le prolongement de la France en Amérique, vous témoignez de la ténacité des colons qui ont su préserver leur langue, vous incarnez leur fidélité envers la mère patrie. On vous y accueillera comme une reine, lui avait affirmé le petit homme au verbe enflammé.

Une reine ! Elle avait failli éclater de rire au nez de ce fonctionnaire zélé qui avait été mandaté pour lui présenter cette proposition. Une reine… Non mais, il y allait un peu fort, tout de même !

Et puis il y avait Nil, qui avait dû abandonner ses activités récemment et trouver de l'aide pour la ferme. On devait désormais le traiter comme un grand malade, même s'il n'en était pas encore à un stade critique.

Mais même Gustave l'enjoignait de faire ce voyage à tout prix :

– C'est une occasion unique. Y as-tu pensé ? Un voyage en France ! Tu serais folle de refuser, d'autant plus que Rita, avec un peu d'aide, est parfaitement capable de s'occuper de son père, c'est une femme maintenant. Et pense que sur le bateau, t'auras rien à faire, tu pourras te reposer autant que tu voudras. Et t'en as besoin, crois-moi : si tu veux pas laisser ta peau à soigner Nil, il est grand temps d'y penser. Puis ça va te changer les idées. Laisse-toi donc gâter, pour une fois !

De repos, de se changer les idées, elle avait grandement besoin en effet. Mais elle n'arrivait pas à se décider. Car pour ce qui était du reste : se faire trimballer un peu partout sans même avoir droit de regard, être présentée ni plus ni moins comme une légende vivante, elle n'était pas du tout certaine d'y tenir.

C'était finalement le médecin qui l'avait convaincue, lors d'une visite de routine à Nil.

– Mademoiselle Bouchard, votre frère n'a surtout pas besoin d'une infirmière qui soit elle-même malade. Et si vous continuez à ce rythme-là, c'est ce qui va vous arriver. Votre frère a besoin de vous en santé et ce voyage-là serait le meilleur moyen pour vous de reprendre des forces.

Bon, d'accord. Elle irait en France. Elle avait adressé sa réponse au premier ministre le même jour, avant que les remords ne la reprennent, et avait essayé de ne plus y penser. Jusqu'à ce que les journaux l'y obligent.

On ne parle en effet que de l'Exposition de Paris. Pour l'événement, la tour Eiffel, qui célèbre son cinquantième anniversaire, sera illuminée par plusieurs centaines de projecteurs. On y aurait aménagé un restaurant aux murs de verre à travers lesquels on aura, semble-t-il, une vue imprenable sur l'ensemble de l'Exposition. Éva trouve immoral qu'on étale autant de richesse sur une première page de journal alors qu'au verso, on banalise la misère, on réduit la menace d'une guerre au rang de fait divers.

On a beau vanter les merveilles de la Ville lumière, l'inquiétude commence à poindre dans les articles à mesure qu'approche la date d'ouverture : on se demande si les pavillons seront prêts à temps. Selon les journaux, toujours, les ouvriers y travaillent jour et nuit. Comment cela se passera-t-il une fois là-bas ? Éva préfère ne pas trop s'arrêter à cette question. En attendant, il y a cette longue traversée en bateau qui n'est pas sans l'inquiéter un peu.

Elle ouvre les yeux. Une légère nausée l'oblige à s'asseoir et à prendre quelques bonnes inspirations. A-t-elle pris la bonne décision ? Voilà qu'elle entend les battements de son propre cœur maintenant !

Elle se lève, regarde par la fenêtre, l'ouvre toute grande. C'est le printemps pour de bon cette fois. Elle secoue la tête pour chasser les idées sombres et cherche à se détendre un peu. De toute façon, à quoi bon s'inquiéter de quelque chose qu'elle ne contrôle pas ? Les poumons remplis d'air neuf et frais, elle retourne à sa valise, examine la délicate encolure blanche brodée par sa nièce pour sa nouvelle robe noire – « Encore du noir ? » grognerait Gustave – confectionnée spécialement pour l'occasion. Elle la déplie lentement, la pose devant elle et vérifie l'effet dans le miroir. Fière du résultat, elle la range soigneusement en souriant. Elle a bien fait de demander l'avis de Rita avant d'en commander le tissu : cette petite a un goût certain.

*
* *

ÉVA BOUCHARD EN EUROPE

Mlle Éva Bouchard, de Péribonka, surnommée « Maria Chapdelaine », s'est embarquée le 1er à bord du Duchess of Atholl à destination de la France et de la Belgique. Mlle Bouchard accompagne Mlle Juliette Gauthier, d'Ottawa, interprète bien connue de chansons de folklore. Avant de s'engager sur la passerelle, Mlle Bouchard a annoncé que les plans sont prêts pour créer un musée à Péribonka en l'honneur de Louis Hémon. On croit que le musée pourra être inauguré au mois de juin pour commémorer le 25e anniversaire du séjour du grand écrivain français dans ce petit village de notre région[50].

Assise sur le pont du paquebot la plupart du temps malmené par la vague, Éva essaie de composer avec un mal de mer récurrent et le verbiage quasi incessant de sa compagne de voyage. Seuls les quatre derniers jours de la traversée lui laissent un peu de répit, ses malaises s'étant enfin dissipés et Mlle Gauthier l'ayant abandonnée pour d'autres passagers plus expansifs. Elle peut alors profiter de l'air pur, savourer pleinement les moments de solitude qui lui sont alloués et se laisser apprivoiser par cette mer qui était jusque-là restée pour elle une étrangère. Elle est étonnée de se voir flâner pendant de longues heures, sans même avoir conscience du temps, à observer l'océan, cet infini qui se répand en dessous d'elle, fluide, fuyant, et à la fois assez fort pour broyer en quelques secondes le vaisseau géant qui la porte. Elle se surprend à penser à ces millions de milliards de gouttelettes qui s'amusent à former des vagues nouvelles et complètement différentes les unes des autres sur tous les océans du monde depuis le commencement des temps. « Que nous sommes petits », pense-t-elle. Et les mondanités auxquelles s'adonnent avec le plus grand plaisir ses compagnons de voyage lui semblent encore plus futiles.

Puis c'est l'arrivée à Paris, l'accueil courtois mais quelque peu affecté de leurs hôtes, les visites guidées. Et finalement, le premier contact avec le pavillon du Canada.

Éva aperçoit d'abord l'immense tente dont on a fait l'attrait principal. Elle devine que les Français ont voulu reconstituer l'histoire du Canada à partir de leur rencontre avec ses premiers habitants, les Amérindiens. Ils sont d'ailleurs là, en petit nombre, l'air plutôt inquiet, déployant néanmoins fièrement leurs plumes magnifiques et leurs costumes somptueux. Mlle Gauthier a un premier commentaire étonné devant l'étendue du « territoire » des Amérindiens. Le thème « Les débuts de la colonie » lui semble prendre toute la place. « Où est donc la mienne, alors, et où est la vôtre, pouvez-vous me le dire, mademoiselle Bouchard ?... » N'avait-on pas fait miroiter à chacune d'elles le titre flatteur d'ambassadrice du Canada français ?... Que font-elles donc là, toutes les deux, si on ne doit représenter le Canada que par son peuple d'origine ?

Éva se mord les lèvres en espérant que les paroles de Mlle Gauthier aient échappé à leur guide.

– Attendons de voir plus loin, souffle-t-elle. Il y a sûrement...

Mais Mlle Gauthier ne l'écoute pas. Rejoignant le jeune homme de son pas court et rapide, elle glisse, sarcastique :

– Je n'ai rien contre ces gentilles personnes mais… est-ce que ceci représente l'image que les Français se font du Canada ?

L'employé sourcille légèrement mais garde néanmoins sa contenance.

– Si c'est le cas, je suis vraiment désolée, mais je vais sûrement décevoir nos chers cousins : mes chansons ne conviennent pas du tout à ce genre d'environnement, ironise la chanteuse.

Quoique mal à l'aise devant l'audace de la dame, qu'elle juge à la limite de l'effronterie, Éva ne peut réprimer un sourire. Mlle Gauthier est pourvue d'une spontanéité à toute épreuve et la timidité ne semble pas avoir prise sur elle. Éva souhaiterait parfois être capable de semblable insolence. Mais quand survient un événement qui devrait la faire réagir, elle ne trouve jamais à temps la réplique qu'il faut. C'est toujours à contretemps qu'elle imagine ce qu'elle aurait pu dire, et ce décalage est une fréquente source de frustration. Elle s'amuse donc de la vitesse de repartie de sa compagne.

– Mais… les Amérindiens sont bien les premiers habitants du Canada, n'est-ce pas ? avance poliment le guide en se forçant à sourire.

– Oui, et ils sont toujours là. Mais êtes-vous déjà allé au Canada ?

– Euh ! Pas personnellement mais j'ai étudié l'histoire de votre pays.

– Dans ce cas on vous a sûrement déjà appris que maintenant il y a aussi des maisons… de bois, de pierre, de brique même, continue Mlle Gauthier. Ah ! Tiens, j'oubliais, nous avons des villes aussi, et des automobiles, et des trains…

Le pauvre garçon rougit jusqu'à la racine des cheveux.

Éva fait de même. Cette fois, sa compagne est allée trop loin.

– Le pavillon ne se limite pas à ceci, madame, risque le jeune homme.

– Mademoiselle, le réprimande Mlle Gauthier d'un air offensé.

– Pardon, mademoiselle. Mais me permettriez-vous de vous mettre en contact avec mes supérieurs ? Si vous avez quelque plainte à formuler, ils seraient mieux placés que moi pour vous répondre.

Mlle Gauthier prend une profonde inspiration et semble se calmer un peu. Éva en profite pour glisser :

– Nous n'avons pas encore tout vu, comme de raison. Ceci ne représentait sûrement qu'une partie du pavillon…

Ignorant la réplique d'Éva, Mlle Gauthier ordonne au jeune guide de les conduire à son patron.

– Oui, madame… pardon, mademoiselle.

*

– Mais comment avez-vous pu croire, chères demoiselles, que nous pouvions avoir une perception aussi… restreinte de ce qu'est le Canada ?

Les deux femmes sont confortablement installées dans des fauteuils moelleux, dans le bureau de cet homme qu'Éva a vaguement l'impression de connaître.

Il se lève et fait trois pas en direction de la fenêtre donnant sur la tour Eiffel.

– Je suis moi-même allé au Canada à plus d'une reprise. J'ai fait partie de la délégation chargée de souligner le quatre centième anniversaire de la découverte du Canada par Jacques Cartier.

Éva se cale dans son fauteuil. Voilà où elle l'a vu : il était à Péribonka trois ans plus tôt. Il la regarde d'ailleurs en souriant :

– Mademoiselle Bouchard se souvient certainement de moi : j'ai visité la petite maison où a séjourné mon compatriote Hémon et je suis allé me recueillir sur les lieux où il a conçu son roman. J'ai également visité Montréal, Québec et Chicoutimi.

– Je ne doute pas un instant de votre culture, mon cher ami, je note simplement que la représentation des débuts de la colonie prend beaucoup de place dans le pavillon du Canada, insiste l'intraitable Mlle Gauthier.

Éva regrette d'être mêlée malgré elle à cette discussion stérile à laquelle Mlle Gauthier semble prendre un malin plaisir. Elle voudrait se voir chez elle, derrière son comptoir de cartes postales, en train de répondre à des clients, ou encore de prendre soin de son frère dont elle souffre d'être sans nouvelles depuis deux semaines. Devant cette gigantesque exposition qui lui a jusqu'à présent donné l'impression d'être improvisée, elle s'interroge sur les motifs profonds qui l'ont poussée à entreprendre ce voyage, et s'en veut de s'être en partie laissé entraîner par l'illusion d'une certaine gloire : ambassadrice du Canada français ! Quelle foutaise !

L'homme est revenu s'asseoir derrière son bureau et s'est engagé avec Mlle Gauthier dans un chassé-croisé quelque peu ambigu dont elle est totalement exclue, à son grand soulagement d'ailleurs. Tout en ayant l'air de suivre la conversation, elle se retire en elle-même et revoit, en quelques secondes, son parcours des dernières années. Loin des siens, elle se sent d'une extrême vulnérabilité. Un vieux doute revient la hanter. Pourquoi n'est-elle pas simplement demeurée institutrice à Péribonka ?… Elle aurait pu continuer à mener une vie paisible, loin de tout ce tapage, de ces artifices et de ces sourires empruntés auxquels elle n'a jamais pu s'habituer. Tout au plus a-t-elle appris à les tolérer, à s'« adapter ». Elle abhorre d'ailleurs ce mot qui revêt pour elle un sens péjoratif. S'« adapter » ne signifie-t-il pas se conformer aux exigences d'une situation nouvelle, feindre d'y être à l'aise, se comporter avec naturel même quand on se sent comme une étrangère dans sa propre peau ? Si c'est cela, s'adapter, oui, elle y est parvenue. Elle a maintes fois souri aux journalistes quand elle n'en avait pas envie. Dans des tentatives désespérées d'obtenir l'aide financière dont elle avait grand besoin, elle a écrit à la mère de Louis Hémon des lettres qui ressemblaient à celles qui lui avaient valu les éloges de ses enseignantes, chez les Ursulines, des lettres au ton doucereux dont, cette fois, elle n'est pas particulièrement fière. Pourtant, elle sait qu'elle continuera de faire ce qu'il faut pour mener à bien cette mission qu'elle s'est donnée il y a plus de dix ans maintenant. Mais quelque chose en elle refuse secrètement, encore et toujours, de se laisser assimiler complètement par les impératifs de la vie publique. Elle sait bien que cette espèce de nœud qui exerce parfois une pression dans sa poitrine est causé par un enchevêtrement de frustrations, de désirs, d'émotions refoulés et de cris étouffés qui l'empêchent de se sentir totalement à l'aise dans cette existence qui est devenue la sienne.

Au visage de l'homme assis devant elle se substitue celui de Gustave. Elle lui reproche d'abord intérieurement de l'avoir encouragée à poursuivre ce projet qui s'était imposé à elle, puis aussitôt, ce grand frère bourru et tendre à la fois lui manque douloureusement. Elle voudrait le savoir à portée de voix, entendre sa voix rassurante, ne serait-ce qu'au téléphone. Mais elle est seule de ce côté de l'Atlantique, complètement isolée de ceux qu'elle aime. Il lui semble soudain qu'elle a quitté le pays depuis une éternité. Elle revient à la réalité juste à temps pour entendre le directeur murmurer dans un sourire :

– Je suis certain que cette soirée sera une réussite, ma chère.

Elle constate qu'elle a perdu le fil de la conversation au point d'ignorer totalement de quoi il est question.

*

Chaque fois qu'elle se retrouve au rez-de-chaussée, que ce soit à la salle à manger ou dans un des nombreux salons de l'hôtel, Éva est fascinée par la splendeur des tableaux accrochés aux murs. Si sa chambre est plutôt modeste, les pièces communes regorgent de richesses dont son œil novice ne se lasse pas. Il lui est arrivé d'admirer les seules boiseries pendant de longues minutes alors que ses compagnons de table entretenaient la conversation.

– Mademoiselle Bouchard, vous n'êtes pas avec nous ; où êtes-vous donc ?

– Pardonnez-moi, mademoiselle Gauthier, je me suis laissé distraire par le décor.

– Vous êtes toute pardonnée, chère amie, si la raison de votre distraction est l'admiration que vous portez à nos vieux murs. Cela dénote chez vous un goût sûr, la complimente M. de Chastelet, leur hôte ce soir-là.

– Je vais me retirer à ma chambre si vous n'y voyez pas d'objection. De toute façon, fatiguée comme je le suis, ma conversation vous ennuierait.

– Oh ! mais restez donc encore un peu, et goûtez ce vin délicieux qui saura vous détendre.

– Je supporte mal le vin. Je préfère m'abstenir.

– Quel dommage ! Pour nous autant que pour vous, bien sûr, ajoute M. de Chastelet, flatteur.

– La journée de mademoiselle Bouchard est plutôt remplie demain, n'est-ce pas ?… Je la comprends de vouloir ménager ses forces : elle doit rencontrer les demoiselles Hémon, la sœur et la fille de l'auteur de *Maria Chapdelaine*, explique Mlle Gauthier.

– Oh ! Alors, je respecte votre désir, mademoiselle. Laissez-moi vous raccompagner à votre chambre, offre M. de Chastelet en se levant à la suite d'Éva.

– Je vous remercie, mais tenez plutôt compagnie à mademoiselle Gauthier. Je vais prendre le temps de regarder les tableaux avant de monter. Bonne fin de soirée à vous deux.

C'est l'Histoire, celle qui se cache derrière ces boiseries finement ciselées, ces toiles craquelées, cette architecture monumentale, qui fascine Éva. Bien davantage que cet étalage de richesses qui, au contraire, a plutôt pour effet de la choquer. Car elle n'est pas dupe : on ne lui a montré que la face bien polie de Paris, que les quartiers chics, propres. Mais là comme ailleurs, la misère existe. Et là comme ailleurs, on la camoufle pudiquement aux visiteurs derrière des faisceaux de lumière, du clinquant, des discours et des costumes d'apparat.

De la bergère Louis XV où elle déguste lentement le verre de lait chaud aromatisé de miel qu'elle a commandé, elle pense à son rendez-vous du lendemain. Décidément, cette rencontre l'angoisse. Mlle Marie Hémon, la sœur de l'auteur, qu'elle ne connaît que par ses lettres au ton quelque peu condescendant et par une photo affichant une moue sévère, lui inspire depuis le début une certaine méfiance. La demoiselle a beau l'encourager à continuer son travail, Éva ne peut s'empêcher de penser que cette femme est d'abord et avant tout motivée par ses propres intérêts, ses lettres laissant transpirer le mépris qu'elle entretient à son égard. Quant à Lydia-Kathleen, la fille de l'auteur, renommée Lydia-Louis par sa tante, c'est une tout autre histoire. Éva est curieuse de rencontrer cette jeune femme dont le destin, quoique tout à fait différent, lui semble indirectement lié au sien. En effet, si Louvigny de Montigny n'avait pas fait publier *Maria Chapdelaine* en 1916, le feuilleton publié dans *Le Temps* en 1914 aurait selon toute vraisemblance sombré dans l'oubli. Éva serait alors demeurée une petite institutrice de campagne alors que la jeune Lydia-Kathleen aurait continué d'être élevée par sa tante maternelle après la mort de sa mère, et la branche paternelle de sa famille aurait sans aucun doute continué de l'ignorer. Car elle était avant tout une enfant illégitime dont l'arrivée inopinée risquait d'entacher la réputation posthume du très réputé professeur qu'était Félix Hémon, parmi les gens bien qui fréquentaient les universités et les salons en vogue de Paris. Mais les journalistes étant ce qu'ils sont, le succès de l'œuvre les avait amenés à découvrir qu'au cours d'un séjour de quelques années en Angleterre, le Breton Louis Hémon avait fait la connaissance d'une jeune actrice, et qu'une petite fille était née de leur brève union. Évidemment, pour sauver l'honneur, la famille Hémon n'avait eu d'autre choix que de réclamer cette « pauvre enfant » dont un « si cruel destin » les avait gardés séparés jusqu'à ce moment.

Éva se lève et s'avance jusqu'à la fenêtre. Elle aperçoit deux hommes qui fument dans la cour intérieure. Puis elle se dirige vers la penderie où est suspendue la robe qu'elle portera demain. Elle l'examine d'un œil critique et replace délicatement les plis de la jupe. Pourquoi donc a-t-elle besoin d'avoir l'assurance que sa tenue sera impeccable lorsqu'elle se présentera devant les demoiselles Hémon ?... Elle secoue la tête pour chasser cette idée qu'elle juge superficielle et retourne s'asseoir pour essayer de se détendre, mais se sent toujours aussi fébrile. Le verre de lait chaud n'a pas l'effet escompté. Elle s'étend finalement sur son lit sans toutefois arriver à garder les yeux fermés. Peut-être, finalement, aurait-elle dû accepter ce verre de vin que lui offrait M. de Chastelet...

*

L'impression d'Éva n'a fait que se confirmer : malgré ses bonnes manières de demoiselle bien élevée, l'expression du visage, la dureté du regard et jusqu'aux inflexions de la voix de Marie Hémon trahissent son mépris pour la petite institutrice sans envergure, dont elle ne peut malheureusement pas se passer pour entretenir le culte de son frère au Canada.

La jeune Lydia-Louis, par contre, qui dit n'avoir conservé que de vagues souvenirs de sa mère malade et de ce père mythique venu la visiter à quelques reprises avant son départ pour le Canada, a de toute évidence une attitude plus ouverte que sa tante et s'intéresse à tout ce qui a trait à l'auteur de *Maria Chapdelaine*. Et au-delà de l'accueil poli qui lui est réservé, Éva croit déceler entre les deux femmes une certaine tension qu'elle renonce à analyser.

*
* *

Éva pose lentement le pied sur la première marche, une main prudente sur la rampe, les yeux encore gonflés de sommeil. En bas, Rita sourit, assise sur la berceuse près de la fenêtre. Quoique fonctionnant encore au ralenti, le cerveau d'Éva détecte quelque chose d'inhabituel : émergeant de sa torpeur, elle aperçoit, tout sourire près de la table, Gustave qui la regarde descendre.

Un instant, elle croit rêver. S'arrête au beau milieu de l'escalier. Elle n'a pas revu son frère depuis si longtemps !

– Gustave ?

– Ton voyage à Paris t'a-t-il changée au point que t'es plus certaine de reconnaître ton vieux frère ?

Eh oui ! c'est bien lui, ce grand taquin à qui elle a rêvé de confier ses craintes, ses frustrations et ses petits plaisirs au cours de son voyage en France. Il est bien là, en chair et en os. Quelle merveilleuse surprise !

Elle s'élance à sa rencontre pendant qu'il se lève et lui tend les bras. Ils s'enlacent chaleureusement.

– Comme tu m'as manqué, vieux fou !

– J'ai eu envie de voir ma petite sœur préférée.

– Depuis quand es-tu ici ? demande-t-elle en se cherchant un siège.

– Depuis plusieurs heures déjà. J'aurais jamais pensé que tu pouvais dormir aussi longtemps !... J'ai eu le temps de jaser avec Nil, puis Rita m'a servi un bon hachis au poulet. Elle est déjà bonne à marier, cette enfant-là.

Éva se tourne à son tour vers sa nièce, dont les joues s'empourprent aussitôt.

– Je crois d'ailleurs que ça ne devrait pas tarder...

– Ah oui ? questionne Gustave. Et s'adressant à la jeune fille :

– T'as rien dit de ça à ton oncle ! Dis-moi vite qui c'est, l'heureux élu ?

– Ange-Émile Boivin, répond Rita en baissant la tête.

– Le garçon à Joseph ?

– C'est ça.

– Ben je le connais pas personnellement, mais si c'est un garçon à Joseph, ça peut pas faire autrement que d'être un bon parti.

– Bon, je vais aller voir si mon père a besoin de quelque chose, dit Rita en se levant, le rouge encore aux joues.

– Comment as-tu trouvé Nil ? questionne Éva, une fois la jeune fille disparue en haut de l'escalier.

– Maigre. J'aurais pas cru que mon frère puisse maigrir comme ça si je l'avais pas vu. Une force de la nature comme lui dans cet état-là, ça surprend.

– Je peux imaginer le choc que ça a été pour toi : moi-même je l'ai trouvé terriblement amaigri après seulement trois semaines d'absence.

– Est-ce qu'il reste de l'espoir ?

Éva hoche la tête.

– Pas vraiment. J'ai vu le docteur hier en arrivant. Il dit que Nil a refusé pendant trop longtemps de se faire soigner. Maintenant, ses poumons sont attaqués de façon irréversible. Ça prendrait un miracle.

– Mais c'est pas un lâcheux, Nil. Il peut tenir comme ça encore longtemps !

– C'est ce que le docteur pense aussi.

– Ouais, fait Gustave, songeur. Puis toi, demande-t-il après un moment, ton voyage, comment ça s'est passé ?

Éva soupire.

– Bien.

– Bien ? Seulement ça ? Tu arrives de Paris et tu dis juste que c'était « bien » ?

Éva a un sourire embarrassé.

– Je te connais, Éva Bouchard. Dis-moi donc la vérité. Tu pourras pas arriver à me la cacher de toute façon.

– C'était bien… mais si tu savais comme je suis contente d'être revenue chez moi !

– Ben ça, c'est normal ! Après un voyage, on a toujours hâte de revenir.

– Oui, bien sûr.

– Mais il y a autre chose, hein ?… Ils t'ont pas bien traitée ? demande Gustave un ton plus haut, prêt à bondir.

– Mais non. J'ai été très bien traitée. Disons que… je ne me sentais pas vraiment à ma place.

– Comment ça ?

– Premièrement, j'avais… plus ou moins de goûts en commun avec la demoiselle avec qui je voyageais.

– Ah ?

– Mais ça, ça ne pouvait pas se prévoir. C'était le hasard. Ça arrive souvent dans des cas comme ça.

– Mais qu'est-ce qu'elle avait de pas correct ?

– Je n'ai pas dit qu'elle avait quelque chose de pas correct ; disons que... elle avait son genre, et moi le mien, nous étions différentes.

– Bon ben, c'est quoi d'abord ?

Elle hésite un long moment, puis :

– Pour la majorité des Français, Éva Bouchard, c'est une inconnue.

– Qu'est-ce que tu veux dire ?

– Ceux qui m'ont accueillie savaient qui j'étais, bien sûr, et ils ont été très gentils. Mais j'espérais avoir l'occasion de rencontrer beaucoup de monde, de parler avec eux, de les inviter à Péribonka...

– Et puis ? la presse Gustave, l'œil méfiant.

– En fait, je n'ai pas vraiment eu de contacts avec le public. D'abord, l'exposition était montée par thèmes. Le premier était celui des débuts de la colonie, avec une forêt artificielle, une tente géante, des canots d'écorce et une demi-douzaine d'Amérindiens qui fabriquaient des mocassins et décoraient des vêtements faits de peaux de bêtes. Les Français étaient fascinés. Plusieurs avaient même l'air de croire que ça se passe encore comme ça de nos jours. Alors tu peux t'imaginer que c'était l'attrait principal...

Gustave est suspendu à ses lèvres, les sourcils encore froncés.

– Pour représenter le vingtième siècle, il y avait des murales qui illustraient des bûcherons, des draveurs, une ferme et une rue de ville avec un tramway. Puis il y avait le kiosque des Éditions Grasset où M. Louis Brun, le responsable, invitait les visiteurs à voir des manuscrits de M. Hémon. Les gens pouvaient aussi visionner le film *Maria Chapdelaine* dans une petite salle derrière le kiosque.

– Mais toi là-dedans ?

– Justement, il n'y avait pas vraiment de place pour moi. Ils m'ont offert de m'asseoir à une petite table pas très loin du kiosque de Grasset, mais en retrait. En réalité, je me serais retrouvée devant une photo géante d'une maison de ferme. Je leur ai demandé ce que je ferais là. Ils m'ont dit que M. Brun m'enverrait les gens intéressés à me rencontrer. J'ai tout de suite compris qu'ils essayaient de me mettre à l'écart et que si j'acceptais, je poireauterais sur ma chaise. Alors j'ai refusé.

– T'as bien fait, joualvert !

– M. Boulanger, le commissaire du Canada, a insisté pour que j'essaie pendant au moins une heure. Il avait l'air très mal à l'aise à l'idée que je refuse. Je lui ai dit qu'il n'était pas question que je reste assise toute seule au milieu de nulle part, alors que rien d'officiel n'expliquait ma présence, et que je ne me sentais pas à ma place de toute façon.

– Qu'est-ce qu'il a dit ?

– Il a essayé de me convaincre que les Français étaient curieux de me connaître, que M. Brun leur dirait qui j'étais et me les enverrait…

Gustave écoute le récit de sa sœur comme il suivrait un combat de boxe palpitant, fronçant les sourcils, serrant les lèvres à certains passages. Il hoche la tête pendant qu'Éva reprend son souffle.

– Puis il a fini par me dire que ce serait très impoli de refuser, que ça risquait de créer ni plus ni moins qu'un incident diplomatique. Il m'a dit : « Ça ne se fait pas. » J'ai répondu : « Eh bien, ça va se faire ! » J'étais très fâchée de constater qu'il ne se préoccupait que de bien paraître aux yeux des Français. Ça ne le dérangeait pas que je risque d'avoir l'air d'une parfaite idiote en plein milieu du pavillon. Mais non ! Pourvu que je ne froisse pas nos hôtes !

– Mais les Français, est-ce qu'ils ont été corrects avec toi ?

– Je n'ai rien à redire là-dessus. C'est juste l'incident du pavillon qui a été désagréable. Je crois même qu'au départ, ils avaient probablement prévu quelque chose pour moi, au kiosque même de Grasset. C'est ce que M. Boulanger m'a laissé entendre en tout cas. Mais M. Brun a sans doute refusé de m'avoir dans les jambes.

– Pourquoi ?

– Parce qu'il ne m'aime pas. Comme Mlle Marie Hémon, d'ailleurs.

Gustave sursaute.

– C'est vrai, j'oubliais que tu l'avais rencontrée.

– Oui. Et elle a été correcte, mais c'est tout.

– Mais est-ce qu'ils réalisent que c'est grâce à toi que la mémoire de Louis Hémon est restée vivante au Canada ? s'emporte Gustave.

– C'est bien ce qui les frustre : ils sont obligés de rester polis avec moi. Autrement, penses-tu qu'ils prendraient la peine de lever les yeux sur une pauvre vieille fille de la campagne ?

– T'exagères pas un peu ?

– Je suis lucide, c'est tout. Tu sais, Gustave, depuis le temps, s'il y a une chose que j'ai apprise, c'est qu'en affaires comme en politique, il ne faut surtout pas se faire d'illusions sur la qualité des rapports humains. Il n'y a jamais rien de gratuit.

– Je veux bien croire, mais qu'est-ce qu'ils ont à te reprocher, la sœur de Louis Hémon et le gars de chez Grasset ?

Éva redresse les épaules et prend une longue inspiration :

– Tu sais, Gustave, toi et moi, on n'a pas été élevés dans les salons. On n'est pas de la même classe que ces gens-là.

– Ben bout d'baptême, par exemple ! Éva Bouchard, t'es la fille la plus instruite de Péribonka, t'as été maîtresse d'école pendant des années, t'as même été chez les bonnes sœurs, t'as travaillé pour l'abbé DeLamarre, t'as parti ton musée toute seule, t'as donné des conférences, puis t'aurais pas encore les manières qu'il faut pour que ces gens-là te considèrent ?

Éva contemple son frère avec des yeux ébahis :

– Calme-toi, Gustave. Nil se repose en haut.

– Excuse-moi. Mais ça m'enrage.

– Tu sais, je m'en fais pas mal moins avec ces affaires-là, maintenant. J'en ai tellement vu !

Gustave se lève et va se servir un verre d'eau. Il le soulève vers Éva qui refuse d'un geste de la main.

– Qu'est-ce que tu as fait après avoir décidé de ne pas rester dans le kiosque ?

– J'ai demandé qu'on me ramène à ma chambre.

– Et comment ça s'est passé après ça ?

– Bien. Ils n'avaient d'ailleurs jamais été aussi attentionnés envers moi. Il y avait toujours quelqu'un pour m'offrir une visite guidée d'un musée ou d'un monument. Mais j'ai compris qu'ils voulaient surtout éviter de se faire une mauvaise publicité.

– Ils avaient peur de toi, en fait…

– D'une certaine manière, peut-être. Mais d'un autre côté, que voulais-tu que je fasse ? C'est du passé maintenant, et je n'ai pas envie de revenir là-dessus.

Elle réfléchit un instant pendant que Gustave revient s'asseoir en hochant la tête.

– De toute façon, il ne m'est rien arrivé de grave ; j'ai quand même fait un séjour à Paris plutôt agréable dans l'ensemble, ce qui n'est pas rien !

– Ouais… Mais ils avaient besoin d'être corrects avec toi, par exemple !

Éva hoche la tête en souriant. Ce cher Gustave ! Toujours prêt à monter aux barricades.

– Ils l'ont été, Gustave. Maintenant, parle-moi de vous autres. Comment vont Léonie et les enfants ?

– Tout le monde est en santé, mais on a de la misère à remonter la pente.

– L'hôtel ?

Gustave a une grimace de déplaisir.

– C'est loin d'être l'Hôtel Beauceville, soupire-t-il.

– Ce n'est pas rentable ?

– On survit, mais il faudrait que je puisse investir dans des réparations et j'ai pas les moyens. Je te dis qu'on est loin du luxe !

Éva hésite un instant, puis :

– Le luxe, c'est de l'extra, Gustave. L'important, c'est que vous ayez le nécessaire.

– Peut-être, mais la clientèle est de plus en plus exigeante.

– C'est vrai. Mais tu devrais commencer par remercier le bon Dieu de vous avoir permis de retrouver un certain confort après Sainte-Marie.

Gustave ne dit rien.

– Aujourd'hui, vous vivez plus simplement, mais si tu y penses bien, je suis certaine que tu vas te rendre compte que ça fait pareil.

– Ah ! C'est sûr.

Éva pose sa main sur celle de son frère.

Gustave regarde cette longue main filiforme qu'elle retire déjà discrètement.

– Comme ça, Léo est bien ? demande-t-elle aussitôt.

– Oui. Tu la connais, toujours aussi forte, même quand ça va mal. Si c'était juste de moi, des fois, je vendrais tout ça et je m'en retournerais en ville. Mais Léo dit toujours que c'est important pour les enfants d'avoir de l'espace, qu'on a tout ce qu'il faut. Puis je sais qu'elle a raison au fond : Claude a même pas encore sept ans. C'est pas vieux, ça !

– Et les autres enfants, ils vont bien ?

– Oui. On est rendus avec trois petits-enfants, précise-t-il, le regard fier. On voit souvent Roger et Mimi, les petits de Roméo. Beauceville, c'est pas loin. Quant à Jeannette, elle vient nous voir de temps en temps avec son petit Maurice. Tu devrais venir faire ton tour toi aussi.

– J'aimerais tellement ça revoir Léo ! Mais je ne pourrai sûrement pas cet été. Maintenant que la Société des Amis de Maria Chapdelaine est devenue propriétaire de la petite maison, ils vont entreprendre des travaux de rénovation au cours des prochains jours pour la transformer officiellement en musée, et je veux être là quand ça va se faire. Et puis on organise une fête pour commémorer le vingt-cinquième anniversaire de *Maria Chapdelaine* le 23 août. Vous allez recevoir une invitation.

– Qui va être là ?

– Il va y avoir des membres du Comité des Amis de Maria Chapdelaine de Paris, et des délégués de la Société des Amis de Maria Chapdelaine de Montréal et de Roberval. Ça va commencer par une visite du musée et ça va être suivi d'un déjeuner champêtre au Foyer. Pour ma famille, ce sera gratuit.

– Je pense pas qu'on puisse venir, Éva. On peut pas se permettre de laisser l'hôtel pour une couple de jours et se payer le voyage en plus.

– J'aimerais que vous soyez là, mais je comprends.

– Mais une fois l'été passé, tu viendras nous voir, toi.

De l'étage supérieur, on entend Nil tousser. Éva lève les yeux au plafond, comme si elle pouvait voir la scène.

– Je ne suis pas certaine de pouvoir cette année, Gustave. Et elle se lève pour aller prêter main-forte à Rita.

*

MUSÉE À PÉRIBONKA

Beau geste de la Société des Amis de Maria Chapdelaine

M. le Chanoine Cyrille Gagnon, Supérieur du Petit Séminaire et l'un des Vice-présidents du deuxième Congrès de la Langue Française, a commenté de façon fort élogieuse le rapport présenté par la Société des Amis de Maria Chapdelaine, sur la constitution de cette nouvelle société. Il a ensuite ordonné que ce rapport soit ensuite déposé au secrétariat du Congrès pour que les intéressés puissent le consulter.

La Société des Amis de Maria Chapdelaine vient d'acquérir la maison où Louis Hémon écrivit, à Péribonka, son chef-d'œuvre. On a fait subir à la vieille demeure les réparations dont elle avait besoin et l'on y établira un petit musée des choses du terroir. Nous avons appris, de plus, que le Pacifique Canadien avait fait don à la Société d'un gros bloc de granit qui servira à la construction d'un mausolée à Chapleau, Ontario, là où est mort Louis Hémon.

2 juillet 1937[51].

1938

Gustave se lève pour faire place à Roland Marcoux. Une fois le registre signé par les deux témoins, le curé prononce une dernière prière. Puis les glas résonnent dans ce matin glacial de janvier. Éva serre contre elle le jeune Gérard qui, du haut de ses douze ans, essaie bravement de refouler ses larmes. À côté de lui, Fernand se tient droit, la mâchoire contractée. Les voici tous orphelins maintenant. Cinq orphelins dont elle a la charge. Elle jette un coup d'œil de côté et voit Rita, son visage pâle caché dans ses mains, que tentent de consoler ses cadets René et Louis. Cette pauvre enfant a continué d'espérer jusqu'aux dernières semaines la guérison de son père, le suppliant d'aller se faire traiter au sanatorium. Tous savaient pourtant qu'il était trop tard, y compris Nil lui-même, qui avait refusé d'y entrer au moment où il lui restait encore des chances de s'en sortir. Depuis quelques mois, il savait ce qui l'attendait, lui qui avait vu mourir sa femme et sa sœur de la même maladie. Il ne se faisait plus d'illusions. Et pour se protéger de la souffrance des siens, il s'était lentement laissé glisser dans une sorte de torpeur qui le gardait mentalement à l'écart, qui le rendait imperméable aux supplications de sa fille. Seule une faible lueur qui émergeait de temps à autre du fond de son regard laissait deviner une conscience encore lucide et entrevoir sa souffrance morale. Mais il avait fait le choix de se retirer avant son heure, de se retrancher du monde des vivants et d'attendre l'inéluctable fin dans un état de semi-somnolence, son dernier souhait étant qu'elle se présente au plus tôt.

Éva aperçoit Ange-Émile Boivin qui occupe le banc immédiatement derrière sa nièce. Le jeune homme enveloppe Rita d'un regard protecteur, prêt à relayer René et Louis auprès de la jeune fille dès que ceux-ci prendront quelque distance. « Ce garçon ne tardera pas à faire la grande demande », songe Éva. Et au même moment, elle prend conscience que c'est à elle-même que la « grande demande » sera faite.

À la maison, on parle du succès de Roland Marcoux, le fils adoptif de Laura et de Samuel, qui vient d'ouvrir à Roberval son propre bureau d'assurances sous la raison sociale Roland Marcoux ltée. Samuel Bédard, présent pour la circonstance, n'est pas peu fier de son protégé qui, à 33 ans, est devenu un honorable père de famille, respecté et engagé dans son milieu.

Éva sert le thé en silence, soulagée de savoir que Gustave restera quelques jours, le temps pour les garçons de retrouver la routine rassurante de l'école, pour Rita d'apprivoiser peu à peu le vide laissé par le départ de son père, et pour elle-même de trouver une solution à long terme pour le travail de la ferme.

– Ma tante, c'est moi le plus vieux des garçons et je vais avoir dix-sept ans. Je vais arrêter l'école et travailler sur la ferme.

Éva ne répond pas. Elle se contente de soupirer en déposant le lait sur la table.

Gustave, occupé à trancher le pain, les observe tour à tour discrètement. René a l'air déterminé de quelqu'un qui a déjà bien réfléchi à la situation.

– Moi aussi, ma tante. Je vais aider René, avance Louis à son tour.

Cette fois, la réponse est ferme et ne laisse entrevoir aucune possibilité de négociation.

– Toi, jeune homme, tu n'as même pas encore quatorze ans. Il est pas question que tu quittes l'école maintenant.

Outré de s'être fait ainsi ramener à l'ordre, Louis se laisse glisser sur sa chaise et croise les bras en affichant une moue désabusée.

Éva n'a ni le temps ni le goût de s'attaquer aux mauvaises manières ce matin. Elle hausse les épaules et pose le plat d'œufs brouillés au centre de la table tandis que Rita sert la graisse de rôti, les cretons et les confitures.

– Vous êtes toujours bien pas pour payer quelqu'un tout le temps, ma tante, voyons ! reprend René, de plus en plus catégorique.

Éva jette un regard furtif à Gustave, qui écoute attentivement les arguments de son neveu. Elle lui est reconnaissante de ne pas intervenir pour le moment.

– C'est à moi que ça revient, puis vous le savez très bien. À part ça, j'ai souvent aidé papa et je suis capable.

– Écoute, René, je suis fatiguée. On en reparlera, si tu veux bien. Je crois qu'il est un peu trop tôt ce matin pour décider de ton avenir.

– Ma tante, je suis supposé repartir demain. Il faut se décider !

Éva le regarde d'un air las. René jubile intérieurement : sa tante n'a d'autre choix que d'accepter. Désormais, ce sera lui le chef de famille.

– Louis, veux-tu bien t'asseoir comme il faut ! ordonne-t-il à son jeune frère d'un ton sans appel.

Tous lèvent les yeux vers lui, surpris de l'autorité soudaine qu'il s'attribue. Louis, complètement décontenancé, se redresse lentement, reprend ses ustensiles et s'attaque sans conviction à son déjeuner.

Éva et Gustave échangent un bref regard tout aussi amusé qu'étonné avant de commencer à manger.

– Tu pourras pas dire que ce jeune-là sait pas ce qu'il veut, dit Gustave à Éva une fois qu'ils sont seuls.

– Oui… répond Éva, pensive. Mais je ne suis pas certaine que ce soit ce que je souhaite pour lui. Vois-tu, René a du talent pour les études et je sais qu'il aime ça. Je le vois très bien comme enseignant d'ici quelques années. J'avais d'ailleurs l'intention de l'envoyer compléter son cours à Québec à partir de l'an prochain.

– Pourtant il a l'air de tenir à prendre la ferme en charge !

– C'est sûr que ça le valorise d'être le plus vieux des garçons et de penser qu'il deviendrait responsable de la maisonnée. Mais je ne veux pas qu'il se sacrifie pour ses frères, pour sa sœur et surtout pas pour moi. Et puis il n'a pas le tempérament pour faire du travail de ferme. La santé non plus d'ailleurs.

– Qu'est-ce que tu veux dire ?

– Je ne serais pas surprise qu'il ait les poumons pas mal fragiles lui aussi : il s'enrhume au moindre courant d'air et il met des semaines à s'en remettre.

– Pas un autre !

– Je sais pas le nombre de fois où j'ai dû le mettre en garde contre le froid. Mais c'est rétif ces jeunes-là : il fait rien qu'à sa tête !

Gustave acquiesce d'un haussement de sourcils.

– Il va être déçu, remarque-t-il.

– Pour le moment, oui. Mais il va retourner au pensionnat demain comme prévu. C'est à son avenir que je dois d'abord penser.

– Qu'est-ce que tu vas faire ?

– Je vais louer la terre à des voisins pour le foin et pour les champs de patates. L'été, les garçons pourront aider pour les gros travaux.

– Ouais… C'est probablement la meilleure solution à court terme. Mais as-tu l'intention de faire ça longtemps ?

Éva prend une longue inspiration.

– Jusqu'à ce qu'un autre des garçons soit en âge de prendre la relève.

– Et si jamais le prochain avait pas le tempérament pour ça lui non plus ?

Elle ferme les yeux :

– Si Louis ne peut pas, j'attendrai Fernand.

Gustave soupire. Il admire le courage de sa sœur mais se demande comment elle pourra concilier son travail au Foyer avec l'éducation des enfants de Nil. D'autant plus que cette année aura lieu l'inauguration officielle du musée. Si seulement sa santé peut ne pas flancher !

– Est-ce que le programme pour l'été prochain est complété ?

– Presque. Les fêtes auront lieu le 6 juillet. Les demoiselles Hémon y seront.

– J'imagine qu'elles vont loger dans un de tes chalets ?

– Non. À l'Hôtel Chapdelaine, chez Samuel.

– Ah bon ! s'étonne Gustave.

Éva note la surprise dans le ton et ajoute dans un sourire amusé :

– Je m'entends bien avec mon beau-frère !

– Hum ! fait Gustave, sceptique.

– Tu sais, avec le temps, j'ai appris à mettre les choses en perspective, reprend-elle plus sérieusement. Et puis je n'ai plus envie d'être en guerre avec qui que ce soit.

Gustave considère sa sœur d'un air grave.

– Pourquoi les demoiselles Hémon n'iraient-elles pas chez Samuel ? Il a un hôtel confortable, et Louis Hémon a vécu chez lui après tout !

– T'as pas peur qu'il en profite pour essayer de te nuire ?

– Bah ! Je vois pas comment il pourrait me nuire, d'autant plus que je n'ai rien à me reprocher.

Elle regarde son frère droit dans les yeux :

– J'ai déjà assez de motifs de me battre sans m'en inventer. Et puis, Samuel reste mon beau-frère même s'il s'est remarié. Je suis convaincue qu'on a tous les deux avantage à collaborer, à se partager la clientèle.

Gustave, ébahi, passe une main sur son crâne chauve.

– Disons, ajoute-t-elle plus bas, que je fais des efforts. Et je pense sincèrement qu'il en fait aussi.

– Tu attends beaucoup de visiteurs ?

– Je n'ai encore aucune idée du nombre de personnes qui assisteront à l'inauguration du musée, mais étant donné l'événement, je devrais battre mon record de l'an passé pour l'ensemble de l'été.

– Et tu en as reçu combien l'année passée ?

– Attends-moi, dit Éva en se levant. Puis elle monte rapidement à sa chambre d'où elle rapporte un livre un peu défraîchi qu'elle tend précieusement à son frère.

– Le livre d'or du musée. Il contient deux mille signatures. Ce sont les visiteurs qui sont passés l'an dernier. C'était la première année que j'avais un livre d'or, ajoute-t-elle fièrement.

Gustave est impressionné en découvrant les nombreuses pages noircies par ces gens dont le titre est souvent plus long que le nom. Éva, restée debout derrière lui, sélectionne quelques noms dans chacune des pages, les pointe du doigt et lit à voix haute, en complétant les informations lorsque nécessaire :

– Ici, c'est M. Raymond Brugère, l'ancien ministre de France au Canada, et Mme Brugère ; le comte et la comtesse de la Jonquière ; M. Garry, un administrateur français en Indochine ; M. Kammerer, frère du ministre français en Turquie ; là, c'est l'ambassadeur d'Italie aux États-Unis, qui est venu avec sa femme et ses deux fils ; M. Marcel Morand, un professeur français qui travaille au Rice Institute de Houston au Texas. M. Morand a déjà passé une semaine à Péribonka et il doit revenir pour l'inauguration. Celui-ci, c'est le père Paul Doncœur, un jésuite. Ce sont tous des étrangers. Les autres viennent du Canada : regarde, les pages sont pleines.

– Tu t'en viens populaire, ma petite sœur !

– Pas moi, mais le musée. C'est à ça que je travaille depuis treize ans. Il est temps que ça donne des résultats, tu ne trouves pas ?

– Tu as bien mérité ton succès. Tu peux être fière de toi.

Éva perçoit de la lassitude dans la voix de son frère.

Et toi, comment tu t'arranges ? demande-t-elle en s'assoyant en face de lui.

– Roméo a décidé de venir nous rejoindre à East-Broughton. Il va ouvrir son salon de barbier dans l'hôtel, ça pourrait nous attirer une nouvelle clientèle. Et comme il commence à être connu comme professeur d'orgue, avec les dirigeants de la mine qui font des gros salaires, il devrait pouvoir s'en tirer pas mal.

La voix de Gustave s'est faite moins assurée. Éva l'observe tandis qu'il tente de se donner une contenance. Puis il renonce à essayer de cacher ses émotions :

– J'ai des bons enfants, Éva, tu peux pas savoir ! conclut-il courageusement.

– L'hiver prochain, je vais vous voir, promis !

– Ah ! ben ça par exemple, ça va nous faire plaisir.

*

Accueillies par Louvigny de Montigny et par quelques représentants de la Société des Amis de Maria Chapdelaine, Marie et Lydia-Louis Hémon n'ont pas cessé d'être sollicitées par les journalistes depuis leur arrivée à Montréal. Elles ont visité les lieux où leur célèbre frère et père a travaillé ainsi que ceux où il a logé. Un après-midi, alors qu'on les ramenait à l'hôtel Queens où la Société leur avait retenu des chambres, elles ont demandé qu'on les laisse se reposer avant d'entreprendre la prochaine étape de leur voyage.

– J'espère que nous aurons enfin un peu de tranquillité ce soir, grogne Marie en entrant dans la salle à manger.

– Je nous le souhaite aussi, mais rien n'est moins certain. Avec notre photo dans tous les journaux de ce matin, on pourrait bien nous reconnaître.

– Souhaitons que ces gens aient assez de savoir-vivre pour respecter notre intimité !

Lydia-Louis ne répond pas, sachant très bien que si personne ne les reconnaît, sa tante sera furieuse.

*

Dès son arrivée, Léopold Baulu jette un regard de connaisseur sur la salle à manger. Il lorgne du côté des tables deux et trois et cille légèrement : Théodore, le nouveau placier, a laissé cette section se remplir aux trois quarts alors que l'autre côté de la salle est presque vide ! Pourtant, Théodore connaît les règles : il sait que son patron tient à ce que les clients soient dirigés selon un ordre précis, de façon à respecter cet équilibre qu'il a lui-même établi le jour où il a été promu maître d'hôtel, il y a une trentaine d'années.

Ce jour-là, Léopold Baulu était resté plusieurs heures à observer la disposition des tables, à regarder entrer les clients, à noter la manière dont ils étaient placés. Il avait reproduit le plan sur papier et l'avait retourné dans tous les sens. Trop ici, pas assez là, avait-il noté. Grâce à une vue aérienne, il avait ensuite déterminé, une à une, quelle table devait idéalement être occupée en premier lieu, en second, et ainsi de suite jusqu'à ce que la salle soit remplie. L'équilibre avait toujours été pour Léopold Baulu l'ultime but à atteindre et ce, dans tous les domaines. Il se ferait donc un devoir d'apporter un élément nouveau au restaurant du très réputé hôtel Queens, l'équilibre.

Par contre, il avait vite constaté que la principale difficulté viendrait des clients de longue date qui, souvent, avaient déjà leurs habitudes. Comment les diriger là où il le souhaitait sans les indisposer ? Comment les amener à lui faire confiance sans les brusquer ? On ne l'avait sûrement pas choisi, lui, Léopold Baulu, pour que son restaurant ressemble à n'importe quel autre où les clients s'entassaient n'importe où selon leur propre fantaisie !

La deuxième difficulté consisterait à inculquer cette notion d'équilibre aux garçons qui devaient parfois le remplacer. Quand il serait là, bien sûr, il dirigerait les opérations. Mais il ne pourrait tout de même pas être présent sept jours par semaine, de l'ouverture à la fermeture ! Il devrait donc absolument trouver le moyen de leur expliquer sa façon de voir, de les sensibiliser à la notion de cet équilibre qui lui tenait tant à cœur, tout en leur apprenant à être suffisamment à l'écoute pour détecter la moindre objection des clients. Dans ce cas, il leur faudrait évidemment respecter le choix des habitués, ce qui les obligerait, grâce à une savante gymnastique mathématique, à refaire mentalement le plan de la salle en tenant compte des nouveaux venus. À partir de quoi ils devraient travailler à rétablir l'équilibre. Toujours.

Anticipant la question de son patron, Théodore, le nouveau placier, s'avance à sa rencontre :

– Bonsoir, monsieur Baulu.

– Bonsoir, Théodore.

– Vous avez sans doute remarqué, monsieur, que la section devant vous est plus chargée, mais je n'ai pas pu faire autrement. M. Price est entré il y a quelques minutes avec des invités et il a réclamé sa place habituelle. Je…

Mais Léopold Baulu n'écoute déjà plus le jeune homme. Il reconnaît les deux dames qui viennent d'entrer. Il est certain que ce sont bien celles dont il a vu les photos dans le journal du matin. Théodore s'est interrompu et se prépare à aller à leur rencontre.

– Pardonnez-moi, monsieur, mais je dois…

– Théodore, ordonne aussitôt Léopold Baulu, veuillez placer ces dames à la table quatre.

Théodore s'immobilise, figé par la surprise. Comment se fait-il que son patron, d'habitude si soucieux de l'équilibre, lui demande de conduire ces dames à la quatre alors que ce côté de la salle à manger est déjà surchargé depuis l'arrivée de M. Price ?

– Mais monsieur…

– La « quatre », réitère Léopold Baulu en posant un bras insistant sur celui de Théodore. Et continuez de vous occuper des clients jusqu'à nouvel ordre.

Quelques secondes plus tard, Théodore salue poliment les deux dames et, avec son élégance naturelle, les invite galamment à le suivre.

Léopold Baulu attend que les demoiselles soient confortablement installées pour se retirer dans le petit local des employés, désert à cette heure. Il prend une longue inspiration, brosse soigneusement ses vêtements, s'empare d'un liteau propre, en vérifie les plis avant de le poser sur son bras et sort, un sourire fier gravé sur son visage ridé.

À la table quatre, les demoiselles Hémon semblent totalement absorbées par le menu. Il a l'impression que l'occasion lui est enfin donnée de rattraper quelque chose qui lui avait échappé vingt-six ans plus tôt, d'invalider ces rendez-vous ratés, d'avoir encore une chance de faire connaissance, autrement que par ses écrits, avec celui qu'il a connu, à qui il a parlé avant de savoir qui il était, qu'il a admiré trop tard. Il a le sentiment rare d'emprunter du temps au passé, de pouvoir enfin corriger une erreur qu'il ne s'est jamais vraiment pardonnée.

– Bonsoir mesdemoiselles, dit-il sur un ton de courtoisie professionnelle.

Marie Hémon lève un regard circonspect vers le maître d'hôtel. Lydia-Louis sourit poliment.

– Bonsoir monsieur, répond l'aînée, un peu sèchement.

– Permettez-moi d'abord de vous souhaiter la bienvenue dans notre restaurant. C'est un honneur pour nous de vous recevoir.

Marie Hémon esquisse un demi-sourire.

– Je ne voudrais surtout pas vous importuner, mesdemoiselles, mais j'ai pensé que vous seriez intéressées de savoir que j'ai rencontré monsieur Hémon dans ce restaurant il y a de cela plusieurs années.

Les deux femmes lèvent le même regard curieux vers le maître d'hôtel.

– Mon frère serait donc passé ici ? demande Marie, curieuse.

– Non seulement y est-il passé, mademoiselle, mais monsieur Hémon y avait ses habitudes.

– Oh ! s'exclament les deux femmes à l'unisson.

Léopold Baulu n'est pas peu fier de l'effet de sa déclaration. Il bombe légèrement le torse avant de lancer sur un ton qu'il veut sobre :

– Et sa table préférée était celle où vous êtes assises présentement.

Marie Hémon ouvre de grands yeux étonnés tandis que sa nièce porte une main à son cœur.

– Comme c'est étrange ! murmure l'une des deux.

L'annonce a eu l'impact escompté. Les deux femmes invitent Léopold à s'asseoir pour leur raconter dans le menu détail tout, mais absolument tout ce qu'il sait de leur frère et père. Poliment, il décline l'offre de s'asseoir : Léopold Baulu a pour principe d'éviter tout geste de familiarité avec les clients, quels qu'ils soient. Il se fait tout de même un plaisir, en même temps qu'un devoir, de leur raconter comment Louis Hémon avait l'habitude d'arriver à la fin de sa journée de travail et de se diriger immédiatement vers cette table, particulièrement en retrait, d'où il observait discrètement les clients du restaurant. Léopold s'empresse de faire l'éloge de ce client particulier, un gentleman qui, s'il n'était pas bavard, s'informait toujours de la santé et de la bonne forme des gens qu'il côtoyait.

– Oui, approuve Marie Hémon, que cette affirmation ne semble pas surprendre. Mon frère avait très à cœur la forme physique. Un esprit sain dans un corps sain était sa devise. Il faisait lui-même beaucoup d'exercice et croyait qu'une saine alimentation était le secret d'une bonne santé.

Léopold aimerait raconter comment il a compris quelques années plus tard que l'étranger qui avait fréquenté la salle à manger de l'hôtel Queens était ce Louis Hémon qui avait écrit *Maria Chapdelaine*, et qui était mort dans des circonstances tragiques en Ontario avant même sa publication. Il aimerait dire aux deux demoiselles qu'il a lu et relu *Maria Chapdelaine* jusqu'à le connaître presque par cœur, qu'il s'est procuré également tous les autres écrits de l'auteur et les garde religieusement sur une tablette de sa bibliothèque dans le petit loyer qu'il partage avec sa vieille mère. Il aimerait retenir plus longtemps ce moment béni parce qu'il a l'impression de réparer un peu l'immense erreur de n'avoir pas su détecter que ce petit homme qu'il voyait presque tous les jours était en réalité un grand homme. Il aimerait expliquer tout cela devant la sœur et la fille de Louis Hémon, mais les bonnes manières lui commandent de se retirer et de continuer à exécuter humblement son travail de maître d'hôtel. Alors, après les avoir conseillées dans le choix du menu, Léopold s'incline une dernière fois devant les demoiselles Hémon et retourne sagement à son travail.

*

Ayant subi une attaque d'appendicite au cours du printemps, il s'en est fallu de peu que Samuel Bédard ne rate l'occasion d'accueillir les demoiselles Hémon à son hôtel. Opéré d'urgence à Roberval, il s'en est néanmoins tiré sans trop de peine et a regagné Péribonka à temps pour les cérémonies du 6 juillet, après une hospitalisation d'environ un mois.

Quant aux deux femmes, elles ont d'abord assisté, à Chapleau, en Ontario, au dévoilement d'une stèle de granit en l'honneur du désormais célèbre écrivain mort et enterré à cet endroit. Elles se sont ensuite rendues à Péribonka pour l'inauguration du musée Louis-Hémon.

Malgré la présence des deux invitées d'honneur à Péribonka, les fêtes s'annoncent plutôt modestes. La Société des Amis de Maria Chapdelaine a pris les choses en mains depuis trop peu de temps pour avoir pu préparer une cérémonie de grande envergure. On se contentera donc d'inaugurer très simplement le nouveau musée. Par contre, il est déjà prévu qu'on accueillera une mission française spéciale l'année suivante, pour souligner le vingt-cinquième anniversaire de la première publication du roman sous forme de feuilleton dans le quotidien *Le Temps*.

Pour la première fois, Éva observe le déroulement des événements d'un œil critique, extérieur à la scène où se déroule l'action. Elle constate la confusion qui règne au sein du comité organisateur et s'interroge sur la pertinence pour la Société d'avoir fait venir de France les demoiselles Hémon, si c'est pour réserver pour l'année suivante les grandes célébrations. L'avenir du musée la laisse perplexe. Elle craint qu'il ne fasse les frais d'une vaine lutte de pouvoir.

– Laisse-les donc se démêler avec leurs problèmes internes. Pour une fois que c'est pas toi qui as le trouble, tu devrais en profiter pour te reposer, lui conseille Gustave.

– C'est pas mal plus facile à dire qu'à faire, tu sauras !

À l'heure prévue pour le début des solennités, le cardinal Villeneuve, archevêque de Québec et primat de l'Église catholique au Canada, se fait toujours attendre. La nervosité des organisateurs est palpable, celle d'Éva de même.

– Ça va juste leur faire apprécier ce que t'as réussi à faire toute seule ces dernières années, ricane Gustave.

– On dirait que tu prends ça à la légère, ma foi !

– Je prends pas ça à la légère, j'essaie de te détendre un peu. Tu te vois pas… t'es tendue comme une corde de violon !

– Non, mais je vois ce qui se passe et ce n'est pas à mon goût.

– Il va pourtant falloir que tu apprennes à laisser le contrôle à d'autres…

– Je sais.

Après un délai plus que raisonnable, le responsable de la Société finit par se faire une raison et donne l'ordre de commencer sans la présence du prélat. Les orateurs sont en verve, les auditeurs se laissent séduire. Même Éva arrive à se calmer un peu. Jean Bruchési, en tant que représentant du gouvernement du Québec et membre de la Société

Royale, offre d'abord au musée une plaque commémorative, rappelant qu'« un grand écrivain est passé par là ». Puis c'est au tour de M. Bonnafous, le consul de France à Québec, d'entreprendre son discours.

Mais au moment où ce dernier est en plein cœur de son allocution, le cardinal Villeneuve, entouré de ses acolytes, fait son apparition. Dès qu'ils le voient s'approcher, quelques invités, parmi ceux qui sont assis à l'arrière, se mettent spontanément à applaudir ; bientôt, d'autres les imitent, et en quelques secondes c'est le chaos le plus total dans l'assistance. Le cardinal, ignorant qu'une allocution est déjà en cours, interprète cet accueil comme une invitation. Sans plus de préambule, il monte sur la tribune et entreprend son propre exposé. Éva, pâle comme une morte, cherche Gustave des yeux. Ce dernier hausse les épaules en signe d'impuissance. « C'est ici que le génie littéraire s'est rencontré avec la force et la beauté du génie colonisateur[52] », affirme l'ecclésiastique.

M. Bonnafous, un sourire figé sur les lèvres, n'a d'autre choix que de céder la place au nouveau venu. Les gens se regardent, confus, mais le mal est fait. À la fin du discours, les deux orateurs sont remerciés en même temps par un maître de cérémonie visiblement très mal à l'aise. C'est alors seulement que Mgr Villeneuve se rend compte de la méprise. Il se précipite vers M. Bonnafous pour s'excuser. Le reste de la cérémonie se déroule dans une grande agitation nerveuse. Lydia-Louis Hémon reçoit la clé du nouveau musée et procède finalement à l'ouverture officielle.

*

– J'étais tellement gênée ! confie Éva à Gustave une fois qu'ils ont regagné la maison.

– Gênée ? Mais pourquoi ? C'est pas toi qui es arrivée en retard, puis c'est pas toi non plus qui as commencé à applaudir, à ce que je sache !

– Non, mais c'est chez moi que c'est arrivé…

– Veux-tu ben arrêter de t'en faire avec ça ! De toute façon, c'est fait, tu peux rien y changer.

– Reste que c'est embêtant, un incident comme ça. M. Bonnafous a certainement dû se dire que les Canadiens français n'avaient aucun savoir-vivre.

– Laisse faire ce qu'il peut penser ou pas ! Tu n'es pas « les Canadiens français » ! Tu es Éva Bouchard. Et Éva Bouchard pouvait rien faire pour empêcher ça. Bon ! Ça fait que là, tu vas arrêter de penser à ça.

Elle soupire.

– Et puis, finalement, moi, j'ai trouvé ça plutôt drôle si tu veux savoir. As-tu remarqué la tête des organisateurs ? Eux autres, ils étaient dans leurs petits souliers !

Il finit par lui arracher un sourire.

– Comment ça s'est passé avec Mlle Lydia Hémon ? J'ai vu que tu jasais avec elle après la prise de photos.

– Oui et je la trouve plutôt sympathique. J'ai remarqué que quand sa tante n'est pas là, elle parle beaucoup plus, elle est beaucoup plus ouverte.

– Qu'est-ce qu'elle t'a dit ?

– Entre autres, qu'elle aimerait revenir en hiver, pour voir si ça correspond à l'idée qu'elle s'est faite en lisant le roman. Elle m'a dit aussi de ne pas m'inquiéter, qu'elle va s'employer à faire en sorte que le musée survive.

– Bonne nouvelle !

– Tout ce que je souhaite, c'est de ne pas avoir travaillé toutes ces années-là pour rien.

– En tout cas, tu devrais avoir moins de responsabilités et moins de casse-tête.

Elle réfléchit quelques secondes :

– On verra bien…

*

Mais le temps lui confirme ce dont elle se doutait déjà : le détachement ne sera pas facile. Elle a investi trop de son temps et de ses énergies pour accepter de laisser aller aussi aisément à des mains étrangères l'œuvre de sa vie. Sans trop s'en rendre compte, elle continue de travailler avec autant d'acharnement qu'avant, comme si le musée lui appartenait encore. Elle voudrait surtout influencer les décisions de la Société des Amis de Maria Chapdelaine, le nouveau propriétaire, en fonction du jour où elle ne sera plus là. Car l'avenir de ses neveux orphelins la préoccupe déjà.

1939

Avant même d'ouvrir les yeux ce matin-là, Éva voit défiler en accéléré le plan de la journée. Elle s'oblige à respirer à fond. S'étire. Le soleil réchauffe déjà la pièce malgré les rideaux encore fermés. La journée sera chargée, elle le sait. Mais une étrange et insistante sensation de sérénité lui dicte de demeurer étendue encore un moment, à savourer cette chaleur apaisante qui envahit ses membres un à un, comme une promesse de béatitude.

Dans la cuisine, elle découvre avec plaisir que Rita a préparé son petit déjeuner favori, fait de gruau d'avoine bouilli dans du lait, et de pain chaud avec du beurre. La jeune fille lui annonce que Gustave, levé à l'aube, est déjà sorti pour s'assurer que tout est en place. Quant à Aline Lindsay, engagée comme hôtesse pour la cérémonie, elle s'affaire à la préparation des tables et du repas pour le dîner sous la tente.

Une fois dehors, Éva constate que les représentants de la Société des Amis de Maria Chapdelaine, qui occupaient quatre de ses chalets, ont déjà pris en main le déroulement de la journée. C'est sur eux que repose le succès de la fête qui marquera le vingt-cinquième anniversaire de la publication du roman en feuilleton. Quand arrive la mission française, présidée par le duc de Lévis-Mirepoix, elle est complètement rassurée.

Le soleil est radieux, c'est sans doute la plus belle journée de l'été. On procède à l'érection d'une plaque commémorative en face du musée, on assiste à de nombreux discours. Souriante, Éva va de l'un à l'autre, se prêtant de bonne grâce aux séances de photo et aux bavardages d'usage. Gustave frémit de contentement lorsque l'honorable juge Fabre-Surveyer, président de la Société, parle du « zèle inlassable de Mlle Éva Bouchard ».

> Aujourd'hui, dit l'hon. juge, c'est l'apothéose de notre société avec la mission française. « Péribonka, s'écrie l'orateur, tu ne seras plus un petit village ignoré, puisque la France entière est venue te contempler. » Il faudra un lendemain à ces fêtes, dit M. Fabre-Surveyer ; il faudra le concours de toute la population pour que le musée Louis Hémon devienne un lieu de pèlerinage, un centre d'attraction ; pour que *Maria Chapdelaine* soit lu dans toutes les écoles[53].

*

– Enfin ! s'exclame Gustave une fois les derniers invités partis.

– Oui. On va pouvoir se détendre un peu. J'ai hâte de m'asseoir.

Gustave regarde sa sœur d'un air étonné :

– Je pense que t'as pas compris ce que je voulais dire.

Éva continue de marcher lentement vers la maison. Elle a beau chercher, son cerveau fatigué ne répond plus à l'appel. Elle se tourne vers son frère :

– Quoi donc ?

– Je dis : Enfin, ils ont compris ! Enfin, ils t'ont rendu les hommages que tu méritais !

– Ah ! ça ?

Elle pose prudemment le pied sur la passerelle qui conduit à la maison. Une fatigue généralisée l'a envahie aussitôt la cérémonie terminée. Elle n'a plus qu'une seule envie : s'asseoir tranquillement dans la berceuse près de la fenêtre, poser ses pieds las sur un tabouret et fermer les yeux. Pendant les discours, elle a scruté les visages, tenté de deviner ce qui se passait dans l'esprit des nombreux convives. Elle a essayé de discerner dans la physionomie des gens à quels moments précis ils étaient ou n'étaient pas d'accord avec ce qui se disait. Peine perdue. Dans ces occasions-là, tout le monde adopte une attitude de circonstance. Puis elle s'est dit que ce n'était pas vraiment important. Que ce qui comptait était ce qu'elle-même pensait, ce qu'elle ressentait. Et elle s'est laissée aller à la fierté, à l'agréable sentiment d'avoir accompli quelque chose d'important. Elle a regardé Gustave et a lu la même fierté dans son regard. Il n'y avait que cela qui comptait, elle en était convaincue à présent. Alors, elle s'est enfin détendue.

– As-tu entendu le représentant de l'Académie française, M. De Lacretelle ? Il a dit qu'en apprenant ce que tu avais fait à Péribonka, la mission française avait ressenti de la sympathie et du respect pour toi, il a dit que tu avais gardé le « culte de l'écrivain ». Et tu as vu comment les gens ont applaudi ?…

– Ma foi, Gustave, as-tu appris les discours par cœur ? le taquine Éva en entrant dans la maison.

– Ma tante, mon oncle, voulez-vous du thé ? propose Rita avant même qu'ils ne s'assoient.

– Avec plaisir, ma belle enfant, soupire Éva en se laissant tomber sur sa chaise.

– On va célébrer la victoire de ta tante, ma fille, annonce Gustave.

– Quelle victoire ? demande Éva.

– Tu as réussi à te faire respecter malgré toutes les oppositions que tu as rencontrées depuis le début, tu as tenu tête aux mauvaises langues et puis, tu as entendu le juge Surveyer, tout ce beau monde qui était là aujourd'hui, c'est toi qui l'as amené là. Si c'est pas une victoire, ça !…

Les yeux fermés et la tête renversée vers l'arrière, Éva se concentre sur la chaleur que répand en elle le thé bien chaud. « Le respect », songe-t-elle, oui, elle est fière du respect qu'elle a réussi à imposer, mais plus encore, elle est fière d'avoir appris à se respecter elle-même, à se faire confiance ; d'avoir graduellement cessé d'attendre l'approbation des autres, d'avoir appris, au-delà des critiques, à s'occuper d'elle-même et de ses propres besoins. « Liberté » est le mot qui lui vient à l'esprit. Elle n'y avait jamais pensé avant, mais elle a l'impression d'avoir inventé sa propre liberté, en se dégageant peu à peu des jugements portés à son égard, du piège des ressentiments. Oui, Gustave a raison, c'est une victoire, et bien plus grande qu'il ne peut imaginer.

1941-1947

Avant même l'arrêt complet du train, Éva aperçoit Gustave et Roméo près de la carriole qui la conduira à l'Hôtel Bouchard d'East-Broughton pour le reste de l'hiver. « Gustave a vieilli », songe-t-elle en voyant ses traits tirés.

– As-tu fait un bon voyage ?

– Très bon. Partout où je suis passée, j'ai été accueillie comme une reine.

– Et c'est pas fini, il te reste East-Broughton ! la taquine son frère.

– Oh ! je ne doute pas une minute que ce sera la meilleure partie de mon voyage, réplique Éva en riant.

– Vous êtes pas trop fatiguée, ma tante ? Avez-vous froid ? Aimeriez-vous entrer vous réchauffer un peu dans la gare avant de repartir ?

– Je te remercie, Roméo, mais j'ai somnolé un peu dans le train entre Québec et Vallée-Jonction. Et puis le temps est plutôt doux pour une fin de janvier. Je serais prête à repartir. J'ai tellement hâte de voir tout mon monde ! Comment vont Marie-Ange et les enfants ?

– Ils vont très bien, merci.

– Et Léo ? Et les jeunes ? demande-t-elle en se tournant vers Gustave.

– Ils sont tous en santé, j'imagine que c'est déjà beaucoup, lance-t-il, un soupçon d'amertume dans la voix.

Éva n'insiste pas davantage.

– Et Toronto, comment c'était ? questionne Gustave, de toute évidence soulagé de pouvoir changer de sujet.

– J'ai rarement reçu un accueil aussi chaleureux. J'ai signé des centaines d'exemplaires de *Maria Chapdelaine* qui ont ensuite été vendus au profit des soldats canadiens. L'exposition avait été organisée à l'intérieur de la maison Simpson, par la librairie McMillan. J'ai même été reçue chez M. Burton, le président de la compagnie Simpson, ajoute-t-elle avant de reprendre son souffle.

– Ouais, y a pas à dire, la petite sœur, tu fréquentes pas n'importe qui ! À part ça, qu'est-ce que t'as fait ?

– Le directeur du département de français, M. Jeanneret, m'a fait visiter l'université de Toronto et plusieurs endroits intéressants de la ville. Et à la fin de l'exposition, il y a eu une grande réception chez M. McMillan lui-même.

– Ensuite, vous alliez pas à Ottawa ? questionne Roméo.

– Oui. Et à Montréal aussi. La maison Dupuis & Frères m'a même offert une belle réception. J'ai vraiment été gâtée. Par contre, quand on sait que le voyage tire à sa fin, on a toujours hâte de revenir pour se reposer.

– Mais c'était pas fini, il restait Québec, je pense…

– Oui, les deux derniers jours. J'ai visité les locaux du journal *Le Soleil*. D'ailleurs, demain, ils doivent publier un article sur ma visite.

– J'ai hâte de voir le journal.

– Mais le but principal de mon arrêt à Québec était de rencontrer M. Boulanger, le chef de cabinet du premier ministre, qui est aussi président de la Commission provinciale du tourisme.

– Hum ! fait Roméo, impressionné.

– Ils doivent commencer à te connaître, au Parlement ! commente fièrement Gustave. C'était à quel sujet, cette fois-là ?

– Depuis mon départ du Lac-Saint-Jean, j'avais une requête du conseil de comté de Roberval, pour demander au gouvernement d'installer plus d'affiches le long des routes pour annoncer le musée.

– Ouais, ils ont avantage à l'annoncer, le musée, s'ils veulent le rentabiliser.

– Je voulais aussi leur faire part d'un problème plus personnel : c'est qu'il faut toujours que je sois disponible pour les visiteurs, du matin jusqu'au soir. Et comme il y a de plus en plus de touristes, j'ai demandé quelqu'un pour m'aider. En fait, il faudrait qu'ils libèrent des fonds pour engager une deuxième personne.

– Est-ce qu'ils sont d'accord ?

– Tu penses bien que je n'ai pas eu de réponse ! De toute façon, je ne m'y attendais pas. Ils m'ont écoutée poliment, mais la seule réponse que j'ai eue est qu'ils étudieront mon cas. Même chose pour la question des affiches.

– Pendant ce temps-là, tu continues de te faire mourir à travailler douze heures par jour ! s'emporte Gustave, prêt à monter au front.

– Mais d'un autre côté, il faut bien comprendre que si n'importe quel petit député prenait n'importe quelle décision sans consulter son parti, ce serait inquiétant !

– Ouais…, reconnaît Gustave.

– C'est long, mais depuis le temps, j'ai fini par m'habituer. Seulement, il faut continuer de leur pousser dans le dos si on veut éviter que notre dossier reste indéfiniment en dessous d'une pile sur un bureau.

– Tu t'impliques autant qu'au temps où t'étais toute seule, ma foi ! Pourtant, c'est la Société des Amis de Maria Chapdelaine qui a pris le musée en charge. Il me semble que ça devrait être eux autres qui…

– Je continue de me battre avec eux, Gustave, parce que ça fait partie de mon rôle. Mais c'est aussi pour moi… et pour les enfants de Nil après moi. Parce que ce sont mes enfants maintenant et que je veux assurer leur avenir. Je voudrais que mes efforts des quinze dernières années servent au moins à ça.

Gustave hoche la tête en silence avant de demander :

– Mais j'imagine que la guerre doit avoir des répercussions sur le tourisme au Lac-Saint-Jean aussi…

– Curieusement, répond Éva, l'an passé, malgré la guerre et la diminution des touristes américains, j'ai compté près de 3 200 signatures dans le livre d'or. C'est encore plus que les années précédentes.

Gustave soupire et remonte la couverture qui leur couvre les genoux, plus par réflexe que par nécessité.

– Tu travailles fort, mais au moins, toi, tu avances, tu finis par arriver à quelque chose ! murmure-t-il entre ses dents.

Au détour de la route, un paysan les salue. Ils auront tout le temps de parler des déboires de Gustave. Éva décide de ne pas relever le commentaire et le reste du trajet se déroule presque en silence.

*

– Est-ce que Gustave t'a annoncé la nouvelle ? demande Léonie d'une voix traînante, sans lever les yeux de la pâte qu'elle est en train de rouler.

– Quelle nouvelle ? questionne Éva, abandonnant les pommes qu'elle achève de peler.

– Il s'est trouvé du travail à Québec.

Éva est stupéfaite. Finalement, il l'a fait ! Il lui avait bien confié l'année précédente qu'il songeait à chercher un salaire d'appoint mais il n'en avait plus reparlé et elle n'y avait plus repensé.

– Mais est-ce qu'il n'y avait vraiment rien d'autre à faire ? interroge Éva.

Léonie s'arrête à son tour et regarde tristement sa belle-sœur :

– Va pas t'imaginer qu'il fait ça par plaisir, répond-elle. Il a investi tout ce qui lui restait dans cet hôtel, toutes ses énergies, et on arrive à peine à boucler les fins de mois. Puis cette fois, on peut toujours pas lui reprocher d'avoir fait des dépenses excessives : les bâtiments pour les chevaux et les voitures sont à la veille de tomber en ruine.

Éva hoche doucement la tête.

– Mais c'est comme ça, enchaîne Léonie en reprenant son travail. C'est la fatalité, j'imagine. Puis au fond, c'est moins pire que si on avait encore tous les enfants à notre charge : Jeannette et Gertrude ont chacune leur famille ; Simonne, Annette et Yvon travaillent à Montréal, il reste seulement René et Claude.

– Et Roméo ?

Léonie soupire :

– Si ça va bien pour Gustave, Roméo va peut-être aller le rejoindre.

– Mais il a deux jeunes enfants !

– Je veux bien croire, mais il a de la misère à arriver lui aussi.

– Mon Dieu ! se désole Éva. Et ses cours d'orgue ?

– Il garderait quelques élèves pour les fins de semaine. Mais il faut pas se raconter d'histoires, Éva : la guerre a changé pas mal de choses dans les habitudes du monde.

– Qui va s'occuper des clients s'ils partent tous les deux ?

– René s'en va sur ses seize ans, il va pouvoir me donner un coup de main. Mais pour l'instant, il s'agit seulement de Gustave, rappelle calmement Léonie.

– Et il va faire quelle sorte de travail ?

– Il va travailler pour une compagnie qui engage des bûcherons. Il faut qu'ils remplacent ceux qui se sont engagés dans la réserve ou qui sont partis pour la guerre. Il va s'installer un bureau dans sa chambre et il va travailler de là.

– D'une chambre d'hôtel ?

– Oui. Il va rencontrer les hommes qui sont intéressés à aller dans les chantiers et engager ceux qui font l'affaire.

« Quel gâchis ! » se dit Éva. Tant de travail et de sueur pour en venir à vivre cinq jours sur sept enfermé dans une chambre minable, loin de sa famille, pour arriver à ce qu'on appelle « gagner sa vie » ! La vie, ne devrait-on pas plutôt être occupé à la vivre ?... Ne nous a-t-elle pas été « donnée » ? Qui donc se l'est appropriée pour qu'on doive désormais la « gagner » ? Quelle aberration !

Elle se lève, en colère contre elle ne sait trop qui. De la fenêtre de la cuisine, elle observe Gustave qui aide un client à conduire son cheval dans la grange et à ranger sa carriole dans l'immense hangar avant que la tempête ne prenne pour de bon. Se croyant à l'abri des regards, il regagne l'hôtel, son dos voûté laissant deviner tout le poids des années, du travail, des échecs accumulés. À 58 ans, fatigué, usé, il se prépare à partir une fois de plus vers une nouvelle aventure. Le pas et le cœur toujours un peu plus lourds.

*

– Merci mademoiselle.

Éva salue les derniers Routiers de Joliette qui, après l'avoir questionnée, se dirigent énergiquement vers le village dans l'espoir de rencontrer Samuel Bédard. Elle s'assoit sur la première marche et compte machinalement les nombreuses cartes postales que les scouts ont écrites à leurs familles. Puis elle se lève et entre dans le Foyer désert, dépose les cartes dans le sac du facteur et s'assoit lourdement près de la fenêtre. Pas un visiteur en vue. Tant mieux ! Elle se sent tellement lasse… Cet été, elle sait qu'elle ne devra pas attendre son frère, retenu à Québec la semaine et à East-Broughton la fin de semaine. Elle aurait pourtant bien besoin d'être encouragée. Le nombre de touristes ayant diminué considérablement, l'été 1941 lui semble s'étirer sans fin. Et curieusement, malgré qu'elle ait moins de travail et par conséquent plus de temps pour se reposer, l'énergie lui fait défaut.

– Ma tante, voulez-vous que je garde un peu ?

Gérard, le plus jeune des enfants de Nil, est entré sans faire de bruit. Elle lui sourit. Il aime bien surveiller le Foyer de temps à autre, pendant que sa tante se repose ou s'occupe à autre chose. Mais il aime surtout sentir qu'elle lui fait confiance, même si elle se réserve encore les visites du musée. Longtemps habitué à laisser la place à ses aînés, Gérard a l'impression que ce territoire lui appartient, ses frères ne manifestant aucun intérêt réel pour ce qui a trait au musée ou au Foyer. À quinze ans, il rêve déjà d'inventer de nouveaux moyens pour attirer davantage de visiteurs à Péribonka. Mais en attendant, comme sa tante Éva le lui a fait promettre, il se consacre d'abord à ses études afin de devenir maître d'école, comme son frère René.

– Vous devriez aller vous étendre un peu, vous avez l'air fatiguée.

– Tu sais, à mon âge, la fatigue, ça devient presque un état permanent, réplique-t-elle en riant, consciente du fait qu'il cherche par tous les moyens à la convaincre de le laisser un peu seul. Et qu'est-ce que tu vas faire ?

– J'ai laissé mon accordéon sur la galerie. Je vais m'asseoir dehors et jouer en attendant qu'il arrive du monde. Si c'est pour le Foyer, je m'en occupe. S'ils veulent visiter le musée, je traverse vous chercher.

– Est-ce que Fernand a ramassé des légumes pour le souper ?

– Oui. Des petites fèves, des carottes, des concombres, des radis pis des patates, chantonne Gérard joyeusement.

Éva redresse les épaules. Avec Fernand pour s'occuper de la ferme et Gérard, des touristes, sa relève est assurée.

– Bon. Je vais voir ce que je peux faire avec ça, dit-elle en se levant.

Elle traverse lentement la route pendant que l'accordéon entonne joyeusement les premières mesures d'une chanson du soldat Lebrun.

*

M. Gustave Bouchard
East-Broughton

Péribonka, le 5 août 1941

Cher frère,

J'espère que tout le monde est en santé chez vous. Ici, nous allons tous bien. Les enfants m'aident beaucoup, chacun à sa façon.

Par contre, à part les groupes organisés et prévus à l'avance, la clientèle se fait plutôt rare cette année. La guerre se fait sentir jusqu'ici, qui l'aurait cru ? Hier, j'ai eu la visite de M. Arthur Leblanc, le célèbre violoniste, accompagné de sa femme et de deux Acadiens. C'est un jeune homme très sympathique qui a une grande dévotion à la Vierge. Il a bien voulu jouer un Ave Maria. Le petit musée aura donc vibré au son de sa musique. C'est regrettable qu'il n'y ait eu que deux autres visiteurs à ce moment-là pour en profiter. Il a signé le livre d'or, j'étais très honorée de sa visite.

Je trouve dommage que tu ne puisses pas venir me rendre visite cet été. Tu me manques déjà. J'ai bien l'intention d'aller passer un bout d'hiver à East-Broughton encore une fois si les circonstances le permettent.

Tu me dis que Roméo est allé te rejoindre à Québec. Je vous souhaite que cette situation ne durera pas trop longtemps. C'est sûrement très difficile pour vous deux, comme ça l'est pour vos familles. Je prie pour que vous ayez la patience et le courage de passer à travers cette nouvelle épreuve. Cette guerre finira bien par finir !

En attendant, embrasse Léo et les enfants pour moi.

Affectueusement,

Ta sœur Éva

P.S. J'ai envoyé un petit mot à Jeannette pour la féliciter de la naissance de son deuxième garçon.

*

* *

C'est René, cette fois, qui accueille sa tante à la gare d'East-Broughton. Le froid coupant a dessiné de belles lunes rouges sur ses joues et Éva rit à leur contact quand il l'embrasse.

– J'ai fait chauffer des briques et maman m'a donné plusieurs couvertures.

– Je ne refuse aucune source de chaleur, après les heures que je viens de passer dans le train.

– Il faisait froid ?

– Plutôt, oui. Je me sens à peine les pieds. Je suis tellement contente d'être arrivée !

Elle s'amuse à se laisser envelopper par son neveu dans les couvertures encore tièdes, comme si elle était un colis précieux. Elle en profite pour observer le grand jeune homme attentif et prévenant qu'il est devenu. « Quel beau garçon solide il fait ! » pense-t-elle.

– Ton père me dit que tu es devenu indispensable à l'hôtel en son absence.

– Maman fait la cuisine… Moi, je m'occupe des clients qui viennent au bar, des bâtiments pour les chevaux et des animaux.

– Tu as toujours aimé les animaux, toi…

René sourit. De son sourire si communicatif, qui lui fait les yeux pleins de tendresse.

– C'est vrai. Ma nouvelle spécialité, c'est les pigeons, annonce-t-il, un soupçon de provocation dans la voix.

– Des pigeons ? répète Éva, incrédule.

– J'essaie d'en faire des pigeons voyageurs.

Éva secoue la tête, amusée.

– D'aussi loin que je me souvienne, tu as gardé des animaux, ajoute-t-elle. Que ce soit à Beauceville, à Sainte-Marie… Et l'année où vous êtes venus habiter Péribonka, tu as réussi à apprivoiser des canards et des lapins. Il y avait même une poule qui te suivait partout.

René rit à ce souvenir. De son grand rire enveloppant et irrésistible auquel Éva cède avec délectation.

La carriole tourne péniblement en direction de l'hôtel qui, dès le bout de la rue, propose déjà son profil carré et sans âge. Le grincement de l'attelage inquiète Éva un instant, mais René dirige calmement et fermement le cheval sur le chemin glacé. Le frottement régulier des skis sur la neige battue la rassure bientôt. Reste à se laisser porter doucement. Dans quelques minutes, elle reverra Léonie et Claude, son benjamin, qui doit bien la dépasser d'une tête maintenant. On change si vite à treize ans ! Et Gustave… Sans doute sera-t-il encore un peu plus fatigué que la dernière fois… Elle le saura en fin de semaine, quand il reviendra de Québec où le retient son travail.

*

– J'ai décidé de vendre avant qu'il soit trop tard, cette fois, annonce Gustave à sa sœur une fois que tout le monde s'est retiré de la salle à manger.

– Où est-ce que vous iriez ?

– À Québec, sur la rue du Pont. On va louer un ancien hôtel.

– Encore ? s'affole Éva.

Gustave sourit :

– Cette fois-ci, on loue, on n'achète pas ! Et l'hôtellerie, c'est ce qu'on connaît le mieux, Léo et moi. On veut transformer ça en pension familiale. Il y a beaucoup de jeunes filles de la campagne qui viennent travailler en ville, dans les grands magasins comme Pollack, chez Paquet ou au Syndicat de Québec, et qui ont de la misère à trouver des maisons de pension tenues par du monde respectable où elles vont être bien nourries et bien logées. Au Bon Gîte – c'est comme ça que ça va s'appeler – elles vont être en sécurité.

– Mais Léo se reposera donc jamais ? s'inquiète Éva.

– C'est comme elle dit : « Faire à manger pour dix ou pour vingt… »

– C'est donc si grand que ça ?

– Il y a plusieurs petites pièces qu'on peut facilement transformer en chambres. Tu vas voir, c'est quelque chose de bien.

– Si je comprends bien, c'est décidé ?…

– Ça devrait se confirmer la semaine prochaine, aussitôt que le contrat de vente de l'hôtel sera signé.

Éva n'ose lui demander s'il vend à perte. Elle se dit que c'est sûrement le cas, sinon, il lui en aurait parlé. Mais il est évident qu'ils en ont assez d'être partagés entre Québec et East-Broughton.

– Tu m'en fais des surprises ! dit-elle simplement. Léo ne m'avait rien dit.

– Je voulais te l'annoncer moi-même.

Il se tait un moment et se redresse, l'œil brillant :

– Pis ça va être encore plus facile pour toi de venir nous voir à Québec qu'à East-Broughton ; Roméo va aller te chercher directement à la gare du Palais, c'est à deux minutes d'où on va être.

– Est-ce que Roméo déménage aussi avec sa famille ?

– Oui. Il va rester avec nous autres pour commencer, puis ils vont se prendre un logement à eux autres un peu plus tard. Par contre, il y a Yvon et Annette qui reviennent chez nous, ajoute-t-il dans un large sourire.

Éva reconnaît bien là son frère. Pourvu que son monde reste autour de lui !

– À Québec, ça va être plus facile pour Roméo de trouver des élèves pour ses cours d'orgue. Pis il paraît qu'avant longtemps ils vont avoir besoin d'un bon organiste à la basilique pour les vêpres du dimanche.

– Ça serait bien pour lui.

– Mais toi ? s'inquiète Gustave tout à coup, devant le peu d'enthousiasme démontré par sa sœur. Tu m'as dit que la clientèle avait diminué l'été passé, comment ça va ?

– Ça va bien. Sauf qu'il n'y a rien de bien spécial. C'est la routine.

– La routine ! répète Gustave en fronçant les sourcils. Je me souviens d'un temps où tu parlais bien autrement de ton travail…

Éva soupire :

– Moi aussi, je vieillis, Gustave.

Il la voit se concentrer, entrer en elle-même.

– C'est comme si, tranquillement, sans m'en être rendu compte, j'avais un peu perdu le feu sacré, reprend-elle.

Gustave retient son souffle.

– De plus en plus souvent, je me surprends à… regarder tout ça de l'extérieur, comme si j'étais spectatrice au lieu d'être l'actrice principale.

Il n'ose plus bouger, de peur d'interrompre la réflexion de sa sœur.

– Je travaille autant qu'avant, mais probablement par réflexe, par habitude. Seulement, au fond de moi, je me sens… moins impliquée. Je veux que ça continue de bien fonctionner, surtout pour Gérard, qui y met de plus en plus de temps et d'énergie. Mais si c'était rien que de moi, des fois, je me demande si je continuerais à me battre contre des moulins à vent…

– Tu es fatiguée, Éva. Tu as tellement travaillé pour arriver à faire ce que tu as fait, c'est normal que tu sois fatiguée.

Éva lève un regard inquiet. Il lui sourit avec compassion. Puis se lève en déclarant joyeusement :

– Mais j'ai un remède pour ça, moi. Un remède infaillible pour te remonter le moral et te redonner de l'énergie. T'as moins d'ouvrage, pis astheure Rita est capable de tenir maison toute seule. Ça fait qu'y a plus rien qui va t'empêcher de venir passer tous tes hivers à Québec avec nous autres. Pas question d'en sauter un cette fois-là, t'as compris ?

Éva sourit.

– Et en plus Adrienne, la sœur de Léo, va probablement venir rester avec nous autres elle aussi. On va pouvoir jouer aux cartes tous les soirs, si ça nous tente.

Cette fois, Éva rit franchement :

– Ah là ! si tu me prends par les sentiments…

*

– Est-ce que c'est vous qui tissez les nappes que vous vendez, mademoiselle Bouchard ?

– Non. Malheureusement, je n'ai plus le temps pour ce genre de travaux. Elles sont confectionnées par des Fermières de la région, comme les rideaux de dentelle et tous les autres produits d'artisanat d'ailleurs.

– C'est vraiment remarquable, s'exclame la dame en se déplaçant, excitée, de l'un à l'autre des articles. Je n'arrive pas à me décider.

Éva est soudain distraite par un bruit de moteur. C'est la voiture de Louis, elle la reconnaît au son. Louis qui amène Gustave, enfin !

– J'aime beaucoup le chemin de table tissé vert et blanc. Mais j'aime aussi les appuie-tête tout blancs. Le problème, c'est que ma belle-mère habite avec nous et qu'elle n'aime pas le vert, ce qui me fait hésiter à choisir le chemin de table, confie-t-elle à Éva dans un sourire qui se veut complice. Par contre, elle a crocheté des appuie-tête il y a quelques années et ils commencent à être passablement défraîchis, si vous voyez ce que je veux dire…

La dame dépose les objets sur le comptoir pendant que son géant de mari soupire devant la fenêtre.

– Que feriez-vous à ma place ?

Éva n'en a aucune idée et n'a surtout pas envie de décider à la place de cette cliente guindée qui, de surcroît, l'empêche d'aller accueillir son frère comme elle le souhaiterait.

– Prends les deux, grogne le mari sans tourner la tête.

« Mais oui, quelle bonne idée, se dit Éva. Et qu'on en finisse ! »

– Mais non, mon chéri, tu ne comprends pas. Je ne veux pas laisser croire à ta mère que je n'aime plus ses appuie-tête. Et d'un autre côté, elle a horreur du vert.

– Comme ça, laisse faire ! ronchonne le géant, toujours immobile.

Les portes de l'auto se referment une à une. Éva est confinée derrière le comptoir du Foyer, imaginant son frère en train de se diriger vers la maison avec sa valise. Elle trouverait bien un prétexte quelconque pour se rendre à la fenêtre, juste pour voir, mais le géant y semble établi à demeure.

– Mais c'est que je veux acheter quelque chose !
– Pour elle ou pour toi ?
– Pour elle, voyons !
– Ben comme ça, choisis quelque chose qui va lui faire plaisir à elle !
« Logique, le géant ! pense Éva. Bourru, mais pas bête. »
– Ha ! fait la dame, exaspérée.
Puis, dans une grimace adressée à Éva :
– Finalement, je vais y repenser et revenir demain.
– C'est que… demain, ce sera fermé.
– Fermé ? Mais demain, c'est samedi…
– Oui, mais ma nièce se marie.
– Oh ! Toutes mes félicitations ! s'exclame la cliente, à demi hystérique, comme si Éva avait quelque chose à y voir.
Devant la fenêtre, le géant trépigne d'impatience. Sa femme l'ignore complètement. Éva déglutit en souhaitant que la dame se décide.
– Eh bien ! je vais prendre les appuie-tête.
– Les appuie-tête, répète Éva en essayant de cacher sa surprise. Ce sera 25 cents.
L'homme s'est retourné, mais au grand soulagement d'Éva, il se contente de hausser les épaules. Manifestement il en a vu d'autres.
– Voilà : 25 cents. Vous lui ferez un bel emballage. C'est important les emballages, dit la dame en s'éloignant vers la porte. Et des appuie-tête, c'est si joli. Dire que la plupart des jeunes couples s'en passent sous prétexte que c'est une dépense superflue !
Les appuie-tête restent suspendus au bout du bras tendu d'Éva, qui se demande si elle n'est pas en train de rêver.
– Et maman ? demande le géant bourru, tout aussi décontenancé qu'Éva.
– Tant pis ! De toute façon, il n'y a jamais rien qui lui fasse vraiment plaisir, tranche la cliente d'un ton excédé.

Éva baisse le bras, encore abasourdie par la scène à laquelle elle vient d'assister.

– Au revoir, mademoiselle.

– Au revoir, madame... monsieur... merci !

La porte est déjà refermée.

*

– Il fallait le mariage de Rita pour que tu viennes me voir. Depuis le temps ! plaisante Éva en embrassant son frère.

– Je pouvais pas refuser de servir de père à la fille de Nil pour son mariage. Mais tu as raison, c'est vrai que ça fait longtemps que je suis venu. Et comme t'es pas venue toi non plus l'hiver passé...

– Je ne pouvais pas, Gustave. Ange-Émile fréquentait sérieusement Rita. Il était ici à tous les bons soirs. Je ne pouvais pas les laisser sans surveillance, tu le sais bien...

Éva décide de garder son châle autour de ses épaules. Cette fin de septembre annonce décidément un automne froid. Elle dépose le petit sac contenant les appuie-tête sur la table avant de s'asseoir en face de son frère.

– Gérard, peux-tu surveiller le Foyer au cas où il arriverait des visiteurs ?

– Bien sûr, ma tante. Prenez le reste de la journée pour jaser avec mon oncle, je vais traverser au cas où il arriverait quelqu'un, et je vais m'occuper de fermer.

Gustave regarde sortir son neveu.

– C'est devenu un homme...

– Il va avoir dix-neuf ans en décembre, tu sais. Je peux vraiment compter sur lui pour tout ce qui regarde le Foyer et le musée. Ça l'intéresse et il a le tour avec les clients. Il passe ses deux mois d'été à m'aider. Et comme il va commencer à enseigner bientôt, je pourrai toujours compter sur lui pendant la grosse saison, étant donné qu'il sera en vacances pendant cette période-là.

– Et Fernand, il aime toujours s'occuper de la ferme ?

– C'est mon homme de confiance. Tu vois que j'ai bien fait de ne pas sacrifier René : il enseigne maintenant à Roberval.

– Tu avais raison. Et Louis me disait qu'il travaille dans le domaine du transport ?

– Il conduit des autobus et il fait du taxi en plus de faire la distribution du courrier. Ils se tirent tous d'affaire, je suis très fière d'eux. Mais maintenant, dis-moi donc : comment vont les tiens ?

– Bien, bien, répond Gustave. Le commerce nous permet de vivre pas trop mal. Financièrement, on commence enfin à respirer un peu.

– J'espère que Léo n'en fait pas trop, s'inquiète Éva.

Gustave s'attendait à cette question.

– Sa sœur Adrienne lui donne un coup de main, mais tu connais Léo… elle a toujours fait à manger et elle dit que ça la fatigue pas.

– J'imagine qu'elle a surtout peur que vous vous retrouviez avec des problèmes d'argent comme avant. Mais fais attention, Gustave, ta femme n'a plus vingt ans !

– Je le sais, Éva, je le sais.

– Si seulement on était plus proches !

– Eh bien, maintenant que je vais être mariée, ma tante, vous allez pouvoir recommencer à passer vos hivers chez mon oncle Gustave. Vous partirez quand le musée sera fermé. Louis et Fernand sont toujours bien assez grands pour se débrouiller !

Rita est arrivée au bas de l'escalier en souriant. Gustave se lève pour embrasser sa nièce.

– La future mariée a l'air en pleine forme, on dirait.

Éva les laisse à leur bavardage et sort les appuie-tête du petit sac. Dans sa hâte de retrouver Gustave, elle a négligé l'emballage.

– C'est un cadeau pour toi, annonce-t-elle à sa nièce.

– De qui ? demande la jeune fille

– Je n'en ai vraiment aucune idée, répond Éva. Et elle s'esclaffe en revivant la scène à laquelle elle a assisté un peu plus tôt.

Rita et Gustave se questionnent mutuellement du regard. Ils sourient tous les deux en voyant rire Éva, mais ils doivent se résigner à attendre qu'elle reprenne ses esprits et leur explique la raison de son hilarité. Pour le moment, elle s'essuie les yeux en revoyant mentalement le drôle de couple qu'elle vient de rencontrer.

*

Éva avait pris le train pour Québec aussitôt le musée fermé pour l'hiver. Au Bon Gîte, les journées s'écoulaient, douces et paisibles : Éva et Adrienne donnaient un coup de main à Léonie pour les repas et, le soir venu, on se détendait la plupart du temps en jouant au « 500 », à la « dame de pique » ou au « *bluff* ».

Mais au jour de l'An, lorsqu'elle avait appris, au hasard d'une conversation téléphonique avec sa nièce Rita, la maladie d'Albert Roy et son retour à Péribonka pour y mourir, comme il l'avait lui-même prévu, elle avait décidé de rentrer le lendemain. Gustave ne fut pas dupe des raisons qu'elle invoqua pour retourner à la maison. Mais ne sachant comment aborder ce sujet délicat, il s'abstint de commentaires. De toute façon, il savait pertinemment que rien ne la ferait changer d'idée.

Éva avait besoin de se retrouver seule avec sa douleur soudainement ravivée, de se replier une dernière fois sur cette vieille blessure qui lui avait toujours laissé le cœur à vif.

En ce vendredi 16 mars 1945, elle reste prostrée sur son lit jusqu'à l'heure où elle sait que le corps remonte la nef pour la dernière fois. De chez elle, à trois milles de l'église, elle ne peut entendre les glas. Mais elle les imagine si bien qu'elle en ressent chaque son comme un coup porté directement à son cœur, à son âme. Depuis des années, elle a tenté de laisser précieusement recouvertes les cendres de ce qu'elle ose enfin nommer son amour pour cet homme. Elle a soigneusement retenu l'élan qui la tendait continuellement vers lui. Mais la mémoire du cœur ne semble jamais vouloir fléchir. Jusqu'à ce qu'elle apprenne la mort d'Albert, elle a ressenti jusque dans ses fibres les plus intimes chacune des étapes de sa lente agonie. Il la rejoignait parfois la nuit dans ses rêves et ensemble ils reconstruisaient, au-delà de la souffrance, du temps et de l'espace, ce rêve avorté trente ans plus tôt.

Aujourd'hui, Albert Roy n'est plus. Pourtant, rien ne devra transparaître de ce deuil chez la veuve oubliée. Rien ne laissera deviner son chagrin, Éva s'en fait la promesse. Seule sa voix aura baissé d'un demi-ton peut-être, le pas sera devenu plus lourd, à peine…

IV

L'impasse

Collection privée de l'auteure.

La plupart des jetons sont empilés au centre de la table. Personne ne parle, chacun est concentré sur son jeu. Annette renonce et dépose ses cartes devant elle. Gustave hésite, se mord la lèvre inférieure, regarde sa femme assise en face de lui, tente d'évaluer ses chances et risque :

– Je double la mise.

Ce disant, il compte six jetons et, d'une main nerveuse, les envoie rejoindre les autres. Léonie bouge légèrement en se raclant la gorge. Gustave est aux aguets.

Éva replie son jeu et annonce :

– Je passe.

Soudain, Léonie pivote sur elle-même et se penche, ses cartes discrètement tournées vers sa sœur Adrienne, assise à sa droite.

– J'ai échappé mon mouchoir, dit-elle.

– Je passe, déclare aussitôt Adrienne, les yeux encore tournés vers son aînée.

– Hé là ! s'exclame Gustave. Vous avez triché, je vous ai vues.

– Qu'est-ce que tu racontes, Gustave Bouchard ? Voir si on oserait ! Notre mère nous a élevées mieux que ça, hein, Adrienne ? rétorque Léonie d'un ton espiègle.

Mais Adrienne, le visage rouge, est déjà tordue de rire. Le regard incrédule d'Éva, en face, se promène de l'une à l'autre ; elle tente d'imaginer, à défaut d'en avoir été témoin, ce qui a pu se passer.

En apercevant sa sœur hilare, Léonie feint l'indignation :

– Bon, dit-elle sur un ton faussement réprobateur, on peut même plus faire confiance à sa propre sœur, maintenant !

Adrienne rit de plus en plus fort. Éva et Annette sourient par contagion.

– Montre ton jeu, Léonie Martel ! la somme Gustave.

Léonie retourne fièrement les cinq cartes pendant que sa sœur, tournée de côté, s'appuie des deux bras au dossier de sa chaise en essayant de reprendre son souffle.

– Trois as ! tonne Gustave. Comme de raison, tu voulais pas que ta petite sœur perde ! T'as pas honte ?... Qu'est-ce que tu penses que le bon Dieu va dire de ça ?

– Voyons donc, Gustave Bouchard, le bon Dieu a autre chose à faire que de s'occuper de nos parties de 500 ! Et puis, quand tu jouais avec tes clients au bar, penses-tu que je le sais pas que tu trichais ? Je t'ai déjà vu !

– Quand je jouais avec mes clients, tout le monde trichait. C'était presque une règle. Mais nous autres, icitte, je pensais qu'on jouait sérieusement !

Il se lève et arpente la salle à manger en se frottant la tête.

Adrienne s'éponge les yeux en essayant de retrouver son sérieux.

– Gustave, plaide Éva, conciliante, on joue pour s'amuser. D'habitude, tu gagnes presque toujours. Sois donc bon perdant pour une fois !

– Puis toi tu prends leur défense ! Tu me déçois, ma chère.

Pendant ce temps, Annette a soulevé en douce les cartes que son père avait laissées sur la table.

– Papa, arrêtez donc de faire le scandalisé puis venez donc vous asseoir. Vous auriez pas gagné de toute façon.

Complètement désarmé par la remarque de sa fille, Gustave reste debout au milieu de la pièce, pendant que les quatre femmes s'amusent à ses dépens. Il finit par reprendre son siège en essayant tant bien que mal de sauver la face :

– En tout cas, sa tante, dit-il à l'adresse de sa belle-sœur, je vous pensais pas aussi couillonne !

– Vous le beau-frère, vous pouvez bien parler, vous avez pas l'habitude de vous gêner pour laisser perdre des faibles femmes !

– Pourquoi je me gênerais ? Les « faibles femmes », comme vous dites, sont bien capables de se défendre et de se tenir entre elles, je viens d'en avoir la preuve.

– Bon, on a assez joué pour ce soir, annonce Léonie. J'ai trois tablées qui m'attendent à la première heure demain matin. Je monte me coucher. Bonne nuit tout le monde.

Adrienne et Annette se lèvent à sa suite.

– Je vais me lever de bonne heure et je vais vous aider, maman, promet cette dernière en quittant la pièce à son tour.

– Bonne nuit.

*

– Gustave, connais-tu un bon notaire à Québec ?

– Un notaire ? Pourquoi faire ?

– Je veux faire mon testament avant de repartir le printemps prochain.

Gustave avait commencé à empiler les jetons dans une petite boîte de carton. Son geste se fige tout à coup.

– Ton testament ? répète-t-il d'une voix mal assurée.

– Tu as bien entendu.

– Pourquoi ? demande-t-il en fronçant les sourcils.

– Parce que… je vieillis, et que je ne veux pas qu'il y ait de chicane après ma mort.

– Qui te parle de mourir ?

– Il faudra bien qu'on en parle un jour. J'ai soixante-deux ans, Gustave. Est-ce que c'est nécessaire de te le rappeler ?

Gustave continue de ranger les jetons d'un air absorbé, comme si sa vie en dépendait.

– T'es pas malade toujours ? finit-il par demander.

Éva hésite un instant. Doit-elle révéler à Gustave que ses maux d'estomac, espacés au début, ont repris de plus belle, mais que cette fois il ne s'agit plus de simples problèmes de digestion ? Que la douleur est parfois à ce point lancinante qu'elle doit alors cesser toute activité ? Que les crises sont de plus en plus longues et fréquentes et la laissent épuisée pendant des heures, parfois des journées entières ?

– Qu'est-ce qui va pas ?

Elle a hésité trop longtemps. Elle ne peut plus feindre la désinvolture.

– Qu'est-ce qui va pas ? s'impatiente-t-il.

– Rien de bien grave, je suppose, mais j'ai encore mal à l'estomac.

Gustave la toise de son œil pénétrant, tente d'évaluer l'étendue des dégâts.

– Tu me caches quelque chose.

Éva éclate en sanglots.

– J'ai peur, Gustave. J'ai peur !

En un instant, il est près d'elle, l'entoure de ses longs bras rassurants.

– Avant d'aller voir un notaire, je vais t'emmener voir mon docteur, lui murmure-t-il, éprouvant à ce moment précis la même douleur qu'elle, celle qui se situe au-delà du corps, celle qu'on tait parce qu'aucun mot n'arrive à la définir, celle qu'on voit venir de loin sans pouvoir rien faire pour l'arrêter, inutile, hideuse et cruelle.

Elle le laissera faire. Elle le laissera l'emmener où il voudra, pourvu qu'on s'occupe d'elle, qu'on entoure et qu'on dorlote la petite fille qu'elle se sent redevenir. Elle voudrait pouvoir se laisser aller, ne plus lutter, ne plus avoir mal surtout, et dormir, longtemps, longtemps, pour oublier les innombrables combats de sa vie. Gustave reste la seule personne à qui elle peut montrer sans pudeur cette souffrance, ce grand vide autour et au-dedans d'elle. Elle ira où il lui dira d'aller, fera ce qu'il lui dira de faire. Sans discuter.

1948

– Mademoiselle Bouchard, encore un admirateur ! blague l'infirmière en entrant dans la chambre, précédée d'une immense gerbe de roses. Vous allez rendre les autres patientes jalouses. Où aimeriez-vous que je les mette ?

– Il y a déjà trop de fleurs dans cette chambre. Laissez-moi la carte et gardez les roses au poste des infirmières. Ce sera moins triste pour celles qui travaillent à Noël et au jour de l'An, dit Éva d'une voix chevrotante.

– C'est que nous n'avons plus de place non plus…

– Alors donnez-les à d'autres malades.

Éva ferme les yeux, déjà épuisée.

– Les patientes vont être contentes. Je mets la petite carte sur votre table de nuit. Comme ça, vous pourrez la lire quand vous voudrez. Merci, mademoiselle Bouchard. Reposez-vous. Je repasse vous voir dans une quinzaine de minutes.

Éva hoche mollement la tête en guise de remerciement.

La douleur ne la quitte plus depuis son réveil. Mais plus encore que la douleur physique, à laquelle elle a eu tout le temps de s'habituer et qui ne la surprend plus, c'est le silence éloquent du chirurgien qui l'a laissée démolie, terrassée, vaincue.

– Qu'est-ce que vous avez trouvé ? a-t-elle réussi à articuler faiblement, alors qu'il la croyait encore inconsciente.

– Ne parlez pas, mademoiselle Bouchard, vous allez vous fatiguer.

– Au point où j'en suis, docteur, la fatigue, c'est un moindre mal…

Il a hésité. Il y a des choses qui ne se disent pas à un malade. Il y a des mots tabous qu'on ne prononce pas.

– J'ai un cancer, c'est ça ?

Elle a péniblement entrouvert un œil et a senti le jeune médecin ployer sous son regard lucide. Peu habitué à ce genre d'échange avec ses patients, il n'a su quoi répondre.

– Je ne suis pas encore morte, docteur. J'entends même ce que vous refusez de me dire.

Elle a cherché sa respiration avec peine. Un courant électrique a subitement traversé son corps, la laissant brisée, comme s'il était possible de l'être davantage. Une toux déchirante a fini de la convaincre qu'elle mourrait là, bêtement, avec ce seul étranger pour témoin, ce docteur qui n'avait pas le courage de prononcer les mots qui condamnent irrémédiablement, qui essayait encore maladroitement de maquiller une vérité pourtant évidente. Elle a cru que sa poitrine s'ouvrirait de nouveau, que ses viscères et ce qu'il lui restait de sang se répandraient là, autour d'elle, sur le lit blanc, sur le plancher de la chambre autour des innombrables bouquets que les infirmières ne savaient plus où placer ; elle a vraiment cru sa dernière heure venue. Elle a eu peur de partir ainsi, de donner le spectacle de sa propre mort à cet inconnu au regard traqué, qui déplorait les limites de la science qu'il s'était acharné à étudier pendant de longues années, mais n'en demeurait pas moins irréversiblement muet.

Quand elle a repris conscience, le médecin avait disparu.

Gustave s'arrête sur le pas de la porte, saisi par la blancheur du visage émacié de sa sœur.

– Comment va ma malade préférée ? demande-t-il sur un ton qui se veut enjoué.

Éva tourne péniblement la tête et sourit, reconnaissante à son frère de son effort.

– Tu es encore plus populaire que je pensais, dit-il en faisant allusion aux nombreux bouquets. Et il se penche pour l'embrasser.

– Comment vas-tu ? lui demande-t-elle d'une voix faible.

– Je vais bien. Mais c'est de toi qu'il s'agit. As-tu vu le médecin ?

Éva lève les yeux au ciel en soupirant.

– Quoi ? Qu'est-ce qu'il t'a dit ?

Elle allait répondre « un cancer » mais hoche doucement la tête en signe d'ignorance.

Gustave s'assoit près du lit, temporairement rassuré.

– Tu as été opérée par le meilleur chirurgien de l'Hôtel-Dieu, et même de la ville de Québec. Je suis pas inquiet, dans quelques semaines, tu seras comme une neuve. Tu vas venir passer le reste de l'hiver chez nous, tu partiras seulement quand tu iras mieux. On va jouer aux cartes, ça va te faire du bien. Tu vas remonter vite, tu vas voir !

Éva pose sa main grêle sur le bras de son frère. Elle est tentée de lui ordonner de cesser de se mentir à lui-même. Mais pour l'instant, elle sait qu'il refuserait encore d'affronter la vérité. Un autre courant électrique la parcourt. Au plus fort de la crise, elle échappe une plainte.

– Attends, j'appelle la garde, s'écrie Gustave.

– Non, gémit-elle.

Mais Gustave revient déjà avec une infirmière.

– Mademoiselle Bouchard, ça ne va pas ?

Éva doit faire un effort surhumain pour arriver à ouvrir la bouche.

– J'ai chaud.

L'infirmière lui éponge le visage. Éva aperçoit Gustave derrière, le regard embué.

– Voulez-vous que j'appelle le docteur ? Peut-être qu'il pourrait vous donner quelque chose si vous souffrez trop…

– Non, dit encore Éva, en grimaçant un sourire pour rassurer l'infirmière et son frère. Elle sait que tôt ou tard elle devra avoir recours à la morphine. Mais pas maintenant. Pas encore.

*

Péribonka, 8 février 1949

Mon cher René,

Ta bonne lettre me rappelle tant de délicatesses et d'attentions délicates de ta part et de celle de tous chez vous, que pour ne pas te faire trop attendre, j'y réponds immédiatement.

Je recevais justement aujourd'hui trois exemplaires de *Maria Chapdelaine* que j'avais commandés pour en adresser à Yvon. Il m'en reste un ; je te l'envoie avec une petite dédicace à ton nom. J'espère que tu en seras content.

J'ai tant aimé mon séjour chez vous que j'ai trouvé le jeu plus dur ici. Impossible de ne pas m'occuper un peu des repas, de la vaisselle et de la tenue générale de la maison, mais Gérard ne me laisse pas laver ni le linge ni les planchers, et toujours il me donne un coup de main à l'heure des repas. J'ai beau me reposer, car nos appartements sont chauds, petits et tranquilles.

Je prends un peu de force mais ça ne va pas aussi vite que je le souhaiterais. Cependant, j'espère me remettre pour voir au Musée à l'été. J'ai sorti hier pour la première fois depuis mon arrivée à Péribonka. René n'est pas très bien et comme il n'a pu reprendre son emploi, nous voudrions qu'il aille se faire soigner au Sanatorium. Mais il est dur à décider.

Pourtant que de jeunes y vont recouvrer une santé un peu compromise !

Fernand est encore dans le bois, mais je crois que tous les travaux achèvent. Il compte bien se marier à Pâques et je le souhaite comme lui.

Simonne avait-elle reçu le poulet que Gérard lui avait envoyé aux Fêtes ?

Dis à ton père et à ta mère qu'ils ne s'inquiètent pas trop. Ma santé revient tranquillement. Je prends du cognac dans du lait et c'est ce qui semble me remonter le mieux. Je les tiendrai au courant.

Gérard nous arrive. Je te laisse en vous souhaitant à tous une santé parfaite.

Tante Éva[54]

*

– Maman, êtes-vous certaine que ma tante prend des forces ?

– Pourquoi tu me demandes ça, René ?

– Dans sa lettre, elle dit qu'elle va un peu mieux, mais je sais pas si je dois la croire.

Léonie, dans un geste nerveux, entaille légèrement le bout de son index avec le couteau à légumes. Elle se redresse, s'adosse lentement, pose le couteau sur la table et porte le doigt rougi à sa bouche. René, qui se serait normalement précipité pour apporter un linge propre à sa mère, reste immobile et continue de retenir son souffle.

– Tout peut encore arriver, mon garçon, mais pour te dire la vérité, je pense que ta tante va pas aussi bien qu'elle voudrait nous le faire croire.

– Mais papa, qu'est-ce qu'il en dit ? Il y va aux trois semaines comme c'est là, il doit bien avoir une idée…

Léonie soupire.

– Tu connais ton père, il parle pas beaucoup dans ces cas-là. Chez les Bouchard, les émotions, on garde ça par en dedans, tu devrais le savoir, t'es tellement pareil à lui !

René baisse la tête. Ses yeux se brouillent. Il se lève brusquement, va humecter une serviette et revient près de sa mère. Puis il soulève doucement sa main et enveloppe le doigt meurtri. Léonie le laisse faire. Avec René, les gestes de tendresse sont toujours muets, elle le sait.

– Chaque fois qu'il revient de Péribonka, ton père a l'air bouleversé, poursuit-elle après un moment. J'ose pas trop le questionner, mais si elle allait mieux, il serait trop heureux de me le dire, tu comprends... Éva a toujours été sa préférée, j'imagine que c'est très dur pour lui de la voir dépérir.

– Est-ce qu'on va la revoir ?

Elle tourne péniblement son corps alourdi par le poids des années et lève la tête vers ce grand fils qui essaie tant bien que mal de camoufler sa peine :

– Je vais demander à ton père s'il juge que ça peut attendre à l'été. S'il pense que oui, tu pourrais nous conduire avec ton nouveau char, c'est tellement beau le tour du lac, l'été... On en profiterait pour arrêter chez Roland Marcoux à Roberval ; puis j'aimerais ça amener Jeannette, ça lui ferait du bien de laisser ses quatre gars pendant quelques jours. Annette se ferait un plaisir de garder le Bon Gîte.

*

Mlle Annette Bouchard
Au Bon Gîte
110 rue du Pont
Québec

Roberval, 22 août 1949, lundi

Bien chère Annette,

La vacance [sic] s'en va déjà : nous sommes dans une belle petite ville : les petits garçons et Jeannette sont enchantés de leur voyage. Nous sommes chez Roland, nous serons rendus à Péribonka ce soir. J'espère que tout va bien à la maison. Vois un peu que tout marche bien.

Ta mère[55]

*

Ils sont arrivés hier : ma très chère Léo, avec Jeannette, René et Claude. Nous avons parlé de tout et de rien : des quatre garçons de Jeannette, du travail de René, de celui de Claude, du Bon Gîte où mon frère et sa famille semblent avoir enfin trouvé un havre pour leurs vieux jours. Ils ont fait de leur mieux, feignant de croire encore à ma guérison. « Au revoir, à l'automne prochain », m'ont-ils dit en partant. Pourtant, ils savent aussi bien que moi que nous ne nous reverrons plus. Ils savent même que je sais qu'ils savent, ce qui ne leur facilite pas les choses. Mais je ne leur en veux pas, je ferais peut-être la même chose à leur place.

Si j'avais été seule avec Léonie, ç'aurait peut-être été différent. On ne peut pas mentir longtemps à une amie. Mais entre cinq paires d'yeux, la vérité circule moins bien, elle peut même devenir insupportable, c'est pourquoi l'illusion finit par l'emporter. Ils s'attendaient à ce que je joue le jeu, je l'ai joué jusqu'au bout. Pour ne pas leur imposer de parler de « ça ». Par pudeur également : je n'avais pas le goût d'étaler mon désarroi, même devant les enfants de Gustave. Quoi qu'on en dise, la mort est tout sauf banale.

Ceux qui ne l'avaient pas déjà sont repartis avec un exemplaire autographié de *Maria Chapdelaine*. Chacun a donc désormais sa part de l'héritage piégé que je leur laisse. Car je sens à leur regard qu'ils se demandent et se demanderont toujours quelle a été, en moi, la part de réalité et la part de légende. « À ma chère Jeannette, souvenir de sa visite à Péribonka. De tante Éva (Maria Chapdelaine), le 24 août 1949... » voilà bien la preuve indélébile de leur parenté avec ce personnage mythique dont ils ne savent trop que faire. Ils sont repartis ce matin, soulagés de retourner vers la vie, vers la lumière. D'ailleurs, en ouvrant la porte pour sortir, René a tout de suite parlé du soleil qui les accompagnerait sur la route. Sans doute pour répondre à un besoin irrépressible de regarder devant, vers l'avenir. Moi, je suis retournée me recroqueviller, tremblante, dans mon lit, dans ma nuit. De plus en plus, voir des gens, converser m'épuise. Je me replie dans un espace de plus en plus restreint, qui me suffit d'ailleurs. Un avant-goût de ma tombe, pourrait-on croire. Je deviendrais muette s'il n'en tenait qu'à moi.

Laissez-moi apprivoiser le sommeil qui s'en vient, le lent et long sommeil qui a déjà commencé à s'emparer de moi. Laissez-le engourdir mes membres et mon cerveau. Peut-être ainsi souffrirai-je moins le temps venu… Laissez-moi appeler la mort, qu'elle me montre tout d'un coup sa face blanche impitoyable, qu'elle m'épargne ses circonvolutions hypocrites, son parcours sinueux, qu'elle me prenne plutôt de front, comme l'ennemie qu'elle est vraiment. J'avais envie de vivre, tant de choses à faire encore ! Mais à ce jeu cruel je me sais perdante, je jetterai mon jeu au premier tour de table.

En attendant, je survis comme je peux. Il m'arrive encore, les rares bonnes journées, de me rendre au musée au bras de Gérard, de rencontrer des clients, de leur sourire, de leur faire signer le livre d'or, de vendre quelques exemplaires autographiés ou non de *Maria Chapdelaine*. C'est un geste bien égoïste d'ailleurs : je le fais avec l'espoir de trouver, dans les yeux de ceux que j'aime, une petite étincelle qui me confirme que j'existe encore. Je le fais pour Gérard aussi, qui continuera de gérer le Foyer et le musée, qui entre pour de bon dans la bataille et ne sait pas encore qu'elle deviendra celle de sa vie. Je souhaiterais lui laisser des munitions. Mais je sais qu'il devra se battre avec ses propres armes qui seront différentes des miennes, pour la simple raison qu'il n'est pas moi, que les choses évoluent et que le plan d'attaque de l'ennemi sera différent. Et de plus en plus dur sans doute.

Pour moi, l'heure des bilans est arrivée. Quelle sorte de mère adoptive aurai-je été ? Quel souvenir les enfants de Nil garderont-ils de moi ? J'ose espérer qu'ils se souviendront d'abord d'une tante qui les a aimés, qui leur a apporté le meilleur d'elle-même, malgré un contexte pour le moins singulier. J'espère que le nom d'Éva Bouchard leur inspirera de la fierté, au-delà de l'acharnement répété d'une certaine presse à le démolir.

Gustave aussi me survivra. Il se retrouvera sans doute un peu démuni au début, lui qui m'a consacré tant de son énergie au cours des vingt-cinq dernières années. D'abord à me convaincre de me lancer dans ce projet, puis à m'aider à le réaliser. Tout en se battant pour assurer le bien-être, sinon le confort de sa propre famille. Mais Gustave est de la race des invincibles. De ceux qui finissent toujours par se relever.

Il se remettra lui aussi de mon inexorable exode, et je ne serai plus là pour l'empêcher de clamer que je suis la seule, l'unique Maria Chapdelaine. Cher Gustave ! Mais je suis lasse et je n'ai que faire désormais de ces détails. Il m'arrive d'ailleurs de me demander moi-même qui je suis vraiment. Par moments, il me semble que je suis devenue un personnage davantage qu'une personne. Pour les étrangers, tout a pourtant l'air si simple : je suis la « muse du Lac », la « reine du sanctuaire », et quoi encore ? Ils me décrivent, me circonscrivent, me définissent avec une liberté qui me déconcerte. Ils semblent si sûrs de mon identité. Moi pas. Moi, plus.

Oyez ! oyez ! bonnes gens, c'est l'heure du procès. Mais faites-m'en un vrai cette fois, c'est votre dernière chance. Identité ?… Attention, on s'y perd déjà : il risque d'y avoir erreur sur la personne ! L'accusée est reconnue coupable d'avoir cédé à dix ans de pressions extérieures, d'avoir dévié de la voie qui lui était tracée, d'avoir tenté de mettre un peu d'éclat et de lumière dans un parcours qui s'annonçait uniforme, sans joie, sans malheur, sans surprise. Accusée, levez-vous !

Je tombe. Il me semble que je tombe sans fin. Je n'ai plus la force de me lever, de marcher. Et pourtant, il me reste probablement quelques vies en réserve. Non, je confonds. Il reste plusieurs vies en réserve à Maria. On parlera sans doute encore longtemps de Maria, de la légende de Maria. Éva, quant à elle, aura droit à un entrefilet dans les journaux, le lendemain de sa mort : son nom n'aura jamais été qu'un pont qui conduit à Maria. Et puis, on l'oubliera. On oubliera celle qui a joué et perdu la carte de sa propre vie au profit d'une légende. D'ailleurs, qui s'est jamais soucié d'Éva Bouchard ?...

Conclusion

Québec, 5 août 1953

Rév. Père Geo. Desjardins, s. j.
7729, Boul. Gouin Ouest
Saraguay

Mon Rév. Père,

Vous m'avez causé une agréable surprise par votre lettre du 31 juillet, que je trouve dans mon courrier en arrivant de mes vacances au Saguenay...

Lorsque je m'occupais assez intensément de *Maria Chapdelaine* et de son auteur, je me suis souvent demandé si c'était par hasard, caprice, ou s'il avait des raisons pour cela, que Louis Hémon avait choisi ce nom Chapdelaine pour celui de ses héros. Vous venez de m'ouvrir les yeux sur cette question en me révélant cette parenté des Chapdelaine de Concord avec la première femme de Samuel Bédard. Sûrement Hémon a entendu Laura parler de ses cousins Chapdelaine et que ce nom, l'ayant frappé par son originalité, il l'a accolé à ses héros. D'autant plus qu'il n'y a pas une seule famille de Chapdelaine, à ma connaissance, dans la région du Haut Saguenay. C'est donc une révélation pour moi et je vous en remercie.

Je viens de passer mes vacances à Bagotville, Baie des Hahas – ma ville natale – voisin de Samuel Bédard – devenu mon beau-frère par sa troisième femme, avec laquelle il vit présentement. Si j'avais reçu votre lettre alors, j'aurais pu lui parler de cette parenté, mais hélas ! je n'aurais pas eu beaucoup d'éclaircissement là-dessus. Car le pauvre Samuel Bédard, à la suite de maladies de toute nature, d'opérations et de séjours à l'hôpital, est devenu passablement « maboul ». De plus, il est sourd comme un pot et est aveugle. Une belle intelligence à la dérive, quoi !

Encore une fois, je vous remercie pour ce travail que vous vous êtes imposé à dresser l'arbre généalogique des Lebrun-Dumais-Chapdelaine. Je me propose, l'occasion venue, de me servir de ces notes en vous en donnant le crédit naturellement.

Avec mes hommages.

D. Potvin

Damase Potvin
699, Ave. Désy
Québec[56]

Damase Potvin cachette l'enveloppe et la dépose devant lui sur son bureau. La lettre du révérend Georges Desjardins l'a remué plus qu'il ne l'aurait cru. À soixante-quatorze ans, il pensait cette histoire définitivement derrière lui. Il est bien forcé d'admettre que cette « affaire Éva Bouchard » aura hanté la plus grande partie de sa vie. Quand il avait fait sa déclaration à l'hôtel de ville de Québec en 1918, il croyait vraiment que cette jeune femme avait servi de modèle à Louis Hémon. Mais il avait eu la naïveté de croire qu'elle consentirait à être identifiée comme telle, que cette belle brune serait heureuse de sortir de son anonymat et d'être proclamée la « muse du lac ». Il s'était imaginé donnant des conférences un peu partout, ovationné et reconnu officiellement comme le seul qui ait su résoudre l'« énigme Louis Hémon ».

Seulement, les choses avaient mal tourné. Éva Bouchard s'était montrée si farouche et si haineuse à son endroit qu'il n'avait eu d'autre choix que d'avouer qu'il s'était trompé. Pour sauver la face, il s'était risqué à avancer d'autres noms de jeunes filles qui auraient pu elles aussi servir de modèle à Hémon, plusieurs « amis » bien intentionnés lui ayant suggéré de prendre sa revanche sur cette peste d'Éva Bouchard. Mais il avait fini par se lasser de toute cette publicité qui risquait de lui coûter pour de bon sa crédibilité, et par se ranger humblement du côté de ses confrères journalistes, dont certains commençaient même à le mépriser ouvertement et à l'accuser d'incompétence.

Pour lui, le roman *Maria Chapdelaine*, en tant que sujet qu'il avait souhaité exploiter du point de vue historique, est devenu peu à peu synonyme de cauchemar. Il y a trois ans, en publiant *Le Roman d'un roman*, il a pourtant tenté de se racheter, mais il est resté avec la pénible impression qu'on ne le prenait plus tellement au sérieux.

Évidemment, comme le suggère le révérend Desjardins, il serait le seul à pouvoir rétablir les faits. Mais à quoi bon ? Et qu'est-ce qu'une « Maria Chapdelaine » en chair et en os, parente d'Éva Bouchard, pourrait bien prouver de toute façon ?

Il appose un timbre sur l'enveloppe et décide d'aller la porter lui-même au bureau de poste. En franchissant la porte, il prend une longue inspiration. Non ! Il n'est pas question que cette histoire revienne le hanter. Il n'a surtout pas envie de raviver cette polémique et de ramener Éva Bouchard sur la place publique. Elle l'a détesté de toutes ses forces, il le lui a bien rendu. Maintenant que la pauvre femme est morte et enterrée, il a bien l'intention de la laisser reposer en paix. Et d'essayer, encore une fois, de tout oublier.

Éva Bouchard est « Maria Chapdelaine »

L'article de l'*Étoile du Lac* affirmant qu'« Éva Bouchard ne fut jamais Maria Chapdelaine » appelle quelques précisions sur le sujet.

D'abord, s'il se fait actuellement des démarches pour faire transporter les restes de Louis Hémon à Péribonka, elles sont inopportune [*sic*]. Ce transport ne peut se faire sans l'ascentiment [*sic*] de la famille Hémon et celle-ci a nettement décidé que le corps doit rester où il a été inhumé, à Chapleau ; décision nettement exprimée par écrit par Lydia Hémon et accepté [*sic*] par la société des Amis de Maria Chapdelaine.

Damase Potvin n'a pas vécu dans Charlevoix et Samuel Bédard n'est devenu son beau-frère qu'après la mort de sa première[57] femme Laura Bouchard, qui était sœur d'Éva.

C'est lui-même, Damase Potvin, qui a été le premier, en tête de la société des Gens de Lettres, à « découvrir » et à publier que la personne qui avait inspiré à Louis Hémon sa Maria Chapdelaine était Éva Bouchard. Il s'est repris ensuite dans plusieurs articles et spécialement dans un livre qu'il a publié en 1950 sous le titre « Le roman d'un roman » ; il a reconnu son erreur et affirmé qu'Éva Bouchard ne pouvait pas être le type féminin décrit sous les traits de la Maria du roman.

Éva Bouchard, de son côté, a toujours refusé d'être ce personnage, dont elle n'avait ni l'âge ni le caractère ni les conditions de vie. Et ce fut toujours ainsi. On est en droit d'être surpris qu'après soixante ans, on croit [*sic*] découvrir la chose, que par défaut d'information on se soit fait une idée fausse du rôle d'Éva Bouchard, la supposant comme l'incarnation de la fille du colon Chapdelaine, alors que son rôle qui en fait une vraie « Maria Chapdelaine » est différent.

La Maria du roman est un personnage composite, comme la plupart des autres d'ailleurs. On reconnaît en elle des emprunts ou inspirations de trois sources principales : une jeune fille de colon de la région des Eaux-Mortes de la Péribonka, entrevue par Hémon lors de ses visites de ce côté, quant aux traits physiques ; madame Laura Bouchard, épouse de Samuel Bédard, et sa sœur Éva, l'institutrice, qu'il a connues de plus près, quant au langage, aux sujets de conversation, au comportement et à certains traits marquants. C'est ainsi qu'Éva Bouchard est pour une part, difficile à démarquer mais réelle, dans ce qui a inspiré à Louis Hémon son personnage Maria.

En outre, et c'est le plus discutable, après qu'on lui eût attribué la personnification de Maria Chapdelaine, Éva Bouchard, en dépit de son opposition et de ses longues absences, a été obligée de se résigner d'abord, d'accepter ensuite et de remplir ce rôle, tant par les exigences des circonstances que par le vouloir de maintenir et de développer au bénéfice de la région et du Canada français un appoint intellectuel et social important. Elle a recueilli le flambeau et a su l'alimenter d'une tradition et d'une documentation qui lui ont fait une place importante dans notre vie et notre histoire. C'est dans ce rôle qu'elle a été authentiquement « Maria Chapdelaine ». Sans elle et sans cela, que nous resterait-il de concret et de parlant sur le passage de Louis Hémon chez nous ? sur ce qui l'a inspiré et nous a valu d'être connus aux dimensions de l'univers ?

Si Éva Bouchard n'a pas été Maria Chapdelaine par son type physique, elle l'a été par son rôle éminemment réel, et à ce titre elle mérite d'en être l'incarnation reconnue, tant dans la littérature que dans l'histoire.

Victor Tremblay, P. D.[58]

Épilogue

Hébertville, le 10 août 1995. C'est ici que j'ai commencé mon pèlerinage, c'est ici que je le termine. J'aime l'atmosphère feutrée de cette auberge qui se donne encore, hors saison, des airs de l'ancien presbytère qu'elle a été. J'ai demandé la « chambre du curé », la même qui nous avait été assignée lors de notre première visite il y a trois ans, avec Jeannette, ma belle-mère.

Je contemple le plafond ouvragé dont l'exceptionnelle hauteur avait fait s'exclamer la petite fille réveillée en elle. Sur la même table antique où j'avais griffonné mes premières observations, je dépose les documents de cette dernière tournée, ainsi que mon appareil photo. Dernières notes. Dernières images. Je suis un peu étourdie par tous les souvenirs qui se bousculent dans ma tête. Il fallait pourtant que je revienne à cet endroit, il fallait que je ferme la boucle.

L'air se fait rare en cette soirée humide. Je sors sur le balcon familier et retrouve avec plaisir la bonne vieille chaise berçante où, un soir, ce rêve qui germait dans ma tête depuis des mois s'était enfin révélé réalisable. La chaise craque toujours autant. Ça me fait sourire, je me sens bien. Je me remémore chaque moment de cette journée où, une fois de plus, j'ai foulé le même sol qu'Éva Bouchard, que Louis Hémon. Du désormais célèbre musée, j'ai refait le trajet jusqu'au bouleau en haut de l'écore, j'ai descendu l'escarpement en bas duquel je m'étais baignée lors de mon deuxième voyage. Répéter l'histoire, respectueusement, presque religieusement. Aujourd'hui, je m'y suis trempé les pieds, fermant les yeux et respirant encore une fois l'air rafraîchissant de la rivière Péribonka. Puis je suis allée me recueillir sur la tombe d'Éva. « ÉVA BOUCHARD (MARIA CHAPDELAINE) 1885-1949 » peut-on lire sur la pierre tombale qui a remplacé l'originale, plusieurs années après sa mort. Mais l'émotion est intacte. Là, dans le cimetière de Péribonka, j'ai perdu la notion du temps.

Comme pressée par une exigence absolue, je retourne à ma chambre et je m'installe derrière la table. Une évidence s'impose à moi : Éva Bouchard n'est plus cette étrangère sur laquelle j'ai entrepris des recherches il y a quelques années. Elle m'apparaît désormais comme quelqu'un de familier, de très proche... un peu comme une sœur. Et je m'apprête à livrer au public ses secrets parmi les plus intimes !

Je ressens un besoin irrépressible de parler à cette femme dont je vais exposer, contrairement à d'autres avant moi, beaucoup plus que la vie publique. Peu m'importe qu'elle soit décédée il y a cinquante ans, je dois le faire, je dois écrire à Éva Bouchard, lui faire part de cette réserve que j'ai à dévoiler ce que je connais d'elle ; je dois lui parler ! Sinon je sens que je ne trouverai pas le courage d'écrire ce livre.

Et le crayon se met à courir sur le papier. J'écris enfin ces mots que je retiens depuis si longtemps...

Chère Éva,

Les mots sont là, impatients, prêts à surgir, prêts à jaillir. Et pourtant depuis des jours, je reste muette devant la page blanche, prisonnière de mon angoisse. Je ne pourrai commencer à écrire avant de vous avoir parlé, avant de vous avoir exprimé cette pudeur qui me retient encore aujourd'hui, à la veille de dévoiler cette partie de vous qui avait été jusqu'ici conservée à l'abri du public. Mais comment parler d'Éva Bouchard, le personnage, sans parler de l'autre Éva, celle que j'ai appris à connaître au fil de mes recherches, cette femme à la fois fière et secrète, déterminée, et pourtant si vulnérable… Comment taire le rôle de Gustave, ce frère aimant et aimé, dont le soutien vous fut si précieux ?

C'est un geste très osé que celui de fouiller l'intimité d'une personne que l'on n'a pas rencontrée. Cependant, à mesure que se précisait pour moi la vraie nature d'Éva Bouchard, j'avais de plus en plus le goût de donner la parole à cette femme d'un naturel modeste et réservé que vous avez été, à celle qui a été projetée contre son gré sur la place publique. J'ai voulu tenter de comprendre comment, après vous avoir fait endosser un rôle dont vous ne vouliez pas, après avoir vaincu une à une vos résistances, la presse de l'époque, rejoignant le discours de l'élite intellectuelle, a pu vous reprocher de vous approprier un personnage qui vous avait été imposé.

Éva Bouchard, on vous avait sortie malgré vous de l'anonymat, il était désormais trop tard pour vous ignorer. Il aurait fallu pour cela ne pas tenir compte de l'énergie et du courage réveillés en vous, il aurait fallu que vous n'ayez pas ce frère audacieux et tenace qu'était Gustave.

Me voici donc avec le bagage amassé au cours de cinq années de recherche, avec mon souci d'honnêteté, auxquels s'ajoutent mes questionnements, mes doutes et la crainte de vous trahir malgré toute ma bonne volonté. Mais, vous non plus n'étiez certaine de rien…

Respectueusement,

Marcelle Racine

NOTES

1. C. P. *Le Devoir*, 27 décembre 1949, Chicoutimi 27.
2. Aurélien BOIVIN, *Louis Hémon. Œuvres complètes,* Montréal, Guérin, 1995, t. III, p. 195-199.
3. Musée Louis-Hémon, Fonds Éva-Bouchard, document non numéroté. N. B. : Cette note et toutes les notes subséquentes faisant référence à un document du musée Louis-Hémon ont été recueillies en 1993, alors que les documents provenant du Fonds Éva Bouchard n'étaient pas encore numérotés.
4. Musée Louis-Hémon, Fonds Éva-Bouchard, document non numéroté.
5. Aujourd'hui la rue Berger.
6. Louvigny DE MONTIGNY, *La revanche de Maria Chapdelaine*, Éditions de L'A.C.-F. – Montréal, 1937, p. 191.
7. Léon-Mercier GOUIN, « Une "veillée" à Péribonka-sur-Péribonka », *Le Progrès du Saguenay (Le Petit Canadien)*, 7 novembre 1918, p. 2.
8. *Ibid.*
9. *Ibid.*
10. *Ibid.*
11. *Ibid.*
12. *Ibid.*
13. Musée Louis-Hémon, Fonds Éva-Bouchard, document non numéroté.
14. Anonyme, « Mort du père de "Maria Chapdelaine" », *Le Canada*, 18 août 1925.
15. Anonyme, « Célèbre roman qui donne lieu à un litige », *Le Canada*, 12 décembre 1925.
16. Musée Louis-Hémon, Fonds Éva-Bouchard, document non numéroté.
17. *Ibid.*

18. *Ibid.*
19. Musée Louis-Hémon, Fonds Éva-Bouchard, novembre 1926, document non numéroté.
20. Extrait de la diète prescrite par le bureau des docteurs Paquet, Paquet et Poliquin, 1er février 1927, Musée Louis-Hémon, Fonds Éva-Bouchard, document non numéroté.
21. Gisèle NÉRON et Véronique SASSEVILLE, extrait d'une lettre écrite à Mathias Rousseau par J. E. Caron le 11 décembre 1926, in *Blessure d'une terre,* Lac-Saint-Jean, comité de promotion de la Pointe-Taillon, p. 273-274.
22. Musée Louis-Hémon, Fonds Éva-Bouchard, selon une lettre datée du 8 juin 1927, document non numéroté.
23. Musée Louis-Hémon, Fonds Éva-Bouchard, document non numéroté.
24. Musée Louis-Hémon, Fonds Éva-Bouchard, lettre du bureau de Beaulieu, Gouin, Mercier et Tellier, Barristors and Sollicitors, avocats, Montréal Trust Building, 11, Place d'Armes, Montréal, Québec, datée du 6 janvier 1928 et signée par Léon-Mercier Gouin.
25. Musée Louis-Hémon, Fonds Éva-Bouchard, document non numéroté.
26. *Ibid.*
27. Musée Louis-Hémon, Fonds Éva-Bouchard, document non numéroté.
28. Musée Louis-Hémon, Fonds Éva-Bouchard, document non numéroté.
29. *Ibid.*
30. Aégidius FAUTEUX, « Le public de Montréal aura donc l'occasion de voir en Mlle Éva Bouchard, l'authentique héroïne du roman Maria Chapdelaine », *La Presse,* 17 novembre 1928, p. 25.
31. Marie LE FRANC, « Visite à Maria Chapdelaine, institutrice », *Les Nouvelles littéraires,* 5 janvier 1929, p. 2.
32. *Ibid.*
33. *Ibid.*
34. *Ibid.*
35. « Éclatante réparation du silence fait autour du nom immortel de Hémon », *La Presse,* 30 novembre 1928, p. 3, 37.
36. *Ibid.*

37. *Ibid.*
38. *Ibid.*
39. Musée Louis-Hémon, Fonds Éva-Bouchard, document non numéroté.
40. Musée Louis-Hémon, Fonds Éva-Bouchard, lettre du 21 juillet 1929, document non numéroté.
41. Jean-Charles HARVEY, « L'Oasis du nord de Québec », *Le Soleil*, 25 septembre 1929.
42. Éva BOUCHARD, « Lettre ouverte à M. Jean-Charles Harvey, journaliste », *Le Progrès du Saguenay*, 8 octobre 1929.
43. Musée Louis-Hémon, Fonds Éva-Bouchard, document non numéroté.
44. Musée Louis-Hémon, Fonds Éva-Bouchard, document non numéroté.
45. *Le Progrès du Saguenay*, 24 novembre 1932.
46. Musée Louis-Hémon, Fonds Éva-Bouchard, document non numéroté.
47. Carte postale, collection privée de René Bouchard, fils de Gustave.
48. Louis HÉMON, *Maria Chapdelaine*, Montréal, Fides, « Collection du Nénuphar », 1946, p. 187.
49. Musée Louis-Hémon, Fonds Éva-Bouchard, document non numéroté.
50. *Le Progrès du Saguenay*, 14 mai 1937.
51. Société historique du Saguenay, dossier 1768, pièce 12.
52. Alfred AYOTTE, « Fête à Péribonka », *Le Devoir*, 7 juillet 1938, p. 2.
53. J.-G. LAMONTAGNE, « Brillantes fêtes à Péribonka », *Le Progrès du Saguenay*, 24 août 1939, p. 7.
54. Lettre, collection privée de René Bouchard, fils de Gustave.
55. Carte postale, collection privée de René Bouchard, fils de Gustave.
56. Manuscrit conservé à la Société historique de la Côte-du-Sud, « Georges Desjardins. Les Roy-Desjardins de St-Denis de Kamouraska », complément à l'ouvrage du même auteur sous le titre *Antoine Roy dit Desjardins (1635-1684) et ses descendants*, Trois-Rivières, Éditions du Bien Public, 1971, document nº 1132 E6.2. Voir la généalogie en annexe à ce livre.

57. Laura Bouchard était bien la première femme de Samuel Bédard, mais ce dernier n'est devenu le beau-frère de Damase Potvin que par son troisième mariage.
58. Société historique du Saguenay, dossier 2550, pièce 33, 1975. (Mgr Victor Tremblay était historien ; il a été cofondateur de la Société historique du Saguenay.)

* On trouvera une bibliographie exhaustive des ouvrages et documents consultés par l'auteure dans le site internet de VLB éditeur : www.edvlb.com

ANNEXE

Généalogie des Lebrun-Dumais-Chapdelaine, selon le Révérend Père Georges Desjardins, s.j.

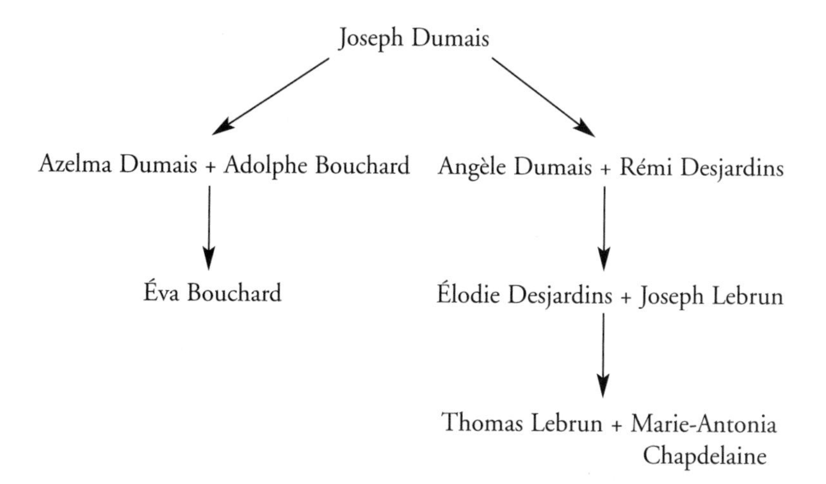

Marie-Antonia Chapdelaine est décédée à Concord, New Hampshire, le 9 juin 1965, à l'âge de quatre-vingt-quatre ans.

AUTRES TITRES PARUS
DANS LA MÊME COLLECTION

Barcelo, François, *J'enterre mon lapin*
Barcelo, François, *Tant pis*
Borgognon, Alain, *Dérapages*
Borgognon, Alain, *L'explosion*
Boulanger, René, *Les feux de Yamachiche*
Breault, Nathalie, *Opus erotica*
Cliff, Fabienne, *Kiki*
Cliff, Fabienne, *Le royaume de mon père. T. I : Mademoiselle Marianne*
Cliff, Fabienne, *Le royaume de mon père. T. II : Miss Mary Ann Windsor*
Cliff, Fabienne, *Le royaume de mon père. T. III : Lady Belvédère*
Collectif, *Histoires d'écoles et de passions*
Côté, Jacques, *Les montagnes russes*
Désautels, Michel, *La semaine prochaine, je veux mourir*
Désautels, Michel, *Smiley* (Prix Robert-Cliche 1998)
Dufresne, Lucie, *L'homme-ouragan*
Dupuis, Gilbert, *Les cendres de Correlieu*
Dupuis, Gilbert, *La chambre morte*
Dupuis, Gilbert, *L'étoile noire*
Dussault, Danielle, *Camille ou la fibre de l'amiante*
Fauteux, Nicolas, *Comment trouver l'emploi idéal?*
Fauteux, Nicolas, *Trente-six petits cigares*
Fortin, Arlette, *C'est la faute au bonheur* (Prix Robert-Cliche 2001)
Fournier, Roger, *Les miroirs de mes nuits*

Fournier, Roger, *Le stomboat*
Gagné, Suzanne, *Léna et la société des petits hommes*
Gagnon, Madeleine, *Lueur*
Gagnon, Madeleine, *Le vent majeur*
Gagnon, Marie, *Des étoiles jumelles*
Gagnon, Marie, *Les héroïnes de Montréal*
Gagnon, Marie, *Lettres de prison*
Gélinas, Marc F., *Chien vivant*
Gevrey, Chantal, *Immobile au centre de la danse* (Prix Robert-Cliche 2000)
Gilbert-Dumas, Mylène, *Les dames de Beauchêne* (Prix Robert-Cliche 2002)
Gill, Pauline, *La cordonnière*
Gill, Pauline, *La jeunesse de la cordonnière*
Gill, Pauline, *Le testament de la cordonnière*
Gill, Pauline, *Les fils de la cordonnière*
Gill, Pauline, *Et pourtant elle chantait*
Girard, André, *Chemin de traverse*
Girard, André, *Zone portuaire*
Grelet, Nadine, *La belle Angélique*
Grelet, Nadine, *La fille du Cardinal*
Gulliver, Lili, *Confidences d'une entremetteuse*
Gulliver, Lili, *L'univers Gulliver 1. Paris*
Gulliver, Lili, *L'univers Gulliver 2. La Grèce*
Gulliver, Lili, *L'univers Gulliver 3. Bangkok, chaud et humide*
Gulliver, Lili, *L'univers Gulliver 4. L'Australie sans dessous dessus*
Hétu, Richard, *La route de l'Ouest*
Jobin, François, *Une vie de toutes pièces*
Lacombe, Diane, *La châtelaine de Mallaig*
Lacombe, Diane, *Sorcha de Mallaig*
Laferrière, Dany, *Cette grenade dans la main du jeune Nègre est-elle une arme ou un fruit ?*
Laferrière, Dany, *Comment faire l'amour avec un Nègre sans se fatiguer*
Laferrière, Dany, *Eroshima*
Laferrière, Dany, *Le goût des jeunes filles*

Laferrière, Dany, *L'odeur du café*
Lalancette, Guy, *Il ne faudra pas tuer Madeleine encore une fois*
Lalancette, Guy, *Les yeux du père*
Lamothe, Raymonde, *L'ange tatoué* (Prix Robert-Cliche 1997)
Lamoureux, Henri, *Le passé intérieur*
Lamoureux, Henri, *Squeegee*
Landry, Pierre, *Prescriptions*
Lapointe, Dominic, *Les ruses du poursuivant*
Lavigne, Nicole, *Les noces rouges*
Maxime, Lili, *Éther et musc*
Messier, Claude, *Confessions d'un paquet d'os*
Moreau, Guy, *L'Amour Mallarmé* (Prix Robert-Cliche 1999)
Nicol, Patrick, *Paul Martin est un homme mort*
Robitaille, Marc, *Des histoires d'hiver, avec des rues, des écoles et du hockey*
Roy, Danielle, *Un cœur farouche* (Prix Robert-Cliche 1996)
Saint-Cyr, Romain, *L'impératrice d'Irlande*
St-Amour, Geneviève, *Passions tropicales*
Tremblay, Allan, *Casino*
Tremblay, Françoise, *L'office des ténèbres*
Turchet, Philippe, *Les êtres rares*
Vaillancourt, Isabel, *Les mauvaises Fréquentations*
Vignes, François, *Les compagnons du Verre à Soif*
Villeneuve, Marie-Paule, *L'enfant cigarier*

CET OUVRAGE
COMPOSÉ EN GARAMOND CORPS 13 SUR 15
A ÉTÉ ACHEVÉ D'IMPRIMER
LE VINGT-CINQ MARS DEUX MILLE QUATRE
SUR LES PRESSES DE TRANSCONTINENTAL
POUR LE COMPTE
DE VLB ÉDITEUR.

IMPRIMÉ AU QUÉBEC (CANADA)